LES STROMATES

SOURCES CHRÉTIENNES

N° 608

CLÉMENT D'ALEXANDRIE

LES STROMATES

STROMATE III

Texte grec

O. Stählin, L. Früchtel et U. Treu (*GCS* 52)
revu par
Patrick Descourtieux et Alain Le Boulluec

Traduction

Marcel Caster †
révisée par
Claude Mondésert, s.j. †, Patrick Descourtieux,
Alain Le Boulluec et Yves Tissot

Introduction et notes　　　　*Index*

Alain Le Boulluec　　　Patrick Descourtieux

*Ouvrage publié avec le concours de l'Œuvre d'Orient
et du Centre National du Livre*

Les Éditions du Cerf, 24 rue des Tanneries, Paris 13ᵉ
2020

*La publication de cet ouvrage a été préparée
par l'équipe des Sources Chrétiennes
(CNRS, UMR 5189-HiSoMA)
http://www.sourceschretiennes.mom.fr*

La révision en a été assurée par Yasmine ECH CHAEL.

Imprimé en France

© *Les Éditions du Cerf,* 2020
http://www.editionsducerf.fr/
ISBN : 978-2-204-13647-1
ISSN : 0750-1978

AVANT-PROPOS

C'est la traduction de Marcel Caster, révisée par Claude Mondésert, que l'Institut des Sources Chrétiennes a confiée à Alain Le Boulluec après la publication en 1997 du volume *SC* 428 (*Stromate* VII). Son travail a consisté alors, parmi d'autres engagements, à relire cette traduction et à préparer l'annotation, dans le cadre de séminaires à l'EPHE. Il a soumis le résultat de sa révision à un excellent connaisseur du *Stromate* III, Yves Tissot, qui lui a envoyé le 12 juillet 2005 un dossier abondant de remarques, de corrections et de suggestions. Patrick Descourtieux, qui donnait un cours à l'*Augustinianum* à Rome sur le *Stromate* III, a rejoint A. Le Boulluec en 2014. Leur nouvelle révision a tiré parti de la contribution importante d'Yves Tissot. Elle les a conduits aussi, naturellement, à revoir encore le texte grec et à proposer en plusieurs endroits de revenir aux leçons du manuscrit de la Laurentienne, en renonçant à certaines des corrections d'Otto Stählin. A. Le Boulluec s'est chargé de l'annotation. À la révision faite en commun du texte grec et de la traduction, P. Descourtieux a ajouté la mise au point de la bibliographie et la confection de l'index. L'ensemble du volume, au cours de sa progression, a été constamment relu par les deux signataires de cet avant-propos. Ils tiennent à remercier Yasmine Ech Chael qui, à l'Institut des Sources Chrétiennes, a mis en pages la totalité des éléments de l'ouvrage et a joué le rôle d'éditrice avec un soin incomparable. Sa relecture vigilante et savante a évité nombre d'incohérences, d'ambiguïtés, voire d'erreurs. C'est un grand privilège d'avoir pu bénéficier de ses compétences. Ils expriment aussi leur gratitude à Guillaume Bady pour sa révision ultime.

Alain LE BOULLUEC
Patrick DESCOURTIEUX

Le premier traducteur du *Stromate* III, Marcel Caster[1]

À la fin de son introduction au *Stromate* I, le P. Claude Mondésert (1905-1990), co-fondateur de *Sources Chrétiennes*, fit paraître une note qui saluait en ces termes la mort du Professeur Marcel Caster (1897-1949), traducteur de l'œuvre :

> Gravement malade et très conscient de son état, il avait cependant voulu consacrer au travail tout ce qui lui restait de forces. Pendant ces dernières années il a, chaque jour, fait effort, avec un désintéressement lucide, pour continuer ce qu'il avait entrepris. C'est ainsi qu'il acheva la traduction de ce Ier *Stromate*, puis celle du IIIe, ayant encore, entre temps, révisé le manuscrit de deux autres volumes de Clément[2].

Marcel Caster ne devait voir la parution ni du troisième ni même du premier *Stromate*. Le P. Mondésert poursuit :

> Ayant espéré il y a quelques semaines encore, la joie de voir cette publication, il ne se l'était cependant jamais promise, et

---

1. Que soient ici vivement remerciés MM. les abbés Florent Urfels, aumônier de l'École Normale Supérieure, et Grégory Woimbée, vice-recteur de la Faculté de théologie de Toulouse, qui nous ont mis sur le chemin de ce savant méconnu à l'attachante personnalité.

2. Seuls le *Protreptique* (*SC* 2) et les *Extraits de Théodote* (*SC* 23) étaient déjà parus.

son intention l'avait toujours de beaucoup dépassée, assuré qu'il était de faire, quoi qu'il arrivât, œuvre utile et conforme à sa vocation d'intellectuel chrétien.[1]

L'histoire de la traduction française du *Stromate* III a été résumée par son auteur lui-même sur le dessin publié en fin de volume (après les index), qui représente un orchestre de jazz composé de Basilide, Carpocrate, Marcion et Valentin, les « Heretic Bros » penchés sur leurs instruments comme dans une cave du Saint-Germain-des-Prés de l'immédiat après-guerre pour exécuter des « Swing-Stromat » sur un rythme endiablé. En bas à droite du dessin, on peut lire ces mots, de la main de M. Caster :

> Trad. commencée à St Hilaire du Touvet le 5 Oct. 46 et finie le 19 Déc. 46. Révision du 3 au 18 Mars 1947. Recopié, à la main, en Sept-Oct. 1947, achevé le 18 Octobre 1947 (le présent manuscrit).

Marcel Caster, né le 10 octobre 1897 à Sainte-Menehould, dans la Marne, avait connu les souffrances de la Première Guerre mondiale, et ses huit mois de captivité en Allemagne devaient dégrader pour toujours sa santé. À peine démobilisé, il entra en 1919 à l'École Normale Supérieure de la rue d'Ulm, se maria l'année suivante et fut reçu premier à l'agrégation des lettres en 1922. Il enseigna d'abord à Oran, puis à Tarbes et à Toulouse, où il prépara une thèse, soutenue en 1937, sur *Lucien et la pensée religieuse de son temps*. Maître de conférences à la Faculté des Lettres de Toulouse depuis 1934, il y avait donné des cours appréciés, mais la Seconde Guerre mondiale et les privations qu'elle entraîna lui furent fatales : la paix revenue, il dut prendre un congé de longue durée et passa deux ans au Sanatorium des Étudiants,

---

1. Introduction au *Stromate* I, *SC* 30, p. 42.

à Saint-Hilaire-du-Touvet – au-dessus de Grenoble – puis séjourna dans une station des Pyrénées-Orientales, Osséja, sans parvenir à guérir sa tuberculose. À la rentrée de 1949, il donna une dernière conférence sur Xénophon et mourut le 11 décembre de la même année, laissant, outre sa thèse, une édition critique d'*Alexandre ou le Faux prophète*, de Lucien, ainsi que plusieurs études comme les *Harmonies de l'univers païen* (Toulouse 1943) ou des articles parus dans la *N.R.F.* au début des années 30[1].

Patrick DESCOURTIEUX

1. La plupart de ces informations sont tirées de l'article nécrologique de Marcel Caster, dû à Henry Bouillane de Lacoste (promotion 1919) et paru en 1950 dans l'*Annuaire de l'École Normale Supérieure*.

INTRODUCTION

Le mariage est le sujet principal du *Stromate* III. Ce livre est, par son ampleur et sa diversité, une source capitale pour la connaissance des doctrines multiples en cette matière qui se sont affrontées au IIᵉ siècle chez les chrétiens. Aux interprétations contrastées de l'enseignement de Paul et des évangiles, en lien avec des préceptes du premier Testament, viennent s'associer des pratiques et des théories portées par des paroles et des textes, auxquels Clément donne accès, qui relèvent de traditions qu'on appelle aujourd'hui apocryphes. Un tel document n'a pas manqué, dans les décennies récentes, de susciter l'intérêt non seulement des historiens du christianisme et des théologiens, mais aussi des anthropologues et des philosophes. Parmi ceux-ci Michel Foucault tient une place éminente. Avant même la publication posthume de l'ouvrage où il examine explicitement le témoignage de Clément[1], les concepts qu'il avait élaborés autour de la notion du « souci de soi » ont en effet inspiré les auteurs qui ont renouvelé l'étude des relations de couple et de l'ascèse dans

---

1. M. FOUCAULT, *Les aveux de la chair*, édition établie par F. GROS, Paris 2018.

l'antiquité chrétienne, en se fondant notamment sur des passages du *Stromate* III, par exemple Elizabeth A. Clark[1]. L'introduction présente se contente de résumer les observations de Michel Foucault, avant de présenter la structure de ce livre III, l'annotation de la traduction, conçue comme un commentaire continu, s'efforçant quant à elle de situer les développements de Clément dans leur contexte antique, historique, littéraire, exégétique et doctrinal[2].

LE MARIAGE SELON CLÉMENT, DU *PÉDAGOGUE* AU LIVRE III DES *STROMATES*

Le mariage est traité aussi dans le chapitre 10 du livre II du *Pédagogue* (83-101), de façon plus cursive dans les chapitres 6 (54) et 8 (65, 2 ; 68, 1.4 ; 71, 1) du même livre, ainsi que dans les chapitres 8 (41, 3-4), 9 (49, 3-6) et 11 (57, 1 – 58, 3 ; 63, 2 ; 66, 3 – 67, 3) du livre III. Dans le *Stromate* II, les thèmes de la séduction du plaisir et de l'effort pour le maîtriser (106, 2 – 126, 4) introduisent une réflexion sur les définitions diverses du *telos* et du meilleur genre de vie, couronnées par la conception chrétienne de l'assimilation à Dieu, grâce à l'imitation du Christ (127, 1 – 136, 6). C'est alors que Clément, mettant un terme à cette réflexion, reprend son étude du plaisir, envisagé dans le cadre particulier du mariage : « Or, puisque le mariage passe pour dépendre du plaisir et de la convoitise, il faut donner à son

---

1. E.A. CLARK, *Reading Renunciation. Asceticism and Scripture in Early Christianity*, Princeton 1999.

2. On lira avec profit, d'autre part, l'introduction de H. CHADWICK (dans J.E.L. OULTON – H. CHADWICK, *Alexandrian Christianity*, p. 15-38), à sa traduction du *Stromate* III (*ibid.*, p. 40-92).

sujet des explications détaillées » (*Strom.* II, 137, 1). Telle est la matière du dernier chapitre (137, 1 – 146, 4) et de tout le livre suivant.

Michel Foucault[1] a montré, d'une part, après beaucoup d'autres, que dans les développements antérieurs au *Stromate* III, Clément est en accord avec les philosophes grecs, platoniciens, aristotéliciens et surtout stoïciens, et, d'autre part, de façon plus originale, que tout son effort est « d'insérer (leurs) aphorismes connus et courants dans un tissu complexe de citations, de références, ou d'exemples qui les font apparaître comme prescriptions du *Logos*, qu'il s'énonce dans la nature, la raison humaine ou la parole de Dieu[2] ». Il souligne en effet que Clément fonde les préceptes des moralistes de son époque sur le *Logos*, perçu sous trois aspects : la rationalité de la nature, manifestée par les médecins et les naturalistes, la présence de ce *Logos*, attestée par Platon, dans l'âme de tout homme, capable ainsi de reconnaître la validité des prescriptions, et le Pédagogue divin. Le *Logos* grec ainsi christianisé a donné les commandements par l'Écriture (Loi mosaïque et paroles du Christ et des apôtres), pour unir à sa volonté ceux qui les suivront. M. Foucault discerne aussi dans le chapitre 10 du livre II du *Pédagogue* un jeu subtil entre le cadre naturaliste du régime de vie dans lequel s'inscrit la réflexion de Clément et l'imbrication des modèles philosophiques et des nouvelles injonctions religieuses. Clément parle en effet d'une thématique commune, telle que l'avait dégagée F. Quatember[3]. Il formule ses réponses

---

1. M. Foucault, *Les aveux de la chair*, p. 10-51.
2. M. Foucault, *Les aveux de la chair*, p. 16.
3. *Die christliche Lebenshaltung des Klemens von Alexandrien nach dem Pädagogus*, Vienne 1946.

aux questions posées couramment, fixe pour but au mariage
la procréation, condamne les unions contre nature, proscrit
les rapports pendant la grossesse, honnit l'avortement et
détermine la mesure à conserver et les moments à respecter dans les relations matrimoniales. En même temps, son
discours superpose deux autres formes d'intelligibilité, la
raison philosophique et la révélation divine. Ce croisement
finit par faire prédominer les références à l'Écriture, qui
transforment les maximes des philosophes au point de leur
substituer la parole de Dieu. Après avoir fondé les prescriptions sur l'ordre du monde, voulu par le Créateur, et sur la
convenance appropriée à la fois au bien du corps et à une
raison humaine capable de se maîtriser elle-même, il donne
à espérer une existence « semblable » à Dieu, incorruptible[1].

Michel Foucault tient compte de la portée théologique
de l'enseignement sur le mariage promu par Clément, dans
la mesure où la procréation humaine, pour autant qu'elle
aura été accomplie selon la loi, est « à la ressemblance » de
la création divine. Il voit en outre l'originalité, ou plutôt
la nouveauté du chapitre 10 du livre II du *Pédagogue*, par
rapport aux préceptes des philosophes de son temps, qui
ne diffèrent pas en eux-mêmes de ceux de Clément, dans le
fait que les relations sexuelles entre les conjoints deviennent
un objet « relativement autonome ». « On a là le premier
exemple d'un genre, ou plutôt d'une pratique qui aura une
importance considérable dans l'histoire des sociétés occi-
dentales – l'examen et l'analyse des relations sexuelles entre
époux », la procréation étant pour Clément « principe de
discrimination » pour ces relations[2]. Celles-ci reçoivent

---

1. Voir M. Foucault, *Les aveux de la chair*, p. 18-19.
2. M. Foucault, *Les aveux de la chair*, p. 23 et 21.

valeur positive des conditions fixées par la morale du mariage, dont les règles relèvent de l'opportunité, du καιρός, à la rencontre entre l'ordre naturel et les « antidotes salutaires » contre les désirs déraisonnables fournis par le *Logos*[1], « qui attend le moment favorable[2] ». La nouveauté, de ce fait, est aussi que les considérations sur les plaisirs de l'amour et les réflexions sur le mariage, séparées chez les philosophes anciens, sont réunies dans l'examen des relations entre époux.

Le chapitre 10 du livre II du *Pédagogue* commence en effet ainsi : « Quel est le moment opportun des relations intimes, seulement pour les gens mariés, c'est ce qui nous reste à examiner ; or pour les gens mariés, le but (σκοπός) est de procréer, et la fin (τέλος) d'avoir une belle descendance (εὐτεκνία)[3] ». Michel Foucault éclaire la distinction entre le « but » – la « progéniture » – et la « fin » – la « belle descendance » –, à l'aide de la comparaison qui suit, celle du semeur, et de la méditation sur la « synergie[4] » de l'homme avec Dieu dans l'acte procréateur, qui s'inscrit dans la succession des générations, dans l'ordre du monde, et qui, par la « belle descendance », sanctifie pour Dieu l'humanité[5]. L'analyse des développements qui répondent au projet ainsi formulé par Clément : « Nous devons nous mettre à l'école de la nature et observer les sages préceptes

---

1. Voir *Péd.* I, 12, 100, 1.
2. Voir *Péd.* II, 83, 1 ; 91, 1 – 93, 2 ; 95, 2-3 ; 96, 2-3 ; 102, 1 ; *Strom.* III, 94, 3 ; 103, 1. Le thème est repris dans le *Stromate* III, qui fait grief aux protoplastes d'avoir devancé, à l'instigation du serpent, le moment approprié à l'union : *Strom.* II, 94, 3 ; 102, 4.
3. *Péd.* II, 83, 1.
4. *Péd.* II, 83, 2.
5. Cf. *Péd.* II, 101, 1 ; voir M. Foucault, *Les aveux de la chair*, p. 24-29.

de sa pédagogie pour le temps opportun de l'union[1] »,
conduit Michel Foucault à relier trois « logiques » mises
en œuvre par Clément pour détailler la leçon de la nature
qui est indissolublement l'enseignement du *Logos* : la
« logique » de la nature animale, qui donne, avec les comportements de l'hyène et du lièvre, les exemples à ne pas
suivre[2] ; la « logique » de la nature de l'homme comme
être raisonnable, sous le régime de la tempérance et de la
maîtrise des appétits du corps[3] ; la « logique », enfin, de
la création et du rapport au Créateur, pour l'accomplissement d'actes qui collaborent avec la providence de Dieu
et qui, à condition d'obéir aux prescriptions du *Logos*, ne
souillent pas le corps, « le temple de Dieu » (cf. 1 Co, 19)[4].
La « tempérance (σωφροσύνη) » n'est pas une renonciation
aux relations sexuelles, mais elle gouverne une économie
de la procréation, pour une fin qui est précisée dans le
Stromate III : faire des enfants « selon une volonté digne
et tempérante[5] ». S'il y a continuité avec la codification et
les restrictions de la philosophie et de la morale grecque, la
doctrine de Clément leur donne une signification religieuse,
en les repensant dans sa conception du *Logos*, sans cesser
de « naturaliser » l'éthique des rapports sexuels, dans les
limites du mariage, et sans les affecter d'un indice négatif[6].

Cette doctrine dessine le cadre dans lequel Clément situe
la question classique : « Faut-il se marier ou s'abstenir totale-

---

1. *Péd.* II, 95, 3.
2. *Péd.* II, 83, 4 – 88, 3.
3. *Péd.* II, 89-97.
4. *Péd.* II, 101, 1.
5. *Strom.* III, 58, 2 ; voir M. FOUCAULT, *Les aveux de la chair*, p. 45.
6. Voir M. FOUCAULT, *Les aveux de la chair*, p. 48-49.

ment du mariage ? » Il la pose dans le *Pédagogue*, en renvoyant à l'étude qu'il a menée dans un traité *Sur la continence*[1]. De cet écrit perdu, la matière se retrouve dans le *Stromate* III, sans doute avec plus d'ampleur. La question est aussi posée à la fin du *Stromate* II (137, 3). Clément l'examine là en reprenant les réponses des philosophes[2], sans chercher à se démarquer, sinon pour dénoncer leurs faux-semblants et pour compléter leurs maximes par l'enseignement des Écritures. Le *Stromate* III fait porter l'enquête sur les réponses des chrétiens et sur les controverses qui les opposent à ce sujet, et a pour programme la recherche du choix le meilleur.

L'économie des relations intimes dans le mariage n'est plus, comme dans le *Pédagogue,* au centre du débat. La visée, polémique cette fois, concerne moins la conduite quotidienne que la valeur du mariage, à travers les jugements que Clément considère comme erronés : le rejet ou l'indifférence, selon des inflexions variées. Au cœur des discussions figure l'interprétation de Mt 19, 11-12 sur les « eunuques » ainsi que des textes pauliniens sur la famille, sur les époux, sur les gens non mariés, principalement 1 Co 7[3]. C'est la première réflexion approfondie sur ces développements du Nouveau Testament. Elle se construit au rythme de la réfutation de

---

1. *Péd.* II, 94, 1.

2. M. Aubineau a réuni des témoignages anciens sur ce lieu commun dans l'introduction de son édition du *Traité de la virginité* de Grégoire de Nysse (*SC* 119, p. 93-96).

3. Dans le chapitre que consacre E.A. Clark à l'exégèse chrétienne ancienne de ce texte majeur de Paul (*Reading Renunciation*, p. 259-329), Clément figure comme défenseur du mariage, de même que dans son enquête sur l'interprétation de la littérature post-paulinienne (*ibid.,* p. 353-370). E.A. Clark réunit aussi les passages où Clément frappe de nullité la renonciation des hétérodoxes parce qu'elle est fondée sur de mauvaises raisons (*ibid.,* p. 17 : *Strom.* III, 1, 4 ; 25, 2 ; 48, 1-2 ; 50 ; 60, 1).

thèses opposées, rigoristes à l'extrême, d'une part, celles qui sont attribuées à Marcion et, sous une autre forme, l'exécration de Tatien, qui va jusqu'à ravaler le mariage au rang de « fornication/débauche » (πορνεία), et de Jules Cassien, laxistes, d'autre part, voire licencieuses selon Clément, celles qu'il condamne chez les carpocratiens et chez d'autres, qu'ils se nomment eux-mêmes « gnostiques », comme les disciples de Prodicos, ou qu'ils méritent l'appellation d'« antitactes ». Des attitudes plus nuancées sont repérées chez Valentin, voire des évolutions, comme chez les disciples de Basilide. Le *Stromate* III est infiniment précieux par la transmission de vestiges de doctrines et de textes chrétiens que le verdict d'hétérodoxie a bannis et effacés. Il l'est aussi par la subtilité et la cohérence de l'argumentation de Clément, soucieux de définir une voie moyenne[1], par la précision aussi de ses efforts pour déceler les fondements métaphysiques des thèses adverses et pour établir les bases théologiques et scripturaires de sa propre doctrine. La confrontation avec la philosophie et la littérature grecque reste présente, soit que Clément discerne leur influence sur la pensée des « hérétiques », soit qu'il dénonce les contresens commis par leurs lectures des philosophes, soit encore qu'il utilise les concepts de l'éthique grecque. Il étend ses comparaisons aux cultures étrangères, ainsi à celle de l'Inde. Le caractère polyphonique de ce livre III est typiquement clémentin. Quant à sa structure, si elle est complexe, en raison des reprises et des reformulations

---

1. Cette voie moyenne n'exclut pas une austérité certaine, Clément prônant une éthique de transformation radicale, comme le souligne, après d'autres, K. HARPER, *From Shame to Sin. The Christian Transformation of Sexual Morality in Late Antiquity*, Cambridge (MA) 2013 (notamment p. 107-112).

auxquelles les dossiers successifs du procès soumettent les thèmes principaux, elle n'en est pas moins claire.

Le plan du *Stromate* III

Après une brève mention des valentiniens et une allusion à la raison qu'ils ont d'accepter le mariage – leur doctrine des « émissions » divines –, erreur qu'il juge manifestement vénielle, comme le confirme un écho en III, 29, 3, Clément critique l'interprétation que donne Isidore, le fils de Basilide, de la parole sur les « eunuques » de Mt 19, 11-12, surtout pour dénoncer la licence des disciples de ces deux maîtres, infidèles à leur enseignement (III, 1, 1 – 3, 4). Faisant une première pause dans la polémique, il définit la vraie continence et prône « le mariage unique » (4, 1-3). Il s'en prend alors, dans un crescendo de la polémique, à la doctrine d'Épiphane, le fils de Carpocrate, sur la communauté des femmes, en citant son traité *Sur la justice* (5-11). Il attaque ensuite l'attitude toute contraire des marcionites et leur encratisme, en faisant de leur pessimisme un emprunt, doublé d'un contresens, aux philosophes grecs – Héraclite, Empédocle, Platon – et aux poètes – Euripide tout particulièrement –, abondamment cités (12, 1 – 25, 4). Un rappel de la condamnation de la thèse de Carpocrate (25, 5) réitère le contraste entre ces deux conceptions opposées des hérétiques et introduit la réfutation d'autres sectes considérées comme licencieuses (25, 6 – 39, 3), d'abord ceux qui se réclament à tort de Nicolas (25, 6 – 26, 3) ; en second lieu, à ceux qui osent parler de « communauté mystique » à propos de « n'importe quel enlacement d'amour sexuel » sont opposées des paroles de « l'Apôtre » (Paul) ; la source de leur erreur est recherchée dans un « écrit secret », dont un passage est cité (27, 1 – 29, 3) ; vient le tour des disciples de Prodicos (30, 1 – 33, 5), puis des tenants d'une opinion particulière attribuant à des puissances différentes le modelage des parties du composé humain (34, 1-2) ; enfin des « antitactes », des « Opposants », qui sont censés combattre par l'adultère l'interdit prononcé par un être mauvais (34, 3 – 39, 3).

Clément formule alors clairement son programme : répondre aux adversaires « en répartissant toutes les hérésies en deux classes. En effet, ou bien elles enseignent de vivre dans l'indifférence morale, ou bien, forçant le ton, elles proclament la continence par impiété et par esprit de haine » (40, 1-2). Cette alternance gouverne les discussions suivantes : la licence est incompatible avec la vie spirituelle (40, 3 – 44, 5) ; l'encratisme extrême de ceux qui rejettent le mariage sous prétexte que l'union sexuelle serait une « souillure » est contraire à la Loi, à l'Évangile, à l'enseignement des apôtres et à la gratitude envers le Créateur (45-53) ; la « communauté dissolue » de Carpocrate n'a rien de commun avec la société voulue par le Christ (54-56). Au passage Clément introduit (45, 3) le témoignage de l'*Évangile des Égyptiens*, dont l'exégèse tient une place importante dans l'ensemble de la controverse, étant donné que le dialogue entre le Sauveur et Salomé qui s'y trouvait était invoqué par l'encratite Jules Cassien[1]. La réfutation du même adversaire est sous-jacente, par anticipation, à la nouvelle discussion sur la parole de Mt 19, 11-12 (50, 1-3), qui devait être au centre de son ouvrage intitulé *Sur l'état d'eunuque*, mentionné plus loin (91, 1), de même qu'un second commentaire des paroles prêtées au Sauveur et à

---

1. Voir A. Le Boulluec, « De l'*Évangile des Égyptiens* à l'*Évangile selon Thomas* », p. 287-306.

Salomé (63, 1 – 66, 3) précède la polémique explicite contre Cassien (91-95). Clément distingue aussi de la continence chrétienne (48, 3 – 49, 6) celle des athlètes (50, 4 – 51, 1), ce qui appelle pour complément le repérage des différences entre la tempérance authentique et la simple lutte des philosophes contre les désirs (57, 1 – 59, 2) ; le témoignage de Valentin, cette fois, est invoqué à l'appui de la saine doctrine (59, 3), tandis que l'encratisme hétérodoxe est comparé à la continence des Indiens (59, 4 – 60, 4). L'autorité de Paul est utilisée contre les licencieux (61-62). Les autres, les ennemis de la création, interprètent de façon erronée l'*Évangile des Égyptiens* et l'Apôtre. Les deux tendances opposées allèguent de faux prétextes (61-67). La parole de Mt 18, 20 sur les « deux ou trois » réunis au nom du Christ, correctement comprise, réfute les hétérodoxes (68-70). La Loi et l'Apôtre s'accordent sur le précepte de la continence (71-78).

Clément déploie plus largement sa méthode consistant à réfuter les thèses adverses – celles de Tatien notamment, cité en 81, 1-2 – par l'exégèse de passages scripturaires (79-90), ce qui lui permet de conforter sa propre doctrine. Le caractère de l'argumentation, à la fois précise et implicite, procédant souvent par juxtaposition orientée des textes, échappe à une présentation synthétique. Seul un commentaire détaillé peut tenter d'en suivre les méandres. Cette stratégie vise ensuite un autre encratite, Jules Cassien, enfin nommé (91-95), avant de prendre un tour plus général, en ôtant aux adversaires le témoignage des paroles scripturaires qu'ils exploitent ou qu'ils pourraient utiliser (96-101). Une explication supplémentaire de Mt 19, 12, introduite par la référence à Is 56, 3-5, fait écho, en cette dernière partie du livre, à son ouverture (98-99). Valentin, évoqué à la première ligne et appelé à l'aide au milieu du livre (59, 3), est maintenant associé à

Cassien et à Marcion (102, 3). Après un résumé de la thèse que Clément défend – naissance, procréation, existence des corps sont bonnes parce que Dieu les a voulues (102-104) –, la fin rappelle les deux excès qui se font jour à propos du mariage et de la continence et conclut successivement contre les encratites et contre les licencieux (105-110).

TABLE DES CHAPITRES

Pour la commodité du lecteur sont ici rappelés les titres des chapitres qui figurent dans la *Patrologie Grecque* (*PG* 8, 1097-1214) [1].

1. Les paragraphes (en chiffres arabes) dans les œuvres de Clément remontent à l'édition de T. Klotz (Leipzig, 1831-1834). Les subdivisions de ces paragraphes ont été introduites par O. Stählin.

NOTE SUR LE TEXTE GREC
ET L'APPARAT CRITIQUE

Comme pour les autres *Stromates*, l'essentiel a été dit au sujet du texte grec et de l'apparat critique par L. Früchtel en 1959, dans la troisième édition du Corpus de Berlin[1]. Le *Stromate* III occupe les p. 195-247 de cette édition. Son texte a été établi par O. Stählin pour l'édition parue en 1905 à Berlin dans la collection *Die Griechischen Christlichen Schriftsteller der ersten Jahrhunderte* (*GCS*), à partir d'un manuscrit unique, le *Laurentianus Phiteus* V, 3, qui date du xiᵉ siècle[2]. Une copie de ce manuscrit remontant au xviᵉ siècle est conservée à Paris (Suppl. Gr. 250) et ne présente pas de variantes significatives.

---

1. L. Früchtel, dans *Clemens Alexandrinus, Stromata Buch I-VI, GCS* 52, p. VII-XV.
2. On peut en trouver la reproduction dans G. Vitelli – C. Paoli, *Collezione Fiorentina di facsimili paleografici*, fasc. 1, Codici greci, tav. X, Florence 1884-1897.

Dans ce manuscrit **L**, qui comprend 388 folios[1], le *Stromate* III occupe les f. 111^v – 144^r[2]. L'édition de Stählin fait figurer dans ses marges le renvoi à ces pages. Pour la commodité du lecteur, il a été décidé de faire de même dans le présent volume. Les notes donnent plusieurs explications sur l'établissement du texte.

Pour la rédaction de l'apparat critique, conservant le principe adopté pour les autres *Stromates* dans cette collection des *Sources Chrétiennes*[3], on s'est abstenu de reproduire les conjectures présentées au fil des siècles et abandonnées par Stählin et Früchtel. On a pu aussi, grâce à l'obligeance de Don Giacomo Cardinali, *Assistente* à la Bibliothèque Apostolique Vaticane, contrôler le florilège de citations rédigé à la demande du Cardinal Cervini, mais il n'a rien été découvert qui soit de nature à changer le texte reçu.

Quatre manuscrits du XVe siècle – *Neapolitanus* II AA 14, *Ottobonianis gr.* 94 et 98, *Monacensis gr.* 479 – ont conservé des extraits des *Stromates*. La tradition textuelle qu'ils représentent dépend du *Laurentianus* (**L**), comme l'a montré Stählin (voir l'introduction de L. Früchtel, *GCS* 52, p. VIII) ; il arrive cependant qu'ils soient les témoins de corrections heureuses, ainsi en *Strom.* III, 50, 4.

---

1. Ce manuscrit est accessible en ligne sur le site de la Biblioteca Medicea Laurenziana : http://teca.bmlonline.it/TecaRicerca/index.jsp

2. À la suite des *Stromates* I (f. 1^r – 65^r) et II (f. 65^v – 111^r), et avant les *Stromates* IV (f. 144^r – 190^v), V (f. 191^r -237^v), VI (f. 238^r – 296^r), VII (f. 296^v – 346^v) et VIII (f. 346^r – 361^r), les dernières pages étant consacrées aux *Extraits de Théodote* (f. 361^r – 377^r), déjà publiés dans *Sources Chrétiennes* (*SC* 23) en 1948 et réimprimés en 1970, et aux *Églogues prophétiques* (f. 377^v – 388^r).

3. Cf. *Strom.* IV (*SC* 463), p. 34-39 ; *Strom.* V (*SC* 278), p. 21-22 ; *Strom.* VI (*SC* 446), p. 43-45 ; *Strom.* VII (*SC* 428), p. 23-27.

Les passages où il a semblé souhaitable de revenir aux leçons du manuscrit L sont les suivants[1] :

2, 3, 10   στῆς L : αἰτῆς St ὑποστῆς Ma
4, 3, 12   συμπάσχειν δὲ L : δὲ secl. Ma St
5, 2, 12   λέγονται L : ᾄδονται Wi St
6, 2, 8-9   ἢ δήμου ἄρχοντα L : δῆμον ἢ ἄρχοντα St
6, 2, 11   ποιεῖταί τι L : ποιεῖ τι Schw St
14, 3, 18   γράφοντι ποιητῇ L : ποιητῇ γράφοντι Wi St
15, 3, 14   τὸ ζῆν L : τὸ secl. St
19, 5, 14   πάντα τὰ καλὰ L : τὰ secl. St
29, 1, 5   ἐνόσησαν L^{ac} Pi : ἐνόησαν L^{pc}
34, 3, 14   καὶ δὴ πάντας L : δὴ secl. St
35, 2, 7   τῷ κακῷ L Pi : <τῷ καρπῷ> τῷ κακῷ Ma
40, 2, 7   ἄγουσαι L : ᾄδουσαι Schw
44, 1, 2   ἐπεὶ οἷος L St : ἐπεὶ οὐχ οἷος Fr
44, 3, 8-9 τά τε ἐν γενέσει L : τε secl. Ma St
60, 2, 11   ἃ δὲ L : † ἃ δὲ St ἃ δὴ Heyse οἱ δὲ Sy Pi
67, 1, 1   μή ποτ' L : μήτ' Schw St
67, 1, 5   φέρων δ' οὗτος L : φέρων οὗτος Schw St
80, 3, 20   καὶ κινδυνεύει L : δι' ἧς κινδυνεύει St
81, 6, 21   προσάπτεσθαι L : προσάπτοντες St
82, 1, 5   δι' ἣν L : δι' ἃς St
87, 4, 16   ἡμῶν L Pi : ὑμῶν St
89, 1, 5   ἐπινέμησίς ἐστι L : ἐπινέμησις οὖσα Pohlenz St
90, 2, 10   δεδομένον L : δεδεγμένους St
95, 1, 5   παλαιὸν δὲ L : παλαιὸν δὲ <καὶ καινὸν> Hiller St
96, 2, 7   ἐπινεύσας L Pi : ἐπιπνεύσας Ma St

1. Le troisième chiffre renvoie à la ligne concernée. Pour le sens des sigles, voir la liste *infra* p. 53-55.

102, 4, 13   συμβουλίας **L** : συνουσίας **Ma St** ἐπιβουλίας **Pi**
105, 2, 12   ἐχόμενοι **L** : ἐκχεόμενοι **Mü St**

Quelques autres différences avec le texte d'O. Stählin sont à signaler :

11, 1, 1   ἡγοῦνται coni. **St** in app. : † μίγνυνται **St**
79, 4, 15   μὴ coni. **Ca Mon**
81, 6, 22   οἰόμενοι suppleuimus
88, 1, 4   τῆς suppleuimus : ἢ τῆς suppl. **Schw St**

BIBLIOGRAPHIE

I. Sigles

Les abréviations des œuvres anciennes sont indiquées dans les sections II et IV *infra*.

AAST	*Atti dell'Accademia delle Scienze di Torino*, Turin.
BA	*La Bible d'Alexandrie*, Paris.
BCNH	*Bibliothèque Copte de Nag Hammadi, Section « Textes »*, Québec – Louvain.
BKV	*Bibliothek der Kirchenväter*, Munich.
ByzF	*Byzantinische Forschungen*, Amsterdam.
CCG	*Corpus Christianorum, series Graeca*, Turnhout.
CUF	*Collection des Universités de France*, Paris.
DELG	P. Chantraine, *Dictionnaire étymologique de la langue grecque*, 2 vol., Paris 1968-1980.
D.-K.	*Die Fragmente der Vorsokratiker*, éd. H. Diels – W. Kranz, 3 vol., Berlin 1960-1961[10].
DPhA	*Dictionnaire des Philosophes Antiques*, R. Goulet (dir.), Paris 1989.
DSp	*Dictionnaire de Spiritualité*, Paris.

EAC 1	*Écrits apocryphes chrétiens*, t.I, F. Bovon – P. Geoltrain (dir.), *Bibliothèque de la Pléiade* 442, Paris 1997.
FPG	*Fragmenta Philosophorum Graecorum*, éd. F.W.A. Mullach, Paris 1860.
GCS	*Die Griechischen Christlichen Schriftsteller der ersten drei Jahrhunderte*, Leipzig – Berlin.
JAAR	*Journal of the American Academy of Religion*, Oxford.
LSJ	*A Greek-English Lexicon*, H.G. Liddell – R. Scott – H.S. Jones, Oxford 1996[10] (1843).
LXX	Septante.
NH	Nag Hammadi.
NT	Nouveau Testament.
OPA	*Œuvres de Philon d'Alexandrie*, Paris.
PG	*Patrologia Graeca*, éd. J.-P. Migne, Paris.
RAC	*Reallexikon für Antike und Christentum*, Stuttgart.
REG	*Revue des Études Grecques*, Paris.
RFN	*Rivista di Filosofia Neo-Scolastica*, Milan.
RHR	*Revue de l'Histoire des Religions*, Paris.
RSLR	*Rivista di Storia e Letteratura Religiosa*, Turin.
SC	*Sources Chrétiennes*, Paris.
SEA	*Studia Ephemeridis Augustinianum*, Rome.
SMSR	*Studi e Materiali di Storia delle Religioni*, L'Aquila – Rome.
SVF	*Stoicorum Veterum Fragmenta* I-IV, éd. H. von Arnim, Leipzig 1903 (le chiffre romain indique le volume, le chiffre arabe le fragment).
ThZ	*Theologische Zeitschrift*, Bâle.
TM	Texte Massorétique.
TQ	*Theologische Quartalschrift*, Tübingen.

TU   *Texte und Untersuchungen zur Geschichte der alt-*
            christlichen Literatur, Leipzig – Berlin.
VigChr   *Vigiliae Christianae*, Amsterdam.
ZNTW   *Zeitschrift für die Neutestamentliche Wissenschaft*,
            Berlin.

II. Œuvres de Clément d'Alexandrie

Éditions

Clemens Alexandrinus Werke,

I. *Protrepticus und Paedagogus*, éd. O. Stählin, rééd.
U. Treu, *GCS* 12², Berlin 1974³.

II. *Stromata Buch I-VI*, éd. O. Stählin, rééd. L. Früchtel,
avec compléments de U. Treu, *GCS* 52², Berlin 1985⁴.

III. *Stromata Buch VII und VIII. Excerpta ex Theodoto –
Eclogae Propheticae* (= *EP*) – *Quis Dives Salvetur* (= *QDS*)
– *Fragmente*, éd. O. Stählin, *GCS* 17, Leipzig 1909 ; rééd.
L. Früchtel, *GCS* 17², Berlin 1970.

IV. *Register*, éd. O. Stählin, *GCS* 39, Leipzig 1936 ; rééd.
U. Treu, Berlin 1980.

Éditions et traductions

Le Protreptique (= *Protr.*), éd. C. Mondésert, 2ᵉ éd. revue
et augmentée du texte grec, avec la collaboration de
A. Plassart, *SC* 2, 1949.

Le Pédagogue (= *Péd.*),

—, livre I, texte, introd. et notes H.-I. MARROU, trad. M. HARL, *SC* 70, 1960.

—, livre II, texte et trad. C. MONDÉSERT, notes H.-I. MARROU, *SC* 108, 1965.

—, livre III, texte et trad. C. MONDÉSERT et C. MATRAY, notes H.-I. MARROU, index des livres I, II et III, *SC* 158, 1970.

Les Stromates (= *Strom.*),

—, *Stromate* I, introd. C. MONDÉSERT, trad. et notes M. CASTER, *SC* 30, 1951.

—, *Stromate* II, introd. et notes P.-T. CAMELOT, texte et trad. C. MONDÉSERT, *SC* 38, 1954.

—, *Stromate* IV, éd. A. VAN DEN HOEK, trad. C. MONDÉSERT, *SC* 463, 2001.

—, *Stromate* V, t. 1, introd., texte et index A. LE BOULLUEC, trad. P. VOULET ; t. 2, comm., bibliogr. et index A. LE BOULLUEC, *SC* 278 et 279, 1981.

—, *Stromate* VI, éd. P. DESCOURTIEUX, *SC* 446, 1999.

—, *Stromate* VII, éd. A. LE BOULLUEC, *SC* 428, 1997.

Extraits de Théodote (= *ET*), éd. F. SAGNARD, *SC* 23, 1948.

Eclogae Propheticae (= *EP*) : *Clemente Alessandrino, Estratti Profetici*, éd. C. NARDI, Florence 1985.

Quis dives salvetur (Quel riche sera sauvé ?) (= *QDS*), introd., notes et index C. NARDI – P. DESCOURTIEUX, trad. P. DESCOURTIEUX, *SC* 537, 2011.

THÉODORET DE CYR, *Thérapeutique des maladies helléniques*, *SC* 57.1.2, 1958 ; 2000[2].

PSEUDO-JEAN DAMASCÈNE, *Sacra Parallela*, dans K. HOLL (éd.), *Fragmente vornicänischer Kirchenväter aus den*

Sacra parallela, *TU* 39, Leipzig 1899, p. 99. Fragments 235 (= *Strom.* III, 43, 1), 236 (= *Strom.* III, 43, 2), 237 (= *Strom.* III, 57, 1-2).

III. ÉDITIONS ET TRADUCTIONS DES *STROMATES*

Éditions

VETTORI (VICTORIUS), P., Κλήμεντος Ἀλεξανδρέως τὰ εὑρισκόμενα ἅπαντα, Florence 1550.

SYLBURG, F., *Clementis Alexandrini opera quae extant*, Heidelberg 1592, p. 183-203.

HEINSIUS, D., *Clementis Alexandrini opera græce et latine quae extant*, Leyde 1616, p. 311-345 ; Paris 1629 (p. 426[et non 350]-473) ; Paris 1641, p. 426-473 ; Cologne 1688, p. 426-473. Reproduit les notes de Sylburg (p. 835-837).

POTTER, J., Κλήμεντος Ἀλεξανδρέως τὰ εὑρισκόμενα. *Clementis Alexandrini opera quae extant*, Oxford 1715, p. 508-562 ; ID., t. I, p. Venise 1757 ; Würzbourg 1779 ; Paris 1857 (= *PG* 8, 1097-1214) ; Paris 1890.

KLOTZ, R., *Titi Flaui Clementis Alexandrini Opera Omnia*, Leipzig 1831, t. II, p. 211-277.

DINDORF, W., *Clementis Alexandrini opera*, Oxford 1869, t. II, p. 242-313.

STÄHLIN, O., *Clemens Alexandrinus*, t. II, *GCS* 15, p. 195-247 ; Berlin 1906 ; 1939 ; 1960 (révisée par L. FRÜCHTEL) ; Berlin 1985.

Traductions

En allemand

KÖSSLER, C.F., *Bibliothek der Kirchen-Väter in Übersetzungen und Auszügen*, zweiter Teil, Leipzig 1776, p. 48-53 (quelques phrases sont citées et commentées : III, 4, 3 ; 5, 3 ; 26, 1 ; 30, 1 ; 39, 2.5 ; 40, 2 ; 59, 2 ; 64, 2 ; 81, 6 ; 94, 3 ; 100, 4-7 ; 102, 1).

ENGELHARDT, J.G.V., inédite, Erlangen 1829[1].

LEISEGANG, H., *Die Gnosis*, Leipzig 1924, p. 15 (§ 45.63-66.92) ; p. 258-261 (§ 6-9) ; p. 287 (§ 59).

STÄHLIN, O., *Teppiche Wissenschaftlicher Darlegungen entsprechend der wahren Philosophie (Stromateis), Buch I-III, BKV* 17, Munich 1936, p. 257-324.

OVERBECK, F., dans C.A. BERNOULLI – L. FRÜCHTEL (éd.), *Die Teppiche (Stromateis)*, Bâle 1936, p. 311-356[2].

En anglais

OULTON, J.E.L. – CHADWICK, H., *Alexandrian Christianity*, coll. *The Library of Christian Classics*, vol. II, Londres – Philadelphie 1954, p. 40-92.

---

1. O. Stählin explique, dans la préface de sa traduction de 1936 (p. 7-8), qu'il a pu consulter une traduction inédite préparée par l'historien Johann Georg Veit Engelhardt (1791-1855) et conservée à la bibliothèque de l'Université d'Erlangen. Il loue la qualité du travail de son prédécesseur, mais critique sa connaissance insuffisante des sources et de la théologie de Clément. Il déclare qu'il a également bénéficié d'un travail de Ludwig Früchtel réalisé sans être destiné à la publication.

2. La traduction contenue dans ce volume, explique Stählin dans son introduction (p. 8), est due à Franz Overbeck (1837-1905), ami de Nietzsche, et remonte aux années 1868-1870.

Ferguson, J., *Stromateis. Book one to three, The Fathers of the Church*, Washington 1991, p. 256-326.

Hunter, D.G., *Marriage in the Early Church*, Minneapolis 1992, p. 50-56 (§ 45-49 ; 52-53 ; 57-59 ; 79).

En arabe

Sawiris, P., *Al-Motafarekat* (المتفرقات.), Le Caire 2018[3], p. 466-622.

En espagnol

Mayor, D., *Clemente Alejandrino, Stromatéis. Memorias gnósticas de verdadera filosofía*, Silos 1993, p. 239-296.

Rodríguez, M.M., *Clemente de Alejandría. Stromata II-III, Fuentes Patrísticas* 10, Madrid 1998, p. 312-485.

En français

de Genoude, A.-E., *Les Pères de l'Église des trois premiers siècles*, Paris 1839, t. V, p. 203-267.

Bardy, G., *Clément d'Alexandrie*, Paris 1926, p. 98-99 (§ 57, 1-3) ; 121-123 (§ 41, 6 – 43, 3) ; 205 (§ 59, 1-2) ; 212-216 (§ 58, 1 – 59, 2 ; 66, 2 – 67, 2 ; 103, 1-3) ; 220 (§ 82, 3-5) ; 225-226 (§ 55, 1 – 56, 2).

Des Places, É., dans « Les citations profanes de Clément d'Alexandrie dans le IIIe Stromate », *REG* 99, 1986, p. 54-62 (§ 12-24).

Munier, C., *Mariage et virginité dans l'Église ancienne*, Berne – Francfort – New York – Paris 1987, p. 79-96 (§ 1, 1 – 2, 1 ; 4, 3 ; 5, 1 ; 7, 3 – 8, 4 ; 12, 1-3 ; 29, 1 – 30, 1 ; 34, 1 – 35, 1 ; 45, 7 – 46, 1 ; 49, 1-3 ; 58, 1-2 ; 59, 1 – 60, 4 ; 66, 2 – 67, 2 ; 74, 2 ; 79, 3-5 ; 82, 3-5 ; 85, 1 – 86, 1 ; 102, 1 – 103, 1).

BERTRAND, D.-A., dans F. BOVON – P. GEOLTRAIN (dir.),
  Écrits apocryphes chrétiens, t. I, Paris 1997, p. 476-477 (§ 45,
  3 ; 63, 1-2 ; 66, 2 ; 92, 2 – 93, 1).

En grec moderne

SAKALAKES, I., *Κλήμεντος Ἀλεξανδρέως, Ἅπαντα τα Ἔργα*,
  t. 3, *Στρωματείς* Α΄-Δ΄, Thessalonique 1995, p. 344-445.

En italien

PINI, G., *Clemente di Alessandria, Gli Stromati. Note di vera
  filosofia*, Milan 2006², p. 299-376.
SIMONETTI, M., *Testi gnostici in lingua greca e latina*, s. l. 1993,
  p. 146-149 (III, 1-3) ; 186-191 (III, 5-9) ; 212-213 (III, 59).

En japonais

AKIYAMA, M., *Stromateis* [ストロマテイス (綴織)], Tokyo
  2018, p. 241-316.

En latin

HERVET, G., *Clementis Alexandrini omnia quae quidem
  extant opera, nunc primum e tenebris eruta latinitateque
  donata, Gentiano Herveto... interprete*, Florence 1551,
  rééditée à Bâle 1556, 1566 ; Paris 1566, 1572, 1590, 1612 ;
  Oxford 1715 ; Venise 1767 ; Paris 1857.
SYLBURG, F., *Clementis Alexandrini opera graece et latine
  quae extant*, Heidelberg 1592.
HEINSIUS, D., *Clementis Alexandrini opera graece et latine
  quae extant*, Leyde 1616, p. 311-345 ; Paris 1629, p. 426
  (notée 350)-473 ; Paris 1641, p. 426-473 ; Cologne 1688,
  p. 426-473.

OBERTHÜR, F., *Clementis Alexandrini opera quae extant*, t. II, dans *Sanctorum Patrum opera polemica*, t. V, Würzbourg 1779, p. 384-499.

WILSON, W., *Ante-Nicene Fathers*, Buffalo – New York 1885, t. 2, p. 84-138. Traduction revue en 2009 par K. KNIGHT.

En néerlandais

MEYBOOM, H.U., *Clemens van Alexandrie. De tapijten of vlechtwerken*, vol. 14, Leyde 1912, p. 1-93.

En polonais

NIEMIRSKA-PLISZCZYŃSKA, J., *Klemens z Aleksandrii, Kobierce zapisków filozoficznych dotyczących prawdziwej wiedzy*, Varsovie 1994, t. I, p. 229-295.

En portugais

ZILLES, U., *Evangelhos Apócrifos*, Porto Alegre 2004, p. 247 (§ 13 ; 45 ; 63 ; 66).

En roumain

FECIORU, D., *Clement Alexandrinul Scrieri, Părinti și Scriitori Bisericești* 5, Bucarest 1982, t. 2, p. 187-237.

En russe

AFONASIN, E.V., *Строматы Книга Третья (Climent Alexandrijskij, Stromaty III)*, Saint-Pétersbourg 2014[2], p. 287-350.

En tchèque

PLÁTOVÁ, J., dans *Klement Alexandrijský, Stromata II-III*, Prague 2006, p. 340-497.

IV. Autres sources anciennes

Diogène Laërce, *Vies et doctrines des philosophes illustres (= Vies)*, trad. dirigée par M.-O. Goulet-Cazé, Paris 1999.

Écrits apocryphes chrétiens, t. I (= *EAC* 1), édition publiée sous la direction de F. Bovon – P. Geoltrain, coll. *Bibliothèque de la Pléiade* 442, Paris 1997.

Écrits gnostiques. La bibliothèque de Nag Hammadi, édition publiée sous la direction de J.-P. Mahé – P.-H. Poirier, coll. *Bibliothèque de la Pléiade* 538, Paris 2007.

La Bible. Écrits intertestamentaires, édition publiée sous la direction de A. Dupont-Sommer – M. Philonenko, coll. *Bibliothèque de la Pléiade* 337, Paris 1987.

Philon d'Alexandrie[1]

Abr. = *De Abrahamo*, éd. et trad. J. Gorez, *OPA* 20.

Aet. = *De aeternitate mundi*, éd. et trad. R. Arnaldez – J. Pouilloux, *OPA* 30.

Cher. = *De cherubim*, éd. et trad. M. Gorez, *OPA* 3.

Congr. = *De congressu eruditionis gratia*, éd. et trad. M. Alexandre, *OPA* 16.

Decal. = *De Decalogo*, éd. et trad. V. Nikiprowetzky, *OPA* 23.

Ebr. = *De ebrietate*, éd. et trad. J. Gorez, *OPA* 11-12.

In Flaccum, éd. et trad. A. Pelletier, *OPA* 31.

Fuga = *De fuga et inventione*, éd. et trad. E. Starobinski-Safran, *OPA* 17.

1. On trouvera la liste détaillée des *OPA* en fin de volume.

Her. = *Quis rerum divinarum heres sit*, éd. et trad. M. Harl, *OPA* 15.

Jos. = *De Iosepho*, éd. et trad. J. Laporte, *OPA* 21.

Leg. = *Legum allegoriae*, éd. et trad. C. Mondésert, *OPA* 2.

Migr. = *De migratione Abrahami*, éd. et trad. J. Cazeaux, *OPA* 14.

Mos. = *De vita Mosis*, éd. et trad. R. Arnaldez – C. Mondésert – J. Pouilloux – P. Savinel, *OPA* 15.

Opif. = *De opificio mundi*, éd. et trad. R. Arnaldez, *OPA* 1.

Praem. = *De praemiis et poenis*, éd. et trad. A. Beckaert, *OPA* 27.

Prob. = *Quod omnis probus liber sit*, éd. et trad. M. Petit, *OPA* 28.

QG = *Quaestiones in Genesim* (e vers. armen.), I-II, éd. et trad. C. Mercier, *OPA* 34A.

Somn. = *De somniis*, éd. et trad. P. Savinel, *OPA* 19.

Spec. = *De specialibus legibus*, Livres I-II, éd. et trad. S. Daniel, *OPA* 24; Livres III-IV, éd. et trad. A. Mosès, *OPA* 25.

Virt. = *De virtutibus*, éd. et trad. R. Arnaldez – A.-M. Vérilhac – M.-R. Servel – P. Delobre, *OPA* 26.

Premiers écrits chrétiens, B. Pouderon – J.-M. Salamito – V. Zarini (dir.), coll. *Bibliothèque de la Pléiade* 617, Paris 2016.

V. Études diverses

(Titres abrégés dans les notes)

AA. VV., *Laici e laicità nei primi tempi della Chiesa*, Milan 1995, p. 235-246.

—, *La coppia nei Padri*, Milan 1991, p. 189-214.

ALEXANDRE, M., *Le Commencement du Livre. Genèse I-V*, Paris 1988.

AMSELBRUGER, F., « *Ulme stützt Weinstock* ». *Literarisierung kirchlicher Verkündigung auf des Basis paganer Formen bei Clemens von Alexandrien*, Münster 2015.

ARENDZEN, J.P., « Ante-Nicene interpretation of the sayings of divorce », *JTS* 20, 1919, p. 230-241 (surtout p. 236-237).

ASHWIN-SIEJKOWSKI, P., *Clement of Alexandria. A Project of Christian Perfection*, Londres – New York 2008.

BATUT, J.-P., *Pantocrator. Dieu le Père tout-puissant dans la théologie pré-nicéenne*, Paris 2009, p. 348-367.

BEATRICE, P.F., Tradux peccati. *Alle fonti della dottrina agostiniana del peccato originale*, Milan 1978.

—, « Continenza e matrimonio nel cristianesimo primitivo (sec. I-II) », dans R. CANTALAMESSA (éd.), *Etica sessuale e matrimonio nel cristianesimo degli origini*, Milan 1996, p. 3-68.

—, « Le tuniche di pelle. Antiche letture di Gn 3, 21 », dans U. BIANCHI (éd.), *La tradizione dell'enkrateia. Motivazioni ontologiche e protologiche*, Rome 1985, p. 433-484 (surtout p. 434-435, à propos de *Strom.* III, 95, 3).

BEHR, J., *Ascetism and Anthropology in Irenaeus and Clement*, Oxford 2000, p. 135-207.

BERNHARD, L., « Zu Klemens' von Alexandrien *Stromateon* III, 82, 6 », dans *Perennitas. P. Thomas Michels OSB zum 70. Geburtstag*, Münster 1963, p. 11-18.

BIANCHI, U. (éd.), *La tradizione dell'enkrateia. Motivazioni ontologiche e protologiche*, Rome 1985.

BLOND, G., « Encratisme », dans *DSp* IV, 1960, col. 628-642.

BÖHLIG, A., « Zum Proverbientext des Clemens Alexandrinus », *ByzF* 3, 1968, p. 73-79.

BOLGIANI, F., « La polemica di Clemente Alessandrino contro gli gnostici libertini nel libro III degli Stromati », *SMSR* 38, 1967, p. 86-136.

—, « La tradizione eresiologica sull'encratismo. II. La confutazione di Clemente di Alessandria », *AAST* 96, 1962, p. 541-564.

BROWN, P., *Le renoncement à la chair. Virginité, célibat et continence dans le christianisme primitif*, trad. P.E. DAUZAT – C. JACOB, Paris 1995.

BRONTESI, A., *La soteria in Clemente Alessandrino*, Rome 1972.

BROOTEN, B.J., « Liebe zwischen Frauen in frühen Christentum », *ZNT* 1999, p. 31-39.

BROUDÉHOUX, J.-P., *Mariage et famille chez Clément d'Alexandrie*, Paris 1970.

BUELL, D.K., « Producing Descent/Dissent : Clement of Alexandria's Use of Filial Metaphors as Intra-Christian Polemic », *HTR* 90, 1997, p. 89-104.

—, *Making Christians. Clement of Alexandria and the Rhetoric of Legitimacy*, Princeton 1999.

CAPITAINE, W., *Die Moral des Clemens von Alexandrien*, Paderborn 1903, p. 357-367.

CLARK, E.A., *Reading Renunciation. Asceticism and Scripture in Early Christianity*, Princeton 1999.

CROUZEL, H., *Virginité et mariage selon Origène*, Paris – Bruges 1963.

—, *L'Église primitive face au divorce*, Paris 1971 (surtout p. 70-74).

DAVISON, J.E., « Structural Similarities and Dissimilarities in the Thought of Clement of Alexandria and the Valentinians », *The Second Century : a Journal of Early Christian Studies* 3, 1983, p. 201-217.

DES PLACES, É., « Les citations profanes de Clément d'Alexandrie dans le IIIᵉ Stromate », *REG* 99, 1986, p. 54-62.

DIHLE, A., « Indische Philosophen bei Clemens Alexandrinus », dans A. STUIBER – A. HERMANN (éd.), *Mullus. Festschrift Theodor Klauser*), Munich 1964, p. 60-70.

DONAHUE, J.R., « Stoics Indifferents and Christian Indifference in Clement of Alexandria », *Traditio* 19, 1963, p. 438-446.

DUCŒUR G., « Histoire d'une catégorie antique. Le Gymnosophiste indien », dans S.H. AUFRÈRE – F. MÖRI (dir.), *Alexandrie la divine. Sagesses barbares. Échanges et réappropriations dans l'espace culturel gréco-romain*, Genève 2016, p. 463-504.

—, « Clément d'Alexandrie et les *Semnoi* de Taprobane. Remarques sur *Stromates* 3.7.60.3-4 », *RHR* 235, 2018, p. 379-414.

DUNNING, B.H., *Specters of Paul : Sexual Difference in Early Christian Thought*, thèse, Philadelphie 2011.

Eastman, D.L., « Epiphanius and Patristic Debates on the Marital Status of Peter and Paul », *VigChr* 67, 2013, p. 499-516.

Ernesti, K., *Die Ethik des Titus Flavius Clemens von Alexandrien oder die erste zusammenhangende Begründung der christlichen Sittenlehre*, Paderborn 1900, p. 96-98.

Festugière, A.-J., *La révélation d'Hermès Trismégiste*, édition revue et augmentée avec la collaboration de C. Luna, H.-D. Saffrey et N. Roudet, Paris 2014.

Fiskå, H., « Continence and marriage : the concept of 'enkrateia' in Clement of Alexandria », *Symbolae Osloenses* 81, 2006, p. 126-143.

Fleisch, H., « Fragments de Clément d'Alexandrie conservés en arabe », dans *Mélanges de l'Université Saint Joseph*, t. 27, Beyrouth 1947-1948, p. 63-71.

Foucault, M., *Les aveux de la chair*, éd. F. Gros, Paris 2018.

Funck, F.X., « Clemens von Alexandrien über Familie und Eigentum », *TQ* 53, 1871, p. 427-449.

Gaca, K., *The Making of Fornication*, Berkeley 2003.

Gerest, R.C., « Mistero e problemi del matrimonio nei primi cinque secoli della Chiesa », *Sacra Doctrina* 13, 1968, 19-59.

Harnack, A. von, *Marcion. L'évangile du Dieu étranger*, trad. B. Lauret, Paris 2003.

Henne, P., *Clément d'Alexandrie*, Paris 2016, p. 189-203.

Hilgenfeld, A., *Die Ketzergeschichte des Urchristentums*, Leipzig 1884 ; Hildesheim 1966[2].

Horstmansholf, M., « Who is the True Eunuch ? Medical and Religious Ideas about Eunuchs and Castration in the Works of Clement of Alexandria »,

46 BIBLIOGRAPHIE

dans S.S. KOTTEK (éd.), *From Athens to Jerusalem*, Rotterdam 2000, p. 101-118.

HULTIN, J.F., *The Ethics of Obscene Speech in Early Christianity and Its Environment*, Leyde 2008.

HUNTER, D.G., « The Language of Desire : Clement of Alexandria's Transformation of Ascetic Discourse », *Semeia* 57, 1992, p. 95-111.

KRAFT, H., « Gab es einen Gnostiker Karpokrates ? », *ThZ* 8, 1952, p. 434-443.

LE BOULLUEC, A., *La notion d'hérésie dans la littérature grecque aux IIe et IIIe siècles*, Paris 1986.

—, « L'exégèse de *Genèse* 2, 24 dans le christianisme antique », dans M.-O. GOULET-CAZÉ (éd.), *Le Commentaire entre tradition et innovation*, Paris 2000, p. 231-240.

—, « La controverse sur le mariage dans les *Stromates* (III) de Clément d'Alexandrie. Recherches sur les commentaires grecs du livre d'Isaïe », *École pratique des Hautes Études. Section des sciences religieuses. Résumés des conférences et travaux* 111, 2002-2003, p. 277-282.

—, « De l'unité du couple à l'union du Christ et de l'Église chez les exégètes chrétiens antiques », dans P. LEGENDRE (éd.), *« Ils seront deux en une seule chair ». Scénographie du couple humain dans le texte occidental*, Bruxelles 2004, p. 39-55.

—, « De l'*Évangile des Égyptiens* à l'*Évangile selon Thomas* en passant par Jules Cassien et Clément d'Alexandrie », dans L. PAINCHAUD – P.-H. POIRIER (éd.), *L'Évangile selon Thomas et les textes de Nag-Hammadi*, Québec – Louvain – Paris 2007, p. 251-275 (= *Alexandrie antique et chrétienne*, Paris 2012², p. 287-306).

—, *Alexandrie antique et chrétienne*, Paris 2012².

—, « Filiation et incarnation d'après Clément d'Alexandrie »/« Filiación y encarnación según Clemente de Alejandría », trad. J. DELGADO, dans A. SÁEZ GUTIÉRREZ – G. CANO GÓMEZ – C. SANVITO (éd.), *Filiación. Cultura pagana, religion de Israel, orígenes del cristianismo. La Filiación en Clemente de Alejandría*, Madrid 2015, p. 281-308.

LE NOURRY, D.-N., « *Dissertatio seconda. De libris Stromatum* », *PG* 9, 999-1436 (surtout *Analysis libri tertii*, 1015-1020 ; *De Petri uxore et filia*, 1163-1164 ; *De matrimonio*, 1175-1182 ; *De haeresibus*, 1235-1246).

LIBORON, H., *Die karpokratianische Gnosis*, Leipzig 1938.

LILLA, S.R.C., *Clement of Alexandria. A Study in Christian Platonism and Gnosticism*, Oxford 1971.

LÖHR, W.A., *Basilides und seine Schule*, Tübingen 1996.

—, « Epiphanes' Schrift Περὶ δικαιοσύνης (= Clemens Alexandrinus, *Str.* III, 6, 1-9, 3) », dans H.C. BRENNECKE – E.R. GRASMÜCK – C. MARKSCHIES (éd.), *Logos. Festschrift für L. Abramowski*, Berlin 1993.

—, « Karpokratianisches », *VigChr* 49, 1995, p. 23-48.

MAIER, H.O., « Clement of Alexandria and the Care of Self », *JAAR* 62, 1994, p. 719-745.

MANSFELD, J., « On Two fragments of Heraclitus in Clement of Alexandria », *Mnemosyne* 37, 1984, p. 447-450.

MARKSCHIES, C., *Valentinus Gnosticus ?*, Tübingen 1992.

MARKSCHIES, C. – SCHRÖTER, J. (éd.), *Antike christliche Apokryphen in deutscher Übersetzung. Erste Band : Evangelien und Verwandtes*, Teilband 1, Tübingen 2012.

MEES, M., « Clemens von Alexandrien über Ehe und Familie », *Aug* 17, 1977, p. 113-131.

MEES, M., *Die Zitate aus dem Neuen Testament bei Clemens von Alexandrien*, Quaderni di « Vetera Christianorum » 2, Bari 1970.

MÉHAT, A., « 'Apocatastase'. Origène, Clément d'Alexandrie, *Actes* 3, 21 », *VigChr* 10, 1956, p. 196-214.

—, *Étude sur les 'Stromates' de Clément d'Alexandrie*, coll. *Patristica Sorbonensia* 7, Paris 1966.

—, « 'Vraie' et 'fausse' gnose d'après Clément d'Alexandrie », dans B. LAYTON (éd.), *The Rediscovery of Gnosticism*, Leyde 1980, t. I, p. 426-433.

MONDÉSERT, C., *Clément d'Alexandrie. Introduction à l'étude de sa pensée religieuse à partir de l'Écriture*, Paris 1944.

MONFRINOTTI, M., *Creatore e creazione. Il pensiero di Clemente Alessandrino*, Rome 2014.

—, « Καταβολὴ κόσμου in Clemente e Origene », *Augustinianum* 55, 2015, p. 337-380.

MUCKENSTURM-POULLE, C., « Clément d'Alexandrie et les sages indiens », dans J.-Y. GUILLAUMIN – S. RATTI (éd.), *Autour de Lactance. Hommage à Pierre Monat*, Besançon 2003, p. 139-147.

NARDI, C., *Il battesimo in Clemente Alessandrino*, Rome 1984.

ORBE, A., *Estudios Valentinianos*, Rome 1955-1966.

—, *Cristología Gnóstica*, Madrid 1976.

OSBORN, E.F., *Ethical Patterns in Early Christian Thought*, Cambridge 1976.

—, « The Excellence of Adam in Second Century Christian Thought », dans *Figures de l'Ancien Testament chez les Pères*, coll. *Cahiers de Biblia Patristica* 2, Strasbourg 1989, p. 35-59.

—, *Clement of Alexandria*, Cambridge – New York 2005.

PAGELS, E., *The Gnostic Gospels*, New York 1979.

PÉREZ, L., « El cuerpo (σῶμα) como tumba (σῆμα) del alma en Filón de Alejandria », *Circe de clásicos y modernos* 16/2, La Pampa 2012, p. 123-138.

PÉTREMENT, S., *Le Dieu séparé. Les origines du gnosticisme*, Paris 1984.

POURKIER, A., *L'hérésiologie chez Épiphane de Salamine*, Paris 1992, p. 257-290.

PREISKER, H., *Christentum und Ehe in den ersten drei Jahrhunderten. Eine Studie zur Kulturgeschichte der alten Welt*, Berlin 1927, p. 200-223.

PROCTER, E., *Christian Controversy in Alexandria. Clement's Polemic against the Basilideans and Valentinians*, New York – Berlin – Paris 1995.

PRUNET, O., *La morale de Clément d'Alexandrie et le Nouveau Testament*, Paris 1966, p. 142-145.

QUISPEL, G., « La conception de l'homme dans la gnose valentinienne », *Eranos Jahrbuch* 15, 1947, p. 249-286.

—, « L'homme gnostique. La doctrine de Basilide », *Eranos Jahrbuch* 16, 1948, p. 89-125.

RAMELLI, I., « Il matrimonio cristiano in Clemente Alessandrino : un confronto con la legislazione romana e gli Stoici romani », dans *Il matrimonio dei Cristiani : esegesi biblica e diritto romano*, *SEA* 114, Rome 2009, p. 351-371.

RIZZERIO, L., « La nozione di ἀκολουθία come logica della verità in Clemente di Alessandria », *RFN* 79, 1987, p. 175-195.

—, « Creazione e antropologia in Clemente di Alessandria », dans A. PANIMOLLE (éd.), *Dizionario di Spiritualità Biblico-Patristica. Creazione Uomo-Donna, Parte seconda : negli scritti dei Padri*, Rome 1995, p. 105-129.

Roberts, C.C., *Creation and Covenant*, Londres 2007, p. 19-23.

Sagnard, F.-M.-M., *La gnose valentinienne et le témoignage de saint Irénée*, Paris 1947.

Schneelmelcher, W., « The Gospel of the Egyptians », dans *New Testament Apocrypha*, I. *Gospels and Related Writings*, Cambridge 1991², p. 209-215.

Sfameni Gasparro, G., *Enkrateia e Antropologia. Le motivazioni protologiche della continenza e della verginità nel cristianesimo dei primi secoli e nello gnosticismo*, Rome 1984, p. 56-79.

Stelzenberger, J., *Die Beziehungen der frühchristlichen Ethik der Stoa*, Hildesheim – Zurich – New York 1989, p. 419-422 (Die Sexualethik).

Tardieu, M., « Basilide », dans *DPhA*, t. II, Paris 1994, p. 84-89.

Tibiletti, C., *Verginità e matrimonio in antichi scrittori cristiani*, Rome 1983², p. 49-71.

—, « Un passo di Clemente Alessandrino su verginità e matrimonio », *Orpheus* N.S. 5, 1984, p. 437-443.

Tissot, Y., « Hénogamie et remariage chez Clément d'Alexandrie », *RSLR* 11, 1975, p. 167-197.

Tollinton, R.B., *Clement of Alexandria. A Study in Christian Liberalism*, Londres 1914, p. 270-302.

Van den Hoek, A., *Clement of Alexandria and his Use of Philo in the* Stromateis. *An Early Christian Reshaping of a Jewish Model*, Leyde – New York 1988.

—, « Clement and Origen as Sources on 'Non-canonical' Scriptural Traditions during the Late Second and Earlier Third Centuries », dans *Origeniana Sexta*, Louvain 1995, p. 93-113.

—, « Techniques of Quotation in Clement of Alexandria »,
VigChr 50, 1996, p. 223-243.

VAN EIJK, T.H.C., « Marriage and Virginity, Death and
Immortality », dans J. FONTAINE – C. KANNENGIESSER
(éd.), *Epektasis. Mélanges patristiques offerts au cardinal
Jean Daniélou*, Paris 1972, p. 209-235 (surtout p. 214-
217 ; 220-221).

VIGNE, D., « Enquête sur Basilide », dans A. DUPLEIX
(éd.), *Recherches et Tradition. Mélanges patristiques offerts
à Henri Crouzel, Théologie Historique* 88, Paris 1992,
p. 285-313.

WINTER, F.J., *Die Ethik des Clemens von Alexandrien*, Leipzig
1882 (surtout p. 83-88).

—, « Zur Ethik des Clemens von Alexandria », dans
Zeitschrift für kirchliche Wissenschaft und kirchliches Leben,
1, 1880, p. 130-144.

WYRWA, D., *Die christliche Platonaneignung in den Stromateis
des Clemens von Alexandrien*, Berlin – New York 1983.

YAKIYAMA, M., *Maximilla's Redressing the Ignorance of Eve
through Sexual Renunciation : a Comparison of 'The Acts
of Andrew' and the Writings of Clement of Alexandria*, ,
thèse, Claremont University (CA), 2007.

ZAPPALÀ, M., « L'encratismo di Giulio Cassiano e i suoi
rapporti col Vangelo degli Egiziani », *Rivista trimestrale
di Studi Filosofici e Religiosi* 3, 1922, p. 414-435.

—, « Taziano e lo gnosticismo », *ibid.*, p. 307-338.

SIGLES ET ABRÉVIATIONS

L	Laurentianus Pluteus V 3
Ath	Athous, Codex Lavra B 113
Excp.	Excerpta in codicibus (cf. O. Stählin – L. Früchtel, *GCS* 52, p. VIII)
Bergk	Theodor Bergk, *Poetae lyrici graeci*, I, Leipzig 1878
Ca	M. Caster
Cat.	*Catenae graecae*
Di	W. Dindorf in editione sua 1869
Diels	Hermann Diels, *Die Fragmente der Vorsokratiker*, Berlin 1903
Fr	L. Früchtel
He	D. Heinsius in editione sua 1616
Hervet	Gentianus Hervet cum translatione sua latina, Paris 1590[2] (*vide* J. Potter in editione sua)
Heyse	Theodor Heyse
Hilg	Adolf Hilgenfeld, *Die Ketzergeschichte des Urchristentums*, Leipzig 1884; Hildesheim 1966[2]
Hiller	Eduard Hiller[1]

1. O. Stählin a eu accès aux notes de T. Heyse et de E. Hiller qui avaient entrepris chacun une nouvelle édition des œuvres de Clément, sans avoir

Hoeschel	David Hoeschel (*vide* F. Sylburg in editione sua)
Holl	Karl Holl, *Epiphanius* I (*GCS* 25), II (*GCS* 31)
Kl	R. Klotz in editione sua 1831
Lowth	W. Lowth (*vide* J. Potter in editione sua)
Ma	Joseph B. Mayor, *Classical Review* 8, 1894, p. 385-391 (cf. *GCS* 12, 1972, p. LXXXII)
Mon	C. Mondésert
Mü	R. Münzel (cf. *GCS* 52, p. XIII)
Pi	G. Pini, *Gli Stromati*, Milan 2006², p. 838-840
Po	J. Potter in editione sua 1715
Schw	E. Schwartz
St	O. Stählin
Sy	F. Sylburg in editione sua 1592
Vi	P. Victorius in editione sua 1550
Wi	U.V. Wilamowitz-Möllendorf

add.	addidit
coll.	collato
coni.	coniecit /coniecerunt
del.	delevit
lac.	lacunam
om.	omisit
secl.	seclusit /secluserunt
suppl.	suppleuit /suppleuerunt
transp.	transposuit

---

pu achever leur travail (voir O. Stählin – L. Früchtel, *GCS* 12, p. LXXXI).
Il avait reçu d'autre part des conjectures et corrections de E. Schwartz et
de U.V. Wilamowitz-Möllendorf (*ibid.*, p. LXXXIII).

ABRÉVIATIONS DE L'APPARAT DES SOURCES

D.-K.   H. DIELS – W. KRANZ, *Die Fragmente der Vorsokratiker*, Berlin 1934-1937.

FHG   K. MÜLLER, *Fragmenta Historicorum Graecorum*, Paris 1841-1872.

Jacoby (*FGrHist*) F. JACOBY, *Die Fragmente der griechischen Historiker*, Berlin 1934-1937, Leyde 1954-1958.

Maehler   H. MAEHLER, *Pindari carmina cum fragmentis. Pars II., Fragmenta. Indices*, post B. SNELL ed., Leipzig 1989.

Mullach (*FPG*) F.W.A. MULLACH, *Fragmenta Philosophorum Graecorum*, Paris 1860.

Nauck (*TrGF*) A. NAUCK, *Tragicorum Graecorum fragmenta*, Leipzig 1888 (éd. revue par B. SNELL, 1964).

Preuschen E. PREUSCHEN, *Antilegomena. Die Reste der ausserkanonischen Evangelien und urchristlichen Überlieferungen*, Giessen 1905[2].

Resch   A. RESCH, *Agrapha. Aussercanonische Schrift- fragmente*, *TU* 30/3-4, Leipzig 1906[2] (seconde édition, profondément remaniée, de ID., *Agrapha. Aussercanonische Evangelienfragmente*, *TU* 5/4, Leipzig 1889).

Schwartz   E. SCHWARTZ, *Tatiani fragmenta*, *TU* 4/1, Leipzig 1888, p. 48-50.

TrGF   *Tragicorum Graecorum Fragmenta*, éd. B. SNELL, Göttingen 1971-2004.

Völker   W. VÖLKER, *Quellen zur Geschichte der christlichen Gnosis*, Tübingen 1932, p. 33-36 (Épiphane) ; 36-38 (Carpocrate) ; 38-57 (Basilide et Isidore).

TEXTE ET TRADUCTION

ΚΛΗΜΕΝΤΟΣ
ΣΤΡΩΜΑΤΕΩΝ ΤΡΙΤΟΣ

|1 Οἱ μὲν οὖν ἀμφὶ τὸν Οὐαλεντῖνον ἄνωθεν ἐκ τῶν θείων προβολῶν τὰς συζυγίας καταγαγόντες εὐαρεστοῦνται γάμῳ.

Οἱ δὲ ἀπὸ Βασιλείδου·

«πυθομένων» φασὶ «τῶν ἀποστόλων μή ποτε ἄμεινόν
5 ἐστι τὸ μὴ γαμεῖνᵃ», ἀποκρίνασθαι λέγουσι τὸν κύριον· «Οὐ πάντες χωροῦσι τὸν λόγον τοῦτονᵇ· Ἐισὶ γὰρ εὐνοῦχοι, οἳ μὲν ἐκ γενετῆς, οἳ δὲ ἐξ ἀνάγκηςᶜ.'»

1, 2 προβολῶν St : προβόλων L ‖ **3** βασιλείδου St : βασιλίδου L

---

1 a Cf. Mt 19, 10   b Mt 19, 11   c Cf. Mt 19, 12

1. L'approbation du mariage par les valentiniens est justifiée ici par un modèle divin, les couples (syzygies) des entités du Plérôme. Le témoignage d'IRÉNÉE (*Contre les hérésies* I, 6, 4), si l'on fait abstraction de sa visée polémique, confirme celui de Clément. Il précise que l'union doit exclure la concupiscence. Voir aussi IRÉNÉE (*Contre les hérésies* I, 7, 1) et CLÉMENT (*ET* 63-65 ; *Strom.* III, 29, 3). Parmi les textes de Nag Hammadi représentant le courant valentinien, l'*Évangile selon Philippe*, par l'importance donnée à la métaphore de la chambre nuptiale dans la sacramentaire gnostique, correspond le mieux à l'affirmation de Clément (voir l'introduction et la traduction de L. PAINCHAUD dans *Écrits gnostiques. La bibliothèque de Nag Hammadi*, p. 335-376).

CLÉMENT D'ALEXANDRIE
STROMATE III

I

ERREURS VÉNIELLES DE VALENTIN ET DE BASILIDE

1 1 Le cercle de Valentin se satisfait du mariage et remonte aux émissions divines pour en faire descendre les couples[1].

L'interprétation basilidienne de la parole sur les « ennuques » De leur côté, les disciples de Basilide[2] affirment, dit-on, qu' « à la question des apôtres sur la supériorité éventuelle de la condition de célibataire[a] », le Seigneur répondit : « 'Tous ne comprennent pas cette parole[b], car certains sont eunuques de naissance, et d'autres par nécessité[c][3].' »

---

2. La doctrine des basilidiens, elle, est exposée plus longuement à l'aide d'une citation, qui, comme l'a montré W.A. LÖHR, *Basilides*, p. 107-108, est tirée tout entière (1, 1b – 3, 2) de l'*Éthique* d'Isidore, le fils de Basilide, contrairement à l'allégation d'ÉPIPHANE (*Panarion* 32, 4-5), qui la scinde entre le fils de Carpocrate et Isidore, quand il reprend ce passage de Clément.

3. L'objection des disciples en Mt 19, 10 est paraphrasée par Isidore sous la forme d'une question, qui implique une alternative, telle qu'elle apparaît en 1 Co 7, 9, passage cité ensuite (*infra* 2, 1) ; la réponse de Jésus en Mt 19, 11 est abrégée et ne retient d'abord que deux cas : « de naissance » et « par nécessité », en résumant Mt 19, 12a-b et en introduisant la notion de « nécessité », substituée à la contrainte infligée par des hommes.

2 Ἐξηγοῦνται δὲ τὸ ῥητὸν ὧδέ πως·

«Φυσικήν τινες ἔχουσι πρὸς γυναῖκα ἀποστροφὴν ἐκ
γενετῆς, οἵτινες τῇ φυσικῇ ταύτῃ συγκράσει χρώμενοι
καλῶς ποιοῦσι μὴ γαμοῦντες. 3 Οὗτοι», φασίν, «εἰσὶν
οἱ ἐκ γενετῆς εὐνοῦχοι· οἱ δὲ ἐξ ἀνάγκης, ἐκεῖνοι οἱ
θεατρικοὶ ἀσκηταί, οἵτινες διὰ τὴν ἀνθολκὴν τῆς εὐδοξίας
κρατοῦσιν ἑαυτῶν, οἱ δὲ ἐκτετμημένοι κατὰ συμφορὰν
εὐνοῦχοι γεγόνασι κατὰ ἀνάγκην. Οἱ τοίνυν κατὰ ἀνάγκην
οὐ κατὰ λόγον εὐνοῦχοι γίνονται. 4 Οἱ δὲ ἕνεκα τῆς
αἰωνίου βασιλείας[c] εὐνουχίσαντες ἑαυτοὺς διὰ τὰ ἐκ
τοῦ γάμου», φασί, «συμβαίνοντα τὸν ἐπιλογισμὸν τοῦτον
λαμβάνουσι, τὴν περὶ τὸν πορισμὸν τῶν ἐπιτηδείων
ἀσχολίαν δεδιότες[d]». 1 Καὶ τῷ «ἄμεινον γαμῆσαι
ἢ πυροῦσθαι[a]» «μὴ εἰς πῦρ ἐμβάλῃς τὴν ψυχήν σου»

---

15 οἱ τοίνυν L : οὗτοι μὲν **Mü** ‖ 17 αἰωνίου βασιλείας L : βασιλείας
τῶν οὐρανῶν Epiphanius ‖ 18-19 τοῦτον — πορισμὸν om. Epiphanius
2, 1 τῷ Holl **St** : τὸ L om. Epiphanius ‖ ἄμεινον L : βέλτιον Epiphanius

---

c Cf. Mt 19, 12   d BASILIDE, fr. 7, 1, 1-4 Völker
2 a 1 Co 7, 9

---

1. La catégorie « eunuques de naissance » est rapportée à la nature, celle
d'un « tempérament » (σύγκρασις) résultant, selon la conception antique,
d'un mélange, dosé de façon particulière, des éléments constitutifs. La distinction entre « nature » et « nécessité » est bien attestée chez ARISTOTE
(*Éthique à Nicomaque* 1112a 32 ; voir W.A. LÖHR, *Basilides*, p. 109).

2. La catégorie « eunuques par nécessité » est dédoublée : la « nécessité »
qui domine les « ascètes de théâtre » dépend en fait de leur choix, qu'il
s'agisse, au sens propre, de la chasteté recherchée par exemple par les chan-
teurs (W.A. LÖHR, *Basilides*, p. 109, n. 35, renvoie à JUVÉNAL, *Satires* VI,
73 et à MARTIAL, *Épigrammes* VII, 82 ; XI, 75), qui rejoint la continence des
concurrents aux jeux dont parle Clément en *Strom.* III, 50, 4 – 51, 1, ou de
rigoristes extrêmes soupçonnés de faire parade théâtralement de leur ascèse,
comme les cyniques dont SÉNÈQUE dénonce les excès (*Lettres à Lucilius* 5,
2.4 ; voir M.-O. GOULET-CAZÉ, *Cynisme et christianisme dans l'Antiquité*,
Paris 2014, p. 75).

2 Ils interprètent ce dit de la manière suivante :

« Certains éprouvent, de naissance, une répulsion naturelle à l'égard de la femme ; avec un tel tempérament naturel, ils font bien de ne pas se marier ;   3 tels sont », selon eux, « les eunuques de naissance[1]. Les eunuques par nécessité sont ces ascètes de théâtre qui se dominent eux-mêmes pour obtenir en contrepartie la célébrité et, d'autre part, ceux qui ont été mutilés par accident sont nécessairement devenus eunuques[2]. Ceux que la nécessité rend eunuques ne le deviennent donc pas selon la raison[3].   4 Quant à ceux qui se sont rendus eunuques pour le royaume éternel[c], ils prennent ce parti », selon eux, « en raison des conséquences du mariage, craignant d'avoir le souci de pourvoir aux besoins matériels[d4] ».   1 D'après eux[5], par la parole « Mieux vaut se marier que brûler[a] », l'Apôtre veut dire : « Ne jette pas ton âme au feu[6], en

3. La « nécessité » se confond avec la fortune dans le cas des « mutilés par accident ». La « raison » est absente de ces diverses causes de la condition d'« eunuque », selon le jugement moral d'Isidore.

4. Si la troisième catégorie est décrite dans les termes de Mt 19, 12, l'interprétation introduit un thème courant dans les débats philosophiques sur l'opportunité du mariage : ses contraintes risquent de faire obstacle à la vie selon la sagesse, transformée ici en participation au « royaume éternel ». Clément lui-même mentionne cet argument contre le mariage, en le rapportant à Démocrite et à Épicure (*Strom.* II, 138, 3-4 ; cf. III, 67, 1 ; VII, 77, 2 ; *QDS* 12, 5). Selon des inflexions diverses, il est présent aussi chez Théophraste, le disciple d'Aristote, et chez les cyniques (voir W.A. Löhr, *Basilides*, p. 111).

5. L'exégèse d'Isidore, en valorisant la continence de la troisième sorte d'« eunuques », tend à rejeter le mariage. Il évoque cependant la situation qui peut le rendre utile, comme remède à la concupiscence, en se fondant sur 1 Co 7, 9 (cité non littéralement). Sa paraphrase et son commentaire insistent, dans la ligne paulinienne, sur la possibilité d'une concurrence entre la continence et le dévouement à Dieu sans partage (voir W.A. Löhr, *Basilides*, p. 113).

6. La métaphore courante du feu brûlant de la passion sexuelle (cf. 2, 2) se retrouve chez Clément *infra* 82, 4 (en lien de nouveau avec 1 Co 7, 9).

λέγειν τὸν ἀπόστολον, «νυκτὸς καὶ ἡμέρας ἀντέχων καὶ
φοβούμενος μὴ τῆς ἐγκρατείας ἀποπέσῃς· πρὸς γὰρ τὸ
ἀντέχειν γενομένη ψυχὴ μερίζεται τῆς ἐλπίδος[b]».

2 «Ἀντέχου τοίνυν», φησὶ κατὰ λέξιν ὁ Ἰσίδωρος ἐν
τοῖς Ἠθικοῖς, «μαχίμης γυναικός[c], ἵνα μὴ ἀποσπασθῇς τῆς
χάριτος τοῦ θεοῦ, τό τε πῦρ ἀποσπερματίσας εὐσυνειδήτως
προσεύχου. 3 Ὅταν δὲ ἡ εὐχαριστία σου», φησίν, «εἰς
αἴτησιν ὑποπέσῃ καὶ στῇς τὸ λοιπὸν οὐ κατορθῶσαι, ἀλλὰ
μὴ σφαλῆναι, γάμησον. 4 Ἀλλὰ νέος τίς ἐστιν ἢ πένης
ἢ κατωφερὴς καὶ οὐ θέλει γῆμαι κατὰ τὸν λόγον, οὗτος
τοῦ ἀδελφοῦ μὴ χωριζέσθω· λεγέτω ὅτι 'εἰσελήλυθα

3 λέγειν L : φησὶ λέγειν Epiphanius φασὶ λέγειν St || νυκτὸς καὶ ἡμέρας
L : ἡμέρας καὶ νυκτὸς Epiphanius || 5 γενομένη L : γινομένη Epiphanius ||
6 ἀντέχου L : ἀνέχου Epiphanius ἀπέχου Hilg || ὡς ἤδη προεῖπον, τῆς
παραινέσεως εἰς μέσον φέρων τὸν λόγον post τοίνυν add. Epiphanius ||
ἰσίδωρος St : ἠσίδωρος L || 9 προσεύχου Epiphanius : προσεύχῃ L || 9 φησίν
post δὲ transp. Epiphanius || 10 ὑποπέσῃ L : ὑποπέσοι Epiphanius || στῇς L :
αἰτῇς St || κατορθῶσαι ἀλλὰ L : κατορθώσας Epiphanius || 11 post γάμησον
add. εἶτα πάλιν φησίν Epiphanius || ἐστιν post πένης transp. Epiphanius ||
12 κατωφερὴς L : καταφερής, τουτέστιν ἀσθενής Epiphanius || 13 post
χωριζέσθω add. αἰσχρὰς δέ τινας ὑπονοίας ἑαυτῷ προσποριζόμενος
δραματουργεῖ ὁ τάλας Epiphanius || post λεγέτω add. φησίν Epiphanius

b BASILIDE, fr. 7, 2, 1 Völker   c Cf. Pr 21, 19 (LXX)

1. La résistance à la pulsion sexuelle « nuit et jour » devient une anxiété
obsessionnelle faisant obstacle à la prière, qui doit être continuelle, elle
aussi, « nuit et jour » (1 Th 3, 10; 1 Tm 5, 5; 2 Tm 1, 3); elle prive de
l' « espérance », c'est-à-dire de la participation au « royaume éternel ».

2. Le verbe ἀντέχειν, à l'actif *supra* 2, 1, signifie « résister ». Il est ici
employé au moyen, dont le sens ordinaire est « s'attacher à ». L'écho de
l'un à l'autre et l'allusion à Pr 21, 19 mettent cependant en relief le thème
de la lutte (« être aux prises », pour le moyen); d'où les traductions « faire
front » en 2, 1 et « affronter » en 2, 2. Le mariage n'est plus qu'un corps
à corps avec la femme qui libère l'âme de l'homme du combat obsédant
et désespérant contre la pulsion sexuelle.

3. F. BOLGIANI, « La polemica », p. 104, n. 38, voit avec raison dans
la mention de la « femme querelleuse » un jeu sur Pr 21, 19, qui évoque

faisant front nuit et jour par crainte de manquer à la continence, car une âme occupée à faire front se coupe de l'espérance[b1]. »

Les propos d'Isidore   2 Dans son *Éthique*, Isidore
sur le mariage   s'exprime exactement en ces termes :

« Affronte[2] donc la femme querelleuse[c3], pour ne pas être arraché à la grâce de Dieu, et quand tu as évacué ton feu avec la semence[4], adonne-toi à la prière avec une conscience apaisée[5]. 3 Quand ton action de grâces », dit-il, « dégénère en imploration et que tu continues non à vivre dans la droiture, mais à éviter de déraper[6], marie-toi[7]. 4 Cela étant, si quelqu'un est jeune, pauvre ou débile, et ne peut se marier conformément à la raison, qu'il ne se sépare pas de son frère[8] ! Qu'il dise : 'Je suis entré

---

un désagrément du mariage. La relation conjugale, loin d'être présentée comme une fin heureuse par Isidore, est ravalée au rang de moindre mal.

4. L'image hardie, avec le terme médical ἀποσπερματίζειν, associe dans l'émission le « feu » du désir au sperme. Une référence à 1 Co 7, 5 est sans doute implicite.

5. « Avec une conscience apaisée » : cf. SÉNÈQUE, *Lettres* 43, 5 ; MARC AURÈLE, *Pensées* VI, 30, 4. Paul, en Ac 23, 1, fait de cette qualité l'apanage de la piété authentique. L'accent porte ici sur la sérénité intérieure. Clément lui-même valorise cette qualité dans son portrait du vrai gnostique (voir *Strom.* VI, 113, 1-2 ; VII, 45, 2 ; 48, 6 ; 78, 3 ; 82, 6).

6. Nous revenons au texte de L (στῆς). La conjecture de Hilgenfeld, adoptée par Stählin et Früchtel, aboutit à ce sens : « et que tu demandes (αἰτῆς) non de vivre à l'avenir dans la droiture, mais de ne pas succomber... ». La leçon du manuscrit offre un texte plus cohérent.

7. Pour Isidore, la prière authentique est l'« action de grâces », qui comporte l'abandon total à Dieu. Le mariage apparaît, selon la même perspective utilitaire, dans le cas de ceux qui ne songent qu'à « résister » à la pulsion, comme le moyen de préserver la pureté de la prière, en rendant inutile la prière de demande, en l'occurrence la demande d'aide contre la convoitise.

8. Le remède raisonnable du mariage est pour certains hors de portée, car ils seraient incapables d'en assumer les charges. Leur bouclier est alors la communauté des « frères » (cf. 1 Co 7, 12.15.29).

ἐγὼ εἰς τὰ ἅγια, οὐδὲν δύναμαι παθεῖν'. 5 Ἐὰν δὲ
ὑπόνοιαν ἔχῃ, εἰπάτω· 'Ἀδελφέ, ἐπίθες μοι τὴν χεῖρα,
ἵνα μὴ ἁμαρτήσω'· καὶ λήψεται βοήθειαν καὶ νοητὴν
καὶ αἰσθητήν. Θελησάτω μόνον ἀπαρτίσαι τὸ καλὸν καὶ
ἐπιτεύξεται. 1 Ἐνίοτε δὲ τῷ μὲν στόματι λέγομεν·
'Οὐ θέλομεν ἁμαρτῆσαι', ἡ δὲ διάνοια ἔγκειται ἐπὶ τὸ
ἁμαρτάνειν. Ὁ τοιοῦτος διὰ φόβον οὐ ποιεῖ ὃ θέλει, ἵνα
μὴ ἡ κόλασις αὐτῷ ἐλλογισθῇ. 2 Ἡ δὲ ἀνθρωπότης ἔχει
τινὰ ἀναγκαῖα καὶ φυσικά, <ἄλλα δὲ φυσικὰ> μόνα. Ἔχει
τὸ περιβάλλεσθαι ἀναγκαῖον καὶ φυσικόν, φυσικὸν δὲ τὸ
τῶν ἀφροδισίων, οὐκ ἀναγκαῖον δέ[a].»

---

15 τὴν om. Epiphanius || 18 post ἐπιτεύξεται add. εἶτα πάλιν φήσιν
Epiphanius
3, 2 ἐπὶ L : εἰς Epiphanius || 5 τινὰ ἀναγκαῖα L : ἀναγκαῖα τινα
Epiphanius || ἄλλα δὲ φυσικὰ post φυσικά suppl. St || 7 οὐκ ἀναγκαῖον
L : ἀναγκαίως Epiphanius

---

3 a BASILIDE-ISIDORE, fr. 7, 2, 2 – 7, 3, 2 Völker

---

1. Isidore christianise la méthode de la direction de conscience philosophique (voir W.A. LÖHR, *Basilides*, p. 115-116, suivant les études
de P. RABBOW, *Seelenführung. Methodik der Exerzitien in der Antike*,
Munich 1954, p. 189-204, et de I. HADOT, *Seneca und de griechisch-
römische Tradition der Seelenführung*, Berlin 1969 et P. HADOT, *Exercices
spirituels*, Paris 1981, 2002⁴). La parole qu'il faut se répéter et qui a un
pouvoir d'autosuggestion signifie soit que par le baptême on a été purifié
et qu'on est entré dans la sphère de la sainteté, soit qu'on a atteint ainsi
les réalités spirituelles, au-delà du monde sensible, ces deux sens, liés au
sacrement, n'étant pas incompatibles.

2. Le recours à autrui dans l'entraînement remédie aux faiblesses de la
direction de conscience personnelle. L'imposition de la main est à comprendre comme signe de bénédiction (voir W.A. LÖHR, *Basilides*, p. 117
et C. VOGEL, « Handauflegung », *RAC* 13, 1986, 487).

3. L'encouragement optimiste a des échos chez Clément (voir *Strom*. II,
77, 5 ; VII, 73, 1).

dans le sanctuaire, je ne peux subir aucun mal[1']. **5** S'il éprouve de l'inquiétude, qu'il dise : 'Mon frère, impose-moi ta main pour m'éviter de pécher', et il recevra une aide pour percevoir et pour comprendre[2]. Qu'il veuille seulement **3** accomplir le bien, et il l'atteindra[3]. **1** Parfois cependant, notre bouche dit : 'Nous ne voulons pas pécher', alors que notre pensée est encline à pécher[4]. Avoir ce comportement, c'est, par crainte, ne pas faire ce qu'on veut, afin de s'éviter une punition[5]. **2** Or, l'humanité a des besoins, soit naturels et nécessaires, soit naturels seulement. Le vêtement est un besoin nécessaire et naturel, mais les relations sexuelles ne sont que naturelles, et non pas nécessaires[a][6]. »

4. Cette réserve introduit la possibilité de l'erreur dans l'exercice personnel de la direction de conscience, tel qu'il a été présenté, quand la volonté entre en contradiction avec la parole. On peut songer aussi, malgré de nettes différences, à la plainte de Paul en Rm 7, 18-20.

5. Le mobile de la « crainte » est généralement méprisé en éthique par les philosophes grecs, platoniciens et stoïciens. JUSTIN (*Apologie pour les chrétiens* II, 9, 1) avait dû répliquer au reproche fait aux chrétiens d'inciter à la vertu par la crainte du châtiment. Isidore serait en accord avec 1 Jn 4, 18. Clément, lui, intègre la crainte à l'instruction, tout en plaçant au sommet l'amour (*Strom.* IV, 53, 1 ; cf. IV, 9, 5 ; II, 30-40 et 53-59 ; voir A. MÉHAT, *Étude sur les 'Stromates' de Clément d'Alexandrie*, p. 312-321).

6. À son exégèse de Mt 19, 12, qui réduit le mariage à un remède à la concupiscence, et qui se réfère à 1 Co 7, 5. 9, Isidore ajoute, pour reléguer les relations sexuelles du côté des besoins « non nécessaires », une distinction d'origine épicurienne. Il la reçoit de la tradition doxographique, et non de textes d'ÉPICURE, comme on le voit si l'on compare son résumé au développement de la *Lettre à Ménécée* 127-128, ou à celui de CICÉRON, *Tusculanes* V, 33, 93, qui est lui-même un témoin indirect de la doctrine (voir W. A. LÖHR, *Basilides*, p. 118-119). F. BOLGIANI, « La polemica », p. 105-106, a supposé indûment une troisième catégorie, les biens supérieurs, relevant de la seule grâce divine, en prêtant ainsi à Isidore une inversion de la hiérarchie épicurienne (voir la réfutation de W. A. LÖHR, *Basilides*, p. 120).

66 STROMATE III

3 Ταύτας παρεθέμην τὰς φωνὰς εἰς ἔλεγχον τῶν μὴ
βιούντων ὀρθῶς Βασιλειδιανῶν, ὡς ἤτοι ἐχόντων ἐξουσίαν
10 καὶ τοῦ ἁμαρτεῖν διὰ τὴν τελειότητα, ἢ πάντως γε σωθη-
σομένων φύσει, κἂν νῦν ἁμάρτωσι, διὰ τὴν ἔμφυτον
ἐκλογήν, ἐπεὶ μηδὲ ταῦτα αὐτοῖς πράττειν συγχωροῦσιν
οἱ προπάτορες τῶν δογμάτων. 4 Μὴ τοίνυν ὑποδυόμενοι
τὸ ὄνομα τοῦ Χριστοῦ καὶ τῶν ἐν ἔθνεσιν ἀκρατεστάτων
15 ἀκολαστότερον βιοῦντες βλασφημίαν τῷ ὀνόματι προσ-
τριβέσθωσαν. «Οἱ γὰρ τοιοῦτοι ψευδαπόστολοι, ἐργάται
112ᵛ δόλιοι», ἕως «ὧν τὸ τέλος ἔσται κατὰ ǀ τὰ ἔργα αὐτῶνᵇ.»

8 εἰς ἔλεγχον τῶν L : ὁ κατὰ τούτων γράψας ἔλεγχον Epiphanius ‖
9 βασιλειδιανῶν St : βασιλιδιανῶν L καὶ βασιλειδιανῶν Epiphanius ‖
10 πάντως L : πάντων Epiphanius ‖ 12 ταῦτα St : ταῦτα L τὰ αὐτὰ
Epiphanius ‖ 13 post δογμάτων add. τούτων Epiphanius

b 2 Co 11, 13-15

1. Les basilidiens sont accusés d'être infidèles à l'enseignement rigoriste
de leurs maîtres. Ce grief est fondé sur le thème de l' « élection naturelle »,
du salut « par nature », constamment utilisé par les hérésiologues pour
attribuer aux gnostiques l'indifférence morale conduisant à la licence. Or,
aucun texte basilidien ne professe clairement le déterminisme naturel ni
ne répartit, à la manière des valentiniens, l'humanité en classes diverses,
dont l'une serait « sauvée par nature » (voir W.A. Löhr, *Basilides*, p. 186-
190; L. Schottroff, « *Animae naturaliter salvandae*. Zum Problem
der himmlischen Herkunft des Gnostikers », dans W. Eltester (éd.),
Christentum und Gnosis, Berlin 1969, p. 65-97). Ce procédé polémique de
l'amalgame est poussé à l'extrême par Épiphane de Salamine quand il
mêle ce fragment basilidien, non sans retouches, à sa notice sur « le fils de
Carpocrate », Épiphane, en prêtant à ce dernier les propos d'Isidore cités

3 J'ai ajouté ces paroles pour
L'infidélité confondre les basilidiens qui vivent sans
des disciples droiture, sous prétexte que leur perfec-
de Basilide tion va jusqu'à leur donner le pouvoir de
pécher ou que leur élection naturelle leur assure nécessairement le salut, par nature, malgré leurs péchés du moment,
car les fondateurs de leur doctrine ne leur concèdent certainement pas d'agir de la sorte[1]. 4 Qu'ils cessent donc
de couvrir de blasphèmes le nom du Christ, en s'affublant
de ce nom[2], tout en vivant avec moins de retenue encore
que les plus dissolus des païens ! « Voilà de faux apôtres, des
ouvriers perfides ! [...] Leur fin sera conforme à leurs
œuvres[b3]. »

---

par Clément (*Panarion* 32, 4-5 ; cf. *Panarion* 24, 3 ; voir A. Pourkier,
L'hérésiologie chez Épiphane, p. 205 et 231-232). C'est Basilide lui-même
qu'Irénée présentait comme prônant le libertinisme (*Contre les hérésies* I,
24, 5). Une erreur, ou plutôt une interprétation tendancieuse, pouvait assimiler la notion d'origine épicurienne de besoins naturels non nécessaires
à celle des choses indifférentes propre aux stoïciens.

2. Rejeter les hérétiques du côté du paganisme est un geste courant de
l'hérésiologie. Blasphémer le nom du Christ est un crime ou un risque,
dénoncé ailleurs par Clément (*Péd.* II, 4, 3 ; *Strom.* III, 46, 4 ; IV, 77, 3 ;
cf. IV, 42, 4 ; VII, 87, 3) et de nouveau *infra* 5, 1.

3. Clément omet 2 Co 11, 14, qui lui sert en *Strom.* VI, 66 à défendre
la philosophie des Grecs.

4 1 Ἐγκράτεια τοίνυν σώματος ὑπεροψία κατὰ τὴν πρὸς θεὸν ὁμολογίαν. Οὐ μόνον γὰρ περὶ τὰ ἀφροδίσια, ἀλλὰ καὶ περὶ τὰ ἄλλα, ἃ ἐπιθυμεῖ ἡ ψυχὴ κακῶς οὐκ ἀρκουμένη τοῖς ἀναγκαίοις, ἡ ἐγκράτεια ἀναστρέφεται. 2 Ἔστι δὲ 5 καὶ περὶ τὴν γλῶσσαν καὶ περὶ τὴν κτῆσιν καὶ περὶ τὴν χρῆσιν καὶ περὶ τὴν ἐπιθυμίαν ἐγκράτεια. Οὐ διδάσκει δ' αὕτη σωφρονεῖν μόνον, ἥ γε παρέχει σωφροσύνην ἡμῖν, δύναμις οὖσα καὶ θεία χάρις.

3 Τίνα οὖν τοῖς ἡμετέροις δοκεῖ περὶ τοῦ προκειμένου, 10 λεκτέον· ἡμεῖς εὐνουχίαν μὲν καὶ οἷς τοῦτο δεδώρηται ὑπὸ θεοῦ μακαρίζομεν, μονογαμίαν δὲ καὶ τὴν περὶ τὸν ἕνα γάμον σεμνότητα θαυμάζομεν, συμπάσχειν δὲ δεῖν λέγοντες καὶ ἀλλήλων τὰ βάρη βαστάζειν[a], μή ποτέ τις δοκῶν καλῶς ἑστάναι καὶ αὐτὸς πέσῃ[b]. Περὶ δὲ τοῦ δευτέρου γάμου, «εἰ 15 πυροῖ», φησὶν ὁ ἀπόστολος, «γάμησον[c]».

4, 7 αὕτη St : αὐτὴ L αὐτὴν Schw || 12 δὲ secl. Ma St

---

4 a Cf. Ga 6, 2   b Cf. 1 Co 10, 12   c Cf. 1 Co 7, 9

---

1. L'« engagement » parfait est de plaire à Dieu, en répondant à ses bienfaits par l'accomplissement de ses instructions (*Strom.* VII, 21, 1-2 ; cf. 67, 1). Cet « engagement vis-à-vis de Dieu » est une des définitions de la piété véritable (*Strom.* IV, 15, 3 ; cf. *Strom.* I, 31, 6 ; *Péd.* III, 40, 2). Il implique aussi le respect de « la règle de l'Église » (*Strom.* VII, 90, 2).

2. Clément complète le propos d'Isidore en introduisant d'autres objets de la continence, selon un inventaire rituel chez les philosophes (par exemple Aristote, *EN* 7, 4, 1146b). En *Strom.* II, 121, 1-2, il retient la doctrine de Cratès en matière de continence sexuelle. En *Péd.* II, 58-59 (cf. *Strom.* II, 145, 2), il engage à la mesure dans la parole. Sur la « possession » et l'« usage », il donne un enseignement plus circonstancié en *Strom.* IV, 166, 1-2, *EP* 47 (rejet de tout attachement passionnel), *QDS* 12, 4-5, pour exclure la « concupiscence » ou la « convoitise » (*Strom.* VI, 99, 6 – 100, 1).

4

La vertu de
continence

1 La continence, c'est bien le dédain
du corps en vertu de l'engagement qu'on
a pris vis-à-vis de Dieu[1]. Car la continence
ne concerne pas seulement les relations sexuelles, mais tous
les autres objets convoités à tort par notre âme quand elle ne
se contente pas du nécessaire. **2** Il existe une forme de
continence qui regarde la langue, la possession, l'usage des
biens et la concupiscence. Elle ne se borne pas à nous enseigner
la tempérance, mais elle nous procure la tempérance, car elle
est une force et une grâce venant de Dieu[2].

Chasteté parfaite,
mariage et
second mariage

3 Que pensent donc, à ce sujet, ceux
qui ont notre foi ? Disons-le : si nous
déclarons heureux la chasteté parfaite et ceux à qui Dieu l'a accordée,
nous admirons la monogamie et la dignité qui s'attache
au mariage unique, affirmant d'ailleurs qu'il faut partager
nos peines et porter les fardeaux les uns des autres[a], de peur
que celui qui croit être bien debout ne tombe[b] lui aussi. À
propos du second mariage, « si tu brûles », dit l'Apôtre,
« marie-toi[c][3] ».

L'aspiration à la demeure céleste doit l'emporter (*Strom.* IV, 166, 1, citant
2 Co 5, 1-3.7). Il christianise cet inventaire, comme il associe ailleurs la
« tempérance » à l'« amour » du vrai gnostique (*Strom.* VII, 67, 8 – 68,
1). Elle est « le plus grand don de Dieu » (*Strom.* II, 126, 1). Elle contribue
à la ressemblance avec Dieu (*Strom.* IV, 152, 3 ; cf. *Péd.* II, 14, 5). Plusieurs
expressions de ce passage (4, 1-2) sont reprises par Basile de Césarée
dans sa *Lettre* 366 (éd. Y. Courtonne, *CUF*, t. III, 1966, p. 228-229).

3. Clément fait écho à Isidore (*supra* 2, 4-5), en ajoutant la référence à
Ga 6, 2. Par « second mariage », il entend le remariage d'un veuf ou d'une
veuve (voir Y. Tissot, « Hénogamie », p. 167-197).

5 1 Οἱ δὲ ἀπὸ Καρποκράτους καὶ Ἐπιφάνους ἀναγό-
μενοι κοινὰς εἶναι τὰς γυναῖκας ἀξιοῦσιν, ἐξ ὧν ἡ μεγίστη
κατὰ τοῦ ὀνόματος ἐρρύη βλασφημία. 2 Ἐπιφάνης
οὗτος, οὗ καὶ τὰ συγγράμματα κομίζεται, υἱὸς ἦν Καρπο-
5 κράτους καὶ μητρὸς Ἀλεξανδρείας τοὔνομα τὰ μὲν πρὸς
πατρὸς Ἀλεξανδρεύς, ἀπὸ δὲ μητρὸς Κεφαλληνεύς, ἔζησε
δὲ τὰ πάντα ἔτη ἑπτακαίδεκα, καὶ θεὸς ἐν Σάμῃ τῆς
Κεφαλληνίας τετίμηται, ἔνθα αὐτῷ ἱερὸν ῥυτῶν λίθων,
βωμοί, τεμένη, μουσεῖον ᾠκοδόμηταί τε καὶ καθιέρωται,
10 καὶ συνιόντες εἰς τὸ ἱερὸν οἱ Κεφαλλῆνες κατὰ νουμηνίαν
γενέθλιον ἀποθέωσιν θύουσιν Ἐπιφάνει, σπένδουσί τε
καὶ εὐωχοῦνται καὶ ὕμνοι λέγονται. 3 Ἐπαιδεύθη μὲν
113ʳ οὖν παρὰ τῷ πατρὶ τήν τε ἐγκύκλιον | παιδείαν καὶ τὰ
Πλάτωνος, καθηγήσατο δὲ τῆς μοναδικῆς γνώσεως, ἀφ' οὗ
15 καὶ ἡ τῶν Καρποκρατιανῶν αἵρεσις.

5, 9 post τε καὶ add. συν Lᵃᶜ del. Lᵖᶜ || 12 λέγονται L : ᾄδονται Wi St
ὕμνους τε αὐτῷ ᾄδουσι Epiphanius

1. Sur Carpocrate et son fils Épiphane, voir la note compl. 1 *infra*
p. 345-347.

2. Les carpocratiens sont au centre des attaques de Clément contre les
licencieux dans le *Stromate* III.

3. L'« éducation complète » (litt. « encyclique ») est constituée pour
Clément, selon la tradition platonicienne, des quatre sciences mathéma-
tiques (musique, arithmétique, géométrie, astronomie) et de la dialectique.
Elle n'est que l'auxiliaire de la philosophie, une propédeutique (I. HADOT,
Arts libéraux et philosophie dans la pensée antique, Paris 1984, p. 287-289).
La connaissance de Platon qu'avait acquise le jeune Épiphane ne pouvait
être que superficielle. Son père devait être familiarisé avec des thèmes du
platonisme du temps, comme le périple céleste des âmes, ou le conflit avec
le monde matériel (W.A. LÖHR, « Karpokratianisches », p. 23-48, repère
ces thèmes dans la sotériologie de Carpocrate, telle qu'elle est présentée
par IRÉNÉE, *Contre les hérésies* I, 25, 1-2).

II

La licence de Carpocrate et Épiphane[1] : la communauté des femmes

La théorie
d'Épiphane
dans son traité
Sur la justice

1 Ceux qui dépendent de Carpocrate et d'Épiphane[2] pensent que les femmes doivent être communes ; ils sont à la source du pire blasphème contre le Nom. **2** Cet Épiphane, dont les écrits sont accessibles, était fils de Carpocrate, et sa mère s'appelait Alexandria ; par son père, il était d'Alexandrie, mais par sa mère, de Céphallénie. Il vécut en tout dix-sept ans, et c'est comme un dieu qu'il est vénéré à Samè de Céphallénie, où lui ont été édifiés et consacrés un temple fait de gros blocs, des autels, un sanctuaire et un musée. Les habitants de Céphallénie se rassemblent à son temple le jour de la nouvelle lune et célèbrent par un sacrifice l'anniversaire de l'apothéose d'Épiphane ; ils font des libations, organisent un festin ; on dit des hymnes. **3** Il reçut auprès de son père une éducation complète et apprit la philosophie de Platon[3] ; il fut le promoteur de la gnose de la monade et il est à l'origine de l'hérésie des carpocratiens[4].

---

4. La « gnose de la monade » suggère une coloration pythagoricienne (W.A. Löhr, « Epiphanes' Schrift *Περὶ δικαιοσύνης* », p. 16, n. 7) ; elle évoque aussi le début de l'apocryphe que cite Clément en 29, 2 *infra* et qu'il associe aux disciples de Prodicos, lesquels se nomment eux-mêmes « gnostiques » (*infra* 30, 1). Cette appellation est l'apanage des carpocratiens selon Irénée (*Contre les hérésies* I, 25, 6). Clément, qui dispose d'une documentation plus précise sur les courants considérés par leurs adversaires comme libertins, construit sa stratégie en mettant au premier plan les carpocratiens, dont les autres licencieux sont censés dériver, comme des formes aggravées de la même

6 1 Λέγει τοίνυν οὗτος ἐν τῷ *Περὶ δικαιοσύνης*·

«Τὴν δικαιοσύνην τοῦ θεοῦ κοινωνίαν τινὰ εἶναι
μετ' ἰσότητος. Ἴσος γέ τοι πανταχόθεν ἐκταθεὶς οὐρανὸς
κύκλῳ τὴν γῆν περιέχει πᾶσαν, καὶ πάντας ἡ νὺξ ἐπ' ἴσης
5 ἐπιδείκνυται τοὺς ἀστέρας, τόν τε τῆς ἡμέρας αἴτιον καὶ
πατέρα τοῦ φωτὸς ἥλιον ὁ θεὸς ἐξέχεεν ἄνωθεν ἴσον ἐπὶ
γῆς ἅπασι τοῖς βλέπειν δυναμένοις, οἳ δὲ κοινῇ πάντες
βλέπουσιν, 2 ἐπεὶ μὴ διακρίνει πλούσιον ἢ πένητα ἢ
δήμου ἄρχοντα, ἄφρονάς τε καὶ τοὺς φρονοῦντας, θηλείας
10 ἄρσενας, ἐλευθέρους δούλους, ἀλλ' οὐδὲ τῶν ἀλόγων παρὰ
τοῦτο ποιεῖταί τι, πᾶσι δὲ ἐπ' ἴσης τοῖς ζῴοις κοινὸν αὐτὸν
ἐκχέας ἄνωθεν ἀγαθοῖς τε καὶ φαύλοις[a] τὴν δικαιοσύνην
ἐμπεδοῖ μηδενὸς δυναμένου πλεῖον ἔχειν μηδὲ ἀφαιρεῖσθαι
τὸν πλησίον, ἵν' αὐτὸς κἀκείνου τὸ φῶς διπλασιάσας
15 ἔχῃ. 3 Ἥλιος κοινὰς τροφὰς ζῴοις ἅπασιν ἀνατέλλει,

6, 8-9 ἢ δήμου L : δῆμον ἢ St ‖ 11 αὐτὸν St : αὐτὸν L ‖ 15 ἀνατέλλει
Sy St : ἀνατέλλειν L

---

6 a Cf. Mt 5, 45

erreur (voir F. BOLGIANI, « La polemica », p. 99-117). Il semble en fait que
les carpocratiens aient constitué non seulement une école théologique, mais,
à la manière de certains cercles philosophiques contemporains, une sorte
de confrérie religieuse, le thiase d'Épiphane (d'après Clément) ou, à Rome,
le thiase du Christ (d'après IRÉNÉE, *Contre les hérésies* I, 25, 6), comme le
suppose W.A. LÖHR, « Karpokratianisches », p. 36.

1. La définition de la justice de Dieu, caractérisée par l'égalité et dispensée
à tous également, évoque les amples développements de Philon sur ce sujet
(*Her.* 141-200 ; cf. *Opif.* 51 ; *Spec.* IV, 231), comme le remarque W.A. LÖHR,
« Epiphanes' Schrift *Περὶ δικαιοσύνης* », p. 22-23. En *Her.* 163, PHILON
remarque, à propos de Gn 1, 4-5 : « L'égalité est la règle qui assigne aux
êtres le jour et la nuit, la lumière et l'obscurité. » Philon qualifie aussi Dieu
comme « créateur et père de toutes choses ». Il n'est pas impossible que
les thèmes de la « justice » et de la « communauté » aient une (lointaine)

6 **1** Cet individu écrit donc dans son traité *Sur la justice* :

« La justice de Dieu consiste en une sorte de jouissance commune dans l'égalité[1]. Ainsi, c'est un ciel égal qui s'étend de tous côtés et enveloppe la terre entière d'une sphère ; ce sont toutes les étoiles que la nuit révèle, d'une manière égale ; et Dieu, du haut du ciel, a dispensé sur terre, pour tous ceux qui sont capables de voir, un soleil égal, auteur du jour et père de la lumière ; et tous ont la vue en commun,   **2** puisqu'il ne distingue ni riche, ni pauvre, ni dirigeant de peuple, ni idiots, ni sages, ni femmes, ni mâles, ni hommes libres, ni esclaves. Et même à l'égard des animaux sans raison, il n'agit pas autrement ; au contraire, du haut du ciel, il dispense une lumière commune à tous les animaux, aux bons comme aux mauvais[a2], et établit ainsi les bases de la justice, car personne ne peut avoir une part plus grande, ni enlever celle de son voisin pour posséder lui-même sa part et avoir une double quantité de lumière.   **3** Le soleil fait pousser, pour tous les animaux, une nourriture

---

origine paulinienne (voir J.L. Kovacs, « Was Paul an Antinomian, a Radical Ascetic, or a Sober Married Man ? Exegetical Debates in Clement of Alexandria's *Stromateis* 3 », dans H.U. Weidemann (éd.), *Asceticism and Exegesis in Early Christianity*, Göttingen 2013, p. 186-202, ici p. 189.

2. « Aux bons comme aux mauvais » : même aspect de la répartition en Mt 5, 45, selon une visée différente. La négation des paires d'opposés rappelle Ga 3, 28 : J.L. Kovacs (cité *supra*), p. 190. Les ressemblances avec Mt et Ga, cependant, n'impliquent pas de dépendance. Il n'y a pas, au demeurant, de références explicites à des écrits du NT dans les extraits du traité d'Épiphane. D'après Irénée (*Contre les hérésies* I, 25, 1), « le monde avec ce qu'il contient a été fait », selon Carpocrate, « par des Anges de beaucoup inférieurs au Père inengendré », Anges appelés aussi Archontes (I, 25, 2.3). Rien de tel chez Épiphane. Ou bien, peut-on supposer qu'il attribuait à l'intervention de ces Anges l'état du monde sous l'empire des lois ?

δικαιοσύνης [τε] τῆς κοινῆς ἄπασιν ἐπ᾽ ἴσης δοθείσης,
καὶ εἰς τὰ τοιαῦτα βοῶν γένος ὁμοίως γίνεται ὡς αἱ βόες
καὶ συῶν ὡς οἱ σύες καὶ προβάτων ὡς τὰ πρόβατα καὶ
τὰ λοιπὰ πάντα · δικαιοσύνη γὰρ ἐν αὐτοῖς ἀναφαίνεται
20   ἡ κοινότης. 4 Ἔπειτα κατὰ κοινότητα πάντα ὁμοίως
κατὰ γένος σπείρεται, τροφή τε κοινὴ χαμαὶ νεμομένοις
ἀνεῖται πᾶσι τοῖς κτήνεσι καὶ πᾶσιν ἐπ᾽ ἴσης, οὐδενὶ νόμῳ
κρατουμένη, τῇ δὲ παρὰ τοῦ διδόντος <καὶ> κελεύσαντος
χορηγίᾳ συμφώνως ἅπασι δικαιοσύνη παροῦσα.

113ᵛ 7   ⎮1 Ἀλλ᾽ οὐδὲ τὰ τῆς γενέσεως νόμον ἔχει γεγραμμένον
(μετεγράφη γὰρ ἄν), σπείρουσι δὲ καὶ γεννῶσιν ἐπ᾽ ἴσης,
κοινωνίαν ὑπὸ δικαιοσύνης ἔμφυτον ἔχοντες. Κοινῇ πᾶσιν
ἐπ᾽ ἴσης ὀφθαλμὸν εἰς τὸ βλέπειν ὁ ποιητής τε καὶ πατὴρ
5   πάντων δικαιοσύνη νομοθετήσας τῇ παρ᾽ αὐτοῦ παρέσχεν,
οὐ διακρίνας θήλειαν ἄρρενος, οὐ λογικὸν ἀλόγου, καὶ
καθάπαξ οὐδενὸς οὐδέν, ἰσότητι δὲ καὶ κοινότητι μερίσας
τὸ βλέπειν ὁμοίως ἑνὶ κελεύσματι πᾶσι κεχάρισται.

16 τε post δικαιοσύνης secl. Hiller ‖ 20 ἔπειτα L : ἐπεὶ vel ἐπειδὴ
coni. St in app. ‖ 23 καὶ suppl. Hiller St ‖ 24 χορηγίᾳ St : χορηγία L ‖
δικαιοσύνη Po St : δικαιοσύνη L

1. CLÉMENT DE ROME (*Épître aux Corinthiens* 20) célèbre l'harmonie de l'univers et la justice équitable de Dieu dans la dispensation des
biens pour inciter la communauté à la concorde, à l'exemple du Créateur.

2. « Elle n'est soumise à aucune loi » : ici Épiphane se différencie
de CLÉMENT DE ROME, qui insiste sur les « ordonnances », les « commandements », les « ordres », les « jugements » de Dieu qui régissent la
création et qui accordent un surcroît de bienfaits à ceux qui prient par le
Seigneur Jésus Christ (*Épître aux Corinthiens* 20, 11) ; selon lui la « bonne
entente » entre les êtres est un effet naturel de l'harmonie inhérente à
l'organisation divine du monde.

3. Épiphane récuse la loi du début de la *Genèse*, qui distingue les espèces
et qui attribue à l'être humain un rang singulier. C'est au contraire
« d'un seul ordre » que le Créateur « a dispensé ses faveurs à tous », qu'il
s'agisse de la vue ou de la génération. L'opposition entre loi naturelle et

commune – une justice égale étant ainsi accordée à tous sans distinction[1] – et, à cet égard, une famille de bœufs, de porcs ou de moutons est traitée comme l'ensemble des bœufs, des porcs, ou des moutons, et il en va ainsi de tout le reste, car ce qui est la justice, chez eux, se manifeste sous la forme de la jouissance commune.   4 En outre, c'est selon un principe communautaire que toutes les graines sont dispersées, d'une manière égale pour chaque espèce et pour tous les animaux qui paissent sur la terre, c'est une pâture commune qui lève, égale pour tous ; elle n'est soumise à aucune loi[2] : celui qui y pourvoit en la donnant et en la faisant pousser la dispense à tous avec justice, pour qu'ils en jouissent dans la bonne entente.

7   1 Mieux encore ! Dans le domaine de la génération, il n'y a pas non plus de loi écrite, car, sinon, on l'aurait transcrite : on engendre et donne naissance de façon égale, car la justice fait qu'on est disposé naturellement à la communauté. C'est d'une manière communautaire et égale pour tous que le Créateur et Père de toutes choses a donné des yeux pour voir, établissant ainsi une loi conforme à la justice dont il est l'auteur ; il n'a pas fait de distinction entre la femelle et le mâle, entre l'être intelligent et celui qui ne l'est pas, en un mot, entre aucune créature ; au contraire, en donnant à tous la vue en partage, dans l'égalité et la communauté, il a dispensé ses faveurs à tous, sans distinction et d'un seul ordre de sa part[3].

---

loi écrite transpose dans un contexte polémique nouveau l'antithèse entre « nature » et « loi », courante chez les sophistes anciens (W. A. Löhr, « Karpokratianisches », p. 46, n. 76). On peut y voir aussi un écho de la philosophie cynique, bien vivante au temps d'Épiphane, contestant les règles de la civilisation et de la société au nom du respect de la nature, avec cette différence que les cyniques sont agnostiques sur le plan religieux (voir M.-O. Goulet-Cazé, *Cynisme et christianisme dans l'Antiquité*, p. 32-36 et 51-56 ; cf. I. Jurasz, « Carpocrate et Épiphane : chrétiens et platoniciens radicaux », *VigChr* 71, 2017, p. 165 et 167).

2 Οἱ νόμοι δέ», φησίν, «ἀνθρώπων ἀμαθίαν κολάζειν
10 μὴ δυνάμενοι παρανομεῖν ἐδίδαξαν· ἡ γὰρ ἰδιότης τῶν
νόμων τὴν κοινωνίαν τοῦ θείου νόμου κατέτεμεν καὶ
παρατρώγει[a]»,
μὴ συνιεὶς τὸ τοῦ ἀποστόλου ῥητόν, λέγοντος· «Διὰ νόμου
τὴν ἁμαρτίαν ἔγνων[b].»

15 3 «Τό τε ἐμὸν καὶ τὸ σόν», φησι, «διὰ τῶν νόμων παρ-
εισελθεῖν, μηκέτι εἰς κοινότητα [κοινά τε γὰρ] καρπουμένων
μήτε γῆν μήτε κτήματα, ἀλλὰ μηδὲ γάμον. 4 Κοινῇ
γὰρ ἅπασιν ἐποίησε τὰς ἀμπέλους, αἳ μή<τε> στρουθὸν
μήτε κλέπτην ἀπαρνοῦνται, καὶ τὸν σῖτον οὕτως καὶ
20 τοὺς ἄλλους καρπούς. Ἡ δὲ κοινωνία παρανομηθεῖσα
καὶ τὰ τῆς ἰσότητος ἐγέννησε θρεμμάτων καὶ καρπῶν
8 κλέπτην. 1 Κοινῇ τοίνυν ὁ θεὸς ἅπαντα ἀνθρώπῳ ποιήσας
καὶ τὸ θῆλυ τῷ ἄρρενι κοινῇ συναγαγὼν καὶ πάνθ᾽ ὁμοίως
τὰ ζῷα κολλήσας τὴν δικαιοσύνην ἀνέφηνεν κοινωνίαν
μετ᾽ ἰσότητος. 2 Οἳ δὲ γεγονότες οὕτω τὴν συνάγουσαν
5 κοινωνίαν τὴν γένεσιν αὐτῶν ἀπηρνήθησαν καί φασιν·

7, 16 κοινά τε γὰρ secl. Ma St coll. κοινῇ γὰρ infra ‖ καρπουμένων L :
ἡμῶν post καρπουμένων coni. in app. St ‖ 18 μήτε St : μὴ L
8, 4 συνάγουσαν L : συνέχουσαν coni. in app. St coll. 9, 3 ‖ 5 φασιν
Hilg Fr : φησὶν L ἔφασαν St

---

7 a ÉPIPHANE, fr. 6-8 Völker   b Rm 7, 7

---

1. L'« ignorance » doit concerner la loi divine de la « communauté ».
La contradiction dans les termes que construit Épiphane pour condamner
les lois écrites tire parti d'une lecture littérale de Rm 5, 20 que Clément
rejette en déplaçant l'attention sur Rm 7, 7, où l'exemple est l'interdiction :
« Tu ne convoiteras pas » (cf. Ex 20, 17).

2. À la particularité des lois s'oppose l'unicité de l'« ordre » de Dieu,
qui est lui-même « monade ».

2 Or », dit-il, « incapables de réprimer l'ignorance des hommes, les lois leur ont appris à agir illégalement[1]. En effet, la particularité des lois a découpé en portions la communauté de la loi divine, et continue de la ronger[a][2]. »

Il n'a pas compris la parole de l'Apôtre : « C'est la Loi qui m'a fait connaître le péché[b]. »

3 « Ce sont les lois », selon Épiphane, « qui ont introduit les notions de mien et de tien, en cessant de réserver à un usage commun les productions de la terre et des troupeaux, comme aussi l'accouplement. 4 Car c'est pour tous en commun que Dieu a créé les vignes, lesquelles ne se refusent ni au moineau, ni au voleur ; de même pour le froment et les autres fruits de la terre. En revanche, la violation du principe de la communauté et de l'égalité a engendré le voleur de bétail et de récoltes[3]. 1 C'est donc pour tous en commun que Dieu avait tout créé pour l'homme[4], uni en communauté la femelle au mâle et accouplé de même tous les animaux : il révélait que sa justice est constituée par une mise en commun dans l'égalité, 2 mais ceux qui sont nés de cette manière ont refusé la communauté qui accomplissait leur propre naissance, et ils affirment :

3. En divisant par la propriété individuelle les biens dispensés par le Créateur, les lois humaines – résumées ici dans l'interdiction du vol en Ex 20, 14 – ont violé la loi divine.

4. Si l'on remplace le Dieu créateur par la « nature », Épiphane se trouve proche de Diogène, qui remettait en cause l'institution sociale du mariage, en préconisant la communauté des femmes et des enfants (Diogène Laërce, *Vies* VI, 72 ; voir M.-O. Goulet-Cazé, « La contestation de la loi dans le cynisme ancien », dans M. Aouad (éd.), *Les doctrines de la loi dans la philosophie de langue arabe et leurs contextes grecs et musulmans*, *Mélanges de l'Université Saint Joseph* 61, 2008, p. 405-433).

'Ὁ μίαν ἀγόμενος ἐχέτω', δυναμένων κοινωνεῖν ἀπάντων, ὥσπερ ἀπέφηνε τὰ λοιπὰ τῶν ζῴων[a].»

3 Ταῦτα εἰπὼν κατὰ λέξιν πάλιν ὁμοίως αὐταῖς ταῖς 114ʳ λέξεσιν ἐπι|φέρει·

10 «Τὴν γὰρ ἐπιθυμίαν εὔτονον καὶ σφοδροτέραν ἐνεποίησε τοῖς ἄρρεσιν εἰς τὴν τῶν γενῶν παραμονήν, ἣν οὔτε νόμος οὔτε ἔθος οὔτε ἄλλο <τι> τῶν ὄντων ἀφανίσαι δύναται. Θεοῦ γάρ ἐστι δόγμα[b].»

4 Καὶ πῶς ἔτι οὗτος ἐν τῷ καθ᾽ ἡμᾶς ἐξετασθείη λόγῳ
15 ἄντικρυς καὶ τὸν νόμον καὶ τὸ εὐαγγέλιον διὰ τούτων καθαιρῶν; ὃ μὲν γάρ φησιν· «Οὐ μοιχεύσεις[c]», τὸ δὲ «Πᾶς ὁ προσβλέπων κατ᾽ ἐπιθυμίαν ἤδη ἐμοίχευσεν[d]» λέγει. 5 Τὸ γὰρ «Οὐκ ἐπιθυμήσεις[c]» πρὸς τοῦ νόμου λεγόμενον τὸν ἕνα δείκνυσι θεὸν διὰ νόμου καὶ προφητῶν καὶ εὐαγγελίου
20 κηρυσσόμενον· λέγει γάρ· «Οὐκ ἐπιθυμήσεις τῆς τοῦ πλησίον[e].» 6 Ὁ πλησίον δὲ οὐχ ὁ Ἰουδαῖος τῷ Ἰουδαίῳ, ἀδελφὸς γὰρ καὶ ταυτότης τοῦ πνεύματος, λείπεται δὴ

---

6 ὁ Sy St : εἰ L ‖ 12 τι suppl. He ‖ 16 καθαιρῶν Sy St : καθαίρων L
8, 22 post ἀδέλφος γὰρ καὶ suppl. ᾧ ἡ Schw

---

8 a ÉPIPHANE, fr. 7, 3 – 8, 2 Völker   b ÉPIPHANE, fr. 8, 3 Völker
c Ex 20, 13   d Mt 5, 28   e Ex 20, 17

---

1. Une autre traduction, « alors que tous pourraient les posséder en commun », ferait des femmes seulement les objets de la possession, ce que l'expression d'Épiphane n'autorise pas (voir K. GACA, *The Making of Fornication*, p. 278, n. 10).

2. L'« arrêt de Dieu » est universel ; il concerne tous les êtres qui se reproduisent. Cette loi générale, manifestée par ce qu'Épiphane présente comme un fait naturel – la force de la convoitise chez les êtres masculins –,

'Qu'on épouse une seule femme et qu'on la garde', alors que la possession commune pourrait être totale, comme le montre le reste des animaux[a1]. »

3 Après s'être exprimé ainsi, il poursuit la même idée en ces termes :

« Il a planté dans les mâles une convoitise vigoureuse et plus forte en vue de perpétuer les espèces ; aucune loi, aucune coutume, aucun être ne peut la supprimer : c'est un arrêt de Dieu[b2]. »

Cette théorie contredit la Loi et l'Évangile

4 Comment cet individu pourrait-il encore être compté au nombre des nôtres, lui qui, par ces propos, détruit ouvertement la Loi et l'Évangile ? Car la Loi dit : « Tu ne commettras pas l'adultère[c] », et l'Évangile : « Quiconque regarde en convoitant a déjà commis l'adultère[d]. » 5 Le fait que les mots « Tu ne convoiteras pas[e] » soient prononcés par la Loi montre que c'est un même Dieu qui est proclamé par la Loi, les Prophètes et l'Évangile[3]. La Loi dit en effet : « Tu ne convoiteras pas la femme de ton prochain[e]. » 6 Or, le prochain, ce n'est pas le Juif pour le Juif, car c'est son frère et l'identité même de l'esprit ; il reste

---

frappe d'inanité l'interdit d'Ex 20, 17 (et Dt 5, 21), en le ridiculisant (*infra* 9, 3). Le propos du fils de Carpocrate n'est pas d'inciter à la débauche, comme le prétend Clément (en 10, 1), mais il s'intéresse au principe de la perpétuation des espèces.

3. Contre la distinction faite par Épiphane entre le Dieu créateur et le « législateur » (9, 3), Clément affirme l'identité du Dieu de la Loi et du Dieu de l'Évangile. Le déplacement opéré par sa réplique correspond à l'absence de l'opposition entre le Dieu créateur et un Dieu transcendant chez Épiphane, pour qui l'« arrêt de Dieu » (unique, Créateur) est immanent au monde créé, et suppose néanmoins que l'adversaire distinguait le Dieu juste et bon de l'Évangile et le Dieu de la Loi. Dans les fragments du traité *Sur la justice* nulle part cependant le « législateur » n'est appelé Dieu.

πλησίον τὸν ἀλλοεθνῆ λέγειν. Πῶς γὰρ οὐ πλησίον ὁ οἷός τε
κοινωνῆσαι τοῦ πνεύματος; Οὐ γὰρ μόνων Ἑβραίων, ἀλλὰ
9 καὶ ἐθνῶν πατὴρ Ἀβραάμ[f]. **1** Εἰ δὲ ἡ μοιχευθεῖσα καὶ ὁ εἰς
αὐτὴν πορνεύσας θανάτῳ κολάζεται[a], δῆλον δήπου τὴν ἐντολὴν
τὴν λέγουσαν· « Οὐκ ἐπιθυμήσεις τὴν γυναῖκα τοῦ πλησίον[b] »
περὶ τῶν ἐθνῶν διαγορεύειν, ἵνα τις κατὰ νόμον καὶ τῆς τοῦ
5 πλησίον καὶ τῆς ἀδελφῆς ἀποσχόμενος ἄντικρυς ἀκούσῃ
παρὰ τοῦ κυρίου· « Ἐγὼ δὲ λέγω, οὐκ ἐπιθυμήσεις[c] » ἡ δὲ τοῦ
« ἐγὼ » μορίου προσθήκη προσεχεστέραν δείκνυσι τῆς ἐντολῆς
τὴν ἐνέργειαν, **2** καὶ ὅτι θεομαχεῖ ὅ τε Καρποκράτης ὅ
τ᾽ Ἐπιφάνης, <ὃς> ἐν αὐτῷ τῷ πολυθρυλήτῳ βιβλίῳ, τῷ *Περὶ*
10 *δικαιοσύνης* λέγω, ὧδέ πως ἐπιφέρει κατὰ λέξιν·

9, 9 ὃς suppl. Wi St || 10 λέγω Sy St : λέγων L

f Cf. Gn 17, 5 ; Rm 4, 16-17
9 a Cf. Lv 20, 10 ; Dt 22, 22   b Ex 20, 17   c Cf. Mt 5, 27-28

---

1. L'argument de Clément insiste sur l'universalité de l'interdiction. Il
se peut qu'Épiphane dans son traité ait donné un sens restreint au « prochain », pour dénoncer une contradiction de ce « législateur » obsédé par
les catégories, qui aurait limité l'interdit de l'adultère à la société juive, en
l'autorisant implicitement avec une femme païenne.

2. Le recours à Rm 4, 16-17 substitue à l'héritage de la promesse la
possession du même « esprit » (cf. *Strom.* II, 42, 1), dont l' « identité »
inaliénable fait la fraternité des Juifs et auquel les païens, « le prochain »,
sont capables désormais de participer.

donc que le prochain désigne celui qui est d'une autre race[1].
Comment, en effet, ne serait-il pas le prochain, celui qui est en
état d'avoir part à l'esprit ? Car Abraham n'est pas seulement le

9 père des Hébreux, mais aussi celui des païens[f2]. **1** D'autre part,
si la femme adultère et son complice en débauche sont punis
de mort[a], il est bien évident que le commandement qui dit :
« Tu ne convoiteras pas la femme de ton prochain[b] » s'étend
aux païens[3] ; en se conformant à la Loi, on s'abstiendra de la
« femme du prochain » et de sa sœur (de même peuple), de
manière à entendre le Seigneur déclarer ouvertement : « Moi,
je dis : tu ne convoiteras pas[c]. » L'adjonction du pronom *moi*
souligne l'insistance de cette défense[4]. **2** Elle montre aussi
que Carpocrate et Épiphane luttent contre Dieu[5], lorsque le
second, dans son livre si vanté, je parle du traité *Sur la justice*,
ajoute ces propos, textuellement :

3. En Dt 22, 22 la femme et l'homme coupables ne sont pas qualifiés
par la relation de proximité (à la différence de Lv 20, 10). C'est de cette
neutralité, ou de cette généralité, que Clément tire *a fortiori* son interprétation de Ex 20, 17.

4. « Souligne l'insistance de cette défense » : litt. « rend plus proche
(urgente) l'action de ce commandement ». La défense, réitérée par le
Seigneur lui-même, voit sa vigueur renforcée (voir *Strom.* III, 71, 3).

5. La « théomachie » des hérésiarques est une figure de la polémique
chez Irénée déjà, qui compare les valentiniens aux Géants du mythe grec
(*Contre les hérésies* II, 30, 1 ; voir A. LE BOULLUEC, *La notion d'hérésie*,
p. 297 et 301). Clément l'utilise aussi contre Marcion (*Strom.* III, 25, 2).

3 « Ἔνθεν ὡς γελοῖον εἰρηκότος τοῦ νομοθέτου ῥῆμα
τοῦτο ἀκουστέον 'Οὐκ ἐπιθυμήσεις[d]' πρὸς τὸ γελοιότερον

εἰπεῖν 'τῶν τοῦ πλησίον[d]'· αὐτὸς γὰρ ὁ τὴν ἐπιθυ|μίαν
δοὺς ὡς συνέχουσαν τὰ τῆς γενέσεως ταύτην ἀφαιρεῖσθαι

15 κελεύει μηδενὸς αὐτὴν ἀφελὼν ζῴου· τὸ δὲ 'τῆς τοῦ
πλησίον γυναικὸς[d]' ἰδιότητα τὴν κοινωνίαν ἀναγκάζων
ἔτι γελοιότερον εἶπεν[e]. »

10 1 Καὶ ταῦτα μὲν οἱ γενναῖοι Καρποκρατιανοὶ δογματίζουσι. Τούτους φασὶ καί τινας ἄλλους ζηλωτὰς τῶν ὁμοίων
κακῶν εἰς τὰ δεῖπνα ἀθροιζομένους (οὐ γὰρ ἀγάπην εἴποιμ'
ἂν ἔγωγε τὴν συνέλευσιν αὐτῶν), ἄνδρας ὁμοῦ καὶ γυναῖκας,

5 μετὰ δὴ τὸ κορεσθῆναι (« ἐν πλησμονῇ τοι Κύπρις », ᾗ φασι[a])
τὸ καταισχῦνον αὐτῶν τὴν πορνικὴν ταύτην δικαιοσύνην
ἐκποδὼν ποιησαμένους φῶς τῇ τοῦ λύχνου περιτροπῇ,
μίγνυνται, ὅπως ἐθέλοιεν, αἷς βούλοιντο, μελετήσαντας δὲ
ἐν τοιαύτῃ ἀγάπῃ τὴν κοινωνίαν, μεθ' ἡμέραν ἤδη παρ' ὧν

10, 5 τοι κύπρις, ᾗ Di : τῇ κυπρίσῃ L

---

d Ex 20, 17   e ÉPIPHANE, fr. 9, 3 Völker
10 a EURIPIDE, fr. 895 Nauck

---

1. Si, par la louange de la justice du Créateur et de l'ordre de l'univers,
Épiphane est proche de Philon, il s'en sépare radicalement en refusant
l'identification de la Loi et de l'harmonie du monde. Il prétend au contraire
montrer l'absurdité de la Loi. Ce rejet l'apparente aux disciples de Prodicos
(voir *Strom.* III, 30, 1). Ceux que Clément appelle les antitactes (*Strom.* III,
34, 3-4) sont des opposants un peu moins virulents, dans la mesure où ils
donnent un sens à la Loi écrite (voir W.A. LÖHR, « Epiphanes' Schrift
Περὶ δικαιοσύνης », p. 27).

2. La rumeur que reprend Clément (avec allusion probable à « ceux
qui souillent vos agapes » de *Jude* 12) est en accord avec les accusations
portées par IRÉNÉE contre Carpocrate et ses disciples (*Contre les hérésies* I,

3 « Il faut donc considérer comme ridicule cette parole du législateur : 'Tu ne convoiteras pas[d]', et comme encore plus ridicules ces mots 'les biens du prochain[d]' ; en effet, l'auteur de la convoitise qui permet la génération ordonne de la supprimer, ce qu'il ne fait pour aucun animal. Quant aux mots 'la femme du prochain[d]', qui contraignent à passer de la communauté à la propriété, ils sont encore plus ridicules[e1]. »

10

Les mœurs des disciples de Carpocrate

1 Voilà donc les opinions que soutiennent les nobles disciples de Carpocrate. On raconte[2] que, rassemblés pour banqueter avec d'autres partisans des mêmes turpitudes – pour ma part, je refuserais à leur réunion le nom d'*agape* –, hommes et femmes pêle-mêle, une fois repus – « c'est », dit-on, « dans la satiété que vient Cypris[a3] » –, ils renversent la lampe et, débarrassés de la lumière, qui ferait honte à cette justice débauchée, ils s'accouplent à leur gré à celles qu'ils veulent ; et après s'être exercés à la mise en commun dans ce genre d'agape, ils réclament le jour venu à des femmes de leur

---

25, 4). W.A. Löhr a discerné le tour polémique de ses allégations vindicatives et mis en doute le libertinisme de la secte dans sa conduite sexuelle (« Karpokratianisches », p. 33-34). Les hérésiologues retournent contre leurs adversaires les calomnies déversées par les païens sur les chrétiens, en raison de la promiscuité de leurs assemblées liturgiques, pour l'« agape » ou pour l'eucharistie. Minucius Félix les rapporte dans l'*Octavius* (voir la traduction de V. Zarini dans *Premiers écrits chrétiens*, p. 926-932). Le détail de la lampe renversée y est aussi présent (*Octavius* IX, 7, p. 928). Justin l'exploite déjà contre les hérétiques (*Apologie pour les chrétiens* I, 26, 7). L. Früchtel renvoie aussi, pour l'image et la situation, à Horace, *Carmina* III, 6, 28 (*luminibus remotis*), et, pour la calomnie antichrétienne, à Origène, *Contre Celse* VI, 27, qui l'attribue aux Juifs.

3. La faute patente de L dans la citation de l'adage sur Cypris est corrigée par le témoignage d'Athénée, *Deipnosophistes* VI, 270C.

10 ἂν ἐθελήσωσι γυναικῶν ἀπαιτεῖν τὴν τοῦ Καρποκρατείου,
οὐ γὰρ θέμις εἰπεῖν θείου, νόμου ὑπακοήν. Τοιαῦτα δὲ οἶμαι
ταῖς κυνῶν καὶ συῶν καὶ τράγων λαγνείαις νομοθετεῖν τὸν
Καρποκράτην ἔδει.

2 Δοκεῖ δέ μοι καὶ τοῦ Πλάτωνος παρακηκοέναι ἐν τῇ
15 *Πολιτείᾳ* φαμένου κοινὰς εἶναι τὰς γυναῖκας πάντων[b],
κοινὰς μὲν τὰς πρὸ τοῦ γάμου τῶν αἰτεῖσθαι μελλόντων,
καθάπερ καὶ τὸ θέατρον κοινὸν τῶν θεωμένων φάσκοντος,
τοῦ προκαταλαβόντος δὲ ἑκάστην ἑκάστου εἶναι καὶ οὐκέτι
κοινὴν τὴν γεγαμημένην.

11   1 Ξάνθος δὲ ἐν τοῖς ἐπιγραφομένοις *Μαγικοῖς* «Ἡγοῦνται
δὲ» φησὶν «οἱ Μάγοι μητράσι καὶ θυγατράσι καὶ ἀδελφαῖς
μίγνυσθαι θεμιτὸν εἶναι κοινάς τε εἶναι τὰς γυναῖκας οὐ
115ʳ   βίᾳ καὶ λάθρᾳ, ἀλλὰ συναινούντων ἀμ|φοτέρων, ὅταν θέλῃ
5 γῆμαι ὁ ἕτερος τὴν τοῦ ἑτέρου[a]». 2 Ἐπὶ τούτων οἶμαι καὶ

11, 1 ἡγοῦνται coni. St in app. : μίγνυνται L

---

b Cf. PLATON, *République* V, 449c; 457cd; 466cd
11 a XANTHOS, fr. 31 Jacoby (*FGrHist*)

---

1. Il y a peut-être un jeu sur les épithètes de la « loi », Καρποκρατείου
et θείου, dont un équivalent serait « carpocrétine » et « divine » (note
de P. Descourtieux).

2. Clément a pris soin de préciser qu'Épiphane avait étudié les œuvres
de Platon auprès de son père (*supra* 5, 3), pour pouvoir lui reprocher
ici un contresens. C'est dans sa doctrine de l'âme que le platonisme de
Carpocrate est manifeste, d'après le témoignage d'IRÉNÉE (*Contre les
hérésies* I, 25, 1-2; voir W.A. LÖHR, « Karpokratianisches », p. 25-26 et
38). PLATON dans la *République* (V, 449c; 457cd; 466cd) restreignait
la communauté des femmes à l'ordre des « gardiens ». L'interprétation
que donne Clément de la règle imaginée par Platon est semblable à celle
d'ÉPICTÈTE (*Entretiens* II, 4, 8-10), qui use de l'exemple de la place au
théâtre, associé au mariage, dont se servaient les stoïciens pour illustrer
leur théorie du droit conforme à la nature (voir CICÉRON, *Fins des biens et
des maux* III, 20, 67-68, et la traduction de J. KANY-TURPIN, Paris 2016).

gré l'obéissance à la loi Carpocrétine – il serait effectivement sacrilège de parler de loi divine[1]. Selon moi, c'est pour les ébats lascifs des chiens, des porcs et des boucs que Carpocrate aurait dû édicter une telle loi.

2 Il a, me semble-t-il aussi, mal compris Platon qui parle, dans sa *République*, d'une communauté générale des femmes[b], au sens où les femmes, avant le mariage, sont communes à tous ceux qui se proposent de les demander, comme il affirmerait que le théâtre est commun aux spectateurs. Mais chacune appartient à celui qui l'a obtenue le premier, et la femme mariée n'est plus commune à tous[2].

11

Le précédent des Mages

1 Dans l'ouvrage intitulé *Les mœurs des Mages*, Xanthos dit : « Les Mages croient à la licéité de l'accouplement à sa mère, à ses filles, à ses sœurs, et la communauté des femmes, non par force et en cachette, mais par consentement des parties, chaque fois qu'on veut épouser la femme d'un autre[a][3]. » 2 C'est, je crois, à propos de ces hérésies et

---

3. Xanthos, cité par Éphore comme historien antérieur (ATHÉNÉE, *Deipnosophistes* XII, 11, 515D), est contemporain d'Empédocle (voir la note de J.-F. BALAUDÉ dans DIOGÈNE LAËRCE, *Vies* VIII, 63, p. 990). Ses *Magika* faisaient peut-être partie de ses livres sur la Lydie, où il aurait été en contact avec des « Mages » de la diaspora d'Asie Mineure. La pratique de l'inceste est aussi attribuée aux Mages par Sotion (d'après DIOGÈNE LAËRCE, *Vies* I, 7 ; voir déjà EURIPIDE, *Andromaque* 174, contre « la gent barbare »). Dans sa réplique au réquisitoire antichrétien, MINUCIUS FÉLIX renvoie l'accusation d'inceste aux adversaires en prenant l'exemple des Perses (*Octavius* XXXI, 3 ; voir aussi TATIEN, *Aux Grecs* 28, 2) ; CYRILLE D'ALEXANDRIE, *Contre Julien* IV, 4, exploite le motif contre la théorie des « dieux tutélaires » des nations selon Julien (voir la note 2 de M.-O. BOULNOIS dans *SC* 582, p. 320). – Le début de la citation de Xanthos est marqué d'une croix par Stählin, dont la conjecture donne cependant un texte satisfaisant.

τῶν ὁμοίων αἱρέσεων προφητικῶς Ἰούδαν ἐν τῇ ἐπιστολῇ
εἰρηκέναι· «Ὁμοίως μέντοι καὶ οὗτοι ἐνυπνιαζόμενοι» (οὐ
γὰρ ὕπαρ τῇ ἀληθείᾳ ἐπιβάλλουσιν) ἕως «καὶ τὸ στόμα αὐτῶν
λαλεῖ ὑπέρογκα[b].»

12　 1 Ἤδη δὲ εἰ αὐτός τε ὁ Πλάτων καὶ οἱ Πυθαγόρειοι
καθάπερ οὖν ὕστερον καὶ οἱ ἀπὸ Μαρκίωνος κακὴν
τὴν γένεσιν ὑπειλήφεσαν (πολλοῦ γε ἔδει κοινὰς αὐτὸν
ὑποτίθεσθαι τὰς γυναῖκας), ἀλλ' οἱ μὲν ἀπὸ Μαρκίωνος
5 φύσιν κακὴν ἔκ τε ὕλης κακῆς καὶ ἐκ δικαίου γενομένην
δημιουργοῦ· 2 ᾧ δὴ λόγῳ, μὴ βουλόμενοι τὸν κόσμον τὸν

---

b Jd 8-16

---

1. Les *Adumbrationes* ont conservé un bref commentaire de Clément sur
ces versets de *Jude* (*GCS* 17², III, p. 207, 16 – 208, 18). La même épître sert
à évoquer les châtiments des voluptueux en *Péd.* III, 44, 2 – 45, 1. Il faut
attendre Origène pour trouver des références aussi précises à cette lettre,
et Épiphane de Salamine pour une exploitation hérésiologique analogue.

2. Un nouvel exposé (12, 1 – 25, 4) vise des adversaires dont les présup-
posés sont contraires à ceux du carpocratien Épiphane : les marcionites
sont censés considérer la « génération » comme mauvaise et la « justice »
du « créateur/démiurge » n'a rien de commun avec la libéralité égalitaire
de Dieu d'après le traité *Sur la justice* (É. DES PLACES a donné une traduction de tout le développement 12-24 : « Les citations profanes de Clément
d'Alexandrie dans le IIIᵉ *Stromate* », p. 59-62). À ce contraste s'ajoute la
différence entre deux contresens commis sur la pensée de Platon. L'erreur des
marcionites selon Clément est d'avoir transformé les remarques pessimistes
de Platon sur le monde et la condition humaine en un dualisme onto-cos-
mologique radical (D. WYRWA, *Die christliche Platonaneignung*, p. 205).
En reprenant le grief de l'emprunt erroné (voir G. MAY, « Platon und die
Auseinandersetzung mit den Häresien bei Klemens von Alexandrien »,
dans *Platonismus und Christentum. Festschrift für Heinrich Dörrie*, Münster
1983, p. 123-132 ; p. 127-129 sur *Strom.* III, 12, 1 – 25, 4), Clément est
soucieux de maintenir Platon dans son camp.

d'autres du même genre, que Jude a dit de manière prophétique dans sa *Lettre* : « Voilà bien ces rêveurs » – ils
dorment quand ils cherchent la vérité ! –, [...] « à la bouche
pleine de grands mots[b1]. »

III

LE PESSIMISME DE MARCION ET DE NOMBREUX AUTEURS GRECS ANTÉRIEURS [2]

12

Le fondement impie de l'encratisme marcionite

1 Déjà, il est vrai, la génération a été considérée comme mauvaise par Platon lui-même, par les pythagoriciens[3], comme plus tard par les disciples de Marcion, lequel pourtant n'a certainement pas posé en principe la communauté des femmes ! Pour les disciples de Marcion, la nature est mauvaise, parce qu'elle provient d'une matière mauvaise et d'un Démiurge juste[4]. 2 C'est bien pourquoi, refusant de contribuer à remplir ce monde

---

3. La « génération » (γένεσις) englobe toutes les formes de venue à l'être, parmi lesquelles la « naissance », dans ce contexte, occupe la première place. D'après le *Philèbe* (54a-55b), étant donné que la « génération » se produit en vue de quelque chose, en l'occurrence l'être, elle n'appartient pas à la classe du bien. C'est donc de façon toute relative qu'elle peut être considérée comme « mauvaise » par Platon. En *Strom.* IV, 17, 1 – 18, 1 Clément oppose aux marcionites *République* III, 410c et IX, 591d. L'association « Platon et les pythagoriciens » est typique du médioplatonisme (voir S.R.C. LILLA, *Clement of Alexandria*, p. 42-45).

4. Le contresens sur Platon est inhérent à la doctrine marcionite du « démiurge » seulement « juste », distinct du Dieu « bon » (*infra* 12, 2), un « démiurge » censé être le créateur d'une « nature mauvaise », « parce

ὑπὸ τοῦ δημιουργοῦ γενόμενον συμπληροῦν[a], ἀπέχεσθαι
γάμου βούλονται, ἀντιτασσόμενοι τῷ ποιητῇ τῷ σφῶν καὶ
σπεύδοντες πρὸς τὸν κεκληκότα ἀγαθόν, ἀλλ' οὐ τὸν ὡς
10 φασι θεὸν ἐν ἄλλῳ τρόπῳ, ὅθεν οὐδὲν ἴδιον καταλιπεῖν
ἐνταῦθα βουλόμενοι οὐ τῇ προαιρέσει γίνονται ἐγκρατεῖς,
τῇ δὲ πρὸς τὸν πεποιηκότα ἔχθρᾳ, μὴ βουλόμενοι χρῆσθαι
τοῖς ὑπ' αὐτοῦ κτισθεῖσιν. 3 Ἀλλ' οὗτοί γε ἀσεβεῖ
θεομαχίᾳ τῶν κατὰ φύσιν ἐκστάντες λογισμῶν, τῆς μακρο-
15 θυμίας καὶ χρηστότητος τοῦ θεοῦ καταφρονοῦντες[b], εἰ
καὶ μὴ γαμεῖν ἐθέλουσιν, ἀλλὰ τροφαῖς χρῶνται ταῖς
κτισταῖς καὶ τὸν ἀέρα τοῦ δημιουργοῦ ἀναπνέουσιν,
αὐτοῦ τε ὄντες ἔργα καὶ ἐν τοῖς αὐτοῦ καταμένοντες,

---

12 a Cf. Gn 1, 28   b Cf. Rm 2, 4

qu'elle provient » et de lui et « d'une matière mauvaise ». L'intrusion de
la figure de ce « démiurge », substitué à l'action d'une âme mauvaise du
monde, telle qu'elle est supposée par les hypothèses d'un Numénius (platonicien pythagorisant s'il en est) sur l'origine du mal, vient modifier (et
altérer) l'une des cinq représentations de la racine du mal dans la tradition
platonicienne répertoriées par D. WYRWA (*Die christliche Platonaneignung*,
p. 217). Quant au dualisme reproché à Marcion, il correspond au jugement
d'autres sources polémiques, comme IRÉNÉE (*Contre les hérésies* I, 25, 1 ;
III, 12, 15) et TERTULLIEN (*Contre Marcion* I, 2, 2 ; 15, 4 ; sur les défauts
du « démiurge » selon Marcion, voir A. VON HARNACK, *Marcion*, p. 121-
129). Selon TERTULLIEN aussi Marcion assignait le mal à la matière (*Contre
Marcion* I, 15 ; voir A. VON HARNACK, *Marcion*, p. 121-122).

1. Clément adapte sa critique au sujet du livre III, en usant d'arguments propres à la controverse interne au christianisme, alors qu'il se
contente de la défense du mariage en vigueur dans la tradition grecque,
soucieuse de préserver la société humaine, dans le livre II (140, 1 – 141,
5). Marcion condamnait le mariage comme « corruption et débauche »
(IRÉNÉE, *Contre les hérésies* I, 28, 1 ; cf. TERTULLIEN, *Contre Marcion* I,
29, 5). D'après TERTULLIEN, il se déchaînait avec violence contre la chair
et la procréation (*Contre Marcion* III, 10, 1 ; 11, 7 ; *La résurrection des*

produit par le Démiurge[a], ils veulent s'abstenir du mariage ;
ils s'opposent à leur Créateur et s'empressent d'aller vers le
Dieu qui les a appelés, le Dieu bon, et non vers celui qu'ils
nomment « l'autre sorte de Dieu ». Par conséquent, ne
voulant rien laisser d'eux-mêmes ici-bas, ils deviennent
continents non en vertu d'un choix personnel, mais en raison
de leur haine à l'égard du Créateur et de leur refus d'user de
la création dont il est l'auteur[1]. **3** Toutefois ces gens-là,
qu'une lutte impie contre Dieu a fait sortir des raisonnements
conformes à la nature, méprisent la patience et la générosité
de Dieu[b 2] : tout en refusant de se marier, ils usent néanmoins
des nourritures créées et respirent l'air du Démiurge, étant
eux-mêmes son œuvre et résidant sur son domaine[3] ; et ils

---

morts 4, 2 ; *La chair du Christ* 4, 1). Clément donne ici du dualisme de
Marcion l'expression la plus forte qui soit (voir D. Wyrwa, *Die christliche
Platonaneignung*, p. 206-207), ce qui lui permet, sur le plan rhétorique et
persuasif, de placer les marcionites du côté des « opposants » au Créateur,
au moyen d'un terme, ἀντιτάσσεσθαι, qui devient l'emblème des hétérodoxes combattus dans le livre III, quelle que soit leur doctrine (voir *infra*
34, 1-4 ; 35, 2. 3 ; 36, 2 ; 37, 1.4 ; 63, 1 ; 76, 3), et qui est associé à l'image
de l'hérétique « géant théomaque » (Marcion, ici en 12, 3 et *infra* 25, 2,
Carpocrate et Épiphane en 9, 2).

2. Rm 2, 4-6 est cité par Irénée contre « ceux qui refusent de croire
à la bonté » de Dieu Créateur (*Démonstration* 8).

3. Clément dénonce ce qu'il perçoit comme des inconséquences des
marcionites. Celse en avait déjà pourfendu d'autres, en se fondant sur un
écrit anti-marcionite (Origène, *Contre Celse* VI, 52-53). Il raillait leur
θεομαχία, mais désignait par là le combat censé opposer le fils du démiurge
et le fils du Dieu bon (Origène, *Contre Celse* VI, 74). Tertullien
reporte le sarcasme sur le Dieu « étranger » : « Tu devrais bien être recon-
naissant, ô dieu hérétique, si du moins tu existais, envers la disposition du
Créateur d'unir l'homme et la femme : car c'est du moins de ce mariage
qu'est né aussi ton Marcion ! » (*Contre Marcion* I, 29, 8, trad. R. Braun,
SC 365, p. 245).

τήν τε ξένην, ὥς φασι, γνῶσιν εὐαγγελίζονται, κἂν κατὰ
20 τοῦτο χάριν ἐγνωκέναι τῷ κυρίῳ τοῦ κόσμου ὀφείλοντες
13 καθ' ὃ ἐνταῦθα εὐηγγελίσθησαν. 1 Ἀλλὰ πρὸς μὲν
τούτους, ὁπόταν τὸν περὶ ἀρχῶν διαλαμβάνωμεν λόγον,
ἀκριβέστατα διαλεξόμεθα.

115ᵛ ⌐Οἱ φιλόσοφοι δὲ ὧν ἐμνήσθημεν, παρ' ὧν τὴν γένεσιν
5 κακὴν εἶναι ἀσεβῶς ἐκμαθόντες οἱ ἀπὸ Μαρκίωνος
καθάπερ ἰδίῳ δόγματι φρυάττονται, οὐ φύσει κακὴν
βούλονται ταύτην εἶναι, ἀλλὰ τῇ ψυχῇ τῇ τὸ ἀληθὲς
διδούσῃᵃ· 2 κατάγουσι γὰρ ἐνταῦθα τὴν ψυχὴν θείαν
οὖσαν καθάπερ εἰς κολαστήριονᵇ τὸν κόσμον, ἀποκαθ-
10 αίρεσθαι δὲ ταῖς ἐνσωματουμέναις ψυχαῖς προσήκει

13, 8 διδούσῃ Ma St : διαδούσῃ L

---

13 a Cf. PLATON, *Phèdre* 248c ; 249a   b PLATON, *Phédon* 62b

---

1. Les *Antithèses* de Marcion commençaient probablement par un cri
d'allégresse concernant l'Évangile : « Ô merveille de merveilles, ravis-
sement, puissance et étonnement, que l'on ne peut rien dire ni penser
de l'Évangile et qu'on ne peut le comparer à rien » (A. VON HARNACK,
Marcion, p. 110-111 ; 119, citant un texte syriaque anti-marcionite).

2. La formule réduit l'*Évangile* de Marcion, le premier à avoir donné à
un livre le nom d' « évangile » (A. VON HARNACK, *Marcion*, p. 55, n. 3), à
l'annonce d'une « gnose étrangère », faisant passer ainsi du Dieu véritable
(voir TERTULLIEN, *Contre Marcion* I, 8 ; 9 ; V, 16, 3 ; I, 2 ; I, 23 ; cf. IRÉNÉE,
Contre les hérésies I, 27, 2 ; III, 7, 1 ; 11, 2 ; A. VON HARNACK, *Marcion*,
p. 141-143) au contenu de la prédication l'épithète « étranger », ce qui permet d'annexer Marcion à la gnose hétérodoxe.

3. Clément mentionne plusieurs fois un exposé « Sur les principes »,
notamment dans *Quel riche sera sauvé?* (26, 8 et intr. C. NARDI –
P. DESCOURTIEUX, *SC* 537, p. 15 et p. 171 ; cf. *Strom.* III, 21, 2 ; IV, 2, 1 ;
V, 140, 3 ; VI, 4, 2).

annoncent la bonne nouvelle[1] de ce qu'ils nomment la
« connaissance étrangère[2] » ; quand cela serait, ils devraient
savoir gré au Seigneur de l'univers d'avoir reçu, ici-bas,
13 cette bonne nouvelle.   1 Nous leur opposerons une
réfutation détaillée lorsque nous traiterons la question des
principes[3].

Des philosophes déjà mentionnés, les
La portée exacte disciples de Marcion ont eu l'impiété
du pessimisme d'apprendre que la génération est mau-
des philosophes vaise, ce dont ils se vantent comme d'un
savoir original. Or ces philosophes soutiennent qu'elle n'est
pas mauvaise par nature, mais pour l'âme qui a discerné la
vérité[a][4].   2 En effet, ils font descendre l'âme, qui est divine,
dans le monde d'ici-bas comme dans un lieu de punition[b],
et il convient, selon eux, que les âmes incorporées se purifient.

---

4. L'interprétation de Platon et des pythagoriciens sur laquelle les
marcionites sont censés avoir fondé leur doctrine est impie (*infra* 13, 1 ;
cf. 22, 1), coupable d'ingratitude et d'ignorance (21, 2). Selon Clément,
ces nobles philosophes, eux, ne dévalorisent la « génération » que par
rapport à la part de connaissance qu'ont eue des réalités supérieures les
âmes qui ont pu suivre le cortège divin, d'après le *Phèdre* 248-249 (248 c 4 ;
d 2 ; 249 c 2-4). Or, c'est à partir du même développement du dialogue de
Platon que s'est constituée la doctrine de l'incorporation des âmes et de
leurs « transvasements », que Clément complète *infra* (en 13, 2 et 3) par
les références au *Phédon* (62 b) et au *Cratyle* (400 c ; cf. *Phèdre* 249 a 5-7).
Il prend soin de souligner une divergence entre l'erreur des marcionites
et celle des platoniciens, sur ce point, qu'il projette de réfuter dans son
exposé « sur l'âme » (13, 3), annoncé déjà en *Strom.* II, 113, 2 et de nouveau en *Strom.* V, 88, 4. Selon Tertullien, c'est le disciple infidèle de
Marcion, Apellès, qui professait la préexistence des âmes (*De anima* 23, 3 ;
36, 3 ; *La chair du Christ* 8). Jamblique rapporte dans son *Traité de l'âme*
les opinions des pythagoriciens et des platoniciens sur le jugement, le
châtiment et la purification de l'âme (fragment chez Stobée, I, 454, 10
– 457, 6 Wachsmuth ; voir la traduction annotée d'A.-J. Festugière, *La
révélation d'Hermès Trismégiste*, III, p. 238-244).

κατ' αὐτούς. 3 Κἄστιν τὸ δόγμα τοῦτο οὐ τοῖς ἀπὸ Μαρκίωνος ἔτι, τοῖς δὲ ἐνσωματοῦσθαι καὶ μετενδεῖσθαι καὶ μεταγγίζεσθαι τὰς ψυχὰς ἀξιοῦσιν οἰκεῖον, πρὸς οὓς ἄλλος ἂν εἴη καιρὸς λέγειν, ὁπηνίκα ἂν περὶ ψυχῆς
15 διαλαμβάνωμεν.

14 1 Ἡράκλειτος γοῦν κακίζων φαίνεται τὴν γένεσιν, ἐπειδὰν φῇ·

«Γενόμενοι
ζώειν ἐθέλουσι
5 μόρους τ' ἔχειν
μᾶλλον δὲ ἀναπαύεσθαι,
καὶ παῖδας καταλείπουσι
μόρους γενέσθαι[a].»

---

13 μεταγγίζεσθαι L[pc] : μετεγγίζεσθαι L[ac]
14, 2 ἐπειδὰν φῇ Diels St : ἐπειδ᾽ ἄν φησι L

---

14 a HÉRACLITE, fr. 20 D.-K.

---

1. «Transvasées» : l'image du corps «vase» (ἀγγεῖον) se retrouve chez MARC AURÈLE, Pensées III, 3 et XII, 2 (voir le commentaire de A.S.L. FARQUHARSON, The Meditations of the Emperor Marcus Antoninus, Oxford 1944, 1968[2], p. 557). Le platonicien Hiéroclès emploie le terme μεταγγισμός, «transvasement», pour désigner la transmigration des âmes (d'après PHOTIUS, Bibliothèque, Cod. 214, 172 B). ALCINOOS, Enseignement des doctrines de Platon (éd. p. 178, 35 HERMANN, p. 50 WHITTAKER), se réfère au verbe διαμείβειν du Timée 92 c 2.

2. Clément insère dans la discussion de la lecture de Platon qu'il prête aux marcionites un florilège sur le pessimisme des Grecs. Il est le seul témoin du fragment 20 d'HÉRACLITE. On considère couramment (de F. Schleiermacher à G.S. Kirk et M. Marcovich, et encore J. MANSFELD, «On Two fragments of Heraclitus in Clement of Alexandria», Mnemosyne 37, 1984, p. 447-450) les mots «ou plutôt, se reposer» comme une glose

3 Toutefois, cette doctrine, elle, n'appartient pas aux disciples de Marcion, mais elle est propre à ceux pour qui les âmes sont insérées dans des corps, changent de liens et sont transvasées[1]. Nous leur répliquerons ailleurs, au moment de traiter de l'âme, de façon détaillée.

14   Autres témoignages   **1** Héraclite, en tout cas, semble
           des Grecs contre   considérer la génération comme un
           la génération   mal[2], puisqu'il dit :

« Une fois nés,
ils veulent vivre
et toucher leurs lots
ou, plutôt, se reposer,
et ils laissent des enfants après eux
pour que naissent d'autres lots[a]. »

---

de Clément (où il s'agirait du sens chrétien du « repos » dans la mort, soit avant, soit après le jugement final). Le terme ἀναπαύεσθαι, cependant, est héraclitéen, d'après PLOTIN, *Ennéades* 6 (IV, 8), 1, 14 (fr. B 84a D.-K. : « ce qui change reste en repos »), qui interprète ce paradoxe d'Héraclite l'Obscur comme « le repos dans l'exil » (6, 5, 6). Une interprétation platonisante du « repos » des fr. 20 et 84a d'Héraclite peut en faire le renoncement à l'effort de la remontée de l'âme, qui s'abandonne au changement qu'est soit sa descente dans le monde corporel, soit le cycle des « parts de vie », qui sont autant de « morts » par les limites assignées, qu'il s'agisse des incorporations successives ou de la succession des générations. C'est sans doute une interprétation de ce genre qui convient à la visée de Clément. Autre chose est de dire quel sens Héraclite lui-même recherchait (voir par exemple les propositions divergentes de J. BOLLACK – H. WISMANN, *Héraclite ou la séparation*, Paris 1972, p. 108-109, et de M. CONCHE, *Héraclite. Fragments*, Paris 1986, *ad loc.*).

2 Δῆλος δὲ αὐτῷ συμφερόμενος καὶ Ἐμπεδοκλῆς λέγων·

10 «Κλαῦσά τε καὶ κώκυσα ἰδὼν ἀσυνήθεα χῶρον[b].»

Καὶ ἔτι·

«Ἐκ μὲν γὰρ ζωῶν ἐτίθει νεκρὰ εἴδε' ἀμείβων[c].»

Καὶ πάλιν·

«Ὦ πόποι, ὦ δειλὸν θνητῶν γένος, ὦ δυσάνολβον·

15 οἵων ἐξ ἐρίδων ἔκ τε στοναχῶν ἐγένεσθε[d].»

3 Λέγει δὲ καὶ ἡ Σίβυλλα·

«Ἄνθρωποι θνητοὶ καὶ σάρκινοι, οὐδὲν ἐόντες[e]»,

ὁμοίως τῷ γράφοντι ποιητῇ·

«Οὐδὲν ἀκιδνότερον γαῖα τρέφει ἀνθρώποιο[f].»

12 εἴδε' Sy St : ἠδὲ L ‖ 14 ὦ¹ St : ἦ L ‖ 18 γράφοντι ποιητῇ L Fr : ποιητῇ γράφοντι Wi

b EMPÉDOCLE, *Catharmes*, fr. 118 D.-K.   c *Ibid.*, fr. 125 D.-K.   d *Ibid.*, fr. 124 D.-K.   e *Oracles sibyllins*, fr. 1, 1   f HOMÈRE, *Odyssée* XVIII, 130

1. Clément est le seul témoin des deux premiers de ces fragments des *Catharmes* d'EMPÉDOCLE (B 118 et B 125).

2. Explication pessimiste du cri du nouveau-né, qu'on trouve aussi dans l'*Axiochos* pseudo-platonicien, 366 d, qui l'attribue à Prodicos ; c'est chez LUCRÈCE l'une des preuves avancées pour montrer que « la nature n'a nullement été créée pour nous par une volonté divine » (*De la nature* V, 199-200 ; 222-227 ; voir A. LAMI, *I Presocratici*, Milan 1991, p. 412-413).

3. Ce second fragment est pour Clément un énoncé plus radical que la simple illustration de la liaison entre « génération et corruption » (voir *infra* 45, 3 et 63, 4). L'acteur doit être le principe de Haine, que le PSEUDO-HIPPOLYTE (*Elenchos* VII, 9) appelle « le démiurge ».

4. Le *lamento* de ce troisième fragment (B 124) est assez parlant ; il est provoqué par la puissance de la Haine, le principe d'Empédocle opposé à l'Amitié. Timon (mort vers 235 av. J.-C. ; voir V. BROCHARD, *Les Sceptiques grecs*, Paris 1887, 1969², p. 79-91 ; D.L. CLAYMAN, *Timon de Phlionte*, dans *DPhA*, t. VI, Paris 2016, p. 1226-1230), disciple de Pyrrhon, associe dans

2 Il est clair qu'Empédocle est d'accord avec lui quand il dit[1] :

« J'ai pleuré, j'ai sangloté à la vue
de ce lieu inaccoutumé[b2]. »

Et ailleurs :

« Il n'avait qu'à modifier l'apparence des vivants
pour en faire des morts[c3]. »

Et de nouveau :

« Hélas ! Pauvre race des mortels ! La plus infortunée !
Que de luttes et de gémissements pour parvenir à la
générationd[d4] ! »

3 La Sibylle dit également[5] :

« Hommes mortels et charnels, qui n'êtes rien[e] ! »

Elle s'accorde avec le poète qui écrit[6] :

« La terre ne nourrit rien de plus chétif que l'homme[f]. »

---

les *Silles* le second vers de ce fragment d'Empédocle au second hémistiche d'Hésiode, *Théogonie* 26 (cité par Eusèbe, *Préparation évangélique* XIV, 18, 28). Ce vers, non sans quelques variantes, est donné aussi par Porphyre (*De l'abstinemce* III, 27, 3) comme exprimant l'opinion des « Anciens ».

5. Les mots de la Sibylle apparaissent comme le premier vers dans le long fragment des *Oracles sibyllins* cité par Théophile d'Antioche, *Livres à Autolykos* II, 36, qui l'attribue à la Sibylle grecque (en réalité la Sibylle juive), au début de ses oracles (du livre III, en fait) : voir V. Nikiprowetzky, *Oracles sibyllins*, dans *La Bible. Écrits intertestamentaires*, p. 1041. Clément cite d'autres vers réunis dans ce fragment : v. 10-13 en *Protr.* 6, 71, 4 et *Strom.* V, 108, 6 ; v. 23-25.27 en *Protr.* 2, 27, 4 ; v. 28-35 en *Protr.* 8, 77, 2 ; v. 28 en *Strom.* V, 115, 6. Étant donné qu'en *Protr.* 6, 71, 4, il nomme la Sibylle « la prophétesse des Hébreux », alors qu'ici il la range du côté des Grecs, il n'est pas sûr qu'il ait trouvé tous ces oracles dans un seul ensemble, celui des 35 vers cités par Théophile.

6. Dans cette formule introduisant *Odyssée* 18, 130, l'ordre des mots de **L** est à conserver (Früchtel renvoie à *Strom.* V, 108, 2 et VI, 102, 2).

15   1 Ναὶ μὴν καὶ Θέογνις τὴν γένεσιν δείκνυσι κακὴν ὧδέ
πως λέγων·

«Πάντων μὲν μὴ φῦναι ἐπιχθονίοισιν
ἄριστον, μηδ' ἐσορᾶν αὐγὰς ὀξέος ἠελίου· φύντα
5   δ' ὅπως ὤκιστα πύλας Ἀίδαο περῆσαι[a].»

2 Ἀκόλουθα δ' αὐτοῖς καὶ ὁ τῆς τραγῳδίας ποιητὴς
Εὐριπίδης γράφει·

«Ἔδει γὰρ ἡμᾶς σύλλογον ποιουμένους
116ʳ   τὸν φύντα θρηνεῖν ⌐εἰς ὅσ' ἔρχεται κακά·
10   τὸν δ' αὖ θανόντα καὶ πόνων πεπαυμένον
χαίροντας εὐφημοῦντας ἐκπέμπειν δόμων[b].»

3 Καὶ αὖθις τὰ ὅμοια οὕτως ἐρεῖ·

«Τίς δ' οἶδεν εἰ τὸ ζῆν μέν ἐστι κατθανεῖν,
τὸ κατθανεῖν δὲ τὸ ζῆν[c];»

15, 14 τὸ² secl. St

---

15 a THÉOGNIS, 425-427   b EURIPIDE, *Cresphonte*, fr. 449 Nauck
c EURIPIDE, *Polyidos*, fr. 638

---

1. Ces vers de Théognis, souvent cités (voir B.A. VAN GRONINGEN,
Théognis. Le premier livre édité avec un commentaire, Amsterdam
1966, p. 169-171), étaient passés en proverbe, pour évoquer ceux dont
la vie a été malheureuse (MACAIRE, *Centuries* II, 45 : E. LEUTSCH –
F.G. SCHNEIDEWIN, *Corpus Paroemiographorum Graecorum*, Göttingen
1851, Hildesheim 1965², p. 148). ÉPICURE avait résumé le v. 425 et cité
le v. 427 dans sa *Lettre à Ménécée*, pour dénoncer la futilité de tels propos (DIOGÈNE LAËRCE, *Vies* X, 126-127). Le dicton était célèbre (voir
l'apparat des *testimonia* de J. CARRIÈRE, *Théognis. Poèmes élégiaques*,
CUF, 1975, p. 81 ; A. PERETTI, *Teognide nella tradizione gnomologica*, Pise
1953, p. 64-65). Le premier mot des trois vers est πάντων chez Clément et
THÉODORET DE CYR, qui cite plusieurs passages de *Strom*. III,14-17 dans
Thérapeutique des maladies helléniques V, 11-14, et ἀρχὴν chez Stobée et
chez Sextus Empiricus (« Le mieux, pour les habitants de la terre, serait
de ne pas naître du tout »).

15   1 Théognis lui aussi montre certainement que la génération est mauvaise, quand il dit :

   « Le mieux de tout, pour les habitants de la terre, serait
   de ne pas naître,
   de ne pas même voir les rayons du soleil aigu,
   et, s'il faut naître, de franchir au plus tôt
   les portes d'Hadès[a1]. »

   2 Euripide, le poète tragique, en tire les conséquences :

   « Nous devrions nous réunir
   pour nous lamenter sur tous les maux qu'un homme va
   connaître en naissant,
   et, lorsqu'en mourant il a mis fin à ses peines,
   pour l'emmener de chez lui dans la joie
   et les paroles de bénédiction[b2]. »

   3 À nouveau il formulera la même pensée en ces termes :

   « Qui sait si vivre, ce n'est pas être mort,
   si mourir, ce n'est pas être vivant[c3] ? »

----

2. CICÉRON, qui a traduit ces vers en latin, précise qu'ils appartiennent
au *Cresphonte* d'Euripide (*Tusc.* I, 48, 115). Les fragments de cette tragédie
sont édités, traduits et commentés par F. JOUAN et H. VAN LOOY, dans
Euripide VIII, 2, *Fragments. Bellérophon-Protésilas*, *CUF*, Paris 2000,
p. 257-287. À l'exception d'une partie du prologue et du début de la *parodos*,
transmise par deux papyrus, les fragments conservés sont principalement de
caractère gnomique (p. 265). Ces quatre vers, ou certains d'entre eux, sont
fréquemment cités, avec quelques variantes (voir l'apparat des *testimonia*
établi par F. JOUAN, p. 282-283). L'*Axiochos* pseudo-platonicien (368 a 5)
cite le second vers, parmi les déclarations des poètes sur les misères de la
vie (voir *supra* 14, 2). Selon G. COLESANTI (*Questioni teognidee. La genesi
simposiale di un corpus di elegie*, Rome 2011, p. 56-58), les deux hexamètres
du fragment auraient préexisté sous forme proverbiale à l'élaboration
accomplie par une association théognidéenne.

3. Sur les vestiges de la tragédie *Polyidos*, voir F. JOUAN, *Euripide* VIII, 2,
p. 549-565 (qui établit, p. 564, l'apparat des *testimonia* du fragment 638).
C'est peut-être au moment où Minos ordonnait d'enfermer Polyidos avec
le cadavre de son fils Glaucos que le devin prononçait ces paroles célèbres

16 1 Ταὐτὸν δὴ τούτοις φαίνεται καὶ Ἡρόδοτος ποιῶν λέγοντα τὸν Σόλωνα· «Ὦ Κροῖσε, πᾶς ἄνθρωπός ἐστι συμφορή[a].» Καὶ ὁ μῦθος δὲ αὐτῷ σαφῶς ὁ περὶ τοῦ Κλεόβιδος καὶ Βίτωνος οὐκ ἄλλο τι βούλεται ἀλλ᾽ ἢ ψέγειν μὲν τὴν
5 γένεσιν, τὸν θάνατον δὲ ἐπαινεῖν[b].

2 «Οἵη περ φύλλων γενεή, τοίη δὲ καὶ ἀνδρῶν[c]»

Ὅμηρος λέγει. 3 Πλάτων δὲ ἐν Κρατύλῳ Ὀρφεῖ τὸν λόγον ἀνατίθησι τὸν περὶ τοῦ κολάζεσθαι τὴν ψυχὴν ἐν τῷ σώματι, λέγει δὲ ὧδε·

10 «Καὶ γὰρ σῆμά τινές φασιν αὐτὸ εἶναι τῆς ψυχῆς, ὡς τεθαμμένης ἐν τῷ νῦν παρόντι· 4 καὶ διότι τούτῳ σημαίνει ἃ ἂν σημαίνῃ ἡ ψυχή, καὶ ταύτῃ σῆμα ὀρθῶς καλεῖσθαι. Δοκοῦσι μέντοι μάλιστα θέσθαι οἱ ἀμφὶ Ὀρφέα τοῦτο τὸ ὄνομα, ὡς δίκην διδούσης ὧν δὴ ἕνεκα δίδωσιν[d].»

16, 7 κρατύλῳ St : κρατύλλῳ L ‖ **11** τούτῳ Lowth St : τοῦτο L ‖ **12** σημαίνῃ L^pc : σημαίνει L^ac

16 a HÉRODOTE, *Histoires* I, 32   **b** Cf. HÉRODOTE, *Histoires* I, 31   **c** *Iliade* VI, 146   **d** PLATON, *Cratyle* 400bc

(F. JOUAN, *Euripide* VIII, 2, p. 556). Platon les cite dans le *Gorgias* (492 e 10-11). Aristophane les parodie dans les *Grenouilles* (1082 et 1477). L'idée remonte peut-être à Héraclite, si la paraphrase que donne SEXTUS EMPIRICUS (*Hyp. Pyrrh.* III, 229) d'une pensée du philosophe est fidèle (hypothèse de E.R. DODDS, *Plato. Gorgias*, Oxford 1959, 1971³, p. 300).

1. La réponse de Solon à Crésus, rapportée par HÉRODOTE (I, 31), donnant comme exemple de bonheur le sort de Cléobis et Biton, est elle aussi fameuse. PLUTARQUE, dans sa *Consolation à Apollonius* (108 F), y voit un motif de ne pas considérer la mort comme un mal, puisqu'elle a été offerte aux fils de la prêtresse d'Héra en récompense de leur piété (cf. *Le flatteur et l'ami* 16, 58 E ; *Solon* 27, 7, 93F-94A). Il est remarquable que SEXTUS EMPIRICUS, à peu près contemporain de Clément, recueille aussi dans ses *Hypotyposes pyrrhoniennes* (229-230), pour illustrer, dans son cas, les opinions contradictoires sur la mort et la vie, la légende de Cléobis et Biton, les vers 425-428 de Théognis et les fr. 638 et 449 d'Euripide : Sextus et Clément ont sans doute puisé dans le même florilège.

16   1 De toute évidence, c'est la même idée qu'Hérodote fait exprimer à Solon : « Crésus, tout homme est un accident[a] », et il est clair que son récit à propos de Cléobis et Biton a pour seul but de blâmer la génération et de louer la mort[b1].

2 « Telle la génération des feuilles, telle aussi celle des
hommes »,

dit Homère[c2]. 3 Dans le *Cratyle*, Platon attribue à Orphée l'idée de l'âme punie par son insertion dans le corps (*sôma*)[3]. Il s'exprime ainsi :

« Pour certains, il est le tombeau (*sêma*) de l'âme, comme si elle était actuellement ensevelie. 4 Et si c'est grâce au corps (*sôma*) que l'âme signifie ce qu'il lui arrive de signifier, cela constitue une autre raison valable pour l'appeler signe (*sêma*). Toutefois, le cercle d'Orphée semble lui avoir imposé ce nom surtout dans l'idée que l'âme expie les fautes qui lui valent d'être punie[d]. »

2. *Iliade* VI, 146 : Simonide y voyait « la plus belle » parole de « l'homme de Chios » (fr. 85 Bergk). Marc-Aurèle la cite partiellement dans une paraphrase des vers 146-149, pour faire sonner un mot bien connu rappelant au sage la fugacité naturelle de la vie et la règle de proscrire crainte et chagrin (*Pensées* X, 34 ; cf. Sénèque, *Ep.* 104, 11). En *Strom.* VI, 5, 8 les trois vers *Il.* 147-149 sont présentés comme une imitation de Musée ; les deux citations concernent la caducité des générations humaines.

3. La citation du *Cratyle* renoue avec les thèmes platoniciens de l'incorporation de l'âme et du corps comme « lieu de punition » (cf. *supra* 12, 2-3). Philon l'avait déjà intégrée à son anthropologie (voir L. Pérez, « El cuerpo (σῶμα) como tumba (σῆμα) del alma en Filón de Alejandria », *CIRCE* 16, 2012, p. 123-138 ; voir *Leg.* I, 108 et *Spec.* IV, 188). Clément donne *infra* 77, 3 sa propre interprétation de l'image du corps « tombeau », en tant qu'il est marqué par le péché (cf. *Strom.* VII, 40, 1 et 62, 4 ; voir aussi *Strom.* III, 18, 2). La citation est ici privée de la suite, qui fait de ce « tombeau » une « enceinte », où l'âme est « gardée », « jusqu'à ce qu'elle ait payé sa dette » (*Crat.* 400 c 6-9), en accord avec le refus du suicide exprimé dans le *Phédon* sous l'autorité à la fois de Philolaos (61 e) et

17 1 Ἄξιον δὲ καὶ τῆς Φιλολάου λέξεως μνημονεῦσαι·
λέγει γὰρ ὁ Πυθαγόρειος ὧδε· «Μαρτυρέονται δὲ καὶ οἱ
παλαιοὶ θεολόγοι τε καὶ μάντιες, ὡς διά τινας τιμωρίας
ἁ ψυχὰ τῷ σώματι συνέζευκται καὶ καθάπερ ἐν σήματι
5 τούτῳ τέθαπται^a.»

2 Ἀλλὰ καὶ Πίνδαρος περὶ τῶν ἐν Ἐλευσῖνι μυστηρίων
λέγων ἐπιφέρει·

«Ὄλβιος ὅστις ἰδὼν κεῖν᾽ εἶσ᾽ ὑπὸ χθόν·
οἶδε μὲν βίου τελευτάν,
10 οἶδεν δὲ διόσδοτον ἀρχάν^b.»

17, 3 μάντιες St coll. Theodoreto : μάντεις L ‖ 8 κεῖν᾽ εἶσ᾽ ὑπὸ χθόν·
Maehler : ἐκεῖνα κοινὰ εἶσ᾽ ὑπὸ χθόνα L ‖ 9 οἶδε St : οἶδεν L ‖ 10 διόσδοτον
St : διὸς δοτὸν L

---

17 a Philolaos, fr. 14 D.-K.   **b** Pindare, fr. 137 a Maehler

---

d'une formule sacrée (62 b), qui peut renvoyer tant aux mystères orphiques
qu'aux doctrines secrètes des pythagoriciens (voir M. Dixsaut, *Platon.*
Phédon, Paris 1991, p. 327-328), et qui, selon Platon, signifie « que ce
sont les dieux qui sont nos gardiens ». Clément ne retient que l'aspect
le plus sombre du thème. La polémique contre Marcion l'amène à figer
dans ce sens la tradition platonicienne, très diversifiée en réalité (voir
Jamblique, *Traité de l'âme*, cité par Stobée, I, 378, 26 – 379, 10 et I,
380, 6-18 Wachsmuth, trad. A.-J. Festugière, *La révélation d'Hermès*
Trismégiste, III, p. 219 s., et D. Wyrwa, *Die christliche Platonaneignung*,
p. 212). Selon E.R. Dodds, *Les Grecs et l'irrationnel* (trad. M. Gibson,
Paris 1965, p. 167), l'étymologie σῶμα-σῆμα (« corps-tombeau ») serait
attribuée à tort à « Orphée », car les orphiques, d'après *Crat.* 400 c 7,
feraient dériver σῶμα de σῴζω, « garder ». Selon A. Bernabé, au contraire,
c'est Platon qui aurait greffé cette seconde étymologie sur le thème orphique
(*Poetae Epici Graeci, Pars II, fasc. 1*, coll. *Bibliotheca Teubneriana*, 2004,
p. 359 : fr. orphique 430).

17   1 Il est bon de mentionner également le mot de Philolaos, car voici ce que dit ce pythagoricien : « D'après aussi le témoignage des théologiens et des devins d'autrefois, c'est pour être châtiée que l'âme a été attelée au corps, où elle est comme ensevelie dans un tombeau[a1]. »

2 Pindare, parlant des mystères d'Éleusis, ajoute de son côté :

« Heureux celui qui a vu cela avant de descendre sous terre :
il connaît la fin de la vie,
il connaît le début dont fait présent Zeus[b2]. »

---

1. Ce fragment de PHILOLAOS (B 14) serait inauthentique selon W. BURKERT, *Weisheit und Wissenschaft. Studien zu Philolaos und Platon*, Nuremberg 1962, p. 230 et 252, n. 187 (trad. de E.L. MINAR, Jr., *Lore and Science in Ancient Pythagoreanism*, Cambridge [MA] 1972, p. 248) et dépend du *Phédon* (61d-e). Aux raisons invoquées par Burkert, une autre est ajoutée par C.A. HUFFMAN (*Philolaus of Croton. Pythagorean and Presocratic*, Cambridge 1993, p. 402-406) : ψυχά a ici une extension très large, comme chez Platon, où le terme ψυχή embrasse toutes les fonctions psychiques, alors que chez PHILOLAOS (voir fr. B 13) il signifie « vie ». A. BERNABÉ est d'un avis différent (*Poetae Epici Graeci, Pars II, fasc. 1*, p. 360). Le fragment est repris par THÉODORET dans sa *Thérapeutique des maladies helléniques* (V, 14), dans un contexte où figurent plusieurs des textes cités par Clément dans ce développement (Théognis en 15, 1 = THÉODORET, *Thérapeutique* V, 11 ; Euripide en 15, 2 = THÉODORET, V, 12 ; Solon en 16, 1 = THÉODORET, V, 12 ; PLATON, *Cratyle*, en 16, 3-4 ; cf. THÉODORET, V, 13). Le propos de Théodoret est cependant différent : il s'agit de mettre en contradiction les Grecs entre eux et avec eux-mêmes, au moyen d'un dossier de témoignages complémentaires.

2. Selon l'interprétation implicite de Clément, la clairvoyance, apanage des initiés, perçoit la connexion entre « la fin de la vie » et son « début ». Il ne voit pas dans le fragment de Pindare, issu peut-être de l'un des *Thrènes* du poète (H. MAEHLER, dans *Pindaris carmina cum fragmentis*, II. *Fragmenta*, 137, coll. *Bibliotheca Teubneriana*, 1989), l'idée d'une renaissance liée au rituel d'initiation (sur la différence entre les mystères grecs et le baptême chrétien, voir W. BURKERT, *Les cultes à mystères dans l'Antiquité*, traduit de l'anglais par A.-P. SEGONDS, Paris 2003, p. 96-100).

3 Πλάτων τε ἀκολούθως ἐν **Φαίδωνι** οὐκ ὀκνεῖ γράφειν ὧδέ πως· «Καὶ οἱ τὰς τελετὰς δὲ ἡμῖν οὗτοι καταστήσαντες οὐ φαῦλοί τινες» ἕως «μετὰ θεῶν τε οἰκήσει^c.» 4 Τί δέ; Ὅταν λέγῃ· «Ἕως ἂν τὸ σῶμα ἔχωμεν καὶ συμ|πεφυρμένη ἡμῶν ἡ ψυχὴ ᾖ μετὰ τοιούτου κακοῦ, οὐ μήποτε κτησώμεθα ἐκεῖνο ἱκανῶς οὗ ἐπιθυμοῦμεν^d», οὐχὶ αἰτίαν τῶν μεγίστων κακῶν τὴν γένεσιν αἰνίσσεται; 5 Κἂν τῷ **Φαίδωνι** ἐπιμαρτυρεῖ· «Κινδυνεύουσι γὰρ ὅσοι τυγχάνουσιν ὀρθῶς ἁπτόμενοι φιλοσοφίας λεληθέναι τοὺς ἄλλους, ὅτι οὐδὲν ἄλλο αὐτοὶ ἐπιτηδεύουσιν ἢ ἀποθνήσκειν τε καὶ τεθνάναι^e.» 1 Καὶ πάλιν· «Οὐκοῦν καὶ ἐνταῦθα ἡ τοῦ φιλοσόφου ψυχὴ μάλιστα ἀτιμάζει τὸ σῶμα καὶ φεύγει ἀπ' αὐτοῦ, ζητεῖ δὲ αὐτὴ καθ' αὑτὴν γίνεσθαι^a.» 2 Καὶ μή τι συνᾴδει τῷ θείῳ ἀποστόλῳ λέγοντι· «Ταλαίπωρος ἐγὼ ἄνθρωπος, τίς με ῥύσεται ἐκ τοῦ σώματος τοῦ θανάτου τούτου^b»; Εἰ μὴ τὴν

116ᵛ

15

18

5

17, 11 τε L^{pc} : δὲ L^{ac} || 12-13 οὐ φαῦλοί τινες **Mü** coll. Platone **St** : οὐκ ἄλλο τι L

c PLATON, *Phédon* 69c   d *Ibid.* 66b   e *Ibid.* 64a
18 a PLATON, *Phédon* 69cd   b Rm 7, 24

1. « Ceux qui ont établi les initiations » sont très probablement, selon Platon dans ce passage du *Phédon* (69 c 2-6), les orphiques (voir M. DIXSAUT, *Platon. Phédon*, p. 337-338). La portée de la citation, dans le contexte, est la même que celle des vers de Pindare *supra* 17, 2 : le commun des hommes, à la différence de l'élite, est voué au « bourbier ». Il reste que le sort des initiés ouvre une espérance qui serait absente chez Marcion. En outre, dans tout ce développement, la « génération » selon Platon n'apparaît pas comme substantiellement mauvaise, mais relativement à la condition de l'âme préexistante, sa descente dans le monde étant conçue comme un châtiment, ce qui, aux yeux de Clément, doit différencier Platon de Marcion (voir D. WYRWA, *Die christliche Platonaneignung*, p. 210).

Les déclarations de Platon

3 D'accord avec lui, Platon n'hésite pas à écrire ceci dans le *Phédon* : « Ceux qui ont établi chez nous les initiations n'étaient pas de mauvais hommes, [...] il habitera avec les dieux[c1]. » 4 Lorsqu'il dit : « Aussi longtemps que nous aurons notre corps et que notre âme sera mêlée à un tel mal, jamais nous ne posséderons en plénitude l'objet de notre désir[d2] », ne fait-il pas allusion à la génération comme cause des plus grands maux ? 5 C'est encore dans le *Phédon* qu'il ajoute ce témoignage : « On risque de ne pas s'en apercevoir : tous ceux qui s'attachent correctement à la philosophie ne **18** s'occupent que de mourir et d'être morts[e3] », 1 ainsi que : « En conséquence, dès ici-bas, l'âme du philosophe traite le corps avec mépris et le fuit : elle cherche à s'isoler en elle-même[a4]. » 2 Ne s'accorde-t-il pas quelque peu avec l'Apôtre de Dieu qui dit : « Malheureux homme que je suis ! Qui m'arrachera à ce corps de mort[b5] » ? À moins

2. Cette fois la « génération », en tant qu'incorporation de l'âme (*Phédon* 66 b 5-7), est présentée comme un mal, ce qui va dans le sens de la doctrine de Marcion selon Clément.

3. Ce passage fameux du *Phédon* (64 a 4-6) est détourné de sa visée première par le propos polémique : l'effort des philosophes – comme la grâce des initiés auparavant – n'est pas retenu comme voie de la libération, mais comme manifestant la nécessité de la mort.

4. Le corps, d'après *Phédon* 65 c 7-10, dans la logique de l'argumentation précédente de Clément, apparaît comme foncièrement mauvais.

5. Si accord il y avait entre le pessimisme prêté à Platon et la parole de Paul en Rm 7, 24, Marcion pourrait se réclamer de l'autorité de l'Apôtre. L'explication figurée écarte ce risque. C'est l'orientation de tous les hommes vers le mal, ou le péché, qui est ainsi dénoncée. Il est possible que cette lecture de Paul vaille aussi pour Platon, dont le pessimisme serait ainsi distingué du radicalisme de Marcion (D. Wyrwa, *Die christliche Platonaneignung*, p. 222).

ὁμοφροσύνην τῶν εἰς κακίαν ὑποσεσυρμένων σῶμα θανάτου
τροπικῶς λέγει. 3 Τήν τε συνουσίαν γενέσεως οὖσαν
ἀρχὴν καὶ πρὸ τοῦ Μαρκίωνος ἀποστρεφόμενος φαίνεται
10 ἐν τῷ πρώτῳ τῆς *Πολιτείας* ὁ Πλάτων. 4 Ἐπαινῶν γὰρ τὸ
γῆρας ἐπιφέρει ὅτι «εὖ ἴσθι ὅτι ἔμοιγε, ὅσον αἱ ἄλλαι αἱ
κατὰ τὸ σῶμα ἡδοναὶ ἀπομαραίνονται, τοσοῦτον αὔξονται
αἱ περὶ τοὺς λόγους ἐπιθυμίαι τε καὶ ἡδοναί[c]». 5 Τῆς τε
τῶν ἀφροδισίων χρήσεως ἐπιμνησθείς· «Εὐφήμει, ἄνθρωπε,
15 ἀσμενέστατα μέντοι αὐτὸ ἀπέφυγον, ὥσπερ λυττῶντά
19 τινα καὶ ἄγριον δεσπότην ἀποφυγών[d].» 1 Πάλιν δ' ἐν
τῷ *Φαίδωνι* τὴν γένεσιν κακίζων γράφει· «Ὁ μὲν οὖν ἐν
ἀπορρήτοις λεγόμενος περὶ αὐτῶν λόγος, ὡς ἔν τινι φρουρᾷ
ἐσμεν οἱ ἄνθρωποι[a]». 2 Καὶ αὖθις· «Οἳ δὲ δὴ ἂν δόξωσι
5 διαφερόντως πρὸς τὸ ὁσίως βιῶναι, οὗτοί εἰσιν οἱ τῶνδε
μὲν τῶν τόπων ἐν τῇ γῇ ἐλευθερούμενοί τε καὶ ἀπαλλαττό-
117ʳ μενοι ὥσπερ δεσμωτη|ρίων, ἄνω δὲ εἰς τὴν καθαρὰν οἴκησιν
ἀφικνούμενοι[b]».

---

c PLATON, *République* I, 328d   d Cf. *ibid*. 329c
19 a PLATON, *Phédon* 62b   b PLATON, *ibid*. 114bc

1. L'assimilation du rigorisme anti-sexuel de Marcion aux réflexions de
Céphale en *République* I, 328 d 2-4 et 329 c 2-4, donne à ces propos une
portée générale qu'ils n'ont pas chez Platon (voir D. WYRWA, *Die christliche
Platonaneignung*, p. 215, qui renvoie à *République* IX, 580 d 3 – 588 a 11).
2. La seconde citation est un apophtegme de Sophocle, exploité aussi
en *Péd.* II, 95, 1, pour limiter les plaisirs de l'amour au respect du commandement de Gn 1, 28. PLUTARQUE (*An seni sit ger. res pub.* 8, 788 E)
fait de l'apophtegme un usage tout différent, comme le note D. WYRWA,
Die christliche Platonaneignung, p. 216, n. 54.

que le corps de mort ne désigne de manière figurée l'ensemble de ceux qui se sont laissés entraîner au mal.   **3** Avant même Marcion, la répugnance de Platon aux relations sexuelles, qui sont au principe de la génération, apparaît dans le premier livre de la *République*,   **4** car, à l'éloge de la vieillesse, il ajoute : « Sache bien que, pour moi, plus se fanent les autres plaisirs, ceux du corps, plus les désirs et les plaisirs de la conversation prennent de valeur[c1]. »   **5** Et comme on lui rappelait la jouissance procurée par les relations sexuelles, il déclare : « Silence là-dessus, mon cher ! En vérité, c'est avec la plus grande joie que je leur ai échappé, comme si

19 j'avais échappé à un maître enragé et sauvage[d2]. »   **1** À nouveau, il écrit dans le *Phédon* en s'en prenant à la génération : « La formule que l'on prononce à ce sujet dans les cérémonies secrètes dit que nous, les humains, nous sommes dans une sorte de geôle[a3] »,   **2** ainsi que : « Quant à ceux qui ont pu sembler vivre de façon particulièrement sainte, ceux-là sont libérés et dégagés de ces régions terrestres comme de leurs prisons, et ils s'élèvent vers les hauteurs, dans le séjour de pureté[b4]. »

---

3. Voir *supra* 16, 3 et 17, 3.

4. Cette citation du *Phédon* 114 b 6-c 1 est compatible avec l'idée marcionite d'un salut octroyé par un Dieu étranger au monde empirique. Clément cependant met ce passage au service de sa doctrine de la purification et des « demeures » que celle-ci mérite en *Strom.* IV, 37, 2-4, avec la leçon βιῶναι προσκεκλῆσθαι, « (sembler) avoir été appelés à vivre ». La citation par THÉODORET, *Thérapeutique* VIII, 42.43, comporte προκεκρίσθαι, « (sembler) avoir été choisis pour vivre ».

3 Ἀλλ' ὅμως οὕτως ἔχων αἴσθεται τῆς διοικήσεως καλῶς
10 ἐχούσης καί φησιν· «Οὐ δεῖ δὴ ἑαυτὸν ἐκ ταύτης λύειν οὐδὲ
ἀποδιδράσκειν^c». 4 Καὶ συνελόντι εἰπεῖν <τοῦ> κακὴν
λογίζεσθαι τὴν ὕλην ἀφορμὴν οὐ παρέσχεν τῷ Μαρκίωνι,
εὐσεβῶς αὐτὸς εἰπὼν περὶ τοῦ κόσμου τάδε· 5 «Παρὰ
μὲν γὰρ τοῦ συνθέντος πάντα τὰ καλὰ κέκτηται· παρὰ
15 δὲ τῆς ἔμπροσθεν ἕξεως ὅσα χαλεπὰ καὶ ἄδικα ἐν οὐρανῷ
γίνεται, ταῦτα ἐξ ἐκείνης αὐτός τε ἔχει καὶ τοῖς ζῴοις
20 ἐναπεργάζεται^d». 1 Ἔτι δὲ σαφέστερον ἐπιφέρει·
«Τούτων δὲ αὐτῷ τὸ σωματοειδὲς τῆς συγκράσεως αἴτιον,
τὸ τῆς πάλαι ποτὲ φύσεως σύντροφον, ὅτι πολλῆς ἦν
μετέχον ἀταξίας πρὶν εἰς τὸν νῦν κόσμον ἀφικέσθαι^a».

19, 11 τοῦ suppl. Heyse St ‖ 14 πάντα τὰ καλὰ L: τὰ secl. St coll. Platone

c PLATON, *Phédon* 62c   d PLATON, *Politique* 273bc
20 a Cf. PLATON, *Politique* 273e

1. Ici pointe nettement le souci de Clément de conserver pour l'orthodo-
xie l'autorité de Platon, contre le dualisme radical de Marcion. Il introduit
le thème de « l'ordonnance du monde », absent du contexte de *Phédon*
62 b 4-5 (suite de la formule citée *supra* 19, 1), qui commente l'interdit
du suicide prononcé par Philolaos (61 d 3 – 62 c 8). Si le verbe διοικεῖν
s'applique à l'administration du monde en *Lois* X, 896 d 10 et 905 e 3, ce
sont les stoïciens qui ont fait entrer διοίκησις, « ordonnance », dans la
terminologie cosmologique (D. WYRWA, *Die christliche Platonaneignung*,
p. 213, n. 49).
2. Qu'est-ce que Platon entend par « le corporel » dans le mythe du
Politique (273 b 4) ? Dans le *Phédon* (99 b), c'est « ce sans quoi la cause
ne pourrait jamais être cause », la « cause » véritable étant « l'intellect ».
C'est la condition nécessaire pour que les formes intelligibles soient

3 Cependant, si telle est sa position, il se rend compte que l'ordonnance du monde est bonne[1] et il dit : « Il ne faut donc ni s'en détacher soi-même ni déserter[c]. » 4 Pour faire bref, sans fournir de prétexte à Marcion pour penser la matière comme mauvaise[2], il a tenu avec piété les propos suivants sur le monde : 5 « Si son ordonnateur l'a doté de tout bien, sa constitution antérieure lui fait subir dans le ciel tout ce qu'il y a de pénible et d'injuste ; il le tient d'elle et le provoque chez les vivants[d] », 1 et il ajoute plus clairement encore : « La cause de ses maux, c'est la partie corporelle du mélange, laquelle a participé à la nature antérieure ; cette dernière, en effet, comportait beaucoup de désordre avant d'en arriver au monde d'aujourd'hui[a]. »

20

---

configurées dans le monde empirique. Elle correspond à la « nécessité » (ἀνάγκη), dans le *Timée*, dont l'union avec l'intellect produit la genèse de l'univers (47 e), ou au « réceptacle » (49 a), qui « participe d'une façon toute déconcertante à l'intelligible » (51 a ; cf. 52 b) – le troisième genre d'être (52 a) –, qui, avant que fût entrepris l'arrangement de l'univers, recevait les corps, c'est-à-dire les copies des Formes intelligibles (50 c ; 51 a), à la façon d'un van produisant un tri et une première mise en place, encore désordonnée et mouvante (52 d-53 b ; cf. *Pol.* 273 b 6-c 2). Aussi σῶμα dans le *Politique* ne peut-il désigner le corporel exclusivement sensible. Clément appelle le « réceptacle » ὕλη, « matière », selon la coutume illustrée par l'interprétation « étrange » (L. Brisson, *Platon. Timée-Critias*, Paris 1992, p. 250, n. 363) proposée par Aristote en *Physique* IV, 2, 209b 11-16 (cf. *Strom.* V, 90, 5-6). Il a certes raison de dire que Platon dans le *Politique* n'offre pas d'argument à Marcion, mais il laisse ouverte la question de la nature du « corporel » (D. Wyrwa, *Die christliche Platonaneignung*, p. 214-215).

5   2 Οὐδὲν δὲ ἧττον κἂν τοῖς Νόμοις ὀδύρεται τὸ τῶν
ἀνθρώπων γένος λέγων ὧδε · «Θεοὶ δὲ οἰκτείραντες τὸ τῶν
ἀνθρώπων ἐπίπονον πεφυκὸς γένος ἀναπαύλας τε αὐτοῖς
τῶν πόνων ἐτάξαντο τὰς τῶν ἑορτῶν ἀμοιβάς[b].» 3 Ἔν
τε τῇ Ἐπινομίδι καὶ τὰς αἰτίας τοῦ οἴκτου δίεισι καὶ
10   τάδε λέγει · «Ὡς ἐξ ἀρχῆς τὸ γενέσθαι χαλεπὸν ἅπαντι
ζῴῳ, πρῶτον μὲν τὸ μετασχεῖν τῆς τῶν κυουμένων ἕξεως,
ἔπειτ' αὖ τὸ γίνεσθαι καὶ ἔτι τρέφεσθαι καὶ παιδεύεσθαι,
διὰ πόνων μυρίων γίγνεται ξύμπαντα, ὥς φαμεν ἅπαντες[c]».

21   1 Τί δέ; Οὐχὶ καὶ Ἡράκλειτος[a] θάνατον τὴν γένεσιν
καλεῖ Πυθαγόρᾳ τε καὶ τῷ ἐν Γοργίᾳ Σωκράτει ἐμφερῶς
ἐν οἷς φησι

«Θάνατός ἐστιν ὁκόσα ἐγερθέντες ὀρέομεν,
5   ὁκόσα δὲ εὕδοντες, ὕπνος[b]»;

20, 12 αὖ τὸ Sy St : αὐτὸ L ‖ ἔτι L : τὸ ἔτι Plato
21, 2 πυθαγόρᾳ τε Hervet St : πυθαγόρας δὲ L ‖ τῷ Sy St : τὸ L

b PLATON, Lois II 653cd   c PLATON, Épinomis 973d
21 a PLATON, Gorgias 492e   b Cf. HÉRACLITE, fr. 21 D.-K.

1. Les traductions « condition laborieuse » et « labeur » (L. Robin) sont
plus fidèles à l'intention de Platon que « vouée à la peine » et « peines »,
conformes au sens recherché par Clément.
2. En Lois, II, 653 c9-d3, PLATON, en fait, met l'accent sur l'harmonie
des chants et des danses propres aux fêtes et sur son rôle dans l'éducation.
3. Au début de l'Épinomis, dialogue dont l'authenticité platonicienne
est fort douteuse (voir L. BRISSON, dans DPhA, t. V a, Paris 2012, p. 828-
829), apparaît l'opinion commune selon laquelle « il ne sera jamais possible
à l'espèce humaine de parvenir à la béatitude » (973 c ; voir CLÉMENT,
Strom. V, 7, 6). La réflexion sur la nature de la sagesse, qui occupe le corps
du dialogue, finit par réserver à « un petit nombre », dans l'épilogue,
l'accès à cette sagesse, la théologie astrale en l'occurrence (992 cd).

2 Dans les *Lois*, il ne plaint pas moins la race humaine en ces termes : « Les dieux, prenant pitié de la race humaine naturellement vouée à la peine, ont institué, en guise de repos au milieu de ses peines[1], le retour périodique des fêtes[b2]. » 3 Dans l'*Épinomis*, il détaille aussi les causes de cette condition misérable[3] et dit ceci : « Dès le début, l'existence est pénible pour tout vivant ; d'abord participer de l'état d'embryon ; ensuite naître, puis être nourri et éduqué ; et tout cela n'arrive qu'au prix de milliers de peines, comme nous l'avouons tous[c]. »

1 1 Que dire encore ? Héraclite n'appelle-t-il pas la génération du nom de *mort*, tout comme Pythagore, et Socrate dans le *Gorgias*[a], quand il dit :

« Mort est tout ce que nous voyons éveillés ;
Et ce que nous voyons endormis, sommeil[b4] » ?

4. L'allusion en *Strom.* V, 105, 2 au fr. B 21 d'Héraclite confirme la leçon ὕπνος, « sommeil », que Clément fait synonyme de θάνατος, « mort », à propos de « la descente de l'âme dans le corps » (voir *SC* 279, p. 323), comme en *Strom.* IV, 141, 1-2, où il cite le fr. B 26. J. MANSFELD (*Heresiography in Context. Hippolytus' Elenchos as a Source for Greek Philosophy*, Leyde – New York 1992, p. 311) compare ce qu'il appelle le « centon » de *Strom.* III, 12, 1 – 21, 1, qui réunit Pythagore, Héraclite, Empédocle et Platon pour montrer que l'âme dans le corps a une vie misérable, à l'usage que fait le PSEUDO-HIPPOLYTE dans l'*Elenchos* de la tradition médio-platonicienne « platonisant » Empédocle et Héraclite.

2 Ἀλλὰ τούτων μὲν ἅλις· ἐπειδὰν δὲ περὶ τῶν ἀρχῶν
διαλαμβάνωμεν, τότε καὶ τὰς ἐναντιότητας ταύτας ἃς οἵ τε
φιλόσοφοι αἰνίσσονται οἵ τε περὶ Μαρκίωνα δογματίζουσιν,
ἐπισκεψόμεθα· πλὴν οὐκ ἀσαφῶς δεδεῖχθαι ἡμῖν νομίζω
10 τὰς ἀφορμὰς τῶν ξένων δογμάτων τὸν Μαρκίωνα παρὰ
Πλάτωνος ἀχαρίστως τε καὶ ἀμαθῶς εἰληφέναι.

22 1 Ὁ δὲ περὶ ἐγκρατείας ἡμῖν προβαινέτω λόγος.

Ἐφάσκομεν δὲ τὴν δυσχρηστίαν ὑφορωμένους Ἕλληνας
πολλὰ εἰς τὴν γένεσιν τῶν παίδων ἀποφθέγξασθαι, ἀθέως
δὲ ἐκδεξαμένους ταῦτα τοὺς περὶ Μαρκίωνα ἀχαριστεῖν
5 τῷ δημιουργῷ. 2 Λέγει γὰρ ἡ τραγῳδία·

« Τὸ μὴ γενέσθαι κρεῖττον ἢ φῦναι βροτούς.

Ἔπειτα παῖδας σὺν πικραῖς ἀλγηδόσι
τίκτω· τεκοῦσα δ᾽ ἢν μὲν ἄφρονας τέκω,
στένω ματαίως, εἰσορῶσα <μὲν> κακούς,
10 χρηστοὺς δ᾽ ἀπολλῦσ᾽ ἢν δὲ καὶ σεσωσμένους,
τήκω τάλαιναν καρδίαν ὀρρωδίᾳ.

Τί τοῦτο δὴ τὸ χρηστόν; Οὐκ ἀρκεῖ μίαν
ψυχὴν ἀλύειν κἀπὶ τῇδ᾽ ἔχειν πόνους[a];»

---

9 ἐπισκεψόμεθα Sy St : ἐπισκεψώμεθα L
22, 9 μὲν suppl. Sy St || 10 δ᾽ Sy St : τ᾽ L || ἀπολλῦσ᾽ Nauck St : ἀπολύουσα
L || 11 τήκω L^pc : τέκω L^ac || 13 ἀλύειν Bergk St : ἀπολύειν L

---

22 a EURIPIDE, fr. 908

---

1. Sur les « principes », voir *supra* 13, 1 et *infra* 22, 4.

2. « Oppositions » : entre bonheur et malheur, entre vie et mort, et
surtout entre la condition de la matière corporelle et la bonté du Créateur ;
aux insinuations ouvertes à l'exégèse des philosophes, Clément oppose les
affirmations tranchées du dualisme radical de Marcion. Il est cependant
peu probable qu'il fasse allusion aux *Antithèses* de l'hérétique. Quant au

Les contresens des marcionites 2 Mais assez sur ce chapitre. Lorsque nous traiterons des principes[1], nous examinerons ces oppositions[2] auxquelles font allusion les philosophes et qu'enseignent les disciples de Marcion. Au reste, nous avons établi non sans clarté, je pense, que c'est avec ingratitude et ignorance que Marcion[3] a pris chez Platon les prétextes de ses doctrines étrangères[4].

22 1 Faisons avancer notre propos sur la continence. Nous disions que les Grecs, redoutant les embarras, ont énoncé bien des sentences contre la génération des enfants et qu'en interprétant ces paroles avec impiété, les disciples de Marcion font preuve d'ingratitude à l'égard du Démiurge[5]. 2 La tragédie dit en effet :

« Pour les mortels, mieux vaut ne pas exister que de naître.
Un jour j'enfante des enfants dans de vives douleurs.
Mais après les avoir enfantés, s'ils sont idiots,
je me désole en vain de garder sous les yeux les mauvais,
tout en perdant les bons. Et si les bons sont aussi sauvés,
je consume mon pauvre cœur dans l'appréhension.
En quoi cela peut-il donc être le bien ? Ne suffit-il pas
de s'inquiéter d'une seule âme et de se donner de la
peine pour elle[a6] ? »

---

vrai gnostique, il voit « les oppositions qui sont dans le monde comme la plus belle harmonie de la création » (*Strom.* IV, 40, 3 ; voir *SC* 463, p. 127 ; cf. *Strom.* I, 85, 6 ; II, 4, 2 ; III, 55, 1).

3. Sur l'impiété et l'ingratitude des marcionites, voir 13, 1 et 22, 1.

4. Sur « ses doctrines étrangères », voir *supra* 12, 3.

5. Renvoi à *Strom.* II, 138, 3 (opinion de Démocrite) et 141, 1 (discussion sur le mariage chez Ménandre). Suit ici un dossier de textes poétiques illustrant ces craintes des « Grecs ».

6. Ce fragment incertain (908 Nauck) d'Euripide est cité par Stobée, IV, 52b, dans la section « Sur la vie » (voir F. Jouan – H. Van Looy, *Euripide* VIII, 4, p. 28).

3 Καὶ ἔθ᾽ ὁμοίως·

15 «Ἔμοιγε νῦν τε καὶ πάλαι δοκεῖν,
παῖδας φυτεύειν οὔποτ᾽ ἀνθρώπους ἐχρῆν
πόνους ὁρῶντας εἰς ὅσους φυτεύομεν[b].»

4 Ἐν δὲ τοῖς αὖθις λεγομένοις καὶ τὴν αἰτίαν τῶν κακῶν
ἐναργῶς ἐπὶ τὰς ἀρχὰς ἐπανάγει λέγων ὧδε·

20 «Ὦ δυστυχεῖν φὺς καὶ κακῶς πεπραγέναι,
ἄνθρωπος ἐγένου καὶ τὸ δυστυχὲς βίου
ἐκεῖθεν ἔλαβες, ὅθεν ἅπασιν ἤρξατο
τρέφειν ὅδ᾽ αἰθὴρ ἐνδιδοὺς θνητοῖς πνοάς·
μή νυν τὰ θνητὰ θνητὸς ὢν ἀγνωμόνει[c].»

23 1 Πάλιν δ᾽ αὖ τὰ ὅμοια τούτοις ὧδε ἀποδίδωσι·

«Θνητῶν δὲ ὄλβιος οὐδεὶς
οὐδὲ εὐδαίμων·
οὔπω γὰρ ἔφυ τις ἄλυπος[a]»

---

15 ἔμοιγε νῦν τε St : ἐμοὶ γένοιντο L ‖ 20 πεπραγέναι St : πεπραχέναι
L ‖ 23 ὅδ᾽ Po St : ὅτ᾽ L ‖ 24 μή νυν St : μὴ τοίνυν L

---

b EURIPIDE, fr. 908a   c EURIPIDE, fr. 908b
23 a EURIPIDE, *Iphigénie à Aulis* 161-163

---

1. À la suite de WILAMOWITZ et B. SNELL (dans le *Supplementum*
aux *TrGF* de NAUCK, 1964), F. JOUAN et H. VAN LOOY (*Euripide* VIII,
4, p. 28) attribuent ces vers à EURIPIDE (fr. 908a).

2. Clément vient de faire allusion, en 21, 2, à l'exposé « Sur les principes » – annoncé aussi en *Strom.* IV, 2, 1 –, qui relève de la « physique », en
sa partie « théologique », selon la tradition platonicienne, exposé qui doit
tenter d'élucider les questions relatives au monde, aux êtres qu'il contient,
à son créateur ou démiurge, aux rapports entre Dieu et le monde, à l'aide
d'un petit nombre de « principes » constitutifs (G. DORIVAL, « Origène
d'Alexandrie », dans *DPhA* IV, 2005, p. 807-842, ici p. 821); voir par
exemple ALCINOOS, *Enseignement des doctrines de Platon* VIII-XI, p. 162-166
HERMANN (éd. et comm. de J. WHITTAKER, trad. P. LOUIS, *CUF*, 1990,

3　Dans le même sens encore :

« Pour ma part, maintenant comme jadis, je pense que
les humains ne devraient jamais engendrer d'enfants,
quand ils voient pour quelles peines nous les
　　　　　　　　　　　　　　engendrons[b][1]. »

4　Et, dans le passage qui suit, l'auteur rattache clairement
la cause des maux aux principes[2] quand il dit :

« Ô toi qui es né pour le malheur et la misère,
tu es devenu un homme, et le malheur de ta vie,
tu l'as reçu lorsque l'éther que voici[3] a commencé
à nourrir tous les mortels en leur donnant le souffle ;
aussi, toi qui es mortel, ne traite pas à la légère les êtres
　　　　　　　　　　　　　　　　　　　mortels[c][4]. »

3　1　À nouveau, le voici qui exprime une idée semblable à
la précédente :

« Aucun mortel, aucun n'est fortuné
ni même heureux ;
car nul être n'est encore né sans douleur[a][5] »

---

p. 19-26). Il semble cependant que les ἀρχαί, « principes », désignent ici les
« commencements » des maux, c'est-à-dire la génération et la naissance.

3.　Le v. 4 du fragment poétique est l'éther inférieur (« l'éther que
voici »), une partie de l'air, opposé probablement par Clément, de manière
implicite, selon une doctrine pythagoricienne, à l'éther supérieur (voir
Jamblique, *Traité de l'âme*, chez Stobée, I, p. 366, l. 25 Wachsmuth,
et Diogène Laërce, *Vies* VIII, 26 et 28, avec les explications de
A.J. Festugière, *Études de philosophie grecque*, Paris 1971, p. 390-402).
Sans adopter cette doctrine, Clément la sous-entend peut-être pour trouver dans les vers du poète un témoignage pessimiste des Grecs sur l'entrée
dans la vie terrestre comme début des maux.

4.　Clément est le seul témoin de ce fr. 908b d'Euripide, comme du
fr. 908a.

5.　Dans ces paroles d'Agamemnon de l'*Iphigénie à Aulis* d'Euripide
la citation de Clément, d'après L, omet au v. 1 (*Iphigénie* v. 161) les mots ἐς
τέλος (« jusqu'à la fin ») ; cf. *infra* διὰ τέλους en 23, 3 (*Suppliantes*, v. 270).

5   2 καὶ εἶτ' αὖθις·

«Φεῦ φεῦ, βροτείων πημάτων ὅσαι τύχαι,
ὅσαι δὲ μορφαί, τέρμα δ' οὐκ εἴποι τις ἄν[b].»

3 Καὶ ἔθ' ὁμοίως·

«Τῶν γὰρ ἐν βροτοῖς

118[r] 10 |οὐκ ἔστιν <οὐδὲν> διὰ τέλους εὐδαιμονοῦν[c].»

24   1 Ταύτῃ οὖν φασι καὶ τοὺς Πυθαγορείους ἀπέχεσθαι
ἀφροδισίων. Ἐμοὶ δὲ ἔμπαλιν δοκοῦσι γαμεῖν μὲν παιδοποιΐας ἕνεκα, τῆς δὲ ἐξ ἀφροδισίων ἡδονῆς ἐθέλειν κρατεῖν
μετὰ τὴν παιδοποιΐαν. 2 Ταύτῃ μυστικῶς ἀπαγορεύουσι
5   κυάμοις χρῆσθαι, οὐχ ὅτι πνευματοποιὸν καὶ δύσπεπτον
καὶ τοὺς ὀνείρους τεταραγμένους ποιεῖ τὸ ὄσπριον[a], οὐδὲ
μὴν ὅτι ἀνθρώπου κεφαλῇ ἀπείκασται κύαμος κατὰ τὸ
ἐπύλλιον ἐκεῖνο,

23, 10 οὐδὲν suppl. St coll. Euripide || εὐδαιμονοῦν St coll. Euripide :
εὐδαιμονῶν L

b EURIPIDE, *Antiope*, fr. 211   c EURIPIDE, *Suppliantes* 269-270
24 a Cf. PLUTARQUE, *Moralia* 286 DE

1. Ces vers font partie de la réponse du chœur à Antiope après le récit
de ses malheurs (voir F. JOUAN – H. VAN LOOY, *Euripide* VIII, 1, p. 229).
STOBÉE (IV, 34), qui cite ce fragment, précise qu'il vient de l'*Antiope*
d'EURIPIDE.
2. Ces vers des *Suppliantes* d'EURIPIDE sont cités aussi, avec les deux
vers précédents, par STOBÉE (IV, 41, 18) dans une section sur la fragilité
du bonheur humain. Le second (v. 270) servait d'exemple à CHRYSIPPE
(*SVF* II, 180, 18, p. 56, 32 – 57, 2) dans l'un de ses écrits se rapportant
au « lieu » logique, non pas le traité *Sur les négatives*, mais l'écrit *Contre
ceux qui ne font pas de distinction* (DIOGÈNE LAËRCE, *Vies* VII, 193 (53) ;
voir K. HÜSLER, *Die Fragmente zur Dialektik der Stoïker*, Bd. 4, Stuttgart
1988, p. 1445).

2 ainsi que :

« Hélas ! Hélas ! Que de possibilités pour les malheurs des
mortels !
Que de formes, et personne ne pourrait en dire le terme[b1]. »

3 De même encore :

« Car chez les mortels,
il n'est rien qui soit heureux jusqu'au bout[c2]. »

24   **1** C'est pour cette raison, dit-on, que

L'encratisme des pythagoriciens

les pythagoriciens aussi s'abstiennent
de relations sexuelles. Il me semble, au
contraire, qu'ils se marient pour avoir des enfants, mais
qu'ils visent à dominer le plaisir venu de relations sexuelles
après les avoir eus[3].   **2** C'est la raison de leur mystérieuse
interdiction touchant l'usage des fèves : ce n'est ni parce que
ce légume produit des vents, se digère difficilement et provoque des rêves agités[a], ni parce que la fève évoque l'image
de la tête humaine, si l'on en croit ce vers :

---

3. Cf. *supra* 12, 1 ; 21, 1. DIOGÈNE LAËRCE (*Vies* VIII, 9) cite des
aphorismes de Pythagore (venant en fait probablement de Lysis, à peu près
contemporain de Philolaos : voir DIOGÈNE LAËRCE, *Vies* VIII, 7 et la note
de F. BALAUDÉ, p. 1021-1022), aphorismes qui restreignent simplement
l'acte sexuel, affaiblissant (VIII, 9). DIOGÈNE LAËRCE rapporte aussi :
« On ne s'est jamais aperçu [...] qu'il fît l'amour » (VIII, 19). Un écrit
néopythagoricien met cependant en bonne place l'exposé sur la conception et la condition première de l'enfant (DIOGÈNE LAËRCE, *Vies* VIII,
28-29). Et Pythagore avait une épouse, Théanô, une fille (VIII, 42) et
un fils (VIII, 43). Selon AULU-GELLE, c'est EMPÉDOCLE (fr. B 141) qui
aurait interprété le tabou des fèves comme incitation pythagoricienne
à s'abstenir du « plaisir charnel », les fèves, par leur nom, κύαμοι, renvoyant aux testicules, « causes de l'état de grossesse (τοῦ κυεῖν) » (*Nuits
attiques* IV, 11, 9-10).

« ἶσόν τοι κυάμους τρώγειν κεφαλάς τε τοκήων[b] »,

10 μᾶλλον δὲ ὅτι κύαμοι ἐσθιόμενοι ἀτόκους ἐργάζονται τὰς γυναῖκας. 3 Θεόφραστος γοῦν ἐν τῷ πέμπτῳ τῶν Φυτικῶν αἰτίων τὰ κελύφη τῶν κυάμων περὶ τὰς ῥίζας τῶν νεοφύτων δένδρων περιτιθέμενα ξηραίνειν τὰ φυόμενα ἱστορεῖ[c], καὶ αἱ κατοικίδιοι δὲ ὄρνιθες συνεχῶς ταῦτα

15 σιτούμεναι ἄτοκοι γίνονται[d].

12 φυτικῶν Sy St : φυσικῶν L ‖ 14 κατοικίδιοι L[pc] : κατοικίδιαι L[ac]

b *FPG* I, 200 (Mullach)   c THÉOPHRASTE, *Caus. plant.* V, 15, 1
d Cf. CASSIANUS BASSUS, *Géoponiques* II, 35, 5

1. Le vers cité par Clément est retenu comme fragment orphique. Les scholies à l'*Iliade*, XIV, 589 (III, 513 Erbse ; cf. EUSTATHE, *in Il.*, p. 948, 24) l'empruntent en effet au « discours sacré ». Il est commenté aussi par JEAN LYDUS, *De mensibus* 4, 42 et cité dans la notice sur les fèves des *Géoponiques* (II, 35, 8). L'explication donnée par les anciens est liée à l'étymologie indiquée (tous les témoignages sont rassemblés par A. BERNABÉ, *Poetae Epici Graeci, Pars II, fasc.* 2, p. 214-217, fr. orphique 648).

2. Le tabou des fèves était déjà diversement expliqué par ARISTOTE (*Sur les Pythagoriciens*, cité par DIOGÈNE LAËRCE, *Vies* VIII, 34 ; cf. JAMBLIQUE, *Vie de Pythagore* 61 et 109). Les trois premières raisons récusées par Clément, d'ordre diététique, se retrouvent chez DIOGÈNE LAËRCE (*Vies* VIII, 24 ; voir la note de L. BRISSON, p. 960). Le vers qui soutient la quatrième est cité aussi par PLUTARQUE, *Propos de table* II, 3 (635 EF), où l'épicurien Alexandre raille le jeu de mots entre κύαμοι et κύησις, « grossesse », et par

« Croquer des fèves, c'est croquer la tête de ses parents[b1] »,
mais bien parce que manger des fèves rend les femmes stériles[2]. 3 En tout cas, d'après les recherches de Théophraste dans le cinquième livre de son traité *Sur les Causes des Plantes*, les cosses de fèves placées autour des racines d'arbres récemment plantés provoquent le dessèchement des plantations[c3] ; et les oiseaux domestiques, dont c'est la nourriture habituelle, deviennent stériles[d].

ATHÉNÉE, *Deipnosophites* II, 72 (65 F), qui par ailleurs consacre une section à la frugalité pythagoricienne : IV, 52-53 (161 AF). On a cru que Clément dépendait, pour l'explication qu'il retient, d'une tradition confondant le terme ἀγόνατος, « sans nœud », appliqué par Aristote à la tige de la fève (DIOGÈNE LAËRCE, *Vies* VIII, 34 ; cf. PORPHYRE, *Antre des nymphes* 19) et ἄγονος, « stérile », mais le recours au témoignage de Théophraste *infra* 24, 3 et à une observation que signalent par ailleurs les *Geoponica* (II, 35, 5) exclut cette hypothèse ; voir note suivante.

3. On lit dans les *Géoponiques*, compilation sur l'agriculture de CASSIANUS BASSUS (v[e] ou vi[e] siècle), remaniée et complétée aux ixe et xe siècles : « Il faut se garder de mettre une graine de fève près de la racine d'un arbre, de crainte que l'arbre ne se dessèche » (trad. J.-P. GRELOIS – J. LEFORT, Centre de recherche d'histoire et de civilisation de Byzance, *Monographies* 38, Paris 2012, p. 47). Aristote, au demeurant, parmi les explications du tabou, mentionne celle-ci : la plante « corrompt » (DIOGÈNE LAËRCE, *Vies* VIII, 34).

25 1 Τῶν δὲ ἀφ᾽ αἱρέσεως ἀγομένων Μαρκίωνος μὲν τοῦ Ποντικοῦ ἐπεμνήσθημεν δι᾽ ἀντίταξιν τὴν πρὸς τὸν δημιουργὸν τὴν χρῆσιν τῶν κοσμικῶν παραιτουμένου. 2 Γίνεται δὲ αὐτῷ τῆς ἐγκρατείας αἴτιος, εἴ γε τοῦτο
5 ἐγκράτειαν ῥητέον, αὐτὸς ὁ δημιουργός, πρὸς ὃν ὁ θεομάχος οὗτος γίγας ἀνθεστάναι οἰόμενος ἄκων ἐστὶν ἐγκρατὴς κατατρέχων καὶ τῆς κτίσεως καὶ τοῦ πλάσματος. 3 Κἂν συγχρήσωνται τῇ τοῦ κυρίου φωνῇ λέγοντος τῷ Φιλίππῳ· «Ἄφες τοὺς νεκροὺς θάψαι τοὺς ἑαυτῶν νεκρούς, σὺ
10 δὲ ἀκολούθει μοι[a]», ἀλλ᾽ ἐκεῖνο σκοπείτωσαν ὡς τὴν ὁμοίαν τῆς σαρκὸς πλάσιν καὶ Φίλιππος φέρει, νεκρὸν οὐκ ἔχων μεμιαμμένον. 4 Πῶς οὖν σαρκίον ἔχων νεκρὸν οὐκ εἶχεν; Ὅτι ἐξανέστη τοῦ μνήματος, τοῦ κυρίου τὰ πάθη
118ᵛ νεκρώσαντος, |ἔζησε δὲ Χριστῷ[b].

25, 1 ἀγομένων L : ἀναγομένων coni. Ma coll. 5, 1 || 10 σκοπείτωσαν Lᵖᶜ : σκοπήτωσαν Lᵃᶜ || 11 φίλιππος Lᵖᶜ : φιλίππου Lᵃᶜ || 12 μεμιαμμένον Sy St : μεμιαμένον L || 14 ἔζησε Po Ma St : ζήσαντος L τοῦ ἀποθανόντος μὲν τῷ κόσμῳ ζήσαντος suppl. Fr

---

25 a Mt 8, 22 + Lc 9, 60   b Cf. Rm 6, 10-11 ; 14, 8

1. Clément récapitule les griefs contre Marcion : renonciation à l'exercice du libre choix par haine du Démiurge, inconséquence, vaine gigantomachie vouée à l'échec, mépris pour « l'être modelé » (25, 2).

2. C'est la référence à Jn 1, 43 qui permet de nommer « Philippe » le disciple que Jésus appelle en Mt 8, 22 (Lc 9, 60). Cette identification provient peut-être d'un évangile apocryphe (M. MEES, *Ausserkanonische Parallelstellen zu den Herrenworter und ihre Bedeutung*, Bari 1975, p. 145-146). Bien que les autres sources anciennes n'attribuent pas à Marcion le recours à Mt 8, 22, l'hypothèse de Clément est plausible. Les disciples de Valentin appliquaient la parole à l'élection de la « race pneumatique », opposée aux « morts » (IRÉNÉE, *Contre les hérésies* I, 8, 3). L'idée que le corps serait un cadavre dans le monde est exprimée par le *logion* 56 de l'*Évangile selon Thomas* (cf. *logion* 80).

IV

CONTRE DIVERSES SECTES :
DES MARCIONITES AUX LICENCIEUX

5

Marcion
l'ennemi de Dieu
et Carpocrate
le débauché

1 Parmi ceux qui suivent l'hérésie, nous avons fait mention de Marcion du Pont qui, en raison de son opposition au Démiurge, refuse l'usage des réalités de ce monde. **2** Pour lui, la raison de la continence – si tant est qu'il faille parler de continence dans ce cas –, c'est le Démiurge lui-même : c'est en croyant s'opposer à Lui que cet homme qui lutte contre Dieu comme un géant est continent, malgré lui, et attaque la création et l'être modelé[1]. **3** Et si ces gens s'appuient sur la parole du Seigneur s'adressant à Philippe : « Laisse les morts ensevelir leurs morts, mais toi, suis-moi[a][2] », qu'ils considèrent ceci : Philippe portait, lui aussi, le même modelage de chair, mais sans avoir de cadavre souillé. **4** Comment donc, tout en ayant un pauvre corps de chair, n'avait-il pas de cadavre ? C'est qu'il s'était relevé du tombeau, grâce au Seigneur qui avait fait mourir ses passions, et qu'il vivait pour le Christ[b][3].

---

3. L'exégèse symbolique, ici baptismale, peut être rapprochée de celle d'IRÉNÉE (*Contre les hérésies* V, 9, 1), qui voit dans les « morts » ceux qui « n'ont pas l'Esprit qui vivifie l'homme » (voir Y. DE ANDIA, *Homo vivens*, Paris 1986, p. 122 ; 221 ; 294). Clément les assimile aux pécheurs (*Péd.* III, 81, 1) et les oppose à ceux qui s'élèvent par la contemplation (*Strom.* IV, 155, 4-5). Il fait entrer aussi l'appel évangélique dans le symbolisme eucharistique (*QDS* 23, 2-4). Dans les *Actes de Philippe* (28-29), c'est l'apôtre Philippe lui-même qui ressuscite les morts, pour donner à ceux qui ont vu ses prodiges « le sceau qui est dans le Christ ».

15   5 Ἐπεμνήσθημεν δὲ καὶ τῆς κατὰ Καρποκράτην ἀθέσμου γυναικῶν κοινωνίας.

Περὶ δὲ τῆς Νικολάου ῥήσεως διαλεχθέντες ἐκεῖνο παρελίπομεν. 6 Ὡραίαν, φασί, γυναῖκα ἔχων οὗτος, μετὰ τὴν ἀνάληψιν τὴν τοῦ σωτῆρος πρὸς τῶν ἀποστόλων
20 ὀνειδισθεὶς ζηλοτυπίαν, εἰς μέσον ἀγαγὼν τὴν γυναῖκα γῆμαι τῷ βουλομένῳ ἐπέτρεψεν. 7 Ἀκόλουθον γὰρ εἶναί φασι τὴν πρᾶξιν ταύτην ἐκείνη τῇ φωνῇ τῇ ὅτι «παραχρήσασθαι τῇ σαρκὶ δεῖᶜ», καὶ δὴ κατακολουθήσαντες τῷ <τε> γενομένῳ τῷ τε εἰρημένῳ ἁπλῶς καὶ ἀβασανίστως
25 ἀνέδην ἐκπορνεύουσιν οἱ τὴν αἵρεσιν αὐτοῦ μετιόντες.

26   1 Πυνθάνομαι δ' ἔγωγε τὸν Νικόλαον μηδεμιᾷ ἑτέρᾳ παρ' ἣν ἔγημεν κεχρῆσθαι γυναικὶ τῶν τ' ἐκείνου τέκνων <τὰς> θηλείας μὲν καταγηρᾶσαι παρθένους, ἄφθορον δὲ διαμεῖναι τὸν υἱόν· 2 ὧν οὕτως ἐχόντων ἀποβολὴ

---

17 περὶ δὲ Wi St : περί τε L || 18 φασί St coll. Eusebio : φησὶ L || 24 τε suppl. Wi St || 25 ἀνέδην ἐκπορνεύουσι Lᵖᶜ : ἐκπορνεύουσιν ἀναίδην Lᵃᶜ **26, 3** τὰς suppl. St coll. Eusebio

---

c Apokryphon 74b Resch

---

1. Ce rappel sert de transition vers la reprise du combat contre les hétérodoxes considérés comme licencieux. Clément a déjà dénoncé « ceux qui prétendent suivre Nicolas » en *Strom.* II, 118, 3-4. IRÉNÉE, interprétant Ap 2, 6.14-15, faisait de la fornication l'un des traits d'une secte de nicolaïtes (*Contre les hérésies* I, 26, 3 ; voir A. LE BOULLUEC, *La notion d'hérésie*, p. 131 et 174).

2. Les deux traditions sur ce Nicolas que Clément distingue (25, 6 et 26, 1) se sont formées autour du personnage désigné en Ac 6, 5 pour faire partie des Sept.

5 Nous avons fait mention également de la communauté criminelle des femmes prônée par Carpocrate[1].

Interprétation correcte d'un propos de Nicolas exploité par les licencieux

Quand nous traitions des propos de Nicolas[2], nous avons omis ceci :   **6** il avait, dit-on, une femme charmante ; après l'ascension du Sauveur, les apôtres lui reprochèrent sa jalousie. Il amena sa femme au milieu d'eux et permit à qui le voulait de l'épouser[3].   **7** En effet, dit-on, cette manière d'agir était conforme à la fameuse maxime : « Il faut mésuser de la chair[c4] », et c'est bien en se conformant sans examen ni critique à cette attitude et à cette parole que les tenants de son hérésie se livrent sans réserve à la débauche.

26   **1** Or j'apprends, pour ma part, que Nicolas n'a jamais connu d'autre femme que son épouse et que, parmi ses enfants, ses filles ont vieilli dans la virginité, tandis que son fils est toujours resté sans souillure[5].   **2** S'il en est ainsi,

---

3. Cette première tradition sur Nicolas avait pu être exploitée par les carpocratiens, à partir de l'insistance au début des *Actes* sur la communauté des biens et le rejet de la propriété individuelle (Ac 2, 44-45 ; 4, 32.34-37 ; 5, 1-11) ; elle est à éclairer par l'anecdote de structure semblable concernant Joseph dit Barnabé en Ac 4, 36-37 (voir F. AMSELBRUGER, « *Ulme stützt Weinstock* », p. 134-135, n. 342) ; à l'origine, elle pouvait illustrer une forme d'héroïsme ascétique (*ibid.*, p. 139).

4. « Il faut mésuser de la chair » : selon *Strom.* II, 118, 3, les disciples de Nicolas usent de cette maxime, présente dans un écrit de leur maître, pour justifier leur licence ; Clément les compare à Sardanapale (II, 118, 5-6), exemple depuis ARISTOTE de la vie bestiale, asservie à la jouissance (*Éthique à Nicomaque* 1015b ; *Éthique à Eudème* 1216a).

5. Cette seconde tradition sur Nicolas est orale ; elle insiste sur la stabilité de la famille du diacre. Clément peut alors combattre l'interprétation hétérodoxe de la première en tournant l'anecdote dans un sens ascétique (26, 2 ; voir F. AMSELBRUGER, « *Ulme stützt Weinstock* », p. 139).

5 πάθους ἦν εἰς μέσον τῶν ἀποστόλων ἡ τῆς ζηλοτυπουμένης
ἐκκύκλησις γυναικός, καὶ ἡ ἐγκράτεια τῶν περισπουδάστων
ἡδονῶν τὸ παραχρῆσθαι τῇ σαρκὶ ἐδίδασκεν. Οὐ γάρ, οἶμαι,
ἐβούλετο κατὰ τὴν τοῦ σωτῆρος ἐντολὴν «δυσὶ κυρίοις
δουλεύειν[a]», ἡδονῇ καὶ θεῷ. 3 Λέγουσι γοῦν καὶ τὸν
10 Ματθίαν οὕτως διδάξαι, «σαρκὶ μὲν μάχεσθαι καὶ παραχρῆσθαι μηθὲν αὐτῇ πρὸς ἡδονὴν ἀκόλαστον ἐνδιδόντα,
ψυχὴν δὲ αὔξειν διὰ πίστεως καὶ γνώσεως[b]».

27　1 Εἰσὶν δ᾽ οἳ τὴν πάνδημον Ἀφροδίτην κοινωνίαν μυστικὴν
ἀναγορεύουσιν ἐνυβρίζοντες καὶ τῷ ὀνόματι· 2 λέγεται
γὰρ καὶ τὸ ποιεῖν τι κακὸν ἐργάζεσθαι, ὥσπερ οὖν καὶ τὸ
ἀγαθόν τι ποιεῖν ὁμωνύμως ἐργάζεσθαι, ὁμοίως δὲ καὶ ἡ
119[r]　5 κοινωνία ἀγαθὸν μὲν |ἐν μεταδόσει ἀργυρίου καὶ τροφῆς
καὶ στολῆς, οἳ δὲ καὶ τὴν ὁποίαν δήποτ᾽ οὖν ἀφροδισίων
συμπλοκὴν κοινωνίαν ἀσεβῶς κεκλήκασιν. 3 Φασὶ γοῦν

---

6 ἐκκύκλησις L[pc] : ἐγκύκλησις L[ac] ‖ 8 ἐβούλετο St coll. Eusebio :
ἐβούλοντο L
27, 3 οὖν Schw St : ἂν L ‖ 5 μὲν Hiller St : δὲ καὶ L ‖ ἀργυρίου Hervet
St : ἀργύριον L

---

26 a Mt 6, 24; Lc 16, 13　　b Traditions de Matthias, fr. 2 Apokryphon
74b Resch

---

1. Clément connaît des Traditions de Matthias (Strom. II, 45, 4; VII,
82, 1), dont il est le seul à donner des fragments (voir le commentaire de
C. MARKSCHIES, dans C. MARKSCHIES – J. SCHRÖTER (éd.), Antike
christlische Apokryphen, I.1, p. 420-428). Peut-être Clément n'y trouvait-
il que le verbe « combattre » (la chair), dont il aurait fait l'équivalent
de « mésuser » pour donner un sens orthodoxe à la maxime. Celle-ci
pouvait cependant avoir eu à l'origine une visée ascétique (c'est l'avis de
C. MARKSCHIES, ibid., p. 424-425). Les mots « fortifier l'âme par la
foi et la connaissance » appartenaient probablement aux Traditions de
Matthias (F. AMSELBRUGER, « Ulme stützt Weinstock », p. 135, n. 344;
voir aussi W. A. LÖHR, Basilides, p. 251-253).

c'était renoncer à sa passion que de montrer au milieu des apôtres la femme dont il était jaloux ; sa continence face à des plaisirs pourtant très recherchés enseignait le sens de « mésuser de la chair ». Car conformément au commandement du Sauveur, il se refusait, je pense, à « servir deux maîtres[a] », le plaisir et Dieu.   3 C'est pourquoi, dit-on, Matthias a lui aussi enseigné « à lutter contre la chair et à mésuser d'elle, sans lui faire aucune concession en vue d'un plaisir sans retenue, mais en fortifiant l'âme par la foi et la connaissance[b1] ».

27

La dépravation des adeptes d'une communion charnelle

1 Certains proclament que l'amour de l'Aphrodite Vulgaire[2] est une communion mystique, ce en quoi ils outragent déjà ce terme.   2 En effet, le mot *action* sert à désigner tout à la fois un acte mauvais et un acte bon ; de même, la *communion* est un bien quand on partage l'argent, les vivres et le vêtement, mais, avec impiété, ils sont allés jusqu'à appeler *communion* n'importe quel enlacement de relations sexuelles[3].   3 Ainsi, on raconte que

2. C'est Pausanias qui, dans son discours du *Banquet* de PLATON, distingue l'Aphrodite Uranienne, céleste, et la Pandémienne, vulgaire, qui toutes deux avaient leur temple à Athènes (voir L. BRISSON, *Platon. Le Banquet*, Paris 1998, Introduction, p. 42-43). Dans sa notice sur Prodicos, THÉODORET cite *Strom.* III, 27, 1 (*Résumé des fables hérétiques* V, 27, *PG* 83, 353 A10-12), puis 27, 5 – 28, 1 (353 A13-B6) et termine ce chapitre par les premiers mots de 30, 1 (353 B7-8).

3. Clément paraphrase PLATON, *Banquet* 180 e5-181 a1 : « Prise en elle-même, une action n'est ni belle ni honteuse ». Il applique à la « communion/communauté » ce que Pausanias dit de l'Éros, afin de fustiger la κοινωνία telle que l'entendent selon lui les carpocratiens (cf. *supra* 6, 1 ; 7, 1.2.4 ; 8, 1-2 ; 9, 3 ; 10, 1 ; 25, 5). Sur le « partage » inhérent à la « communauté », voir *Strom.* II, 84, 4-5 ; *QDS* 13, 6 ; 31, 9 – 32, 1.

τινα αὐτῶν ἡμετέρᾳ παρθένῳ ὡραίᾳ τὴν ὄψιν προσελθόντα
φάναι· «Γέγραπται 'παντὶ τῷ αἰτοῦντί σε δίδου[a]'», τὴν δὲ
10 σεμνῶς πάνυ ἀποκρίνασθαι μὴ συνιεῖσαν τὴν τἀνθρώπου
ἀσέλγειαν· «Ἀλλὰ περὶ γάμου τῇ μητρὶ διαλέγου.» 4 Ὦ
τῆς ἀθεότητος· Καὶ τῶν τοῦ κυρίου φωνῶν διαψεύδονται οἱ
τῆς ἀσελγείας κοινωνοί, οἱ τῆς λαγνείας ἀδελφοί, ὄνειδος
οὐ φιλοσοφίας μόνον, ἀλλὰ καὶ παντὸς τοῦ βίου, οἱ παρα-
15 χαράσσοντες τὴν ἀλήθειαν, μᾶλλον δὲ κατασκάπτοντες ὡς
οἷόν τε αὐτοῖς· 5 οἱ γὰρ τρισάθλιοι τήν [τε] σαρκικὴν καὶ
[τὴν] συνουσιαστικὴν κοινωνίαν ἱεροφαντοῦσι καὶ ταύτην
28 οἴονται εἰς τὴν βασιλείαν αὐτοὺς ἀνάγειν τοῦ θεοῦ. 1 Εἰς
τὰ χαμαιτυπεῖα μὲν οὖν ἡ τοιάδε εἰσάγει κοινωνία καὶ δὴ
συμμέτοχοι εἶεν αὐτοῖς οἱ σύες καὶ οἱ τράγοι, εἶεν δ' ἂν ἐν

27, 16 οἱ γὰρ St coll. Theodoreto : οἵ γε L ‖ 16 τε² secl. St coll.
Theodoreto ‖ 16 σαρκικὴν καὶ St coll. Theodoreto : σαρκίνην κατὰ L ‖
17 τὴν secl. Ma St ‖ 18 θεοῦ L : χριστοῦ Theodoretus
28, 3 εἶεν L : εἶεν ἂν Di coll. Theodoreto

---

27 a Lc 6, 30; cf. Mt 5, 42

---

1. L'anecdote, élégamment ciselée, qui pourrait distraire, nourrit au
contraire l'indignation. Le détournement de la parole de Lc 6, 30 (Mt 5,
42) fait écho au jeu sur la formule « mésuser de la chair » (supra 25, 7;
26, 3). Il est réfuté infra 54, 1.

2. L'exclamation vise l'idolâtrie en Protr. 56, 2 et le théâtre des amours
des dieux en 58, 3-4. La fraternité authentique dans le Christ (Péd. III, 93, 5)
est définie en Strom. II, 41, 2; VII, 69, 2; 77, 1; 85, 5. La « dépravation »
est réprouvée, en des termes semblables, en Péd. II, 93, 2. La référence au
cynique Cratès en Péd. II, 93, 4 est élargie ici à la vie selon « la philosophie », et « notre ville » à « toute la vie » (comme en Péd. II, 93, 4, au
demeurant). Clément joue ici le rôle du « changeur avisé » (voir Strom. I,

l'un d'entre eux, s'approchant d'une jeune fille de notre foi, charmante d'allure, lui dit : « Il est écrit : 'Donne à quiconque te demande[a]' » ; mais elle, sans comprendre l'intention dépravée de cet homme, répondit très dignement : « Pour un mariage, va plutôt discuter avec ma mère[1] ! » 4 Quelle impiété ! Ces compagnons de dépravation, ces frères en lascivité vont jusqu'à faire un usage mensonger des paroles du Seigneur ; ils sont la honte non seulement de la philosophie, mais de toute la vie, eux qui falsifient la vérité, ou plutôt la sapent autant qu'ils le peuvent[2]. 5 Ces malheureux initient aux mystères d'une communauté charnelle et sexuelle en croyant qu'elle les conduit au royaume de Dieu[3] ! 1 Mais c'est aux maisons de prostitution qu'amène pareille communauté ! Et pour compagnons, ils pourraient avoir les porcs et les boucs[4] ! Et chez eux, au

28

177, 2 ; II, 15, 4 ; VI, 81, 2 ; VII, 90, 5). Les hérésies sont des « innovations de faussaires » (*Strom.* VII, 107, 2). ORIGÈNE a repris l'image de la fausse monnaie dans ce contexte (*Contre Celse* V, 63).

3. Falsification, cette fois, des révélations mystériques (cf. *Protr.* 34, 5). Dès le *Protreptique*, Clément a élaboré l'image du Christ en hiérophante (voir F. JOURDAN, *Orphée et les chrétiens*, t. I, *Orphée, repoussoir ou préfiguration du Christ*, Paris 2010, p. 434-439). Les doctrines et les rites des hétérodoxes licencieux en deviennent la perversion. La condamnation, qui exclut du Royaume, est développée à la fin de ce livre III (*infra* 109, 1-2).

4. Clément adopte le ton et la manière de la diatribe cynico-stoïcienne. Sur la bestialité des licencieux, voir *Strom.* III, 10, 1 ; 67, 2 (d'après Ps 48, 13.21) ; II, 118, 5 ; III, 47, 3 ; 105, 2 ; sur celle qui est reprochée aux Épicuriens, *Strom.* II, 127, 1. L'interdit biblique du porc est justifié pour cette raison (*Péd.* III, 75, 3 ; *Strom.* V, 51, 2-3 ; cf. *Péd.* III, 28, 5).

ταῖς μείζοσι παρ' αὐτοῖς ἐλπίσιν αἱ προεστῶσαι τοῦ τέγους
5 πόρναι ἀνέδην εἰσδεχόμεναι τοὺς βουλομένους ἅπαντας.

2 «Ὑμεῖς δὲ οὐχ οὕτως ἐμάθετε τὸν Χριστόν, εἴ γε αὐτὸν
ἠκούσατε καὶ ἐν αὐτῷ ἐδιδάχθητε, καθώς ἐστιν ἀλήθεια
ἐν Χριστῷ Ἰησοῦ, ἀποθέσθαι ὑμᾶς τὰ κατὰ τὴν προτέραν
ἀναστροφὴν τὸν παλαιὸν ἄνθρωπον τὸν φθειρόμενον κατὰ
10 τὰς ἐπιθυμίας τῆς ἀπάτης· 3 ἀνανεοῦσθε δὲ τῷ πνεύματι
τοῦ νοὸς ὑμῶν καὶ ἐνδύσασθε τὸν καινὸν ἄνθρωπον τὸν κατὰ
θεὸν κτισθέντα ἐν δικαιοσύνῃ καὶ ὁσιότητι τῆς ἀληθείας[a]»,
κατὰ τὴν ἐξομοίωσιν τοῦ θείου. | 4 «Γίνεσθε οὖν μιμηταὶ
τοῦ θεοῦ, ὡς τέκνα ἀγαπητά, καὶ περιπατεῖτε ἐν ἀγάπῃ,
15 καθὼς καὶ ὁ Χριστὸς ἠγάπησεν ὑμᾶς καὶ παρέδωκεν
ἑαυτὸν ὑπὲρ ἡμῶν προσφορὰν καὶ θυσίαν τῷ θεῷ εἰς
ὀσμὴν εὐωδίας. 5 Πορνεία δὲ καὶ πᾶσα ἀκαθαρσία ἢ
πλεονεξία μηδὲ ὀνομαζέσθω ἐν ὑμῖν, καθὼς πρέπει ἁγίοις,
καὶ αἰσχρότης καὶ μωρολογία[b].» 6 Καὶ γὰρ ἀπὸ τῆς
20 φωνῆς ἀγνεύειν μελετᾶν διδάσκων ὁ ἀπόστολος γράφει·
«Τοῦτο γὰρ ἴστε γινώσκοντες, ὅτι πᾶς πόρνος» καὶ τὰ
ἑξῆς ἕως «μᾶλλον δὲ καὶ ἐλέγχετε[c]».

119ᵛ

---

5 εἰσδεχόμεναι L : ἐκδεχόμεναι Theodoretus || 10 ἀνανεοῦσθε Lᵖᶜ :
ἀνανεοῦσθαι Lᵃᶜ

---

28 a Ep 4, 20-24   b Ep 5, 1-4   c Ep 5, 5-11

---

1. Au contraire, la régénération baptismale dans le Christ restaure et
accomplit la ressemblance originelle avec Dieu, selon la glose inspirée à
Clément par Ep 4, 24. Ep 4, 20-24 est exploité dans un tout autre contexte
en *Péd*. III, 17, contre les hommes qui se teignent les cheveux. La paraphrase en *Péd*. I, 32, 4 est plus proche de notre passage (cf. *Strom*. IV, 33,
6 ; VII, 14, 2).

rang des grands espoirs, devraient figurer les prostituées qui, debout au seuil de leur bouge, accueillent sans réserve tous les amateurs !

Réplique de l'Apôtre   2 « Mais vous, ce n'est pas ainsi que vous avez appris le Christ, si du moins c'est lui que vous avez entendu et si c'est en lui que vous avez été formés, selon la vérité qui est dans le Christ Jésus, à savoir qu'il faut que vous abandonniez votre premier genre de vie, le vieil homme, que corrompent les convoitises trompeuses. 3 Renouvelez-vous par une transformation spirituelle de votre pensée et revêtez l'homme nouveau, créé par Dieu dans la justice et la sainteté de la vérité[a] », à la ressemblance du divin[1]. 4 « Devenez donc les imitateurs de Dieu, tels des enfants bien-aimés, et marchez dans l'amour, à l'exemple du Christ qui vous a aimés et s'est livré pour nous à Dieu comme une offrande et une victime d'agréable odeur. 5 Que la débauche, l'impureté sous toutes ses formes, ou encore l'avidité, ne soient même pas nommées parmi vous, ainsi qu'il convient à des saints ; de même pour l'obscénité et le langage stupide[b 2]. » 6 Car, en nous exerçant à la pratique de la chasteté à partir du langage, l'Apôtre écrit : « Sachez-le bien, tout débauché » et la suite jusqu'à « dénoncez-les plutôt[c] ».

---

2. Clément s'appuie plusieurs fois sur l'autorité des versets de Ep 5, 1-12, en particulier pour proscrire le langage ordurier (*Péd.* II, 50, 1 ; 53, 1 ; 98, 1). Il cite aussi incidemment Col 3, 8, *infra* 43, 5. J.F. Hultin, *The Ethics of Obscene Speech*, qui consacre son chapitre V à Clément, conclut (p. 279) que, par rapport à l'enseignement de l'*Épître aux Éphésiens*, le propos principal de Clément est d'inculquer un sens de la dignité, propre au philosophe de maintien noble et maître de lui-même, plus que le souci d'imposer le respect de la sainteté du temple divin, tout en notant que cette perspective est bien présente en *Strom.* III, 73 (*ibid.*, p. 233).

29   1 Ἐρρύη δὲ αὐτοῖς τὸ δόγμα ἔκ τινος ἀποκρύφου, καὶ δὴ παραθήσομαι τὴν λέξιν τὴν τῆς τούτων ἀσελγείας μητέρα· καὶ εἴτε αὐτοὶ τῆς βίβλου συγγραφεῖς – ὅρα τὴν ἀπόνοιαν, εἰ καὶ θεοῦ διαψεύδονται δι' ἀκρασίαν –, εἴτε ἄλλοις
5 περιτυχόντες τὸ καλὸν τοῦτο ἐνόσησαν δόγμα διεστραμμένως ἀκηκοότες. 2 Ἔχει δὲ οὕτως τὰ τῆς λέξεως· «ᵗΕν ἦν τὰ πάντα· ἐπεὶ δὲ ἔδοξεν αὐτοῦ τῇ ἑνότητι μὴ εἶναι μόνῃ, ἐξῆλθεν ἀπ' αὐτοῦ ἐπίπνοια, καὶ ἐκοινώνησεν αὐτῇ καὶ ἐποίησεν τὸν ἀγαπητόν· ἐκ δὲ τούτου ἐξῆλθεν ἀπ' αὐτοῦ ἐπίπνοια, ᾗ κοινω-
10 νήσας ἐποίησεν δυνάμεις μήτε ὁραθῆναι μήτε ἀκουσθῆναι δυναμένας» ἕως «ἐπ' ὀνόματος ἰδίου ἑκάστην[a].» 3 Εἰ γὰρ

29, 3 συγγραφεῖς Sy St : συγγραφῆς L ‖ 5 ἐνόσησαν Lᵃᶜ : ἐνόησαν Lᵖᶜ St

---

29 a Fragment d'écrit gnostique

---

1. Un « apocryphe » est encore pour Clément un « écrit secret ». La première hypothèse qu'il imagine préfigure cependant l'usage ultérieur, péjoratif, pour désigner un écrit s'arrogeant le rang d'Écriture inspirée, ici blasphématoire. En effet, si un carpocratien en était l'auteur, il aurait introduit en Dieu la bestialité stigmatisée auparavant. La seconde hypothèse est explicitée *infra* 29, 3 : l'écrit pourrait être d'origine valentinienne. Sa signification, aux yeux de Clément, comporterait tout au plus une erreur bénigne. Si les licencieux s'en sont servis, c'est au prix d'un contresens. La leçon ἐνόησαν, « ils ont conçu par la pensée (cette belle doctrine) », est une correction du copiste lui-même, sur un texte qui donnait ἐνόσησαν, « ils ont contracté la maladie (de cette belle doctrine) ». Cette première leçon, écartée par Potter et par Stählin, est plus conforme au ton sarcastique du passage. Il semble bien que les hétérodoxes visés soient les carpocratiens. Les « disciples de Prodicos » (*infra* 30, 1), secte distincte, ont seulement des opinions semblables à celles que les carpocratiens sont censés avoir tirées de « l'écrit secret » (voir F. BOLGIANI, « La polemica », p. 117).

29

L'origine de
cette licence :
un contresens sur
un écrit secret

1 Leur doctrine a pris sa source dans un écrit secret[1] ; aussi, je citerai le passage qui est à l'origine de leur dépravation. Ou bien ils sont eux-mêmes les auteurs de ce livre – voyez, dans ce cas, leur folle témérité, puisque c'est Dieu qu'ils font mentir à cause de leur intempérance ; ou bien c'est au contact d'autres qu'ils ont contracté la maladie de cette belle doctrine, en prenant leur idée à contresens. 2 C'est en ces termes qu'elle est formulée : « Tout était une unité ; lorsqu'il sembla bon à l'Être unique de ne plus être seul, il sortit de lui une expiration ; il s'unit à elle et engendra le Bien-Aimé. Et de celui-ci sortit une expiration, à laquelle il s'unit pour créer les Puissances, que l'on ne peut ni voir, ni entendre [...] chacune en son nom propre[a2]. » 3 En effet, si ces gens,

---

2. La théogonie de « l'écrit secret » obéit au schéma de nombreux textes gnostiques et de résumés fournis par Irénée et d'autres hérésiologues. Sa particularité est d'être « monadique » (épithète de la « gnose » des carpocratiens *supra* 5, 3) et de représenter l'émanation (ou l'émission) à partir de l'Un comme une « expiration », l'Un étant aussi le géniteur des « Puissances ». Un ouvrage comme le *Traité tripartite*, somme de théologie gnostique, précise par exemple d'emblée au contraire que si le Père est Un, il n'est pas solitaire (NH I, 5, p. 51, 9-15 ; voir *Écrits gnostiques. La bibliothèque de Nag Hammadi*, p. 125). Ce schéma est plus simple que d'autres. Ainsi Ptolémée, selon Irénée (*Contre les hérésies* I, 12, 1), distinguait-il dans le processus de l'émission la Pensée et la Volonté du Pro-Principe. Les disciples de Marc (« le Mage ») prenaient pour modèle la profération de la parole (*Contre les hérésies* I, 14, 1). Le « Bien-Aimé », pour désigner le Fils, renvoie à Mt 3, 17, comme dans la *Prière de l'apôtre Paul* (NH I, 1, p. A, 36, avec la note de J.D. Dubois, dans *Écrits gnostiques. La bibliothèque de Nag Hammadi*, p. 9 ; cf. *Évangile de la Vérité*, NH I, 3, p. 30, 31 ; *Seconde Apocalypse de Jacques*, NH V, 4, p. 49, 8). « L'écrit secret » se réfère en outre à 1 Co 2, 9 à propos des « Puissances ». C'est une lecture littérale, charnelle, de l'union de l'Un avec son « expiration », puis avec celle du « Bien-Aimé », que Clément soupçonne chez les carpocratiens.

καὶ οὗτοι καθάπερ οἱ ἀπὸ Οὐαλεντίνου πνευματικὰς ἐτίθεντο
κοινωνίας, ἴσως τις αὐτῶν τὴν ὑπόληψιν ἐπεδέξατ᾽ <ἂν>·
σαρκικῆς δὲ ὕβρεως κοινωνίαν εἰς προφητείαν ἁγίαν ἀνάγειν
15 ἀπεγνωκότος ἐστὶ τὴν σωτηρίαν.

30   1 Τοιαῦτα καὶ οἱ ἀπὸ Προδίκου ψευδωνύμως γνωστικοὺς
σφᾶς αὐτοὺς ἀναγορεύοντες δογματίζουσιν, υἱοὺς μὲν φύσει
120ʳ   τοῦ πρώτου θεοῦ λέγοντες αὐτούς· |καταχρώμενοι δὲ τῇ
εὐγενείᾳ καὶ τῇ ἐλευθερίᾳ ζῶσιν ὡς βούλονται, βούλονται δὲ
5 φιληδόνως, κρατηθῆναι ὑπ᾽ οὐδενὸς νενομικότες ὡς ἂν «κύριοι
τοῦ σαββάτου[a]» καὶ ὑπεράνω παντὸς γένους πεφυκότες
βασίλειοι παῖδες, βασιλεῖ δέ, φασί, νόμος ἄγραφος.

---

13 ἐπεδέξατ᾽ ἂν **Ma St** : ἐπεδέξατο **L**

---

30 a   Mt 12, 8 ; Lc 6, 5 ; cf. Mc 2, 28

1. Dans l'*Évangile selon Philippe* par exemple, dont le caractère valentinien est couramment admis, le symbolisme de la « chambre nuptiale », qui rassemble tous les rites chrétiens sous le signe des relations entre le Père, l'Esprit Saint et le Fils, a pour objet la réunion spirituelle : NH II, 3, p. 74, 21-24 ; cf. p. 82, 4-26 (le « mariage immaculé ») ; p. 59, 3-7 (avec la note de L. PAINCHAUD dans *Écrits gnostiques. La bibliothèque de Nag Hammadi*, p. 352) ; voir aussi *Évangile de la Vérité*, NH I, 3, p. 26, 30 – 27, 5 ; *Traité tripartite*, p. 58, 20 – 59, 15.

2. Clément donne d'autres informations sur la secte de Prodicos en *Strom*. I, 69, 6 (recours à des « livres secrets » de Zoroastre), en *Strom*. VII, 41, 1 (rejet de la prière) et en *Strom*. VII, 103, 6. ~ Sur l'autodésignation « gnostiques », voir note compl. 2, *infra* p. 347-348.

3. Il est douteux que la critique explicite de Clément commence ici et que φασί signifie « dit-on », et non pas « disent-ils ».

comme les disciples de Valentin, avaient posé eux aussi le principe de communautés spirituelles[1], peut-être aurait-on pu admettre leur supposition ; mais faire remonter une communauté d'excès charnels à une prophétie sainte est le fait de quelqu'un qui a renoncé à son salut.

30

La liberté intempérante des disciples de Prodicos, censément « gnostiques »

1 Telles sont aussi les opinions professées par les disciples de Prodicos, qui s'attribuent, en l'usurpant, le titre de *gnostiques*[2]. Ils se disent eux-mêmes « fils par nature du premier Dieu » et, abusant de leur noble origine et de leur liberté, ils vivent comme ils le veulent ; or, ce qu'ils veulent, c'est la volupté, convaincus que personne n'est au-dessus d'eux, puisqu'ils sont « maîtres du sabbat[a] » et « fils de roi », supérieurs par nature à toute race ; or, disent-ils[3], « pour un roi, pas de loi écrite[4] ».

4. Selon Clément lui-même, la royauté du gnostique véritable est indissociable des efforts vertueux et de la bienfaisance (voir par exemple *Strom.* VI, 115, 2 ; 121, 2-3 ; *QDS* 31, 8-32, 4 ; cf. *infra* 31, 6). La prétention des sectateurs de Prodicos s'inscrit dans les débats grecs sur les relations entre « loi » et « nature » (voir F. BOLGIANI, « La polemica », p. 120). On a pu la rapprocher de l'attitude cynique (J.F. HULTIN, *The Ethics of Obscene Speech*, p. 228), en raison du thème de la royauté du sage qui jouit de l'autarcie, telle qu'elle est évoquée par exemple par Sénèque, *De la tranquillité de l'âme* VIII, 3-5 (voir M.-O. GOULET-CAZÉ, *L'ascèse cynique*, Paris 1986, p. 38-41). Elle s'oppose surtout à la Loi biblique. « Maîtres du sabbat », ils s'arrogent la qualité du « Fils de l'homme » de Mt 12, 8 (Mc 2, 28 ; Lc 6, 5). Selon l'*Évangile de la Vérité* (p. 31, 24-34, avec la note d'A. PASQUIER, *Écrits gnostiques. La bibliothèque de Nag Hammadi*, p. 71), les « fils de la compréhension spirituelle » appartiennent à un monde transcendant, au-dessus même de l'Hebdomade (le sabbat). Le *Logion* 27 de l'*Évangile selon Thomas* invite à s'abstenir du sabbat.

2 Πρῶτον μὲν οὖν οὐ ποιοῦσιν ἃ βούλονται πάντα,
πολλὰ γὰρ αὐτοὺς κωλύσει καὶ ἐπιθυμοῦντας καὶ πειρω-
10 μένους, καὶ ἃ ποιοῦσι δέ, οὐχ ὡς βασιλεῖς, ἀλλ᾿ ὡς μαστιγίαι
ποιοῦσι, λάθρᾳ γὰρ μοιχεύουσι τὸ ἁλῶναι δεδιότες καὶ
τὸ καταγνωσθῆναι ἐκκλίνοντες καὶ φοβούμενοι <τὸ>
κολασθῆναι. 3 Πῶς δὲ ἐλεύθερον ἡ ἀκρασία καὶ ἡ αἰσχρο-
λογία; «Πᾶς» γάρ, φησίν, «ὁ ἁμαρτάνων δοῦλός ἐστιν[b]»
31 15 ὁ ἀπόστολος λέγει. 1 Ἀλλὰ πῶς κατὰ θεὸν πολιτεύεται
ὁ πάσῃ ἐπιθυμίᾳ ἔκδοτον ἑαυτὸν παρασχὼν τοῦ κυρίου
φήσαντος «ἐγὼ δὲ λέγω, μὴ ἐπιθυμήσῃς[a]»; 2 Ἑκὼν δέ
τις ἁμαρτάνειν βούλεται καὶ δόγμα τίθησι τὸ μοιχεύειν καὶ
5 καθηδυπαθεῖν καὶ λυμαίνεσθαι τοὺς ἄλλων γάμους, ὅπου γε
καὶ τοὺς ἄλλους ἄκοντας ἁμαρτάνοντας ἐλεοῦμεν; 3 Κἂν

30, 9 οὖν St : ὅτι L ‖ 13 τὸ² suppl. Sy St

b Jn 8, 34 ; cf. Rm 6, 16
31 a Cf. Mt 5, 27-28

1. Après une objection de bon sens, la veine satirique l'emporte et rappelle l'expression « en renversant la lampe » *supra* 10, 1. ~ « Scélérats » : litt. « bons pour le fouet ».
2. Cf. *infra* 78, 4. Sur « l'intempérance en paroles » (ou « langage obscène »), voir *Péd.* II, 52, 3 : c'est par analogie avec les actions que commet le vice « qu'on peut appeler langage obscène le fait de discourir sur les actes vicieux... » (cf. *Strom.* II, 145, 2).
3. On a supposé une lacune dans le manuscrit parce que les mots cités sont ceux de Jn 6, 34 et non ceux de « l'Apôtre » (Rm 6, 16). Clément cependant, citant de mémoire, a pu confondre les deux passages. Quant à ses arguments principaux contre les licencieux, ils se fondent implicitement sur des réflexions de Paul (ainsi 1 Co 6, 12-13 ; 8, 9-10) relues à travers l'interprétation, élargie à la débauche, du grief d' « indifférence » fait aux nicolaïtes d'après Ap 2, 14-15 ou tiré du décret apostolique de Ac 15, 28-29 (voir A. LE BOULLUEC, *La notion d'hérésie*, p. 131-134 ; 312-314).

2 Tout d'abord, ils ne font pas tout ce qu'ils veulent, car de nombreux obstacles les arrêteront dans leurs désirs et leurs efforts ; et, en ce qu'ils font, ils n'agissent pas comme des rois, mais comme des scélérats[1] : c'est en cachette qu'ils commettent l'adultère, dans la crainte d'être pris, le désir d'échapper à une condamnation, la peur d'être punis. **3** Comment l'intempérance et l'obscénité[2] pourraient-elles être une marque de liberté ? En effet, « quiconque pèche est esclave[b] », dit l'Apôtre[3]. **1** Comment donc régler sa vie sur Dieu[4] tout en se livrant totalement à n'importe quelle convoitise, alors que le Seigneur a affirmé : « Moi, je dis : ne convoite pas[a5] » ? **2** Veut-on de plein gré commettre le péché et ériger en dogme l'adultère, la mollesse et la profanation du mariage des autres, alors que nous n'avons déjà que pitié pour les autres pécheurs, ceux qui pèchent sans le vouloir[6] ? **3** Ils

31

---

4. « Régler sa vie sur Dieu » : voir *Péd.* III, 67, 1 ; selon les commandements : *Péd.* III, 81 ; 1-2 ; *Strom.* I, 179, 3 ; III, 44, 1 ; 73, 2 ; 99, 1 ; IV, 15, 3 ; 113, 5-6 ; VII, 88, 7 ; *QDS* 1, 5.

5. Mt 5, 28 est l'un des versets le plus souvent cités par Clément.

6. En *Péd.* III, 21, 1, Clément fustige les abominations commises « de plein gré » (cf. I, 77, 2). Ici l'indignation suscitée par de tels pécheurs doit être plus forte que le sentiment de « pitié » envers les autres. La « pitié » n'est pas dans ce contexte la miséricorde propre à Dieu (*Strom.* II, 72, 2 – 73, 3), mais la « passion » que définissent les stoïciens comme « chagrin devant qui est malheureux sans le mériter » (*Strom.* II, 72, 1 ; cf. IV, 38, 1 ; sur le « chagrin » comme « contraction déraisonnable de l'âme », voir M.-O. GOULET-CAZÉ, *Les* Kynika *du stoïcisme, Hermes Einzelschriften*, Band 89, Stuttgart 2003, p. 169-171). En *Strom.* VII, 103, 1, Clément hésite entre la haine et la pitié devant la perversion intellectuelle des hérétiques.

εἰς ξένον τὸν κόσμον ἀφιγμένοι ὦσι, πιστοὶ ἐν τῷ ἀλλοτρίῳ μὴ γενόμενοι, τὸ ἀληθὲς οὐχ ἕξουσιν[b]. 4 Ὑβρίζει δέ τις ξένος πολίτας καὶ τούτους ἀδικεῖ, οὐχὶ δὲ ὡς παρεπί-
10 δημος[c] τοῖς ἀναγκαίοις χρώμενος ἀπρόσκοπος τοῖς πολίταις διαβιοῖ; 5 Πῶς δὲ καὶ τοῖς ὑπὸ τῶν ἐθνῶν μεμισημένοις διὰ τὸ μὴ πράσσειν τὰ ὑπὸ τῶν νόμων διηγορευμένα, τουτέστι τοῖς ἀδίκοις καὶ ἀκρατέσι καὶ πλεονέκταις καὶ μοιχοῖς τὰ αὐτὰ πράσσοντες θεὸν ἐγνωκέναι μόνοι λέγουσιν; 6 Ἐχρῆν
15 γὰρ αὐτοὺς καὶ ἐν τοῖς ἀλλοτρίοις[d] παρόντας καλῶς βιοῦν, ἵνα δὴ τῷ ὄντι τὸ βασιλικὸν[e] ἐνδείξωνται.

120ᵛ 32 1 Ἤδη δὲ ǀκαὶ τοῖς ἀνθρωπίνοις νομοθέταις καὶ τῷ θείῳ νόμῳ ἀπεχθάνονται παρανόμως βιοῦν ἐπανῃρημένοι. Ὁ γοῦν ἐκκεντήσας τὸν πόρνον εὐλογούμενος πρὸς τοῦ θεοῦ δείκνυται ἐν τοῖς Ἀριθμοῖς[a]. 2 «Καὶ ἐὰν εἴπωμεν»,

32, 3 εὐλογούμενος Lowth St : εὐλαβούμενος L

b Cf. Lc 16, 11-12   c Cf. 1 P 2, 11   d Cf. Lc 16, 12   e Cf. 1 P 2, 9
32 a Cf. Nb 25, 8-13

1. La qualité impliquée ici d' « étranger » au monde vient compléter l'autoportrait des sectateurs de Prodicos (*supra* 30, 1). Elle est aussi
revendiquée par Basilide (*Strom.* IV, 165, 3). À la fin de l'*Apocalypse de
Pierre*, dont le caractère basilidien est reconnu (voir J.-D. DUBOIS, dans
Écrits gnostiques. La bibliothèque de Nag Hammadi, p. 1145-1146), la
révélation est réservée « à ceux de l'espèce étrangère qui ne sont pas issus
de cet éon » (NH VII, 3, p. 81, 17-18). Le thème est présent dans d'autres
courants gnostiques : selon l'*Apocalypse d'Adam* (NH V, 5, p. 69, 5-18),
« ceux en qui est passée la Vie de la gnose » sont « étrangers » au démiurge
(*Écrits gnostiques. La bibliothèque de Nag Hammadi*, p. 793 ; cf. *Zostrien*,
NH VIII, 1, p. 1, 20-25). L'ironie de Clément oppose les adversaires, au
moyen d'une allusion à Lc 16, 12, à la société qui les accueille, retourne
contre eux 1 P 2, 11, qu'ils pourraient invoquer, et en fait les transgres-
seurs des lois profanes. Il a recours plus loin à 1 P 2, 11-12a.15-16 contre
les licencieux (*infra* 74, 1-2).

ont beau être venus dans un monde qui leur est « étranger[1] »,
s'ils ne sont pas loyaux dans ce qui est à autrui, ils ne possé-
deront pas le bien véritable[b].   4 Un étranger outrage-t-il
les citoyens et leur porte-t-il préjudice ? Ne vit-il pas plutôt
comme un voyageur[c], usant du nécessaire sans offenser les
citoyens[2] ?   5 Comment peuvent-ils se prétendre les seuls
à connaître Dieu, alors qu'ils agissent comme les injustes, les
dissolus, les avares et les adultères, que détestent même les
païens pour leur conduite qui transgresse les prescriptions
des lois ?   6 Ils devraient, en effet, lors de leur séjour chez
autrui[d], vivre correctement, pour donner une preuve authentique de leur origine « royale[e] [3] ».

32   1 En réalité, ils se rendent odieux, tant aux législateurs
humains qu'à la loi de Dieu, ayant choisi une fois pour toutes
de vivre en dehors des lois[4].

Celui qui transperça le débauché est béni de Dieu,
comme l'indiquent les *Nombres*[a] [5].   2 « Si nous disons »,

---

2. « Sans offenser ... » : cf. 1 Co 10, 32.

3. Voir *Strom.* VII, 36, 2 et 73, 5 (et notes *ad loc.* dans *SC* 428, p. 132
et 229) ; *Strom.* VI, 152, 2 et 164, 2 (avec la note de P. DESCOURTIEUX
dans *SC* 446, p. 365) ; cf. *Strom.* V, 98, 4.

4. Parce qu'ils bafouent, voire annihilent le mariage et la famille, par
leur doctrine et, censément, par leur conduite, Clément met les adversaires doublement hors la loi. Les normes sociales et les règles bibliques
de la procréation monogame réduisent leur programme à une « justice
débauchée », ou « une justice de bordel » (à propos d'Épiphane, *supra*
10, 1 ; voir K. GACA, *The Making of Fornication*, p. 286).

5. « L'homme israélite » de Nb 25, 8 (Zambri, Nb 25, 14) uni à une
Madianite que transperce Phinees est lui-même qualifié ici de πόρνος. La
« chambrette » où sévit le justicier évoque peut-être dans la Septante un
lieu de prostitution (voir la note de G. DORIVAL, *BA* 4, p. 464).

5 φησὶν ὁ Ἰωάννης ἐν τῇ ἐπιστολῇ, «ὅτι κοινωνίαν ἔχομεν
μετ' αὐτοῦ», τουτέστι μετὰ τοῦ θεοῦ, «καὶ ἐν τῷ σκότει
περιπατῶμεν, ψευδόμεθα καὶ οὐ ποιοῦμεν τὴν ἀλήθειαν·
ἐὰν δὲ ἐν τῷ φωτὶ περιπατῶμεν ὡς αὐτὸς ἐν τῷ φωτί,
κοινωνίαν ἔχομεν μετ' αὐτοῦ καὶ τὸ αἷμα Ἰησοῦ τοῦ υἱοῦ
33 αὐτοῦ καθαρίζει ἡμᾶς ἀπὸ τῆς ἁμαρτίας[b]». 1 Πόθεν
οὖν κρείττους εἰσὶ τῶν κοσμικῶν οἱ τοιαῦτα πράσσοντες
καὶ τοῖς χειρίστοις τῶν κοσμικῶν ὅμοιοι; Ὅμοιοι γάρ,
οἶμαι, τὰς φύσεις οἱ καὶ τὰς πράξεις ὅμοιοι. 2 Ὧν δὲ
5 ὑπερφέρειν κατὰ τὴν εὐγένειαν ἀξιοῦσι, τούτων καὶ τοῖς
ἤθεσιν ὑπερέχειν ὀφείλουσιν, ὅπως τὸν εἰς τὴν φυλακὴν[a]
συγκλεισμὸν διαφύγωσιν. 3 Ὄντως γὰρ ὡς ὁ κύριος
ἔφη, «ἐὰν μὴ περισσεύσῃ ἡ δικαιοσύνη ὑμῶν πλείω τῶν
γραμματέων καὶ Φαρισαίων, οὐκ εἰσελεύσεσθε εἰς τὴν
10 βασιλείαν τοῦ θεοῦ[b]». 4 Περὶ δὲ τῆς τῶν βρωμάτων
ἐγκρατείας δείκνυται ἐν τῷ Δανιήλ[c]. Συνελόντι δ' εἰπεῖν,

b 1 Jn 1, 6-7
33 a Cf. 1 P 3, 19   b Mt 5, 20   c Cf. Dn 1, 10-16

1. La « communion » avec Dieu est, bien entendu, incompatible avec
celle que prône un Épiphane, comme la « lumière » s'oppose à l'obscurité
où s'exerce le vice (cf. *supra* 10, 1). Un résumé du commentaire théologique
de Clément sur 1 Jn 1, 5 (« Dieu est lumière... ») et sur 1 Jn 1, 7 est conservé
par les *Adumbrationes* (*GCS* 17², III, p. 210, 21 – 211, 11). 1 Jn 1, 7 a ici
la leçon, plus difficile pour le sens, μετ' αὐτοῦ, « (en communion) avec
lui », attestée aussi par Tertullien, Hilaire et Didyme (voir la note de
C. MICAELLI sur TERTULLIEN, *Pud.* 19, 11, *SC* 395), alors que le texte
reçu a la leçon μετ' ἀλλήλων, « (en communion) les uns avec les autres ».

2. Dans les *Adumbrationes*, le sang de Jésus représente la *doctrina
Domini* (*GCS* 17², III, p. 211, 8).

3. Même conduite, même nature : l'adage est sous-jacent au raisonnement *infra* 102, 4 ; il l'est aussi en *Strom.* IV, 59, de façon réciproque (même
nature, même vertu) pour affirmer l'égalité de l'homme et de la femme.

écrit Jean dans sa *Lettre*, « qu'une communion nous unit
à lui », c'est-à-dire à Dieu, « et que nous marchons dans
les ténèbres, nous mentons et nous n'agissons pas dans la
vérité ; mais si nous marchons dans la lumière, comme il
est lui-même dans la lumière, nous sommes en communion
avec lui[1], et le sang de Jésus[2], son Fils, nous purifie du
33 péché[b] ». 1 D'où tiennent-ils donc leur supériorité sur
les gens de ce monde, ceux qui agissent ainsi et se montrent
semblables aux plus dépravés parmi les gens de ce monde ?
En effet, avoir la même conduite, c'est, je crois, être de
même nature[3]. 2 Ils doivent l'emporter aussi par leurs
mœurs sur ceux qu'ils croient dépasser par leur noble origine,
pour éviter d'être enfermés dans la prison[a]. 3 Elle est bien
réelle, en effet, la parole du Seigneur : « Si votre justice n'est
pas plus abondante que celle des scribes et des Pharisiens,
vous n'entrerez pas dans le royaume de Dieu[b4]. » 4 À
propos de la continence en matière de nourriture, on trouve
une indication chez *Daniel*[c5]. Pour faire bref, dans un psaume,

4. La « prison » de 1 P 3, 19 opposée au « royaume de Dieu » (Mt 5, 20b)
est l'Hadès (voir *Strom.* VI, 45, 1-4, et notes *ad loc.* de P. DESCOURTIEUX,
SC 446, p. 152, et le commentaire de l'*agraphon* cité là par Clément de
R. GOUNELLE, *La descente du Christ aux Enfers*, Paris 2000, p. 41-47 ;
52-53). La parole de Mt 5, 20 est adressée aux philosophes en *Strom.* VI,
164, 2, pour les inciter à la perfection, celle des « dieux » de Ps 81, 6 en
Strom. VII, 56, 2-6.

5. L'allusion au jeûne de Daniel et de ses compagnons en Dn 1, 8-16 serait
ici incongrue si elle ne concernait en fait le souci de respecter la loi divine,
de ne pas « se souiller avec le menu du roi ... » (Dn 1, 8-9), et la science que
Dieu accorde aux quatre garçons (Dn 1, 17), en guise d'introduction aux
paroles des Écritures citées ensuite. La « continence », au demeurant, est
« le fondement des vertus » qu'établit « la loi divine » (*Strom.* II, 105, 1,
en lien avec l'exemple de Daniel, II, 104, 1).

περὶ ὑπακοῆς ὁ Δαβὶδ ψάλλων λέγει · « Ἐν τίνι κατορθώσει νεώτερος τὴν ὁδὸν αὐτοῦ [d] » ; καὶ παραχρῆμα ἀκούει · « Ἐν τῷ φυλάσσεσθαι τὸν λόγον σου ἐν ὅλῃ καρδίᾳ [e] ». 5 Ὁ τε Ἱερεμίας φησί · « Τάδε λέγει κύριος · ' Κατὰ τὰς ὁδοὺς τῶν ἐθνῶν μὴ πορεύσησθε [f]. ' »

34   1 Ἐντεῦθεν ἄλλοι τινὲς κινηθέντες μιαροὶ καὶ οὐτιδανοὶ τὸν ἄνθρωπον ὑπὸ διαφόρων δυνάμεων πλασθῆναι λέγουσι, καὶ τὰ μὲν μέχρις ὀμφαλοῦ θεοειδεστέρας τέχνης εἶναι, τὰ ἔνερθε δὲ τῆς ἥττονος, οὗ δὴ χάριν ὀρέγεσθαι συνουσίας.

34, 1 μιαροὶ St : μικροὶ L

---

d Ps 118, 9   e Ps 118, 9-10   f Jr 10, 2

---

1. La doctrine en cause est attribuée par ÉPIPHANE DE SALAMINE aux « sévériens » (*Panarion* 45, 2, 2). Selon EUSÈBE DE CÉSARÉE, « le premier chef » des encratites fut Tatien, mais l'hérésie fut un peu plus tard « fortifiée » par « un certain Sévère » qui « fut cause de ce que les membres de la secte prirent de lui le nom de sévériens » (*Histoire ecclésiastique* IV, 29, 4.6). À partir de ce texte, ÉPIPHANE a distingué trois hérésies, celle de Sévère (*Panarion* 45), celle de Tatien (*Panarion* 46), et les encratites (*Panarion* 47) (voir A. POURKIER, *L'hérésiologie chez Épiphane*, p. 104-105 ; 346-347). Clément, lui, interprète la doctrine comme libertine. On a voulu la rapprocher de l'*Asclépius* (22), qui présente l'homme comme duel, mélange de substance d'origine divine et de matérialité corrompue, mais sans rapporter cette dualité à deux puissances différentes au moment de la formation du corps de l'homme (voir F. BOLGIANI, « La polemica », n. 87, qui réunit, n. 88, des témoignages plus tardifs sur des opinions analogues à celle des sévériens, depuis les *Paterniani* ou *Venustiani* du *De haeresibus* d'Augustin jusqu'aux cathares du Moyen Âge). Elle présente quelques ressemblances avec une simplification du récit de l'agencement de l'être humain selon le *Timée*. Ce sont les dieux nés du démiurge qui établissent l'âme désirante dans « l'espace compris entre le diaphragme

David s'exprime ainsi à propos de l'obéissance : « Comment, étant jeune, garder droit son chemin[d] ? » Tout de suite après, il entend : « En observant ta parole de tout cœur[e] ». 5 Et Jérémie dit : « Voici ce que dit le Seigneur : 'Ne marchez pas en suivant les chemins des païens[f].' »

34

La doctrine d'une autre engeance

1 Partant de là, certains autres, des gens souillés, des vauriens, disent que l'homme a été façonné par des puissances différentes : la partie au-dessus du nombril serait de facture divine, et celle qui est en dessous d'un art inférieur, ce qui expliquerait le désir de relation sexuelle[1].

---

et la frontière constituée par le nombril » (*Timée* 70de), alors que l'âme mortelle « qui participe au courage et à l'ardeur » a été placée « entre le diaphragme et le cou » (70a), « l'espèce divine », elle, que le démiurge lui-même a fait venir à l'existence (41c), située dans la tête (44d), étant séparée de cette double cavité inférieure par le cou (69e). L'appareil reproducteur n'apparaît qu'à la seconde naissance, quand s'instaure la distinction des sexes, et il est décrit comme un « vivant » (91a-d ; voir L. BRISSON, *Platon. Timée-Critias*, Paris 1992, p. 55 et 217-219). Les rôles respectifs du démiurge et de ses aides dans la constitution de l'être humain ont pu engendrer l'idée d'une répartition des tâches entre plusieurs « puissances », l'une supérieure, les autres inférieures, abstraction faite de la téléologie du *Timée* et des divergences patentes entre les deux représentations du composé humain. La notice d'ÉPIPHANE sur les « sévériens », beaucoup plus développée (*Panarion* 45, 1, 3 – 4, 8), rapporte leurs mythes qui font intervenir « Sabaôth » et le serpent et qui ont des traits communs avec ceux d'autres sectes gnostiques, et insiste sur leur recours à des apocryphes. Pour Clément, au contraire, « Dieu n'a pas rougi d'être le créateur des organes de la génération » (*Péd.* II, 92, 3 ; cf. *Péd.* II, 52, 2). Dans la tripartition de l'âme qu'il emprunte à Platon, « l'homme intérieur » correspond à l'élément raisonnable, et c'est Dieu qui le guide (voir *Péd.* III, 1, 2).

121ʳ 5 **2** Λέληθε ¹δὲ αὐτοὺς ὅτι καὶ τὰ ἀνωτέρω μέρη τῆς τροφῆς
ὀριγνᾶται καὶ λαγνεύει τισίν, ἐναντιοῦνται δὲ καὶ τῷ Χριστῷ
πρὸς τοὺς Φαρισαίους εἰρηκότι τὸν αὐτὸν θεὸν καὶ τὸν
« ἐκτὸς » ἡμῶν καὶ τὸν « ἔσω ᵃ » ἄνθρωπον πεποιηκέναι. Ἀλλὰ
καὶ ἡ ὄρεξις οὐ τοῦ σώματός ἐστι ᵇ, κἂν διὰ τὸ σῶμα γίνηται.

10 **3** Ἄλλοι τινές, οὓς καὶ Ἀντιτάκτας καλοῦμεν, λέγουσιν
ὅτι ὁ μὲν θεὸς ὁ τῶν ὅλων πατὴρ ἡμῶν ἐστι φύσει, καὶ
πάνθ' ὅσα πεποίηκεν ἀγαθά ἐστιν· εἷς δέ τις τῶν ὑπ' αὐτοῦ
γεγονότων « ἐπέσπειρεν τὰ ζιζάνια ᶜ » τὴν τῶν κακῶν φύσιν
γεννήσας, οἷς καὶ δὴ πάντας ἡμᾶς περιέβαλεν ἀντιτάξας
15 ἡμᾶς τῷ πατρί. **4** Διὸ δὴ καὶ αὐτοὶ ἀντιτασσόμεθα τούτῳ
εἰς ἐκδικίαν τοῦ πατρός, ἀντιπράσσοντες τῷ βουλήματι
τοῦ δευτέρου. Ἐπεὶ οὖν οὗτος « Οὐ μοιχεύσεις ᵈ » εἴρηκεν,
ἡμεῖς, φασί, μοιχεύσωμεν ἐπὶ καταλύσει τῆς ἐντολῆς αὐτοῦ.

---

6 ὀριγνᾶται St : ὀρίγναται L ‖ 14 δὴ secl. St coll. Theodoreto ‖ 15 δὴ
supra lin. Lᵖᶜ ‖ 16 τῷ Sy St : τοῦ L ‖ 18 μοιχεύσωμεν St coll. Theodoreto :
μοιχεύομεν L

---

34 a Cf. Lc 11, 40   b Cf. PLATON, *Philèbe* 35cd   c Mt 13, 25
d Ex 20, 13

1. La liaison entre l'excès de nourriture et la lascivité est expliquée en
Péd. III, 65, 3 – 66, 1 (cf. *Péd.* II, 15, 1 ; *Strom.* II, 120, 5). La lascivité est
une forme d'ὕβρις (*Péd.* III, 93, 2). Le regard peut être charnel et coupable
(*Strom.* IV, 116, 1, en lien avec Mt 5, 28 ; cf. *Péd.* III, 70 ; 77, 1 ; 82, 5). La
« convoitise » a ses propres « raisonnements » (*infra* 69, 4).

2. Lc 11, 40 est pris au sens figuré pour entrer dans la réfutation, qui tire
aussi parti d'une formule dérivant de la discussion du *Philèbe* de PLATON
(34d-35d) sur l'origine du désir, qui est l'âme, par la mémoire, et non le
corps (cf. *République* IV, 439d).

3. Clément explique lui-même l'appellation « antitactes », dont il est
très probablement l'auteur. En Rm 13, 1-2, ὁ ἀντιτασσόμενος est « celui
qui se rebelle contre l'ordre voulu par Dieu », en l'occurrence « les auto-
rités ». THÉODORET DE CYR a recopié cette notice, en la paraphrasant
légèrement (*Résumé des fables hérétiques* I, 16). Ces « opposants » restent

2 Ils ont oublié que même les parties supérieures ont de l'appétit pour la nourriture et sont, chez certains, enclines à être lascives[1] ; par ailleurs, ils vont jusqu'à contredire les paroles du Christ affirmant aux pharisiens que le même Dieu a fait en nous l'homme « extérieur » aussi bien que l'homme « intérieur[a] ». En outre, le désir n'est pas le fait du corps[b], même si c'est le corps qui le fait apparaître[2].

Réfutation des « antitactes »   3 D'après certains autres, ceux que nous appelons les « opposants » (antitactes)[3], le Dieu de l'univers est, par nature, notre Père, et toutes ses œuvres sont bonnes, mais l'une de ses créatures « a semé l'ivraie[c] », donnant ainsi naissance au mal, et elle nous y a tous plongés, en nous opposant au Père.   4 C'est pourquoi, pour venger le Père, nous manifestons, nous aussi, notre opposition à cet être second, nous agissons contre sa volonté. Dès lors, disent-ils, puisqu'il a dit : « Tu ne commettras pas l'adultère[d] », commettons, quant à nous, l'adultère, afin de ruiner son interdiction.

---

mystérieux. Leur gnose semble encore « monadique », comme celle des carpocratiens (*supra* 5, 3) : le Père seul est à l'origine de tous les êtres. Mais le résumé de Clément ne dit ni pourquoi ni comment l'une de ses créatures, censées toutes être bonnes, a produit le mal. Il omet le mythe qui devait rendre compte de l'intervention de cet être « second », assimilé à « l'Ennemi » ou au « Malin », par la référence à Mt 13, 25 (cf. 13, 12). On a rapproché cette secte de ceux que Clément nomme les « caïanistes » en *Strom.* VII, 108, 2, à mettre sans doute en relation avec les informations rapportées par IRÉNÉE : selon certains, Caïn et ses semblables sont issus de la Suprême Puissance et le salut passe, comme pour Carpocrate, par toutes les actions possibles, pour détruire les œuvres de l'auteur du ciel et de la terre ; leur *Évangile de Judas* enseigne le « mystère » de la trahison (*Contre les hérésies* I, 31, 1-2 ; cf. ÉPIPHANE, *Panarion* 38, 1, 2 – 3, 5, qui fournit des indications supplémentaires). La différence des « antitactes » est qu'ils ne distinguent pas deux classes d'individus. On considère la

35 1 Φαίημεν δ' ἂν καὶ πρὸς τούτους, ὅτι τοὺς ψευδο-
προφήτας[a] καὶ τοὺς ὅσοι τὴν ἀλήθειαν ὑποκρίνονται
ἐξ ἔργων γινώσκεσθαι παρειλήφαμεν. Διαβάλλεται δὲ
ὑμῶν τὰ ἔργα· πῶς ἔτι τῆς ἀληθείας ἀντέχεσθαι ὑμᾶς
5 ἐρεῖτε; 2 ἢ γὰρ οὐδέν ἐστι κακὸν καὶ οὐκέτι μέμψεως
ἄξιος ὂν αἰτιᾶσθε ὡς ἀντιτεταγμένον τῷ θεῷ, οὐδὲ κακοῦ
τινος γέγονε ποιητικός (συναναιρεῖται γὰρ τῷ κακῷ καὶ
τὸ δένδρον[b]), ἤ, εἰ ἔστι τὸ πονηρὸν ἐν ὑπάρξει, εἰπάτωσαν
ἡμῖν, τί λέγουσιν εἶναι τὰς δοθείσας ἐντολὰς περὶ δικαιο-
10 σύνης, περὶ ἐγκρατείας, περὶ ὑπομονῆς, περὶ ἀνεξικακίας
καὶ τῶν τούτοις ὁμοίων, φαύλας ἢ ἀστείας. 3 Καὶ εἰ μὲν
φαύλη εἴη τὰ πλεῖστα ἀπαγορεύουσα ποιεῖν τῶν αἰσχρῶν
121ᵛ ἡ ἐντολή, καθ' ἑαυτῆς νομοθετήσει ἡ κακία |ἐπὶ καταλύσει
τῇ ἰδίᾳ, ὅπερ ἀδύνατον· εἰ δὲ ἀγαθή, ἀντιτασσόμενοι ταῖς
15 ἀγαθαῖς ἐντολαῖς ἀγαθῷ ἀντιτάσσεσθαι καὶ τὰ κακὰ
πράσσειν ὁμολογοῦσιν.

35, 7 τῷ κακῷ L Pi : τῷ καρπῷ τῷ κακῷ Ma St ‖ 8 ἐν ὑπάρξει Po St :
ἐνυπάρξει L

---

35 a Cf. Mt 7, 15   b Cf. Mt 7, 16-20

secte des « caïnites » comme une fiction hérésiologique (B.A. PEARSON,
Gnosticism, Judaism, and Early Christianity, Minneapolis 1990, p. 95-107),
étant donné notamment que les textes de Nag Hammadi qui mentionnent
Caïn donnent tous de lui une image négative. Le seul passage favorable à
Caïn retenu par B.A. PEARSON (*Écrit sans titre*, NH II, 5, p. 113, 34-35
et 114, 14-15) concerne plutôt Seth, selon L. PAINCHAUD (*Écrits gnostiques. La bibliothèque de Nag Hammadi*, p. 415). En va-t-il de même
pour les « antitactes » ? Les précisions données par Clément tout au
long de sa réfutation (*infra* 35-39) incitent à penser qu'il renvoie à un
groupe réel (F. BOLGIANI, « La polemica », p. 130). Avec un autre verbe
(ἀντεφίστασθαι), la question a été posée en *Strom.* II, 16, 2 : « Comment
est-il possible de s'opposer à Dieu ? »

35   **1** Nous savons reconnaître à leurs œuvres les faux prophètes[a] et ceux qui jouent la comédie de la vérité[1]. Nous pourrions répondre aussi à ces gens-là : Or vos œuvres étant suspectes, comment donc prétendre encore vous confronter à la vérité ?   **2** En effet, ou bien le mal n'existe pas, et celui que vous accusez de s'être opposé à Dieu ne mérite plus aucun reproche et n'a commis aucun mal – plus d'arbre, plus de mal[b] ! –, ou bien, si le mal existe réellement, qu'ils nous disent si, d'après eux, les commandements reçus en matière de justice, de continence, de patience, de longanimité et d'autres vertus semblables sont bons ou mauvais.   **3** Si le commandement qui interdit l'ensemble des actes obscènes est mauvais, on verra le vice légiférer contre lui-même, en vue de sa propre destruction, ce qui est impossible. Mais s'il est bon, ils reconnaissent qu'en s'opposant aux bons commandements, ils s'opposent au bien et font le mal[2].

1. La qualification « faux prophètes » évoque l'interprétation de Mt 13, 25 donnée en *Strom.* I, 84, 6, qui vise les fraudes du diable et qui est confirmée ici par la référence à Mt 7, 15-20. La « comédie de la vérité » est celle que jouent les « hypocrites » désignés par la formule conclusive du livre III, adeptes de « la gnose au nom trompeur ». Leur savoir procède d'erreurs de raisonnement, comme le montre ensuite la réfutation.

2. La première objection a pour prémisse le grief d'indifférentisme absolu qui pourrait être fait aux adversaires. La seconde les taxe d'abord d'absurdité, puis les met en contradiction avec eux-mêmes.

36   1 Ἤδη δὲ καὶ ὁ σωτὴρ αὐτός, ᾧ πείθεσθαι ἀξιοῦσιν
μόνῳ, τὸ μισεῖν καὶ τὸ λοιδορεῖν κεκώλυκεν[a] καὶ «μετὰ τοῦ
ἀντιδίκου βαδίζων φίλος αὐτοῦ πειράθητι ἀπαλλαγῆναι[b]»
φησίν.   2 Ἦ τοίνυν καὶ τὴν Χριστοῦ παραίνεσιν ἀρνήσονται
5 ἀντιτασσόμενοι τῷ ἀντιτεταγμένῳ, ἢ φίλοι γινόμενοι τούτῳ
οὐκ ἀντιδικήσουσιν.   3 Τί δέ; Οὐκ ἴστε, ὦ γεννάδαι (ὡς
πρὸς παρόντας γὰρ εἴποιμ' ἄν), ὅτι ταῖς καλῶς ἐχούσαις
ἐντολαῖς μαχόμενοι τῇ ἰδίᾳ ἀνθίστασθε σωτηρίᾳ; οὐ γὰρ
τὰ διαγορευθέντα χρησίμως, ἀλλ' ἑαυτοὺς καταστρέφετε.
10   4 Καὶ ὁ μὲν κύριος «τὰ ἀγαθὰ ὑμῶν ἔργα λαμψάτω[c]» ἔφη,
ὑμεῖς δὲ τὰς ἀσελγείας ὑμῶν ἐκφανεῖς ποιεῖτε.   5 Ἄλλως
τε εἰ τὰς ἐντολὰς καταλύειν τοῦ νομοθέτου θέλετε, τί
δήποτε τὸ μὲν «οὐ μοιχεύσεις[d]» καὶ «οὐ παιδοφθορήσεις[e]»
καὶ ὅσα εἰς ἐγκράτειαν συμβάλλεται, καταλύειν ἐπιχειρεῖτε
15 δι' ἀκρασίαν τὴν σφῶν, οὐ καταλύετε δὲ χειμῶνα τὸν
ὑπ' αὐτοῦ γενόμενον, ἵνα θέρος ποιήσητε μεσοῦντος ἔτι τοῦ

36, 6 δέ St : δαί L ‖ 8 ἀνθίστασθε Sy St : ἀνθίστασθαι L ‖ 12 εἰ L^pc : εἰς L^ac

---

36 a Cf. Lc 6, 27-28 ; Mt 5, 44   b Cf. Mt 5, 25 ; Lc 12, 58   c Cf.
Mt 5, 16   d Ex 20, 13   e Cf. *Épître de Barnabé* 19, 4a

1. Clément donne un autre renseignement sur les « antitactes » : ils
n'obéissent qu'au Sauveur – envoyé donc par « le Père ». Ce faisant, ils
pèchent par inconséquence, en enfreignant ses commandements. Clément
réunit explicitement Mt 5, 44 et Mt 5, 25, pour introduire le portrait du
« martyr gnostique », en *Strom.* IV, 95, 1-2 (cf. 96, 2).

2. Le constat final est semblable à celui que Clément oppose aux chrétiens dont la modestie est feinte et hypocrite : « ils s'enfouissent eux-mêmes
dans la mort » (*Péd.* III, 80, 3 – 81, 1), ce qui vaut aussi contre ceux qui
pervertissent le baiser de paix (81, 4), coupables de « jouer la comédie de
la sainteté ».

36   **1** En fait, le Sauveur lui-même, le seul à qui ils prétendent obéir, a interdit de haïr et de diffamer[a], et il dit : « Quand tu fais route avec ton adversaire, essaie de le quitter dans l'amitié[b1]. »   **2** En conséquence, ou bien ils refuseront l'exhortation du Christ en montrant leur opposition à leur opposant ; ou bien, devenus amis de ce dernier, ils n'en seront plus les adversaires.   **3** Que dire encore ? Ne savez-vous pas, braves gens – car je peux m'exprimer comme s'ils étaient devant moi –, ne savez-vous pas qu'en luttant contre des commandements qui sont bons, c'est à votre propre salut que vous faites obstacle ? Car ce que vous anéantissez, ce ne sont pas d'utiles prescriptions : c'est vous-mêmes[2].

4 Le Seigneur a dit aussi : « Que vos bonnes œuvres resplendissent[c3] ! » ; vous, ce sont vos dépravations que vous faites briller.   **5** Au reste, si vous voulez détruire les commandements du législateur, pourquoi donc vous acharner, dans votre intempérance, contre ceux qui disent : « Tu ne commettras pas l'adultère[d], tu ne seras pas pédéraste[e] », et tous ceux qui se rapportent à la continence[4] ? Que ne détruisez-vous alors l'hiver, qui est son œuvre, pour amener l'été

---

3. La reprise de Mt 5, 16a en *Strom.* IV, 171, 2 renvoie à la même forme de cette parole que dans le passage présent. Les *Extraits de Théodote* 3, 1 (cf. 41, 3) donnent le texte reçu, tel donc qu'il était cité par le valentinien.

4. L'interdit « Tu ne seras pas pédéraste » – littéralement : « Tu ne corrompras pas un enfant » – ne se trouve pas dans le Décalogue et, en Lv 18, 22 (cité en *Péd.* II, 91, 1) et Lv 20, 13, ce sont les rapports entre « mâles » qui sont condamnés. Clément l'associe de même au Décalogue en *Protr.* 108, 5, en *Péd.* II, 89, 1 et *Péd.* III, 89, 1. Il dépend très probablement de l'*Épître de Barnabé* (19, 4), dont les trois interdits : « Pas de prostitution, pas d'adultère, pas de pédérastie », se trouvent aussi, dans un autre ordre, dans la *Didachè* (2, 2). Cette amplification du Décalogue appartient à l'enseignement sur « la voie de lumière » (voir les notes de P. PRIGENT dans *SC* 172, p. 200 et de W. RORDORF dans *SC* 248, p. 149). Quant à l'argument logique, il rappelle l'objection faite aux marcionites *supra* 12, 3.

χειμῶνος, οὐδὲ γῆν πλωτήν, βατὴν δὲ θάλασσαν ἐργάζεσθε,
καθάπερ οἱ τὰς ἱστορίας συνταξάμενοι τὸν βάρβαρον ἐθελῆσαι
37 Ξέρξην[f] <φασίν>; 1 Τί δ' οὐχὶ πάσαις ταῖς ἐντολαῖς ἀντι-
τάσσεσθε; Εἰπόντος γὰρ «Αὐξάνεσθε καὶ πληθύνεσθε[a]» ὑμᾶς
τοὺς ἀντιτεταγμένους ἐχρῆν μηδ' ὅλως συνουσίᾳ χρῆσθαι, καὶ
εἰπόντος «Ἔδωκα ὑμῖν πάντα εἰς τροφὰς καὶ ἀπολαύσεις[b]»
5 ὑμᾶς ἐχρῆν μηδενὸς ἀπολαύειν. 2 Ἀλλὰ καὶ «ὀφθαλμὸν ἀντὶ
122[r] ὀφθαλμοῦ[c]» λέγοντος ὑμᾶς |ἐχρῆν μὴ ἀποδιδόναι ἀντίταξιν
ἀντιτάξει, καὶ τὸν κλέπτην κελεύσαντος τετραπλοῦν ἀπο-
διδόναι[d] ὑμᾶς ἐχρῆν καὶ προσδοῦναι τῷ κλέπτῃ· 3 Ὁμοίως
τε αὖ καὶ τῇ «Ἀγαπήσεις τὸν κύριον[e]» ἐντολῇ ἀντιτασσο-
10 μένους ἔδει οὐδὲ τὸν τῶν ὅλων θεὸν ἀγαπῆσαι, καὶ πάλιν
εἰπόντος «Οὐ ποιήσεις γλυπτὸν οὐδὲ χωνευτὸν[f]» ὑμᾶς
ἀκόλουθον ἦν καὶ τὰ γλυπτὰ προσκυνεῖν. 4 Πῶς οὖν οὐκ
ἀσεβεῖτε ἀντιτασσόμενοι μέν, ὥς φατε, τῷ δημιουργῷ, τὰ δὲ

19 φασίν suppl. St
37, 10 οὐδὲ Kl St : οὔτε L

---

f Cf. HÉRODOTE, *Histoires* VII, 54
37 a Gn 1, 28; 9, 1   b Cf. Gn 1, 29; 9, 3   c Ex 21, 24   d Cf. Ex 21, 37
e Dt 6, 5   f Cf. Dt 27, 15

---

1. Les deux exemples d'orgueil extravagant – et, selon Clément,
« théomaque » – sont allégués contre Antiochus Épiphane en 2 M 5, 21
et contre Xerxès par ISOCRATE, *Panégyrique* 89 (voir aussi ESCHYLE, *Les
Perses* 744-750, et PHILON, *Somn.* II, 117-118). Les « traités d'histoire »
renvoient à HÉRODOTE, VII, 54.

2. La première objection révèle l'opinion de Clément, qui ne peut dis-
socier les relations sexuelles de la procréation (cf. *Péd.* II, 83, 1-2 ; 95, 2 ;
Strom. III, 12, 2 ; 82, 3). À l'abstinence totale (et suicidaire) que suppose
la seconde, s'oppose la tempérance qui est prônée par exemple en *Péd.* II,
9, 2 et 15-16 (avec référence à Gn 1, 29 et 9, 3 en 16, 3).

au beau milieu de l'hiver ! Que ne rendez-vous la terre navigable et la mer carrossable, comme voulait le faire Xerxès, le barbare, au dire des auteurs de traités d'histoire[f1] !

37 **1** Pourquoi ne pas vous opposer à tous les commandements ? Car quand il dit : « Croissez et multipliez-vous[a] », votre opposition devrait vous faire totalement refuser les relations sexuelles. Et lorsqu'il dit : « Je vous ai donné toute chose pour vous nourrir et en jouir[b] », vous ne devriez tirer jouissance de rien[2]. **2** Bien mieux ! Quand il dit : « Œil pour œil[c] ! », vous ne devriez pas répondre à une opposition par une autre[3]. Et lorsqu'il ordonne au voleur de rendre le quadruple[d4], vous devriez aller jusqu'à donner davantage au voleur. **3** De même, votre opposition au commandement « Tu aimeras le Seigneur[e] » devrait aussi vous empêcher d'aimer le Dieu de l'univers[5], et, inversement, quand il dit : « Tu ne feras aucun objet sculpté ou fondu[f] », vous devriez logiquement adorer les objets sculptés[6]. **4** N'êtes-vous donc pas des impies, par votre opposition, comme vous le dites, au Démiurge, et par

---

3. L'ironie a besoin de donner à la loi d'Ex 21, 24 une acception qu'elle n'a pas : le droit de vengeance.

4. « Le quadruple » se trouve en Ex 21, 37 : « Quatre moutons pour un mouton ».

5. « Le Seigneur », cependant, pourrait être celui qui est qualifié de « second » *supra* 34, 4.

6. L'interdit de Dt 27, 15 (et surtout d'Ex 20, 4) fournit à Clément la matière de développements contre l'idolâtrie (*Protr.* 62, 2 ; *Strom.* V, 28, 4 ; 36, 4 ; VI, 110, 3-4).

ὅμοια ταῖς πόρναις καὶ τοῖς μοιχοῖς ἐζηλωκότες; 5 Πῶς δὲ
15 οὐκ αἰσθάνεσθε μείζονα ποιοῦντες ὃν ὡς ἀσθενῆ νομίζετε,
εἴπερ ὃ βούλεται, τοῦτο γίνεται, ἀλλ' οὐχὶ ἐκεῖνο ὅπερ
ἠθέλησεν ὁ ἀγαθός[g]; Ἔμπαλιν γὰρ ἀσθενὴς δείκνυται πρὸς
ὑμῶν αὐτῶν ὁ ὑμέτερος, ὥς φατε, πατήρ.

38　1 Ἀναλέγονται δὲ καὶ οὗτοι ἔκ τινων προφητικῶν
περικοπῶν λέξεις ἀπανθισάμενοι καὶ συγκαττύσαντες
κακῶς κατ' ἀλληγορίαν εἰρημένας ἐξ εὐθείας λαβόντες.
2 Γεγράφθαι γάρ φασιν· «Ἀντέστησαν θεῷ καὶ ἐσώθησαν[a]».
5 Οἳ δὲ καὶ «τῷ ἀναιδεῖ θεῷ» προστιθέασι, δέχονται δὲ
ὡς βουλὴν παρηγγελμένην τὸ λόγιον τοῦτο καὶ σωτηρίαν
σφίσι λογίζονται τὸ ἀνθίστασθαι τῷ δημιουργῷ. 3 «Τῷ»
μὲν οὖν «ἀναιδεῖ θεῷ» οὐ γέγραπται· εἰ δὲ καὶ οὕτως

---

17 γὰρ L[pc]: γὰρ ὁ L[ac] ‖ δείκνυται πρὸς Sy St : δείκνυταί πως L
38, 3 ἐξ εὐθείας Vi St : εὐηθείας L

---

g Cf. Lc 18, 19 ; Mc 10, 18
38 a Ml 3, 15

---

1. Retour à l'argument invoqué *supra* 35, 3. « L'être second » (*supra*
34, 4) est bien « le démiurge » pour les « antitactes », nous apprend ici
Clément, comme il est « le législateur » (36, 5), et il est « le faible ». Ailleurs
Clément, lui, affirme la force du vouloir et de l'action de Dieu, qui n'est
jamais « faible » (*Péd.* I, 27, 2), du Dieu « bon » dont « la puissance »,
« le Seigneur », est capable de sauver (*Strom.* VI, 47, 3-4 ; cf. VII, 6, 5-6).
2. Sur la réduction hérésiologique de l'exégèse adverse à la composition
de centons, voir A. LE BOULLUEC, *La notion d'hérésie*, p. 403, n. 183 et
p. 416, ainsi que *Alexandrie antique et chrétienne*, p. 245-251. Clément
ajoute le grief de littéralisme, tiré de la lecture de Ml 3, 15, où la Septante
traduit l'hébreu signifiant « ils ont mis Dieu à épreuve » par « ils se sont
opposés à Dieu », et où les « antitactes » ont un texte singulier, qui leur
fournit un argument de poids (voir L. VIANÈS, *Malachie, BA* 23.12, Paris
2011, p. 156-157, qui signale le passage où ÉPIPHANE, *Panarion* 43, 1, 4,
rapporte que Lucien, disciple de Marcion, avait recours à Ml 3, 14 et 3, 15,

votre imitation des prostituées et des adultères ?   **5** Ne comprenez-vous pas que vous fortifiez celui que vous pensez faible, puisque c'est sa volonté qui s'accomplit, et non celle du Dieu bon[g] ? Inversement, votre conduite fait passer pour faible celui que vous prétendez votre Père[1].

38

Les travers de leur exégèse

1 Ces gens-là cueillent aussi des paroles qu'ils extraient de certains passages prophétiques pour en faire des centons vicieux, en prenant à la lettre ce qui est dit de façon allégorique[2].   **2** Ainsi, il est écrit, disent-ils : « Ils s'opposèrent à Dieu et furent sauvés[a]. » Mais ils ajoutent : « au Dieu impudent » ; ils prennent cette parole comme si elle leur adressait un conseil et en concluent que leur salut est dans l'opposition au Démiurge.   **3** D'abord, il n'est pas écrit « au Dieu impudent ». Et quand cela serait, comprenez,

---

mais pour refuser, bien entendu, le mariage et la procréation, par opposition au démiurge). Si les « antitactes » « n'obéissent qu'au Sauveur » (*supra* 36, 1), comment admettent-ils l'autorité d'un prophète ? Est-ce parce que « l'Ange », comme l'appelle Clément (*Strom.* I, 122, 4 ; 127, 2 ; 129, 3) annonce « l'ange de l'alliance » assimilé par les commentateurs chrétiens au « Seigneur » (cf. Ml 3, 1 ; voir L. VIANÈS, *BA* 23.12, p. 50-52 ; 68-70 ; 81) ? C'est peu vraisemblable. Il faut sans doute limiter l'opposition aux lois, la législation ancienne d'une part, les commandements du « Sauveur » de l'autre. Les prophètes peuvent dire des vérités. Un exemple analogue est l'autorité reconnue par les « hérétiques » à l'aveu du démiurge en Is 45, 7 : « C'est moi ... qui fonde les maux » (voir ORIGÈNE, *Traité des principes* IV, 1, 2, qui réunit d'autres énoncés semblables dans les Écritures ; TERTULLIEN, *Contre Marcion* I, 2, 2 : Is 45, 7 est fondamental pour Marcion ; Celse en tire une objection : ORIGÈNE, *Commentaire sur le Cantique* VI, 53 ; 55-56 ; la parole fait partie des mensonges ajoutés aux Écritures selon le PSEUDO-CLÉMENT, *Homélies* II, 43, 4 ; 44, 4).

ἔχοι, τὸν κεκλημένον διάβολον, ὦ ἀνόητοι, ἐξακούσατε
10 ἀναιδῆ ἢ ὡς διαβάλλοντα τὸν ἄνθρωπον ἢ ὡς κατήγορον
τῶν ἁμαρτανόντων ἢ ὡς ἀποστάτην. 4 Ὁ γοῦν λαός, ἐφ' οὗ
εἴρηται ἡ περικοπή, παιδευόμενοι ἐφ' οἷς ἥμαρτον βαρέως
φέροντες καὶ στένοντες διεγόγγυζον τὴν εἰρημένην λέξιν,
ὅτι τὰ μὲν ἄλλα ἔθνη παρανομοῦντα οὐ κολάζεται, ᶦαὐτοὶ
15 δὲ μόνοι παρ' ἕκαστα κολούονται, ὡς καὶ Ἰερεμίαν εἰρηκέναι, «Διὰ τί ὁδὸς ἀσεβῶν εὐοδοῦται[b];» Ὅμοιον τούτῳ
τὸ παρὰ τῷ Μαλαχίᾳ, τὸ προειρημένον, «Ἀντέστησαν θεῷ
καὶ ἐσώθησαν[c]»· 5 χρηματιζόμενοι γὰρ οἱ προφῆται
οὐ μόνον τινὰ ἀκούειν λέγουσι παρὰ τοῦ θεοῦ, ἀλλὰ καὶ
20 αὐτοὶ διαγγέλλοντες δείκνυνται κατὰ ἀνθυποφορὰν τὰ
πρὸς τοῦ λαοῦ θρυλούμενα, ὡς ἐπιζητήματά τινα ὑπὸ τῶν
ἀνθρώπων ἀναφέροντες, ἐξ ὧν καὶ τὸ προκείμενον τυγχάνει
39 ῥητόν. 1 Καὶ μή τι πρὸς τούτους ὁ ἀπόστολος ἐν τῇ

122ᵛ (margin)

---

17 τὸ¹ Sy St : τῷ L

---

b Jr 12, 1   c Ml 3, 15

1. Sous forme de concession ici, Clément donne un sens orthodoxe
à une parole prêtée à un prophète, fût-elle apocryphe, comme il le fait
d'habitude pour tout *logion* attribué au Seigneur (voir A. Le Boulluec,
Alexandrie antique et chrétienne, p. 139-149 et 470-471 : « De l'usage
de titres 'néotestamentaires' chez Clément d'Alexandrie »). Les deux
premières explications du nom « diable » reposent sur le sens premier,
« calomniateur », « médisant », du terme grec, διάβολος, utilisé dans la
Septante pour traduire *Satan*, « l'accusateur » de Ps 108, 6 et de Job 1-2, et
traditionnel depuis le NT. La troisième vient de la qualité de Satan comme
chef des anges rebelles dans la littérature intertestamentaire (et aussi Jb 6,
13b LXX : « le serpent apostat/rebelle » ; voir G.J. Riley, « Devil »,
dans K. Van Der Toorn – B. Becking – P.W. Van Der Horst (éd.),
Dictionary of Deities and Demons in the Bible, Leyde 1999², p. 244-250).

2. Cette lecture de Ml 3, 15 est irréprochable. Le verbe « gronder »,
d'autre part, διαγογγύζω, est celui qu'on trouve dans le Pentateuque pour

insensés, que l'impudent, c'est celui qu'on appelle le *diable*, soit qu'il calomnie l'homme, soit qu'il mette les pécheurs en accusation ou qu'il soit le rebelle[1].   4 En fait, supportant mal d'avoir été instruit sur sa faute, le peuple, dont parle ce passage, se lamentait et grondait en prononçant ladite parole, sous prétexte que les nations, quand elles transgressaient les lois, n'étaient pas punies, tandis que lui seul était repris pour chaque faute, de sorte que Jérémie a dit aussi : « Pourquoi le chemin des impies est-il facile[b] ? » On trouve de même chez *Malachie* la phrase déjà citée : « Ils s'opposèrent à Dieu et furent sauvés[c2]. »   5 En effet, quand ils reçoivent des révélations, les prophètes ne se contentent pas de dire qu'ils tiennent de Dieu certains oracles, mais on les voit aussi en train de faire connaître d'eux-mêmes, sous forme de réplique[3], les murmures répétés du peuple, comme s'ils rapportaient des questions posées par les hommes. **9** Le mot traité à présent appartient à ce genre.   1 C'est peut-être contre ces gens que l'Apôtre écrit dans la *Lettre*

---

signifier les récriminations du peuple (ainsi Ex 15, 24 ; 16, 2.7.8 ; 17, 3) à côté du simple γογγύζω (voir A. LE BOULLUEC – P. SANDEVOIR, *BA* 2, p. 41). Quant à la parole de Jr 12, 1a, elle sert à la fois à donner la cause de la plainte (cf. Jr 12, 1b : « Tous ceux qui commettent des transgressions sont florissants »), et à illustrer le raisonnement qui suit, en 38, 5. ORIGÈNE applique Jr 12, 1 au trio Marcion, Basilide, Valentin (*Homélies sur Jérémie* X, 5).

3. Le terme technique de la rhétorique ἀνθυποφορά a le sens de « réplique » à une objection supposée (QUINTILIEN, *Institution oratoire* 9, 3, 87 ; HERMOGÈNE, *De l'invention* 3, 4 ; exemples donnés par LSJ). Les prophètes rapportent les propos hostiles du peuple pour les réfuter. Le mot porte sur la « réplique » plutôt que sur l'« objection », sens que peut avoir aussi le terme, ainsi chez ORIGÈNE, *Commentaire sur Jean* XX, 360 : Héracléon soulève une difficulté contre lui-même, puis répond à cette « objection » (emploi donné comme parallèle à cette expression de Clément, de façon peut-être discutable, dans G.W.H. LAMPE, *A Patristic Greek Lexicon*, *s. v.*).

πρὸς Ῥωμαίους ἐπιστολῇ ἀποτεινόμενος γράφει· «Καὶ μὴ
καθὼς βλασφημούμεθα καὶ καθώς φασί τινες ἡμᾶς λέγειν,
ὅτι ποιήσωμεν τὰ κακά, ἵνα ἔλθῃ τὰ ἀγαθά, ὧν τὸ κρῖμα
5 ἔνδικόν ἐστιν[a].» 2 Οὗτοί εἰσιν οἱ κατὰ τὴν ἀνάγνωσιν
φωνῆς τόνῳ διαστρέφοντες τὰς γραφὰς πρὸς τὰς ἰδίας
ἡδονάς, καί τινων προσῳδιῶν καὶ στιγμῶν μεταθέσει τὰ
παραγγελθέντα σωφρόνως τε καὶ συμφερόντως βιαζόμενοι
πρὸς ἡδυπαθείας τὰς ἑαυτῶν. 3 «Οἱ παροξύνοντες τὸν
10 θεὸν τοῖς λόγοις ὑμῶν», ὁ Μαλαχίας φησί, «καὶ εἴπατε·
''Εν τίνι παρωξύναμεν αὐτόν;' 'Εν τῷ λέγειν ὑμᾶς· 'Πᾶς ὁ
ποιῶν πονηρὸν ἀγαθὸς ἐνώπιον κυρίου, καὶ ἐν αὐτοῖς αὐτὸς
ηὐδόκησεν'· καί· 'Ποῦ ἐστιν ὁ θεὸς τῆς δικαιοσύνης[b];'»

---

39 a Rm 3, 8   b Ml 2, 17

1. Les calomniateurs de Rm 3, 8 deviennent ainsi les « antitactes », qui pervertissent le sens des Écritures. La parole de Paul sert aussi à condamner le système entier des adversaires.

2. L'attention minutieuse à la façon de lire les Écritures, en tenant compte des modulations de la voix (προσῳδίαι) et de la ponctuation (στιγμαί), est à la hauteur des exigences d'un Origène (voir par exemple les analyses grammaticales faites par celui-ci de Jn 13, 12, de Mt 16, 26 et de Mt 27, 11, commentées par B. NEUSCHÄFER, Origenes als Philologe, Bâle 1987, p. 210-212). La dénonciation des sophismes fondés sur la forme de l'expression est dans la ligne de la critique aristotélicienne (voir A. LE BOULLUEC, La notion d'hérésie, p. 286-287). Dans le cas de Ml 3, 15, les « antitactes » donnent à la phrase l'accent d'une affirmation : le salut procède effectivement de l'opposition à Dieu (au Dieu de la Loi), alors

aux Romains : « Allons-nous faire ce que certains nous reprochent calomnieusement de dire : 'Faisons le mal pour que le bien en sorte ?' — Ceux-là méritent leur condamnation[a1] ! » 2 Ce sont eux qui, en lisant, d'une intonation infléchissent les Écritures dans le sens de leur propre plaisir ; qui, en modifiant certains accents et certaines ponctuations[2], font violence aux prescriptions sages et utiles, en faveur de leurs propres mœurs sensuelles. 3 « Vous irritez Dieu avec vos discours », dit Malachie, « et vous dites : 'En quoi l'avons-nous irrité ?' — C'est quand vous dites : 'Quiconque fait le mal est bon aux yeux du Seigneur, et c'est en eux qu'il a mis sa complaisance' et : 'Où est le Dieu de justice[b3] ?' »

---

que le ton juste est dubitatif, puisque les propos ne sont pas assumés par le prophète lui-même. Sur les réflexions des grammairiens anciens sur la ponctuation, voir J. LALLOT, *Apollonios Dyscole. De la construction*, vol. II, Paris 1997, p. 106.

3. Ml2, 17 met au centre du débat la question de la théodicée, qui occupe la majeure partie de la suite du livret prophétique (voir L. VIANÈS, *BA* 23.12, p. 138). L'ironie de Clément consiste, en cette pointe finale, à utiliser contre les « antitactes » la controverse avec Dieu mise en scène dans ce verset, en montrant que le prophète auquel ils ont recours rend manifeste leur erreur.

40 1 Ἵν' οὖν μὴ ἐπὶ πλεῖον ὀνυχίζοντες τὸν τόπον πλειόνων ἀτόπων αἱρέσεων ἐπιμεμνώμεθα μηδ' αὖ καθ' ἑκάστην αὐτῶν λέγειν πρὸς ἑκάστην ἀναγκαζόμενοι αἰσχυνώμεθά τε ἐπ' αὐτοῖς καὶ ἐπὶ μήκιστον τὰ ὑπομνήματα προάγωμεν, 5 φέρε εἰς δύο διελόντες τάγματα ἀπάσας τὰς αἱρέσεις ἀποκρινώμεθα αὐτοῖς. 2 Ἢ γάρ τοι ἀδιαφόρως ζῆν 123ʳ διδάσκουσιν, ἢ τὸ ὑπέρτονον ἄγουσαι ἐγκρά|τειαν διὰ δυσσεβείας καὶ φιλαπεχθημοσύνης καταγγέλλουσι.

3 Πρότερον δὲ περὶ τοῦ προτέρου διαληπτέον τμήμα- 10 τος. Εἰ πάντα ἔξεστιν ἑλέσθαι βίον, δῆλον ὅτι καὶ τὸν μετ' ἐγκρατείας, καὶ εἰ πᾶς βίος ἀκίνδυνος ἐκλεκτῷ, δῆλον ὅτι <ὁ> μετὰ ἀρετῆς καὶ σωφροσύνης πολὺ μᾶλλον ἀκίνδυνος. 4 Δοθείσης γὰρ ἐξουσίας τῷ «κυρίῳ τοῦ σαββάτου[a]», εἴπερ ἀκολάστως βιῶσαι, ἀνεύθυνον εἶναι,

---

40, 2 ἐπιμεμνώμεθα Sy St : ἐπιμεμνήμεθα L ‖ 4 προάγωμεν Sy St : προάγοιμεν L ‖ 5 τάγματα St : πράγματα L ‖ 7 ἄγουσαι L : ᾄδουσαι Schw St ‖ 12 ὁ suppl. Hiller St

---

40 a Mt 12, 8 ; Lc 6, 5 ; cf. Mc 2, 28

1. Les lexicographes anciens donnent le sens métaphorique de ὀνυχίζω, construit sur le nom « ongle » : « examiner minutieusement ». Il est attesté dès ARISTOPHANE (fr. 834, d'après le *Lexicon* de PHOTIUS).

2. Clément accroît l'efficacité polémique du grief d'« indifférence » déjà exploité par IRÉNÉE en modifiant l'usage stoïcien du concept en éthique (voir A. LE BOULLUEC, *La notion d'hérésie*, p. 312-314 et, sur Irénée, p. 131-134).

3. Clément affectionne la métaphore de la tonalité, en la rapportant soit au chant – ainsi en *Strom.* II, 123, 2, où ὑπέρτονον a valeur adverbiale avec ᾄδειν, alors qu'ici le tour substantivé justifie la leçon ἄγουσαι –, soit à la musique instrumentale, sans polémiquer, en *Péd.* I, 99, 2 (sur l'éducation du Logos), II, 46, 2-3 (sur l'harmonie du sourire, à l'opposé du rire), *Strom.* II, 123, 1-2 (sur la relativité du sentiment à l'égard de l'appel du Seigneur), ou

V

Répartition des hérétiques en deux groupes

0

Réfutation du premier et de l'indifférence morale

1 Cela étant, pour éviter de limer jusqu'au bout des ongles[1] ce sujet qui nous rappelle trop d'hérésies absurdes, pour éviter aussi, en étant obligé de les réfuter chacune séparément, d'en rougir et pour ne pas allonger ces notes à l'infini, répartissons-les toutes en deux classes, afin de répondre à nos adversaires. 2 En effet, ou bien elles enseignent à vivre dans l'indifférence morale[2], ou bien, adoptant un ton très élevé[3], elles proclament la continence par impiété et par esprit de haine.

La prétendue liberté des licencieux

3 C'est d'abord du premier groupe qu'il nous faut discuter. S'il est permis de choisir n'importe quel genre de vie, il est évident que l'on peut choisir aussi une vie de continence ; et si n'importe quel genre de vie est sans danger pour l'élu, il est évident qu'une vie de vertu et de tempérance comporte bien moins encore de danger ! 4 En effet, si le « maître du sabbat[a] » a reçu le pouvoir de ne pas rendre de comptes, pour avoir vécu sans aucune retenue, à

---

pour définir la passion, à la manière stoïcienne (*Strom.* II, 59, 6). Elle peut aussi marquer des degrés dans l'exigence légitime (*Péd.* II, 16, 1 ; *Strom.* III, 88, 4), ou simplement figurer le devoir de faire entendre un enseignement (celui des *Stromates* en I, 12, 1-2). Elle est ici polémique, contre les excès de l'ascèse. Le motif allégué vise les marcionites (cf. *supra* 12, 2-3) et ceux que Clément nommera « encratites » en *Strom.* VII, 108, 2 (cf. Irénée, *Contre les hérésies* I, 28, 1) et qu'il pourfend dans la suite du livre III.

15 πολλῷ μᾶλλον ὁ κοσμίως πολιτευσάμενος οὐχ ὑπεύθυνος
ἔσται. 5 «Πάντα» μὲν γὰρ «ἔξεστιν, ἀλλ' οὐ πάντα
συμφέρει[b]», φησὶν ὁ ἀπόστολος. Εἰ δὲ καὶ «πάντα ἔξεστι»,

41 δῆλον ὅτι καὶ τὸ σωφρονεῖν. 1 Ὥσπερ οὖν ὁ τῇ ἐξουσίᾳ
εἰς τὸ κατ' ἀρετὴν βιῶσαι συγχρησάμενος ἐπαινετός, οὕτω
πολὺ μᾶλλον ὁ τὴν ἐξουσίαν ἡμῖν δεδωκὼς ἐλευθέραν καὶ
κυρίαν καὶ συγχωρήσας ἡμῖν βιοῦν ὡς βουλόμεθα σεμνὸς
5 καὶ προσκυνητός, μὴ ἐάσας δουλεύειν ἡμῶν κατὰ ἀνάγκην
τὰς αἱρέσεις καὶ τὰς φυγάς. 2 Εἰ δὲ τὸ ἀδεὲς ἑκάτερος
ἔχει, ὅ τε ἀκρασίαν ὅ τε ἐγκράτειαν ἑλόμενος, ἀλλὰ τὸ
σεμνὸν οὐχ ὅμοιον. Ὁ μὲν γὰρ εἰς ἡδονὰς ἐξοκείλας σώματι
χαρίζεται, ὁ δὲ σώφρων τὴν κυρίαν τοῦ σώματος ψυχὴν
10 ἐλευθεροῖ τῶν παθῶν. 3 Κἂν «ἐπ' ἐλευθερίᾳ κεκλῆσθαι»
λέγωσιν ἡμᾶς, «μόνον μὴ τὴν ἐλευθερίαν εἰς ἀφορμὴν τῇ
σαρκὶ[a]» παρέχωμεν κατὰ τὸν ἀπόστολον.

41, 4 βιοῦν L[pc] : βιοῦς L[ac] ‖ σεμνὸς L[pc] : σεμνῶς L[ac]

b 1 Co 6, 12 ; 10, 23
41 a Ga 5, 13

---

1. IRÉNÉE invoque déjà 1 Co 10, 23 (cf. 1 Co 6, 12) pour louer Dieu,
qui n'use pas de contrainte, mais laisse à l'homme la liberté (*Contre les
hérésies* IV, 37, 4). Clément greffe sur la parole de Paul une réflexion plus
précise sur l'utilité du choix entre deux conduites opposées, pour la sérénité
de l'individu dans l'attente du jugement. Si la citation est formellement
plus proche de 1 Co 10, 23a, c'est le contexte de la formule en 1 Co 6,
12-13, visant « la débauche », qui est approprié à l'argument. Le propos
est d'inciter à ne pas suivre le prétendu « maître du sabbat » (cf. *supra* 30,
1). Il se fonde aussi sur l'enseignement tiré de 1 Co 6, 12 en *Péd.* II, 14,
3-4 (cf. *Péd.* II, 120, 2-6). Comme Rm 6, 14 (voir *infra* 61, 1) et Ga 5, 13a
(voir *infra* 41, 3), 1 Co 6, 12a devait être exploité par les adversaires (voir
J.L. KOVACS, « Was Paul an Antinomian, an Ascetic, or a Sober Married
man ? Exegetical debates in Clement of Alexandria's *Stromateis* 3 », dans
H. WEIDEMANN (éd.), *Asceticism and Exegesis in Early Christianity*,
Turnhout 2013, p. 186-202). L'incitation à faire un choix, en calculant

plus forte raison celui qui aura réglé sa vie avec mesure n'aura-
t-il pas de comptes à rendre.   **5** Car « Tout est permis,
mais tout n'est pas utile[b] », dit l'Apôtre. Or, si « tout est
permis », il est clair qu'il est aussi permis d'observer la tem-
1 pérance[1].   **1** De même assurément qu'est digne d'éloges
celui qui a usé de son pouvoir pour vivre dans la vertu, de
même et bien davantage est vénérable – et adorable – Celui
qui nous a donné un pouvoir libre et souverain et nous a
concédé de vivre selon notre volonté, loin de laisser nos choix
et nos refus devenir les esclaves de la nécessité.   **2** Or, si le
partisan de l'intempérance et celui de la continence sont tous
deux en sécurité, ils ne sont pas également vénérables. En
effet, si l'ami des voluptés part à la dérive pour céder à son
corps, le tempérant délivre des passions son âme, qui règne
sur son corps[2].   **3** Ils ont beau dire que nous avons été
« appelés à la liberté », gardons-nous bien de « faire de cette
liberté un prétexte pour la chair[a] », comme dit l'Apôtre.

---

les chances, rappelle l'exhortation du *Protreptique* (93, 2), qui fait coïn-
cider une formule fameuse du *Phédon* de PLATON (114d) et une citation
de PHILON (*Virt.* 181) : « C'est une belle aventure que de déserter pour
le camp de Dieu » (Καλὸς ὁ κίνδυνος αὐτομολεῖν πρὸς θεόν), comme l'a
montré A. DINAN, « Another Citation of Philo in Clement of Alexandria's
Protrepticus (10, 93, 1-2) », *VigChr* 64, 2010, p. 435-444.

2. Le raisonnement se construit sur la notion de « noblesse vénérable »
(σεμνός, τὸ σεμνόν), qualité qui justifie la comparaison entre le vertueux
et Dieu, si haute que soit la suréminence du Créateur dans la bonté : l'un
mérite des éloges, pour avoir choisi librement le bien (cf. *Péd.* I, 94, 1 ; *Strom.* I,
83, 5 ; IV, 36, 2 ; VII, 19, 3), l'autre l'adoration, pour avoir fait don tant
de l'aptitude à s'orienter librement vers la vertu que des commandements
(cf. *Strom.* VII, 12, 1 ; 42, 5-6). Et cette qualité oppose l'intempérant et le
continent. Apanage du vertueux, elle lui donne l'avantage dans le calcul des
chances impliqué par 1 Co 6, 12a, tandis que le débauché, esclave des passions, est privé de la liberté qu'il croyait, faussement, garantie par les paroles
de l'Apôtre (1 Co 6, 12 et Ga 5, 13), qu'il tronquait. L'image du bateau à la

4 Εἰ δὲ ἐπιθυμίᾳ χαριστέον καὶ τὸν ἐπονείδιστον βίον
ἀδιάφορον ἡγητέον, ὡς αὐτοὶ λέγουσιν, ἤτοι πάντα ταῖς
15 ἐπιθυμίαις πειστέον, καί, εἰ τοῦτο, τὰ ἀσελγέστατα καὶ
ἀνοσιώτατα πρακτέον ἅπαντα ἑπομένους τοῖς ἀναπείθουσιν
123ᵛ ἡμᾶς· 5 ἢ τῶν ἐπιθυμιῶν τινὰς ἐκκλινοῦμεν καὶ οὐ|κέτι
ἀδιαφόρως βιωτέον οὐδὲ ἀνέδην δουλευτέον τοῖς ἀτιμοτάτοις
μέρεσιν ἡμῶν, γαστρὶ καὶ αἰδοίοις, δι' ἐπιθυμίαν κολακευόντων
20 τὸν ἡμέτερον νεκρόν. 6 Τρέφεται γὰρ καὶ ζωοποιεῖται
διακονουμένη εἰς ἀπόλαυσιν ἐπιθυμία, καθάπερ ἔμπαλιν
κολουομένη μαραίνεται.

18 ἀνέδην St : ἀναίδην L

---

dérive (avec le verbe ἐξοκέλλω), s'échouant dans les excès et les voluptés,
est fréquente chez Clément (voir *Péd.* II, 4, 1 ; 61, 1 ; III, 10, 3 ; 44, 1 ; 53, 2 ;
QDS 40, 3). Elle est amplement développée en *Péd.* II, 28, 3, à propos du
naufrage de l'ivresse. Des emplois semblables se trouvent notamment chez
Aristote et chez Philon (voir LSJ, *s.v.*).

1. Clément use du concept d' « indifférence » pour fustiger les licencieux
comme on fait de son temps pour caractériser les comportements jugés
scandaleux des cyniques, en rajoutant la nuance d'impudence absente de
cette notion d'origine stoïcienne (voir M.-O. GOULET-CAZÉ, *Les* Kynika
du stoïcisme (cité *supra* p. 133, n. 6), p. 125-132, qui réunit les témoignages,
de Lucien à Élias, p. 112-119, et explique cette dérive par des méprises sur
la doctrine du stoïcien Ariston, provoquées par le renouveau du cynisme,
amorcé au Iᵉʳ siècle, sous une forme collective et provocante). La différence
est que Clément, contre les « hérétiques », substitue à l'indifférence au
qu'en dira-t-on, qui se situe entre le vice et la vertu, l'indifférence morale
elle-même, perçue comme choix du vice.

4 S'il faut céder à la convoitise et considérer comme moralement indifférente[1] la vie la plus infâme, comme ils l'affirment, ou bien il faut obéir en tout aux convoitises et, en conséquence, faire tout ce qu'il y a de plus dépravé et de plus impie, en suivant ceux qui nous y invitent ;   5 ou bien nous allons renoncer à certaines de nos convoitises et, dans ce cas, il n'y a plus de raison de vivre dans l'indifférence ni de s'asservir sans réserve aux parties les moins respectables de notre être, le ventre et les parties honteuses, en flattant notre cadavre[2], poussés par la convoitise.   6 Car la convoitise est nourrie et vivifiée lorsqu'on lui sert matière à jouissance, de même qu'elle s'éteint[3], au contraire, si on la réprime.

2. La simple honte du blâme – la vie dissolue est « la plus infâme », en 41, 4 – doit inciter à quelques renoncements. Pourquoi ne pas gagner alors la liberté dont on a montré que les adversaires étaient privés ? Pour frapper les esprits, Clément n'hésite pas à définir ici l'asservissement dont il faut s'affranchir en qualifiant le corps de « cadavre », ce qu'il n'était pas prêt à accepter dans sa diatribe contre les marcionites (voir *supra* 16, 3). Il veut parler cependant du « cadavre souillé » (cf. *supra* 25, 3-4 ; *Péd.* II, 100, 1-2), quand il règne « par le ventre et les parties honteuses », qu'il faut au contraire commander (*Péd.* II, 90, 1-2). « Ce qui est obscène, c'est leur activité illégitime », écrit Clément en *Péd.* II, 52, 2 (voir aussi *supra* 34, 2).

3. La convoitise « s'éteint » ou « se fane », se flétrit » : voir *Péd.* II, 97, 3 ; *infra* 71, 1 ; le sujet du verbe est souvent « la fleur » ou « la beauté » (par exemple *Péd.* II, 70, 5 ; III, 1, 4).

42 1 Πῶς δέ ἐστι δυνατὸν ἡττηθέντα τῶν τοῦ σώματος
ἡδονῶν ἐξομοιοῦσθαι τῷ κυρίῳ ἢ γνῶσιν ἔχειν θεοῦ; Πάσης
γὰρ ἡδονῆς ἐπιθυμία κατάρχει, ἐπιθυμία δὲ λύπη τις καὶ
φροντὶς δι' ἔνδειαν ὀρεγομένη τινός. 2 Ὥστ' οὐκ ἄλλο τί
5 μοι δοκοῦσιν οἱ τοῦτον ἐπανῃρημένοι τὸν τρόπον ἀλλ' ἢ τὸ
λεγόμενον δὴ τοῦτο,

« πρός τ' αἴσχεσιν ἄλγεα πάσχειν[a] »,

« ἐπίσπαστον » ἑαυτοῖς αἱρούμενοι « κακὸν[b] » νῦν καὶ
ἐς ὕστερον. 3 Εἰ μὲν οὖν πάντα ἐξῆν καὶ μηδὲν ἦν δέος
10 ἀποτυχεῖν τῆς ἐλπίδος διὰ πράξεις πονηράς, ἴσως ἦν ἄν
τις αὐτοῖς πρόφασις τοῦ βιοῦν κακῶς τε καὶ ἐλεεινῶς ·

---

42 a Hésiode, *Travaux* 211   b Cf. Homère, *Odyssée* XVIII, 73

1. La fin de l'homme, l'assimilation à Dieu dans la mesure du possible,
est toujours caractérisée chez Clément par la double référence à Gn 1,
26 et à Platon, *Théétète* 176b (cf. *infra* 42, 5). La « convoitise », qui
implique déficience et passion (cf. *Strom.* IV, 151b), rend l'assimilation
impossible (cf. *Strom.* V, 19, 4 ; *Péd.* III, 37, 2). La définition donnée ici
est de type stoïcien ; ainsi trouve-t-on une formulation proche dans le
Περὶ παθῶν du Ps.-Andronicos (p. 12, 4 Kreuttner), un traité éclec-
tique à dominante stoïcienne d'époque hellénistique (voir l'introduction
de A. Glibert-Thirry à son édition commentée *Pseudo-Andronicos
de Rhodes. Περὶ παθῶν*, Leyde 1977) ; elle a des échos ailleurs chez
Clément (*Protr.* 101, 1 ; *Strom.* VII, 31, 4). Elle a été reprise dans le
recueil d'Antonius Melissa (p. 19 Gesner). La liaison de la « convoitise » avec les « plaisirs » est constamment soulignée, comme par
Philon (voir A. Le Boulluec, « La place des concepts philosophiques

2

L'immoralité, incompatible avec la vie spirituelle

1 Comment un homme vaincu par les plaisirs du corps pourrait-il devenir semblable au Seigneur ou posséder la connaissance de Dieu ? La convoitise, en effet, est au principe de tout plaisir, mais c'est aussi une sorte de peine, de préoccupation, dans sa tension vers un objet qui lui fait défaut[1].   **2** Aussi ceux qui ont opté pour cette ligne de conduite ne font-ils, à mon avis, que ce qu'exprime la formule

« avec la honte, éprouver la souffrance[a] »,

en choisissant d'« attirer » sur eux « un malheur[b] » présent et futur[2].   **3** Si donc il leur était permis de tout faire sans craindre qu'une conduite mauvaise ne les prive de l'objet de leur espérance, peut-être auraient-ils une excuse pour mener une vie mauvaise et pitoyable.

---

dans la réflexion de Philon sur le plaisir », dans C. LÉVY (éd.), *Philon d'Alexandrie et le langage de la philosophie*, Turnhout 1998, p. 129-152). Comme pour celui-ci cependant, il y a un choix à faire parmi les plaisirs (*Strom.* IV, 22, 3 – 24, 1 ; cf. *Péd.* III, 37, 1 ; 84, 1-2 ; *Strom.* II, 111, 3), et « la contemplation de celui qui est réellement l'Être » est un « plaisir solide, stable et pur » (*Péd.* II, 9, 3 ; cf. *Strom.* VI, 99, 3 ; voir A. LE BOULLUEC, *ibid.*, p. 147-149).

2. Les vers 210-211 des *Travaux* d'HÉSIODE, qui visent l'imprudence de qui s'attaque à plus fort que soi, figurent au milieu de fragments des Tragiques et de Ménandre dans le chapitre « Sur la déraison » de l'*Anthologie* de STOBÉE (III, 4, 3). La référence s'applique ici à quiconque se laisse vaincre par les plaisirs, comme l'allusion à HOMÈRE, *Odyssée* VIII, 73, à quiconque ignore la puissance de l'adversaire défié.

4 ἐπεὶ δὲ βίος τις ἡμῖν μακάριος δι᾽ ἐντολῶν ἐπιδέδεικται, ὧν χρὴ πάν τας ἐχομένους μὴ παρακούοντας τῶν εἰρημένων τινὸς μηδὲ ὀλιγωροῦντας τῶν προσηκόντων, κἂν ἐλάχιστον[c] ᾖ, ἕπεσθαι ᾗ ἂν ὁ λόγος ἡγῆται, εἰ <δὲ> σφαλείημεν αὐτοῦ, ἀθανάτῳ κακῷ[d] περιπεσεῖν ἀνάγκη, **5** κατακολουθήσασι δὲ τῇ θείᾳ γραφῇ, δι᾽ ἧς ὁδεύουσιν οἱ πεπιστευκότες, ἐξομοιοῦσθαι κατὰ δύναμιν τῷ κυρίῳ, οὐκ ἀδιαφόρως βιωτέον, ἀλλὰ καθαρευτέον εἰς δύναμιν τῶν ἡδονῶν καὶ τῶν ἐπιθυμιῶν ἐπιμελητέον τε τῆς ψυχῆς, ᾗ πρὸς μόνῳ τῷ θείῳ διατελεστέον. **6** Καθαρὸς γὰρ ὢν καὶ πάσης κακίας ἀπηλλαγμένος ὁ νοῦς δεκτικός πως ὑπάρχει τῆς τοῦ θεοῦ δυνάμεως, ἀνισταμένης ἐν αὐτῷ τῆς θείας εἰκόνος[e]· «Καὶ
124r πᾶς ὁ ἔχων τὴν ἐλ|πίδα ταύτην» ἐπὶ τῷ κυρίῳ «ἁγνίζει», φησίν, «ἑαυτὸν καθὼς ἐκεῖνος ἁγνός ἐστιν[f]».

42, 13 ὧν … ἐχόμενους **Schw St** : ᾧ … ἐπομένους **L** || **15** δὲ suppl. **Schw St** || **16** ἀνάγκη **St** : ἀνάγκῃ **L**

c Cf. Mt 5, 19 d Cf. Homère, *Odyssée* XII, 118 e Cf. Gn 1, 26 f 1 Jn 3, 3

1. L'argumentation qui suit oppose à l'hypothèse d'un bonheur des adeptes des plaisirs, déjà compromise par la « peine » inhérente à la « convoitise » (*supra* 42, 1), l'affirmation chrétienne (« nous ») d'une « vie bienheureuse » gouvernée par les « commandements » (42, 4), et amène au choix d'une conduite purifiée (42, 5). Une traduction littérale de la période complexe 42, 4-5 serait : « Mais puisqu'une vie bienheureuse nous est indiquée par des commandements que tous, en s'y attachant, sans en refuser un mot ni négliger un devoir, aussi petit soit-il, doivent suivre selon la voie où le Logos est le guide – or, si nous le manquions, nous tomberions nécessairement dans un malheur éternel, alors qu'en nous conformant à l'Écriture divine, la route que prennent les croyants, nous devenons nécessairement semblables au Seigneur dans la mesure du possible –, (pour cette raison) il ne nous faut pas vivre dans l'indifférence, mais nous purifier autant que possible des plaisirs et des convoitises et nous soucier de notre âme, qui ne doit exister que pour le divin ». On ne peut conserver, au début de la période, la répétition qui dépare le texte de **L** :

4 En réalité[1], un mode de vie bienheureux nous est indiqué par des commandements, à observer par tous, sans en refuser un mot ou négliger un devoir, aussi petit soit-il[c], en suivant le Logos sur la voie qu'il nous trace[2], sous peine, si nous dérapions, de tomber nécessairement dans un « malheur éternel[d3] ».   5 En nous conformant à l'Écriture divine, route des croyants, nous devons donc vivre en devenant dans la mesure du possible semblables au Seigneur, sans accepter l'indifférence, mais en nous purifiant autant que possible des plaisirs et des convoitises, avec le souci de notre âme, qui ne doit exister que pour le divin[4].   6 En effet, quand l'esprit est pur et débarrassé de toute malice, il est en quelque sorte disposé à recevoir la puissance de Dieu, car en lui se dresse l'image[e] divine[5] : « Quiconque a cette espérance » dans le Seigneur « se rend chaste », est-il dit, « comme Celui-là est chaste[f] ».

« ... par des commandements, un mode de vie que tous, en le suivant (ᾧ ... ἑπομένους), ... doivent suivre (ἕπεσθαι) ... ».

2. La comparaison des commandements avec une « voie » se retrouve en *Strom.* I, 29, 3 ; *Péd.* I, 9, 4. Elle appartient à la catéchèse des « deux voies ».

3. Cette allusion à HOMÈRE, *Odyssée* XII, 118, évoque une situation sans issue (Scylla après Charybde), transformée en risque de châtiment éternel.

4. D'après *Strom.* VII, 3, 1, le service de Dieu « consiste pour le gnostique à se soucier constamment de son âme et à s'occuper de ce qui est divin en lui » : les mêmes échos platoniciens apparaissent ici aussi, *Apologie de Socrate* 30b1-2 et *Timée* 30c (voir T. ALEKNIENE, « La piété véritable. De l'*Euthyphron* de Platon à la piété gnostique dans le *Stromate* 7 de Clément d'Alexandrie », *VigChr* 60, 2006, p. 447-460), après l'allusion à *Théétète* 176b.

5. « L'image divine » (cf. Gn 1, 26) devient la statue « dressée » dans l'âme, thème platonicien accueilli par Philon, Clément et Origène (voir M. HARL, « Socrate – Silène. Les emplois métaphoriques d'ἄγαλμα et le verbe ἀγαλματοφορέω : de Platon à Philon d'Alexandrie et aux Pères grecs », *Semitica et classica* 2, 2009, p. 51-71, et *Strom.* VII, 29, 6.8 ; 52, 2.3 ; *EP* 37, 1), qui entraîne la citation de 1 Jn 3, 3 dans la réflexion sur l'assimilation à Dieu (cf. 1 Jn 3, 2).

43 1 Θεοῦ δὲ γνῶσιν λαβεῖν τοῖς ἔτι ὑπὸ τῶν παθῶν
ἀγομένοις ἀδύνατον· οὐκοῦν οὐδὲ τῆς ἐλπίδος τυχεῖν
μηδεμίαν τοῦ θεοῦ γνῶσιν <περι>πεποιημένοις· καὶ τοῦ
μὲν ἀποτυγχάνοντος τοῦδε τοῦ τέλους ἡ τοῦ θεοῦ ἄγνοια
5 κατηγορεῖν ἔοικε, τὸ δὲ ἀγνοεῖν τὸν θεὸν ἡ τοῦ βίου
πολιτεία παρίστησιν. 2 Παντάπασι γὰρ ἀδύνατον ἅμα
τε [καὶ] ἐπιστήμονα εἶναι καὶ τὴν τοῦ σώματος κολακείαν
<μὴ> ἐπαισχύνεσθαι· οὐδὲ γὰρ συνᾴδειν ποτὲ δύναται τὸ
ἀγαθὸν εἶναι τὴν ἡδονὴν τῷ μόνον εἶναι τὸ καλὸν ἀγαθὸν
10 ἢ καὶ μόνον καλὸν τὸν κύριον καὶ μόνον ἀγαθὸν τὸν θεὸν
καὶ μόνον ἐραστόν. 3 Ἐν Χριστῷ δὲ « περιετμήθητε
περιτομῇ ἀχειροποιήτῳ ἐν τῇ ἀπεκδύσει τοῦ σώματος
τῆς σαρκός, ἐν τῇ περιτομῇ τοῦ Χριστοῦ[a] ». 4 « Εἰ
οὖν συνηγέρθητε τῷ Χριστῷ, τὰ ἄνω ζητεῖτε, τὰ ἄνω
15 φρονεῖτε, μὴ τὰ ἐπὶ τῆς γῆς. Ἀπεθάνετε γάρ, καὶ ἡ ζωὴ ὑμῶν
κέκρυπται σὺν τῷ Χριστῷ ἐν τῷ Θεῷ[b] », οὐχὶ δὲ πορνεία
ἣν ἀσκοῦσιν. 5 « Νεκρώσατε οὖν τὰ μέλη τὰ ἐπὶ τῆς
γῆς, πορνείαν, ἀκαθαρσίαν, πάθος, ἐπιθυμίαν, δι' ἃ ἔρχεται

43, 2 ἀγομένοις L : ἐπαγομένοις Sacr. Par. ‖ 3 περιπεποιημένοις coni.
St : πεποιημένοις L ‖ 7 καὶ secl. Di St ‖ 8 μὴ Sacr. Par. om. L ‖ 9 τὴν
ἡδονὴν St : τῇ ἡδονῇ L ‖ τῷ Schw St : ἢ L ‖ 10 ἀγαθὸν Lowth St : ἀγαθῷ L

---

43 a Col 2, 11   b Col 3, 1-3

---

1. Développement du second thème introduit *supra* 42, 1. Faire des
plaisirs du corps le bien (cf. *Strom*. IV, 22, 2), c'est se priver de la possibilité
de connaître le vrai Dieu. Clément signale les philosophes qui valorisent
le plaisir en *Strom*. II, 128, 1-2 ; 130, 7-8 (cf. *Strom*. II, 16, 3) et il attaque
Épicure pour cette raison en *Strom*. I, 50, 6 : sa philosophie « détruit la
Providence et divinise le plaisir » (cf. *Strom*. II, 119, 3-4 ; VI, 67, 2). La
phrase θεοῦ γνῶσιν ... ἀδύνατον (43, 1) a été recueillie dans les *Sacra
Parallela* (235 Holl), de même que la phrase παντάπασι ἀδύνατον (43,
2), tronquée et modifiée : ... συνᾴδειν ... τὸ κακὸν ἀγαθῷ (236 Holl).

43   1 En revanche[1], acquérir la connaissance de Dieu est impossible aux gens encore conduits par les passions et, sans connaissance de Dieu, on ne peut pas non plus atteindre l'objet de son espérance. Aussi, ce qui trahit, à mon sens, celui qui a manqué ce but final, c'est son ignorance de Dieu, et cette ignorance de Dieu est la conséquence de sa conduite.   2 En effet, il est absolument impossible de posséder la science tout en flattant le corps sans vergogne : jamais l'idée que le bien est le plaisir ne peut s'accorder avec celles du beau comme seul bien, du Seigneur comme seul beau, de Dieu comme seul bon ou seul aimable[2] !   3 Or[3], dans le Christ, « vous avez été circoncis d'une circoncision qui n'est pas faite à la main, mais qui dépouille du corps de chair : la circoncision du Christ[a] ». 4 « Si donc vous êtes ressuscités avec le Christ, recherchez les réalités d'en haut, songez aux réalités d'en haut, non à celles de la terre. Car vous êtes morts, et votre vie » – sans rien à voir avec la débauche qu'ils pratiquent ! – « est cachée, avec le Christ, en Dieu[b] ».   5 « Mortifiez donc vos membres de la terre, débauche, impureté, passion, convoitise, qui attirent la

2. Dieu « seul aimable » : cf. *Strom.* IV, 145, 2, où il faut plutôt comprendre « de celui qui est réellement aimable » (génitif de ἐραστός) et non « de celui qui nous aime réellement » (génitif de ἐραστής). L'union du gnostique avec « l'Ami » est décrite en *Strom.* VI, 72, 1.

3. Ce centon de passages empruntés à l'*Épître aux Colossiens* vient mettre au premier plan les fondements scripturaires et liturgiques (allusion au symbolisme baptismal) de la tension vers Dieu et de la purification de l'âme (cf. *Strom.* V, 19, 4 ; III, 25, 4 ; *Péd.* III, 71, 1 ; *Strom.* VI, 75, 3).

ἡ ὀργή[c].» Ἀποθέσθωσαν οὖν καὶ αὐτοὶ «ὀργήν, θυμόν,
20 κακίαν, βλασφημίαν, αἰσχρολογίαν ἐκ τοῦ στόματος»
αὐτῶν, «ἀπεκδυσάμενοι τὸν παλαιὸν ἄνθρωπον σὺν ταῖς»
ἐπιθυμίαις, «καὶ ἐνδυσάμενοι τὸν νέον τὸν ἀνακαινούμενον
εἰς ἐπίγνωσιν κατ᾽ εἰκόνα τοῦ κτίσαντος αὐτόν[d]».

44   1 Τὰ γὰρ τῆς πολιτείας ἐλέγχει σαφῶς τοὺς ἐγνωκότας
τὰς ἐντολάς, ἐπεὶ οἷος ὁ λόγος τοῖος ὁ βίος· ἀπὸ δὲ τῶν
καρπῶν τὸ δένδρον[a], οὐκ ἀπὸ τῶν ἀνθῶν καὶ πετάλων,
γνωρίζεται.   2 Ἡ γνῶσις οὖν ἐκ τοῦ καρποῦ καὶ τῆς
124[v] 5 πολιτείας, οὐκ ἐκ τοῦ λόγου |καὶ τοῦ ἄνθους·   3 οὐ γὰρ
λόγον ψιλὸν εἶναι τὴν γνῶσίν φαμεν, ἀλλά τινα ἐπιστήμην
θείαν καὶ φῶς ἐκεῖνο τὸ ἐν τῇ ψυχῇ ἐγγενόμενον ἐκ τῆς κατὰ
τὰς ἐντολὰς ὑπακοῆς τὸ πάντα κατάδηλα ποιοῦν τά τε ἐν
γενέσει αὐτόν τε τὸν ἄνθρωπον ἑαυτόν τε γινώσκειν παρα-
10 σκευάζον καὶ τοῦ θεοῦ ἐπήβολον καθίστασθαι διδάσκον. Ὁ

44, 2 οἷος L : οὐχ οἷος Fr coll. Petr. Laod. || 8 τε secl. Ma St || 10 ἐπήβολον
Sy St : ἐπίβολον L || ὃ Sy St : ὡς L

---

c Col 3, 5-6   d Col 3, 8-10
44 a Cf. Mt 7, 16.20

---

1. « Tel langage, telle vie ! » Cet adage, qui résume déjà à la fin du
Protreptique « la vie tout entière des hommes qui connaissent le Christ »,
est fort répandu et attesté notamment chez Philon d'Alexandrie, Cicéron
et Sénèque (voir les notes de L. Früchtel et de C. Mondésert sur *Protr.* 123,
1, *SC* 2, p. 193). Il est associé ici à l'image tirée de Lc 6, 44 (cf. Mt 7, 16 ; 12,
33). L. Früchtel a introduit dans le texte la négation οὐχ (« ... le langage
n'est pas tel que la vie ... »), parce que le passage (44, 1-2) est repris (ἐπειδὴ
οὐχ οἷος ὁ λόγος ... οὐκ ἐκ τοῦ ἄνθους καὶ τοῦ λόγου) par THÉODORE
D'HÉRACLÉE à propos de Mt 7, 15-20 (éd. J. REUSS, *Matthäus-Kommentare
aus der griechischen Kirche*, *TU* 61, Berlin 1957, p. 71). Cependant, si la

colère[c]. » Qu'ils rejettent donc, eux aussi, « la colère, l'emportement, la malice, le blasphème », leurs « propos obscènes,
ayant dépouillé le vieil homme avec ses » convoitises « et
revêtu le jeune, celui qui est renouvelé dans une connaissance
précise, à l'image même de son Créateur[d] ».

44   1 Car c'est la conduite qui révèle avec clarté ceux qui
connaissent les commandements : tel langage, telle vie[1] ! C'est
aux fruits, non aux fleurs et aux feuilles, que l'on reconnaît
l'arbre[a]. 2 La connaissance se reconnaît donc à son fruit, la
conduite, et non à sa fleur, le langage[2]. 3 Car, nous l'affir-
mons, la connaissance n'est pas une simple affaire de mots :
c'est une science venue de Dieu, cette lumière née en notre
âme de l'obéissance aux commandements, qui révèle en pleine
clarté tout ce qui dépend de la génération, dispose l'homme
à se connaître lui-même, et lui enseigne comment atteindre

---

négation est adaptée au commentaire de Théodore, elle ne convient pas,
chez Clément, à une explication qui concerne « ceux qui connaissent les
commandements ». L'adage est une injonction. En outre, Théodore a modi-
fié le texte, en ajoutant (42, 2, début) : « la connaissance *du maître* ... », en
accord avec son interprétation de la parabole de Mt. L'extrait de Théodore,
comportant la glose qui reprend anonymement le texte de Clément, avec
la négation, se trouve aussi dans un manuscrit de l'Athos donnant une
chaîne distincte de la compilation du Pseudo-Pierre de Laodicée (voir
L. FRÜCHTEL, *GCS* 52[2], p. 528, et J. REUSS, *TU* 61, p. XIII-XV).

2. Tout le développement 42, 1 – 43, 5 laisse entendre que la « connaissance » (introduite *supra* 42, 1) est inextricablement liée à la purification
active. La conclusion est ici explicite à cet égard.

γὰρ ὀφθαλμὸς ἐν σώματι, τοῦτο ἐν τῷ νῷ ἡ γνῶσις. 4 Μηδὲ
λεγόντων ἐλευθερίαν τὴν ὑπὸ ἡδονῆς δουλείαν, καθάπερ οἱ
τὴν χολὴν γλυκεῖαν· ἡμεῖς γὰρ ἐλευθερίαν μεμαθήκαμεν ἣν
ὁ κύριος ἡμᾶς ἐλευθεροῖ[b] μόνος, ἀπολύων τῶν ἡδονῶν τε καὶ
15 τῶν ἐπιθυμιῶν καὶ τῶν ἄλλων παθῶν. 5 « Ὁ λέγων, ἔγνωκα
τὸν κύριον, καὶ τὰς ἐντολὰς αὐτοῦ μὴ τηρῶν ψεύστης ἐστίν,
καὶ ἐν τούτῳ ἡ ἀλήθεια οὐκ ἔστιν[c] », Ἰωάννης λέγει.

45 1 Τοῖς δὲ εὐφήμως δι' ἐγκρατείας ἀσεβοῦσιν εἴς τε τὴν
κτίσιν καὶ τὸν ἅγιον δημιουργὸν τὸν παντοκράτορα μόνον
θεὸν καὶ διδάσκουσι μὴ δεῖν παραδέχεσθαι γάμον καὶ
παιδοποιΐαν μηδὲ ἀντεισάγειν τῷ κόσμῳ δυστυχήσοντας
5 ἑτέρους μηδὲ ἐπιχορηγεῖν τῷ θανάτῳ τροφὴν ἐκεῖνα
λεκτέον· 2 πρῶτον μὲν τὸ τοῦ ἀποστόλου Ἰωάννου· « Καὶ

---

b Cf. Jn 8, 36; Ga 5, 1   c 1 Jn 2, 4

1. Cette formule, « la connaissance est à l'esprit ce que l'œil est au
corps », a son origine chez ARISTOTE, qui en fait un exemple de l'instrument dialectique qu'est la perception des similitudes (*Éthique à
Nicomaque* I, 4, 1096b 29 ; cf. *Topiques* I, 18, 108a 11). Elle devient chez
PHILON (*Opif.* 53-54 ; *QG* 1, 11) et chez CELSE (d'après ORIGÈNE,
Contre Celse VII, 45) le prétexte de distinguer et de comparer deux modes
de connaissance. Si leurs interprétations diffèrent de celle de Clément,
elles permettent cependant de comprendre τὰ ἐν γενέσει comme « ce
qui dépend de la génération », c'est-à-dire le monde du devenir, dans
lequel les commandements dessinent la ligne de conduite qui n'assujettit
pas à la convoitise, mais qui convient à la nature véritable de l'homme et
l'oriente vers la ressemblance avec l'être, Dieu, vers lequel sa réflexion le
tend (cf. *Strom.* I, 44, 3).

2. PHILON use de l'oxymore γλυκύπικρος, « doux-amer », pour qua-
lifier le plaisir (*Somn.* II, 150 ; cf. *Spec.* I, 192).

3. Sur la maîtrise des passions et la liberté qui en résulte, voir *Strom.* II,
120, 2 ; 144, 3 ; III, 41, 2 ; VI, 112, 2. Sur la fausse liberté des licencieux,
voir *supra* 30, 1 ; *infra* 78, 4.

Dieu. En effet, la connaissance est à l'esprit ce que l'œil est au corps[1].   4 Qu'ils n'aillent pas appeler « liberté » l'esclavage du plaisir, comme ceux qui qualifient la bile de douce[2] ! Car nous, nous l'avons appris, c'est par la liberté que le Seigneur, seul, nous libère[b], en détruisant les chaînes des plaisirs, des désirs et des autres passions[3].   5 « Celui qui dit : je connais le Seigneur, sans observer ses commandements, est un menteur, et la vérité n'est pas en lui[c] », dit Jean[4].

VI

RÉFUTATION DU SECOND GROUPE D'HÉRÉTIQUES ET DE LEUR REJET DU MARIAGE [5]

45   L'attitude   **1** Les autres, sous le prétexte spécieux
encratite   de continence, se rendent coupables d'impiété à l'égard de la création et du saint Démiurge, le Dieu unique et tout-puissant : ils enseignent à n'admettre ni mariage ni procréation, à ne pas nous faire remplacer dans le monde par d'autres êtres voués au malheur, ni à fournir à la mort un aliment. Voici ce qu'il faut leur répondre :   **2** d'abord, la parole de l'apôtre Jean :

4. 1 Jn 2, 2-6 clôt l'enseignement moral du *Pédagogue* (III, 98, 2-3).

5. La continence est pour Clément une vertu (voir par exemple *Strom.* I, 159, 2 ; II, 78, 1 ; 80, 4 ; VII, 70, 4) ; elle ne se limite pas à la maîtrise des plaisirs sexuels (*Strom.* III, 4, 1-2 ; 59, 1-2 ; cf. *Péd.* II, 16, 1-2). Elle est prônée cependant au premier chef à propos du couple, comme dans son écrit sur le sujet qu'il mentionne en *Péd.* II, 94, 1 et dans l'exposé du *Stromate* III. Le détournement de cette vertu, transformée en haine de la création (cf. *infra* 63, 1), est reproché aux marcionites *supra* 12, 2-3 et sert à stigmatiser le second groupe d'hérétiques désigné *infra* 40, 2, ceux

νῦν ἀντίχριστοι πολλοὶ γεγόνασιν, ὅθεν ἐγνώκαμεν ὅτι
ἐσχάτη ὥρα ἐστίν. Ἐξ ἡμῶν ἐξῆλθον, ἀλλ᾽ οὐκ ἦσαν ἐξ ἡμῶν· εἰ
γὰρ ἦσαν ἐξ ἡμῶν, μεμενήκεισαν ἂν μεθ᾽ ἡμῶν[a].» 3 Ἔπειτα
10 καὶ διαστρεπτέον αὐτοὺς τὰ ὑπ᾽ αὐτῶν φερόμενα διαλύοντας
ὧδέ πως· τῇ Σαλώμῃ ὁ κύριος πυνθανομένῃ «μέχρι πότε
θάνατος ἰσχύσει;» οὐχ ὡς κακοῦ τοῦ βίου ὄντος καὶ τῆς
κτίσεως πονηρᾶς, «μέχρις ἂν» εἶπεν «ὑμεῖς αἱ γυναῖκες
τίκτητε[b]», ἀλλ᾽ ὡς τὴν ἀκολουθίαν τὴν φυσικὴν διδάσκων.
125ʳ 15 Γενέσει γὰρ πάντως ἕπεται καὶ φθορά.

46 1 Τρυφῆς μὲν οὖν καὶ πάσης ἀκοσμίας ἡμᾶς ὁ νόμος
ἐξάγειν προῄρηται, καὶ τοῦτό ἐστιν αὐτοῦ τέλος, ἐκ τῆς
ἀδικίας ἡμᾶς εἰς δικαιοσύνην ὑπάγειν, γάμους τε αἱρουμένους

45, 14 τίκτητε **Di St** : τίκτετε **L**

---

45 a 1 Jn 2, 18-19   **b** *Évangile des Égyptiens*, Apokryphon 34 Resch

qui sont appelés « encratites » en *Strom.* VII, 108, 2, et plus précisément
les disciples de Tatien et de Jules Cassien (*infra* 81-82 ; 91-94). IRÉNÉE
réunissait déjà sous ce vocable hérésiologique Marcion et Tatien, en les
taxant d'ingratitude envers le Créateur (*Contre les hérésies* I, 28, 1 ; voir
F. BOLGIANI, « La tradizione eresiologica », p. 7-11, et, sur les considérations générales concernant l'encratisme dans le *Stromate* III : p. 26-37).

1. Les « antichrists », ici comme en 1 Jn 2, 18, ne sont pas à confondre
avec la figure eschatologique de l'Antichrist, telle qu'elle est construite à
partir d'IRÉNÉE, et sous-jacente aux *Extraits de Théodote* 9 ; ce sont simplement des ennemis du Christ, une image adaptée à l'hérésiologie (voir
G.L. POTESTÀ – M. RIZZI, *L'Anticristo*, vol. I, *Il nemico dei tempi finali.*
Testi dal II al IV secolo, Fondazione Lorenzo Valla, 2005, p. XVII ; XXII,
n. 1 ; 5-6 ; 443-445).

« Et maintenant, beaucoup d'antichrists[1] sont venus, ce qui nous fait savoir que la dernière heure est là. Ils sont sortis de chez nous, mais ils n'étaient pas des nôtres, car, s'ils avaient été des nôtres, ils seraient restés avec nous[a]. » 3 Ensuite, il faut porter la confusion dans leurs rangs en détruisant leurs arguments par ce qui suit ; à Salomé qui lui demandait : « Combien de temps la mort gardera-t-elle sa puissance ? », le Seigneur répondit[2] : « Aussi longtemps que vous, les femmes, vous enfanterez[b] », sans vouloir dire que la vie serait mauvaise et la création odieuse, mais en enseignant la continuité naturelle des choses : à la génération ne peut que succéder la corruption.

46   1 Ce que veut la Loi, c'est bien nous
L'accord entre la écarter du luxe[3] et de tout dérèglement,
Loi et l'Évangile et sa fin est de nous faire passer de l'injustice à la justice[4] par le choix de la tempérance dans le mariage,

---

2. La suite révèle que l'*Évangile des Égyptiens*, auquel appartient le dialogue entre Salomé et le Seigneur, était invoqué par Jules Cassien (*infra* 63, 1 ; 64, 1 ; 91, 2 ; voir A. LE BOULLUEC, « De l'*Évangile des Égyptiens* à l'*Évangile selon Thomas* », p. 251-275 / p. 287-306). Sur l'*Évangile des Égyptiens*, voir l'étude de C. MARKSCHIES, dans C. MARKSCHIES – J. SCHRÖTER (éd.), *Antike christliche Apokryphen*, p. 420-428. La réfutation, immédiate, se contente ici du recours à un axiome de la physique des Grecs, la liaison entre la génération et la corruption, présent chez PLATON (*République* VIII, 546a ; *Phédon* 95e-96a ; *Phèdre* 245d ; cf. *Timée* 41a) et problématisé par ARISTOTE dans son traité *De la génération et de la corruption*. La formulation évoque PHILON, *Decal.* 58 et *Spec.* I, 112 (voir A. VAN DEN HOEK, *Clement of Alexandria and his Use of Philo*, p. 187).

3. Le « luxe » est souvent présenté comme la cause ou l'aliment des vices.

4. La « justice » est celle qui est définie comme « paix et stabilité de l'âme » en *Strom.* IV, 161, 2, comme « l'harmonie des parties de l'âme » en *Strom.* IV, 163, 4 (cf. *Strom.* I, 167, 3), définition adaptée ici au sujet du livre.

σώφρονας καὶ παιδοποιΐας καὶ πολιτείας. 2 Ὁ δὲ κύριος
5 « οὐ καταλύειν τὸν νόμον ἀφικνεῖται, ἀλλὰ πληρῶσαι[a] » ·
πληρῶσαι δὲ οὐχ ὡς ἐνδεῆ, ἀλλὰ τῷ τὰς κατὰ νόμον
προφητείας ἐπιτελεῖς γενέσθαι κατὰ τὴν αὐτοῦ παρουσίαν,
ἐπεὶ τὰ τῆς ὀρθῆς πολιτείας καὶ τοῖς δικαίως βεβιωκόσι
πρὸ τοῦ νόμου[b] διὰ τοῦ λόγου ἐκηρύσσετο. 3 Οἱ τοίνυν
10 πολλοὶ τὴν ἐγκράτειαν οὐκ εἰδότες σώματι πολιτεύονται,
ἀλλ᾽ οὐ πνεύματι[c]. « Γῆ » δὲ « καὶ σποδὸς[d] » τὸ σῶμα ἄνευ
πνεύματος. Αὐτίκα μοιχείαν ἐξ ἐνθυμήσεως κρίνει ὁ κύριος[e].

4 Τί γάρ; Οὐκ ἔστι καὶ γάμῳ ἐγκρατῶς χρῆσθαι καὶ
μὴ πειρᾶσθαι « διαλύειν ὃ συνέζευξεν ὁ θεός[f] » ; Τοιαῦτα
15 γὰρ διδάσκουσιν οἱ τῆς συζυγίας μερισταί, δι᾽ οὓς καὶ
« τὸ ὄνομα βλασφημεῖται[g] ». 5 Μιαρὰν δὲ εἶναι τὴν
συνουσίαν λέγοντες οὗτοι οἱ τὴν σύστασιν καὶ αὐτοὶ ἐκ
47 συνουσίας εἰληφότες, πῶς οὐκ ἂν εἶεν μιαροί; 1 Τῶν δὲ

46, 6 ἐνδεῆ Sy St coll. Ath : ἐνδεεῖ L

---

46 a Mt 5, 17   b Cf. Rm 2, 14-15   c Cf. Ga 5, 25   d Gn 18, 27
e Cf. Mt 5, 28   f Mt 19, 6   g Cf. Rm 2, 24 (Is 52, 5)

---

1. La fin de la Loi est ici celle que lui assigne le *Pédagogue* : éliminer les
excès (II, 25,4 – 28, 3 : contre le « dérèglement » de l'ivresse sont allégués
des textes sapientiaux ; III, 76, 3 – 77, 4 : contre la promiscuité des théâtres
et l'impudeur des spectacles).

2. L'accord entre la Loi et l'Évangile est un thème cher à Clément (voir
Strom. I, 174, 3 ; II, 147, 2 ; cf. III, 8, 5 *supra*), même s'il considère la Loi
comme « image et ombre de la vérité » (*Strom.* VI, 58, 3) et s'il l'associe
au régime de la « crainte », remplacé avec la venue du Christ par « la plénitude de l'amour » (*Strom.* IV, 113, 5 ; 130, 3 ; cf. I, 174, 3 ; II, 33, 3 ; 120,
1-2). Clément parle aussi ailleurs, en se fondant sur Rm 2, 14, des préceptes
antérieurs à l'Incarnation, et même à la Loi (*Strom.* I, 95, 3), et reprend
sur ce point l'enseignement d'HERMAS sur les justes Abel et Noé (*Le
Pasteur, sim.* IX, 16, 5-7) en *Strom.* II, 43, 5 – 44, 4 (cf. *Strom.* VI, 46, 5).

dans la procréation et dans toutes nos conduites[1]. **2** De son côté, le Seigneur « ne vient pas détruire la Loi, mais l'accomplir[a] », et l'accomplir non pas au sens où elle serait déficiente, mais du fait que par sa venue se réalisent les prophéties de la Loi ; car même à ceux qui ont vécu dans la justice avant la Loi[b], le Logos proclamait les préceptes de la conduite droite[2]. **3** La plupart des hommes, ignorant la continence[3], se conduisent donc selon le corps et non selon l'esprit[c]. Or, le corps sans l'esprit n'est que « terre et poussière[d] ». Ainsi, le Seigneur juge déjà l'adultère en pensée[e].

4 Que dire de plus ? Ne peut-on pas user également du mariage avec conti-nence, sans essayer de « séparer ce que Dieu a uni[f] » ? Car voilà bien l'enseignement de ces briseurs du couple, qui font aussi « calomnier le Nom[g4] » ! **5** Si ces gens-là soutiennent que la relation sexuelle est souillée, alors qu'eux-mêmes doivent l'existence à cette relation, comment pourraient-ils échapper à la souillure[5] ? **1** Pour

Ne pas séparer les gens mariés

47

---

3. Clément a le souci de rappeler le devoir de la continence, édicté par les Écritures, après avoir dénoncé le dévoiement hérétique de cette vertu.

4. La saine pratique doit concilier le devoir de la continence et l'indis-solubilité du mariage, présentée comme une loi divine, grâce à Mt 19, 6 (Mc 10, 9), loi si sacrée que l'infraction fait commettre le blasphème contre son auteur. Ce crime, dénoncé par Rm 2, 24 (cf. Is 52, 5), est aussi repro-ché aux licencieux, à la fin du livre (107, 2 ; cf. 3, 4 ; 5, 1). Les auteurs de certains Actes apocryphes des Apôtres, témoins de l'ascétisme ambiant, rejetaient l'union du couple, ce qui, même s'ils n'allaient pas jusqu'à pres-crire la rupture de noces déjà conclues, pouvait scandaliser les « païens » (voir par exemple *Actes grecs d'André* 16 ; *Passion arménienne d'André* 23 ; *Actes de Paul* 13-20 ; *Actes de Thomas* 13-15).

5. Le premier argument est analogue à celui qui est opposé aux mar-cionites *supra* 12, 3 et 25, 12 : nul ne peut s'affranchir de la cause de son existence.

ἁγιασθέντων ἅγιον οἶμαι καὶ τὸ σπέρμα. Ἡγιάσθαι μὲν οὖν
ἡμῖν ὀφείλει οὐ μόνον τὸ πνεῦμα, ἀλλὰ καὶ ὁ τρόπος καὶ
ὁ βίος καὶ τὸ σῶμα· ἐπεὶ τίνι λόγῳ ὁ ἀπόστολος Παῦλος
5 ἡγιάσθαι λέγει τὴν γυναῖκα ὑπὸ τοῦ ἀνδρὸς ἢ τὸν ἄνδρα
ὑπὸ τῆς γυναικός[a]; 2 Τί δέ ἐστιν ὅπερ ὁ κύριος εἶπεν
πρὸς τοὺς περὶ τοῦ ἀποστασίου πυνθανομένους, εἰ ἔξεστιν
ἀπολῦσαι γυναῖκα[b] Μωϋσέως ἐπιτρέψαντος[c]; «Πρὸς
τὴν σκληροκαρδίαν ὑμῶν», φησίν, «ὁ Μωϋσῆς ταῦτα
10 ἔγραψεν[d]», «ὑμεῖς δὲ οὐκ ἀνέγνωτε ὅτι τῷ πρωτοπλάστῳ
ὁ θεὸς εἶπεν· ''Εσεσθε οἱ δύο |εἰς σάρκα μίαν[e]'[f];» Ὥστε
«ὁ ἀπολύων τὴν γυναῖκα χωρὶς λόγου πορνείας[g] ποιεῖ
αὐτὴν μοιχευθῆναι[h].»

125ᵛ

---

47 a Cf. 1 Co 7, 14   b Mt 19, 3; Mc 10, 2   c Cf. Mt 19, 7; Mc 10,
4 (Dt 24, 1)   d Mc 10, 5; Mt 19, 8   e Gn 2, 24   f Cf. Mt 19, 4-5;
Mc 10, 6-8   g Cf. Mt 19, 9   h Mt 5, 32

1. Le second argument valorise la sexualité et le corps, indissociables
de l'union du couple, dans la mesure où celle-ci est purifiée par le mariage
voulu par Dieu (Mt 19, 6 *supra* 46, 4). Cette sanctification est confirmée
par une interprétation de 1 Co 7, 14 qui en modifie le contenu : il ne s'agit
plus de faire entrer par le mariage un incroyant ou une incroyante dans la
communauté sainte, mais de sanctifier l'union elle-même.

2. Une réponse plus précise aux « briseurs du couple » est fournie par la
réécriture des paroles de Mt sur le mariage et la répudiation, qui maintient
la restriction matthéenne (« sauf pour raison de débauche »). L'origine
divine du mariage est impliquée par le fait que le locuteur de Gn 2, 24 est
en Mt 19, 5 le Créateur. Le rejet du précepte de répudiation de Dt 24, 1,

moi, la semence de ceux qui ont été sanctifiés est sainte elle aussi. Nous n'avons donc pas seulement à sanctifier notre esprit, mais aussi nos mœurs, notre vie et notre corps, car autrement pourquoi l'apôtre Paul dit-il que la femme est sanctifiée par son mari et le mari par sa femme[a1]? **2** Et que signifie la réponse du Seigneur[2] à ceux qui l'interrogeaient sur le divorce en lui demandant s'il était permis de répudier sa femme[b], puisque Moïse l'avait autorisé[c]? — « C'est en raison de la dureté de votre cœur », dit le Seigneur, « que Moïse a écrit cela[d] » ; « mais vous, n'avez-vous pas lu que Dieu a dit au premier être modelé : 'Vous serez deux dans une seule chair[e 3]'[f]? » Ainsi, « celui qui répudie sa femme, sauf pour raison de débauche[g], la pousse à l'adultère[h] ».

---

tel qu'il est motivé en Mt 19, 8, est déjà argumenté par IRÉNÉE, *Contre les hérésies* IV, 15, 2, qui invoque la « dureté de cœur » du peuple. C'est en se référant à Dt 10, 16 et Is 63, 17 que Justin fait de cette « dureté » l'un de ses thèmes dominants, pour réduire la portée, toute provisoire, de nombre des prescriptions de la Loi (voir P. BOBICHON, *Justin Martyr. Dialogue avec Tryphon*, Fribourg 2003, p. 636). PTOLÉMÉE (*Lettre à Flora* 4, 2-10), le disciple de Valentin, se sert des paroles du Sauveur sur le divorce pour prouver qu'une partie de la Loi n'est pas divine, mais qu'elle a été ajoutée par Moïse, « selon des considérations personnelles ».

3. Quant à Gn 2, 24, cité en Mt 19, 5 et Mc 10, 7-8, c'est le fondement, chez les Pères, de l'indissolubilité du mariage (voir A. LE BOULLUEC, « De l'unité du couple à l'union du Christ et de l'Église », p. 39-55).

3 Ἀλλὰ «μετὰ τὴν ἀνάστασιν», φησίν, «οὔτε γαμοῦσιν
15 οὔτε γαμίζονται[i]». Καὶ γὰρ περὶ τῆς κοιλίας καὶ τῶν βρωμάτων
εἴρηται· «Τὰ βρώματα τῇ κοιλίᾳ καὶ ἡ κοιλία τοῖς βρώμασιν,
ὁ δὲ θεὸς καὶ ταύτην καὶ ταῦτα καταργήσει[j]»· τούτους
ἐπιρραπίζων τοὺς δίκην κάπρων καὶ τράγων ζῆν οἰομένους, ἵνα
48 μὴ ἀδεῶς ἐσθίοιεν καὶ ὀχεύοιεν. 1 Εἰ γοῦν τὴν ἀνάστασιν
ἀπειλήφασιν, ὡς αὐτοὶ λέγουσι, καὶ διὰ τοῦτο ἀθετοῦσι τὸν
γάμον, μηδὲ ἐσθιέτωσαν μηδὲ πινέτωσαν· καταργεῖσθαι
γὰρ ἔφη τὴν κοιλίαν καὶ τὰ βρώματα ὁ ἀπόστολος ἐν τῇ
5 ἀναστάσει[a]. 2 Πῶς οὖν καὶ πεινῶσι καὶ διψῶσι καὶ <τὰ
κατὰ> τὴν σάρκα πάσχουσι καὶ τὰ ἄλλα ὅσα ὁ διὰ Χριστοῦ
τελείαν τὴν προσδοκωμένην ἀνάστασιν λαβὼν οὐ πείσεται;

48, 4 ἔφη Sy St : ἔφην L || 5-6 τὰ κατὰ suppl. Wi St

---

i Mt 22, 30; cf. Mc 12, 25; Lc 20, 35   j 1 Co 6, 13
48 a Cf. 1 Co 6, 13

---

1. Ceux qui refusent le mariage prennent la parole de Mt 22, 30 (Lc 20,
35) comme signifiant que, dès maintenant, il faut mener la vie des ressuscités. Clément réplique en se référant à 1 Co 6, 13, dont il limite la portée
à la condamnation des excès de la gourmandise et de la débauche, qui
n'exclut pas pour autant la nécessité de se nourrir, nécessité qui met les
adversaires en contradiction avec eux-mêmes (cf. *supra* 12, 3). Il convient
donc de distinguer de même, pour comprendre Mt 22, 30 (Lc 20, 35),
l'existence concrète dans ce monde-ci et l'état promis dans l'âge à venir.
Ici, Clément, au passage, pousse une nouvelle pointe contre les licencieux.

3 Mais « après la résurrection », dit-il,
La résurrection « on ne prend plus ni épouse ni mari[i] ».
invoquée à tort À propos du ventre et des aliments, il a
été dit : « Les aliments sont pour le ventre, et le ventre pour
les aliments, mais Dieu les détruira, ceux-ci comme celui-
là[j 1] », en fustigeant ceux qui se croient autorisés à vivre
comme des verrats et des boucs, pour les empêcher de manger
48 et de s'accoupler sans la moindre crainte[2].   **1** Si donc ils
ont reçu la résurrection, comme ils disent, et que, pour cette
raison, ils rejettent le mariage, qu'ils cessent aussi de manger
et de boire ! Car l'Apôtre a dit qu'à la résurrection, le ventre
et les aliments sont détruits[a 3].   **2** Comment se fait-il donc
qu'ils éprouvent encore la faim, la soif, les souffrances de la
chair et tout ce que n'éprouvera plus celui qui aura reçu, grâce
au Christ, la résurrection parfaite que nous attendons ?

2. La comparaison avec les boucs (associés aux porcs et aux chiens) est
courante dans ce contexte (*Péd.* III, 37, 2 ; *Strom.* II, 118, 5 ; III, 10, 1 ; 28,
1 ; VII, 33, 4). Le terme cru ὀχεύω, « couvrir, saillir », réservé aux animaux,
pour désigner l'accouplement est ici utilisé par dérision (J.F. Hultin, *The
Ethics of Obscene Speech*, p. 225).

3. Quant à l'interprétation rigoriste de 1 Co 7 et Lc 20, 35, aboutissant
à l'encratisme extrême, elle est combattue, avant Clément, par les *Épîtres
pastorales* : 2 Tm 2, 18, par exemple, accuse ceux qui prétendent « que la
résurrection a déjà eu lieu » (voir D.E. Aune, *The Culting Setting of Realized
Eschatology in Early Christianity*, Leyde 1977, p. 195-212) de « renverser
la foi » (voir L. Perrone, « 'Eunuchi per il regno dei cieli' ? Amore e
sessualità del Nuovo Testamento al primo cristianesimo », *Cristianesimo
nella storia* 23, 2002, p. 281-305, avec bibliographie p. 300, n. 48).

Ἀλλὰ καὶ οἱ τὰ εἴδωλα σεβόμενοι βρωμάτων τε ἅμα καὶ
ἀφροδισίων ἀπέχονται. 3 « Οὐκ ἔστι δὲ ἡ βασιλεία θεοῦ
10 βρῶσις καὶ πόσις[b] » φησίν. Ἀμέλει διὰ φροντίδος ἐστὶ καὶ τοῖς
Μάγοις οἴνου τε ὁμοῦ καὶ ἐμψύχων καὶ ἀφροδισίων ἀπέχεσθαι
λατρεύουσιν ἀγγέλοις καὶ δαίμοσιν. Ὡς δὲ ἡ ταπεινοφροσύνη
πραότης ἐστίν, οὐχὶ δὲ κακουχία σώματος[c], οὕτω καὶ ἡ
ἐγκράτεια ψυχῆς ἀρετὴ ἡ οὐκ ἐν φανερῷ, ἀλλ᾿ ἐν ἀποκρύφῳ[d].

---

8 ἀλλὰ καὶ οἱ **Wi St** : ἀλλ᾿ οἱ καὶ **L**

---

b Rm 14, 17   c Cf. Col 2, 23   d Cf. Lc 8, 17

---

1. La pureté revendiquée par les encratites est ravalée au rang de l'abstinence liée à certains cultes païens et leur prétention est assimilée à une vaine
forfanterie. En réalité, la religion grecque n'astreignait certains prêtres qu'à
de courtes périodes de chasteté, par exemple lors de la préparation de sacri-
fices, ou bien, pour le hiérophante à Éleusis, avant les mystères. Ion, le fils et
le servant de Phoibos Apollon, « chaste et pur » dans la pièce d'EURIPIDE
(*Ion* 150), fait figure d'exception. Les prêtresses d'Artémis à Brauron étaient
peut-être des vierges (voir R. PARKER, *Miasma. Pollution and Purification
in Early Greek Religion*, Oxford 1983, p. 86-94). W. BURKERT, *Homo
Necans. Rites sacrificiels et mythes de la Grèce ancienne*, Berlin 1997², traduit de l'allemand par H. FEYDY, Paris 2005, rappelle que de nombreux
mystères prescrivaient l'abstinence sexuelle pendant une certaine période
précédant l'initiation (p. 64 et p. 106, n. 222) et que les athlètes étaient
en outre soumis à un régime végétarien avant un *agôn*, qui était toujours
une fête sacrificielle (p. 64 et p. 106, n. 221 ; cf. p. 21 et p. 81, n. 7). D'après
PAUSANIAS, *Description de la Grèce* VI, 7, 10, le premier athlète à s'être
nourri de viande a été Dromeus de Stymphale, vers le milieu du Vᵉ siècle (éd.
M. CASEVITZ, trad. J. POUILLOUX et comm. A. JACQUEMIN, *CUF*, Paris
2002, p. 146-147). ~ Clément commente en *Strom.* VII, 33, 8 les rites des
Égyptiens, qui « ne permettent pas aux prêtres d'avoir une alimentation
carnée ». On sait qu'ils devaient s'abstenir de relations sexuelles avant de
prendre leur service au temple (F. DUNAND – C. ZIVIE-COCHE, *Dieux
et hommes en Égypte. 3000 av. J.-C. – 395 apr. J.-C.*, Paris 1991, p. 109).

2. La confusion entre les Mages et les prêtres chaldéens est commise déjà
par Aristoxène, élève et ami d'Aristote (voir A. MOMIGLIANO, *Sagesses
barbares*, trad. M.-C. ROUSSEL, Paris 1984, p. 159). Clément connaissait
des écrits d'Aristoxène (voir *Strom.* I, 62, 2 ; VI, 88, 1).

La continence, attitude intérieure   D'ailleurs, même les adorateurs des idoles s'abstiennent à la fois de nourriture et de relations sexuelles[1]. 3 « Mais le royaume de Dieu n'est pas affaire de nourriture et de boisson[b] », dit l'Apôtre. Sans doute les Mages[2] aussi, qui servent des anges et des démons, ont-ils à cœur de s'abstenir tout à la fois de vin, de viandes et de relations sexuelles[3]. De même que l'humilité est faite de douceur et non de mauvais traitements infligés au corps[c4], ainsi la continence est-elle une vertu de l'âme, puisqu'elle ne se montre pas au grand jour, mais reste dans le secret[d5].

3. À sa manière rude et rigoriste, Tertullien, prétendant que le diable contrefait les mystères chrétiens, dit qu'il a lui aussi ses vierges et ses continents (*De la prescription contre les hérétiques* 40, 6) et que « même les prêtres de la géhenne observent la continence » (*À son épouse* I, 6, 5).

4. L'allusion à Col 2, 23, en accord avec la citation de Rm 14, 17, introduit le rejet des tortures que l'ascète s'infligerait à lui-même, à la manière des Pères du désert plus tard, lancés dans une sorte de compétition (voir E.R. Dodds, *Païens et chrétiens dans un âge d'angoisse*, trad. H.-D. Saffrey, Paris 2010, p. 37). Le passage est à rapprocher de *Strom.* II, 132, 1 – 133, 2 : la parole « Quiconque s'humilie sera élevé » (Lc 14, 11 ; 18, 14 ; Mt 23, 12) est commentée à l'aide des *Lois* de Platon (IV, 715e-716a. cd), où la notion de « mesure » a un rôle important. Si Clément donne en exemple (*Péd.* II, 112) le mode de vie de Jean au désert, la dure simplicité du vêtement d'Élie ou le « sac » (le « haillon ») d'Isaïe, « vêtement de l'humilité », il tempère ici cette « humilité » par la « douceur », vertu grecque (voir J. de Romilly, *La douceur dans la pensée grecque*, Paris 1979, p. 309-328, qui souligne la mutation opérée dans la Septante, où « la douceur » est associée à « l'humilité », et qui relève les transformations que subit la notion dans le christianisme et aussi les échanges entre les conceptions chrétiennes et païennes, dès Clément), mais surtout évangélique (Mt 11, 29 ; 5, 5 ; cf. Col 3, 12).

5. À l'ostentation des extrémistes de l'ascèse est opposée ici l'attitude intérieure de la vraie continence, dont Clément pourrait parler dans les mêmes termes que du jeûne au sens « mystique » (*EP* 14).

49 1 Εἰσίν θ᾽ οἳ πορνείαν ἄντικρυς τὸν γάμον λέγουσι καὶ ὑπὸ τοῦ διαβόλου ταύτην παραδεδόσθαι δογματίζουσι, μιμεῖσθαι δ᾽ αὐτοὺς οἱ μεγάλαυχοί φασι τὸν κύριον μήτε γήμαντα μήτε τι ἐν τῷ κόσμῳ κτησάμενον, μᾶλλον παρὰ τοὺς ἄλλους
5 νενοηκέναι τὸ εὐαγγέλιον καυχώμενοι. 2 Λέγει δὲ αὐτοῖς ἡ γραφή· « Ὑπερηφάνοις ὁ θεὸς ἀντιτάσσεται, ταπεινοῖς
126ʳ δὲ δίδωσι χάριν ᵃ.» 3 Εἶτ᾽ οὐκ ἴσασι |τὴν αἰτίαν τοῦ μὴ γῆμαι τὸν κύριον· πρῶτον μὲν γὰρ τὴν ἰδίαν νύμφην εἶχεν, τὴν ἐκκλησίαν ᵇ, ἔπειτα δὲ οὐδὲ ἄνθρωπος ἦν κοινός, ἵνα
10 καὶ βοηθοῦ ᶜ τινος κατὰ σάρκα δεηθῇ· οὐδὲ τεκνοποιή- σασθαι ἦν αὐτῷ ἀναγκαῖον ἀϊδίως μένοντι καὶ μόνῳ υἱῷ θεοῦ γεγονότι. 4 Αὐτὸς δὲ οὗτος ὁ κύριος λέγει· « Ὃ ὁ θεὸς συνέζευξεν, ἄνθρωπος μὴ χωριζέτω ᵈ » καὶ πάλιν· « Ὥσπερ δὲ ἦν ἐν ταῖς ἡμέραις Νῶε, ἦσαν γαμοῦντες
15 γαμίζοντες, οἰκοδομοῦντες φυτεύοντες, καὶ ὡς ἦν ἐν ταῖς ἡμέραις Λώτ, οὕτως ἔσται ἡ παρουσία τοῦ υἱοῦ τοῦ ἀνθρώπου ᵉ.» 5 Καὶ ὅτι οὐ πρὸς τὰ ἔθνη λέγει, ἐπιφέρει·

---

49 a Pr 3, 34; cf. Jc 4, 6; 1 P 5, 5   b Cf. Ep 5, 22-33   c Cf. Gn 2, 18
d Mt 19, 6; Mc 10, 9   e Cf. Mt 24, 37-39 + Lc 17, 26-28

1. Cette position était précisément celle de Tatien (voir *infra* 80, 3 – 81, 6; cf. 84, 4; 89, 1; 107, 4). Son *Diatessaron ou évangile concordant* le montrait favorable à l'abstinence sexuelle (voir P. Brown, *Le renoncement à la chair*, p. 123, qui explicite, p. 125-130, la primauté exclusive pour Tatien de la relation avec l'Esprit).

2. La phrase de Pr 3, 34 est citée sous la forme qu'elle a en Jc 4, 6 et 1 P 5, 5, avec pour sujet « Dieu », et non « le Seigneur ». G. Pini, *Clemente di Alessandria. Gli Stromati*, p. 333-334, n. 15 (avec bibliographie), observe que partout où Clément semblerait se référer à Jc, des sources plus pertinentes, ou équivalentes, peuvent être identifiées. Le contexte de Jc 4, 6 convient toutefois mieux ici à l'argumentation que 1 P 5, 5. Il n'est pas

49

La vie
continente,
imitation
du Christ

1 Certains appellent ouvertement le mariage *débauche*, et enseignent qu'il nous a été transmis par le diable[1]. En s'enorgueillissant d'avoir de l'Évangile une meilleure compréhension que les autres, ces vantards affirment qu'ils imitent le Seigneur qui ne s'est pas marié et n'a acquis aucun bien dans ce monde.   **2** C'est à eux que s'adresse l'Écriture : « Aux orgueilleux, Dieu s'oppose ; aux humbles, il donne sa grâce[a][2]. »   **3** En outre, ils ignorent pourquoi le Seigneur ne s'est pas marié[3] : d'abord, il avait déjà son épouse à lui, l'Église[b] ; ensuite, il n'était pas non plus un homme ordinaire pour avoir besoin, lui aussi, d'une aide[c] selon la chair ; enfin, il ne lui était pas nécessaire d'engendrer des enfants, puisqu'il demeure dans l'éternité, Fils unique de Dieu.   **4** Or, c'est lui-même, le Seigneur, qui dit : « Ce que Dieu a uni, que l'homme ne le sépare pas[d] ! » ainsi que : « Comme aux jours de Noé, où ils prenaient femme et mari, construisaient et plantaient, et comme aux jours de Lot, ainsi sera l'avènement du Fils de l'homme[e]. »   **5** Et que cela ne s'adresse pas aux païens, il le montre en ajoutant :

étonnant, par ailleurs, que la formule couronne en *Strom.* IV, 106, 4 l'humilité d'Abraham, de Job et de Moïse, dans une paraphrase de l'*Épître aux Corinthiens* de Clément de Rome.

3. La première réponse renvoie à Ep 5, 32, au « mystère », lu en Gn 2, 24, de l'union conjugale du Christ et de l'Église. La seconde fait état du caractère exceptionnel de l'homme Christ, exempt du besoin de l'« aide » (Gn 2, 18) qu'est pour le mari son épouse, « pour tenir sa maison et mettre sa foi dans le Christ » (*infra* 108, 1). La troisième exploite la justification traditionnelle du mariage comme moyen d'assurer l'immortalité, par la perpétuation générationnelle, telle que l'évoque Clément en *Strom.* II, 138, 2, par allusion à Platon, *Lois* VI, 773e et 776b (cf. *Banquet* 207d ; 208ab).

« Ἆρα ἐλθὼν ὁ υἱὸς τοῦ ἀνθρώπου εὑρήσει τὴν πίστιν ἐπὶ τῆς γῆς[f];» 6 καὶ πάλιν· «Οὐαὶ δὲ ταῖς ἐν γαστρὶ ἐχούσαις
20 καὶ ταῖς θηλαζούσαις ἐν ἐκείναις ταῖς ἡμέραις[g].» Καίτοι καὶ ταῦτα ἀλληγορεῖται. Διὰ τοῦτο οὐδὲ τοὺς καιροὺς ὥρισεν « οὓς ὁ πατὴρ ἔθετο ἐν τῇ ἰδίᾳ ἐξουσίᾳ[h]», ἵνα διαμένῃ κατὰ τὰς γενεὰς ὁ κόσμος.

50 1 Τὸ δὲ «οὐ πάντες χωροῦσι τὸν λόγον τοῦτον· Εἰσὶ γὰρ εὐνοῦχοι οἵτινες ἐγεννήθησαν οὕτως, καὶ εἰσὶν εὐνοῦχοι οἵτινες εὐνουχίσθησαν ὑπὸ τῶν ἀνθρώπων, καὶ εἰσὶν εὐνοῦχοι οἵτινες εὐνούχισαν ἑαυτοὺς διὰ τὴν βασιλείαν
5 τῶν οὐρανῶν· ὁ δυνάμενος χωρεῖν χωρείτω[a]», 2 οὐκ ἴσασιν ὅτι μετὰ τὴν τοῦ ἀποστασίου ῥῆσιν[b] πυθομένων τινῶν ὅτι «ἐὰν οὕτως ᾖ ἡ αἰτία τῆς γυναικός, οὐ συμφέρει τῷ ἀνθρώπῳ γαμῆσαι[c]», τότε ὁ κύριος ἔφη· «Οὐ πάντες χωροῦσι τὸν λόγον τοῦτον, ἀλλ᾽ οἷς δέδοται[d]»· 3 τοῦτο
10 γὰρ οἱ πυνθανόμενοι μαθεῖν ἠβουλήθησαν, εἰ συγχωρεῖ καταγνωσθείσης ἐπὶ πορνείᾳ γυναικὸς καὶ ἐκβληθείσης ἑτέραν γῆμαι.

---

f Lc 18, 8　 g Mt 24, 19 ; Mc 13, 17 ; Lc 21, 23　 h Ac 1, 7
50 a Mt 19, 11-12　 b Cf. Mt 19, 9　 c Mt 19, 10　 d Mt 19, 11

1. Après avoir commencé le livre III par l'exposé de l'interprétation basilidienne des paroles de *Matthieu* sur les eunuques (*supra* 1-4), Clément en vient à la lecture des encratites. Il leur reproche de donner une valeur générale à Mt 19, 10 et de négliger ainsi la continuité du dialogue évangélique, qui oblige à limiter la portée de la remarque des disciples et de la

« À sa venue, le Fils de l'homme trouvera-t-il la foi sur terre[f] ? » **6** ainsi que : « Malheur à celles qui seront enceintes et à celles qui allaiteront ces jours-là[g] ! » Il est vrai que ces propos ont aussi un sens allégorique. C'est pourquoi il n'a pas déterminé « les moments fixés par le Père de son propre pouvoir[h] », afin que le monde subsiste au fil des générations.

50 **1** À propos du passage : « Tous ne comprennent pas cette parole, car certains eunuques sont nés tels, d'autres le sont devenus par le fait des hommes, et d'autres se sont rendus eunuques pour le royaume des cieux. Que celui qui peut comprendre, comprenne[a1] ! », **2** ils ignorent qu'après ses propos sur le divorce[b], certains ayant remarqué : « Si telle est la question de la femme, l'homme n'a pas intérêt à se marier[c] », le Seigneur leur répondit alors : « Tous ne comprennent pas cette parole, mais seulement ceux à qui cela a été donné[d]. » **3** En effet, ceux qui l'interrogeaient voulaient savoir si, après condamnation et répudiation d'une femme pour débauche, il concédait d'en épouser une autre.

---

réponse du Seigneur : se rendre « eunuque pour le royaume des cieux », c'est simplement en l'occurrence, selon lui, ne pas se remarier si la femme a été « répudiée pour cause de débauche ». Il n'y a pas d'exception à la loi qu'il énonce en *Strom.* II, 145, 3 : « L'Écriture tient pour adultère de se remarier du vivant de l'autre divorcé. »

4 Φασὶ δὲ καὶ ἀθλητὰς οὐκ ὀλίγους ἀφροδισίων ἀπέχεσθαι δι' ἄσκησιν σωματικὴν ἐγκρατευομένους, καθάπερ
τὸν Κροτωνιάτην Ἀστύλον ¦καὶ Κρίσωνα τὸν Ἱμεραῖον. Καὶ
Ἀμοιβεὺς δὲ ὁ κιθαρῳδὸς νεόγαμος ὢν ἀπέσχετο τῆς νύμφης.

Ὅ τε Κυρηναῖος Ἀριστοτέλης Λαΐδα ἐρῶσαν ὑπερεώρα
μόνος· 1 ὀμωμοκὼς οὖν τῇ ἑταίρᾳ ἦ μὴν ἀπάξειν αὐτὴν
εἰς τὴν πατρίδα, εἰ συμπράξειεν αὐτῷ τινα πρὸς τοὺς
ἀνταγωνιστάς, ἐπειδὴ διεπράξατο, χαριέντως ἐκτελῶν
τὸν ὅρκον, γραψάμενος αὐτῆς ὡς ὅτι μάλιστα ὁμοιοτάτην
εἰκόνα, ἀνέστησεν εἰς Κυρήνην, ὡς ἱστορεῖ Ἴστρος ἐν τῷ
Περὶ ἰδιότητος ἄθλων[a]. Ὥστ' οὐδ' ἡ εὐνουχία ἐνάρετον, εἰ
μὴ δι' ἀγάπην γίνοιτο τὴν πρὸς τὸν θεόν.

50, 17 ὑπερεώρα Excp. St : ὑπεώρα L

51 a Istros, *FGrHist* 334 F 55

---

1. W. Burkert, *Homo Necans*, p. 101 s., note qu'à l'origine, l'abstinence
sexuelle des athlètes pendant la préparation aux jeux appartenait aussi au
rituel religieux des concours.

2. Cf. Platon, *Lois* VIII, 839e-840a : exemple d'Iccos de Tarente
(pythagoricien) se préparant aux Jeux Olympiques ; même tradition sur
Crison, Astylos, Diopompe. Astylos de Crotone est l'un des cinq ath-
lètes-héros évoqués dans les fragments de Callimaque (voir E. Prioux,
Regards alexandrins, Leuven – Paris – Dudley 2007, p. 160 s.) ; Simonide
lui avait consacré une épinicie (fr. 506 Page) ; il avait une statue à
Olympie, œuvre de Pythagoras de Samos ; il avait été trois fois de suite
vainqueur à Olympie, en 488, 484 et 480, à la course et à la double course
(Pausanias, *Description de la Grèce* VI, 13, 1) et probablement à la course
en armes, en outre, en 480, d'après le *P. Oxy.* 222 (voir le commentaire
d'A. Jacquemin sur le texte de Pausanias, *CUF*, t. VI, p. 183-184) ;
Pline L'Ancien, *Histoire naturelle* 34, 59, parle aussi de sa statue (*CUF*,
p. 128). Crison d'Himère remporta trois fois la course du stade, comme

La continence
des artistes et
des athlètes

4 On dit aussi qu'un nombre non négligeable d'athlètes s'abstiennent des relations sexuelles et gardent la continence en raison de leur entraînement physique[1], par exemple Astylos de Crotone et Crison d'Himère[2]. Jeune marié, Amoebée le citharède se tenait à l'écart de son épouse[3]. Seul Aristote de Cyrène dédaignait Laïs, qui l'aimait.   1 Après avoir juré à la courtisane de l'emmener dans sa patrie, si elle l'aidait contre ses concurrents, lorsqu'elle eut réussi, il tint son serment avec esprit : il fit peindre d'elle le portrait le plus ressemblant et l'emporta à Cyrène, comme le raconte Istros dans son ouvrage *Sur la nature particulière des joutes athlétiques*[a4]. La chasteté parfaite n'a donc de caractère vertueux que si elle est inspirée par l'amour de Dieu[5].

---

le rappelle PLATON (*Protagoras* 335e), en 448, 444 et 440 ; cf. DIODORE DE SICILE, XII, 5, 1 ; 23, 1 ; 29, 1 (*CUF*, p. 8, 24 et 30) et PAUSANIAS, V, 23, 4 (*CUF*, t. V, p. 67). Astylos et Crison sont cités par PLATON comme exemples d'athlètes qui, durant leur entraînement, n'approchaient jamais ni femme ni jeune garçon (*Lois* VIII, 840a) (note de P. Descourtieux).

3. Même détail que chez Platon à propos d'Amoebée le citharède chez ÉLIEN, contemporain plus jeune de Clément (*Histoire variée* III, 30 ; cf. *De la personnalité des animaux* VI, 1).

4. Sur les diverses attestations et versions de cette anecdote, voir la note compl. 3, *infra* p. 348-349.

5. Le jugement de Clément sur la continence des athlètes rejoint celui de PLATON : « Et cependant, Clinias, pour ce qui est de l'âme, ces hommes étaient dans une condition bien inférieure à celle de nos concitoyens » (*Lois* VIII, 840a). C'est l'accent mis sur « l'amour de Dieu » qui est la note personnelle de Clément, Platon retenant, lui, pour motif principal le bonheur de la maîtrise de soi (840b-c).

2 Αὐτίκα περὶ τῶν βδελυσσομένων τὸν γάμον Παῦλος
ὁ μακάριος λέγει· «Ἐν ὑστέροις καιροῖς ἀποστήσονταί
10 τινες τῆς πίστεως, προσέχοντες πνεύμασι πλάνοις καὶ
διδασκαλίαις δαιμονίων[b]», «κωλυόντων γαμεῖν, ἀπέχεσθαι
βρωμάτων[c]», 3 καὶ πάλιν λέγει· «Μηδεὶς ὑμᾶς κατα-
βραβευέτω[d]» «ἐν ἐθελοθρησκείᾳ ταπεινοφροσύνης καὶ
ἀφειδίᾳ σώματος[e]». Ὁ δὲ αὐτὸς κἀκεῖνα γράφει· «Δέδεσαι
15 γυναικί; μὴ ζήτει λύσιν· λέλυσαι ἀπὸ γυναικός; μὴ ζήτει
γυναῖκα[f]», καὶ πάλιν· «Ἕκαστος δὲ τὴν ἑαυτοῦ γυναῖκα
ἐχέτω[g]», «ἵνα μὴ πειράζῃ ὑμᾶς ὁ σατανᾶς[h]».

52 1 Τί δέ; Οὐχὶ καὶ οἱ παλαιοὶ δίκαιοι εὐχαρίστως
τῆς κτίσεως μετελάμβανον; Οἳ δὲ καὶ ἐπαιδοποιήσαντο
γήμαντες ἐγκρατῶς. Καὶ τῷ μὲν Ἠλίᾳ οἱ κόρακες ἔφερον
τροφὴν ἄρτους καὶ κρέα[a], καὶ Σαμουὴλ δὲ ὁ προφήτης,
5 [ἦν] ὃν καταλελοίπει κωλεὸν ἐξ ὧν ἤσθιε, φέρων ἔδωκε τῷ
Σαοὺλ φαγεῖν[b]. 2 Οἳ δέ, καὶ τούτους ὑπερφέρειν λέγοντες

52, 5 ἦν secl. Vi St

b 1 Tm 4, 1   c 1 Tm 4, 3   d Col 2, 18   e Col 2, 23   f 1 Co 7,
27   g 1 Co 7, 2   h 1 Co 7, 5
52 a Cf. 3 Rg 17, 6   b Cf. 1 Rg 9, 24

1. Contre les encratites, Clément exploite des formules de l'une des *Épîtres
pastorales* (ici 1 Tm 4, 1-3), qui contestaient déjà les interprétations rigoristes
de l'enseignement de Paul sur le mariage (voir la note *supra* sur 47, 3 – 48,
2a). Le raccourci qui unit ensuite les premiers mots de Col 2, 18 à une partie
de Col 2, 23a (elle-même légèrement modifiée) accentue la polémique de
cette lettre, probablement deutéro-paulinienne (voir R. BURNET, *Épîtres
et lettres. Ier-IIe siècle. De Paul de Tarse à Polycarpe de Smyrne*, Paris 2002,
p. 211-228), contre les extrémistes de l'ascèse, en explicitant la référence sous-
jacente *supra* 48, 3. Le recours à 1 Co 7, 27 et à des bribes de 1 Co 7, 2 et 5
fait tracer par Paul une voie moyenne, proche de celle d'Isidore (voir *supra*
2, 1), alors que 1 Co 7, 5 soutient l'encratisme de Tatien (*infra* 81, 2 ; 82, 1).

2. Clément peut songer aux Psaumes de louange, et aux « offrandes de
salut », ou « de reconnaissance » du *Lévitique*. Il faut imiter le roi hébreu

L'autorité de Paul en faveur du mariage
2 Pareillement, à propos de ceux que dégoûte le mariage, le bienheureux Paul déclare[1] : « Dans les derniers temps, certains se détourneront de la foi pour s'attacher à des esprits trompeurs et des doctrines de démons[b] », « proscrivant le mariage et interdisant l'usage d'aliments[c] ». 3 Il dit aussi : « Que personne n'aille vous frustrer de la victoire[d] », « par une affectation religieuse d'humilité et par dureté à l'égard du corps[e] ». C'est également lui qui écrit ceci : « Es-tu lié à une femme ? Ne cherche pas à rompre. Es-tu sans femme ? N'en cherche pas[f] », ainsi que : « Que chacun ait sa propre femme[g] », « pour éviter que Satan ne vous tente[h] ! »

52

Respect des prophètes, du Christ et des Apôtres pour la création
1 Que dire encore ? Les justes anciens n'usaient-ils pas de la création avec des actions de grâces[2] ? Ils ont même engendré des enfants dans un mariage continent[3]. Les corbeaux apportaient à Élie de quoi se nourrir, du pain et de la viande[a], et le prophète Samuel s'empressa de donner à manger à Saül la cuisse qui restait de son repas[b4]. 2 Mais ces gens-là, qui prétendent

---

« juste, plein de gratitude » (*Péd.* II, 43, 3, citant Ps 32, 1-3 ; cf *Strom.* I, 8, 3-4, citant Ps 50, 9-14). L'âme rend grâces à Dieu (*Strom.* VI, 113, 3 ; cf. *Péd.* III, 101, 2), en toute activité (*Strom.* VII, 35, 6 ; cf. 62, 1 ; 79, 2 ; 83, 3).

3. Parmi « les justes anciens » qui « ont engendré dans un mariage continent », il y a en particulier Isaac, « le mari d'une seule femme, Rébecca, qu'on traduit par 'endurance' » (*Strom.* I, 31, 3 ; cf. PHILON, *Congr.* 34-37). Moïse « amenait peu à peu les Juifs à la continence » (*infra* III, 73, 1 et tout le développement 71, 4 – 73, 1 ; cf. 57, 3 ; *Strom.* V, 51, 2-3). La procréation dans la continence est prônée *infra* 58, 1-2 (cf. *Strom.* IV, 147, 1). Clément exploite la doctrine stoïcienne du plaisir comme simple instrument en *Strom.* II, 118, 7 – 119, 2 (cf. II, 107, 3).

4. Dieu prend soin de nourrir Élie. La part de repas réservée par Samuel à Saül est une marque d'honneur, qui précède le sacre du roi.

πολιτείᾳ καὶ βίῳ, οὐδὲ συγκριθῆναι ταῖς ἐκείνων πράξεσι δυνήσονται. 3 « Ὁ μὴ ἐσθίων τοίνυν τὸν ἐσθίοντα μὴ ἐξουθενείτω, ὁ δὲ ἐσθίων τὸν μὴ ἐσθίοντα μὴ κρινέτω. Ὁ θεὸς γὰρ αὐτὸν Ιπροσελάβετο ᶜ. »

4 Ἀλλὰ καὶ ὁ κύριος περὶ ἑαυτοῦ λέγων « Ἦλθεν » φησὶν « Ἰωάννης μήτε ἐσθίων μήτε πίνων, καὶ λέγουσι· Δαιμόνιον ἔχει. Ἦλθεν ὁ υἱὸς τοῦ ἀνθρώπου ἐσθίων καὶ πίνων, καὶ λέγουσιν· Ἰδοὺ ἄνθρωπος φάγος καὶ οἰνοπότης, φίλος τελωνῶν καὶ ἁμαρτωλός ᵈ. »

5 Ἦ καὶ τοὺς ἀποστόλους ἀποδοκιμάζουσι; Πέτρος μὲν γὰρ καὶ Φίλιππος ἐπαιδοποιήσαντο, Φίλιππος δὲ καὶ τὰς θυγατέρας ἀνδράσιν ἐξέδωκεν, 1 καὶ ὅ γε Παῦλος οὐκ

c Rm 14, 3   d Mt 11, 18-19

1. Les « actions » sont les hauts faits des « justes anciens », par la volonté et sous la bénédiction de Dieu ; elles n'ont rien de commun avec les privations des encratites.

2. Rm 14, 3 a la même portée que Rm 14, 17 en 48, 3 *supra*. En *Péd.* II, 10, 3, Rm 14, 6 éclaire Rm 14, 3, pour faire de « la juste nourriture une action de grâces ». Dans la citation présente de Rm 14, 3, les sujets « celui qui mange » et « celui qui ne mange pas » sont intervertis, à la différence de *Péd.* II, 10, 3.

3. Le recours à Mt 11, 18-19 alourdit encore le jugement sur l'incongruité, l'inanité des exigences exclusivement formelles. La leçon ἁμαρτωλός, « pécheur », au lieu de « ami ... des pécheurs » aggrave le blasphème. Mt 11, 19 est déjà utilisé contre les « encratites » en *Péd.* II, 32, 4 – 33, 1).

4. Eusèbe, après avoir cité *Strom.* III, 25, 6 – 26, 3, sur Nicolas (*Histoire ecclésiastique* III, 29, 2-4), ajoute des passages où Clément « énumère ceux des apôtres qui ont vécu dans le mariage, à cause de ceux qui condamnent les noces » : *Strom.* III, 52, 4 – 53, 1 et *Strom.* VII, 63, 3 – 64, 1 (*Histoire ecclésiastique* III, 30). La « belle-mère » de Simon (Pierre), malade, est mentionnée en Mc 1, 30-31 (cf. Mt 1, 29-31 ; Lc 4, 38-39). C'est la première guérison opérée par Jésus dans l'*Évangile de Marc*. Les controverses sur le

l'emporter sur eux par leur manière de vivre, ne pourront même pas soutenir la comparaison avec leurs actions[1].

3 « Dès lors, que celui qui ne mange pas ne méprise pas celui qui mange ; que celui qui mange ne juge pas celui qui ne mange pas, car Dieu l'a accueilli[c2]. »

4 Bien plus, parlant de lui-même, le Seigneur dit : « Jean est venu, sans manger ni boire, et ils disent : Il a un démon. Le Fils de l'homme est venu, mangeant et buvant, et ils disent : Voilà un glouton et un ivrogne, un ami des publicains et un pécheur[d3]. »

5 Vont-ils accuser également les apôtres d'indignité ? En effet, Pierre et Philippe ont eu des enfants[4] ; Philippe a même donné ses filles en mariage[5],   1 et, dans une *Lettre*, Paul

3

---

mariage des apôtres dans l'Antiquité sont indissociables des discussions portant plus largement sur l'interprétation de 1 Co 7 (voir E.A. CLARK, *Reading Renunciation*, p. 259-329). Le sujet est étudié, à partir d'un fragment syriaque faussement attribué à Épiphane, par D.L. EASTMAN, « 'Epiphanius' and Patristic Debates on the Marital Status of Peter and Paul », p. 499-518, qui commente notamment le recours à *Strom.* III, 52, 5 – 53,1 du Syro-oriental, au IXe siècle, Isho'dad de Merv, lequel ajoute, comme étant l'opinion de Clément, que Marc était le fils de Pierre, sa mère étant Marie mentionnée en Ac 12, 12. Un *Acte de Pierre* conservé en copte met en scène la fille de l'apôtre, hémiplégique (voir A.L. MOLINARI, *'I never Knew the Man' : The Coptic Act of Peter [Papyrus Berolinensis 8502.4] : its Independence from the Apocryphal Acts of Peter, Genre and Legendary Origins*, Leuven 2000). Cet écrit manifeste un « jusqu'au-boutisme encratite » (M. TARDIEU, *Écrits gnostiques. Codex de Berlin*, Paris 1984, p. 69, qui traduit le texte, p. 217-222, et le commente, p. 403-410 ; voir aussi la traduction de G. POUPON dans *EAC* 1, p. 1049-1052).

5. D'après Ac 21, 8-9 Philippe, l'un des Sept, qui a mérité le titre d'« évangéliste », « avait quatre filles vierges qui prophétisaient ». Papias d'Hiérapolis en Phrygie au milieu du IIe siècle et Polycrate d'Éphèse à la fin de ce même siècle, parlaient de ces filles (EUSÈBE, *Histoire ecclésiastique* III, 39, 9 et III, 31, 3 ; V, 24, 2-8). Les *Actes de Philippe* ont une

ὀκνεῖ ἔν τινι ἐπιστολῇ τὴν αὐτοῦ προσαγορεύειν σύζυγον[a], ἣν
οὐ περιεκόμιζεν διὰ τὸ τῆς ὑπηρεσίας εὐσταλές. 2 Λέγει
οὖν ἔν τινι ἐπιστολῇ· «Οὐκ ἔχομεν ἐξουσίαν ἀδελφὴν γυναῖκα
5 περιάγειν, ὡς καὶ οἱ λοιποὶ ἀπόστολοι[b];» 3 Ἀλλ᾽ οὗτοι
μὲν οἰκείως τῇ διακονίᾳ, ἀπερισπάστως[c] τῷ κηρύγματι
προσανέχοντες, οὐχ ὡς γαμετάς, ἀλλ᾽ ὡς ἀδελφὰς περιῆγον
τὰς γυναῖκας συνδιακόνους ἐσομένας πρὸς τὰς οἰκουροὺς
γυναῖκας, δι᾽ ὧν καὶ εἰς τὴν γυναικωνῖτιν ἀδιαβλήτως παρ-
10 εισεδύετο ἡ τοῦ κυρίου διδασκαλία. 4 Ἴσμεν γὰρ καὶ ὅσα
περὶ διακόνων γυναικῶν ἐν τῇ ἑτέρᾳ πρὸς Τιμόθεον ἐπιστολῇ
ὁ γενναῖος διατάσσεται Παῦλος[d]. Ἀλλὰ μὴν ὁ αὐτὸς οὗτος

53, 6 ἀπερισπάστως Po St : ἀπερισπάστῳ L

---

53 a Cf. Ph 4, 3   b 1 Co 9, 5   c Cf. 1 Co 7, 35   d Cf. 1 Tm 5, 9-10

forte empreinte encratite (voir l'introduction de F. AMSLER, dans *EAC* 1,
p. 1181-1184). Clément exploite une autre tradition, contre les adversaires
du mariage. Il est le témoin de la confusion entre Philippe « l'apôtre » et
Philippe « l'évangéliste ».

1. Clément interprète Ph 4, 3 comme désignant la « compagne » de
Paul et trouve une confirmation en 1 Co 9, 5. ORIGÈNE (*ComRom* I, 3, 6,
SC 532, p. 158-159) mentionne cette interprétation, tout en notant que,
pour d'autres, Paul est sans épouse (cf. 1 Co 7, 7-8).

2. En appliquant l'adverbe ἀπερισπάστως, « sans tiraillement » (« sans
se laisser distraire ») de 1 Co 7, 35 à la situation de Paul telle qu'il la perçoit
d'après Ph 4, 3, Clément comprend que son « épouse » est devenue une
« sœur » pour lui (cf. 1 Co 9, 5 : « une femme sœur »).

3. La collaboration de ces « sœurs » à la mission apparaît comme le
moyen de respecter la norme sociale, la séparation du « gynécée ». La
règle est au contraire enfreinte dans les récits des Actes apocryphes des
apôtres : ainsi Thècle accompagne-t-elle Paul dans ses déplacements, au
risque de graves méprises ou de scandale (*Actes de Paul et de Thècle*, 26 ;
40-41, dans *EAC* 1, p. 1137 ; 1141-1142). Les *Constitutions apostoliques*
(III, 16, 1) sont en accord avec la remarque de Clément : « Choisis aussi

n'hésite pas à s'adresser à sa compagne[a1], qu'il ne faisait pas venir avec lui pour rendre plus aisé son service.   2 Il s'exprime donc dans une *Lettre* en ces termes : « N'avons-nous pas le pouvoir d'emmener une femme, une sœur, comme les autres apôtres[b] ? »   3 Ceux-ci se vouant sans tiraillement[c2] à la prédication, conformément à leur ministère, ils emmenaient leurs femmes avec eux, non comme des épouses, mais comme des sœurs, pour en faire les collaboratrices de leur ministère auprès des femmes qui gardaient la maison ; grâce à elles, l'enseignement du Seigneur s'introduisait sans attirer de calomnies jusque dans le gynécée[3].   4 Nous savons, en effet, ce que prescrit le noble Paul à propos des femmes diacres dans l'une des deux *Lettres à Timothée*[d4]. C'est d'ailleurs lui qui

---

une diaconesse fidèle et sainte pour le service auprès des femmes. Car il arrive parfois dans certaines maisons que tu ne puisses envoyer aux femmes un diacre homme, à cause des incroyants ; tu enverras donc une femme diaconesse, à cause de l'opinion des malveillants » (*SC* 329, trad. M. METZGER, p. 155).

4. On a cru que Clément renvoyait par erreur à 2 Tm. Il emploie en fait ἡ ἑτέρα selon l'usage courant désignant, dans une paire, « l'une des deux » choses qui la composent. Il s'agit en 1 Tm 5, 9-10 du groupe des « veuves », appelées à accomplir certains services (« ministères ») dans la communauté, d'où l'épithète διακόνων retenue par Clément, en lien peut-être avec 1 Tm 3, 11 et Rm 16, 1. Le rôle des « diaconesses » est défini plus tard, en accord avec la *Didascalie* presque contemporaine de Clément, dans les *Constitutions apostoliques* III, 16, 1 (voir la traduction et les notes de M. METZGER, *SC* 329). A.G. MARTIMORT, *Les Diaconesses. Essai historique, Bibliotheca 'Ephemerides Liturgicae', Subsidia* 24, Rome 1982, p. 73-76) considère que Clément « n'appuie pas son explication sur les institutions contemporaines », sous prétexte qu'on « n'a pas trouvé trace de diaconesses dans les documents et monuments de l'Église d'Égypte ». Il minimise aussi le témoignage d'ORIGÈNE (voir *Homélies sur Luc* 17, 10 ; *Commentaire sur l'Épître aux Romains* X, 17). Les brèves remarques d'ORIGÈNE sur Rm 16, 1 (*ibid.* X, 17, 1-2) ne définissent pas plus précisément ce ministère féminin.

κέκραγεν ὡς «οὐκ ἔστιν ἡ βασιλεία τοῦ θεοῦ βρῶσις καὶ πόσις», οὐδὲ μὴν ἀποχὴ οἴνου καὶ κρεῶν, «ἀλλὰ δικαιοσύνη
15 καὶ εἰρήνη καὶ χαρὰ ἐν πνεύματι ἁγίῳ[e]».

5 Τίς αὐτῶν μηλωτὴν καὶ ζώνην δερματίνην ἔχων περι-έρχεται ὡς Ἠλίας[f]; Τίς δὲ σάκκον περιβέβληται γυμνὸς τὰ ἄλλα καὶ ἀνυπόδετος ὡς Ἡσαΐας[g]; ἢ περίζωμα μόνον λινοῦν, ὡς Ἱερεμίας[h]; Ἰωάννου δὲ τὴν ἔνστασιν τὴν γνωστικὴν τοῦ
20 βίου τίς μιμήσεται[i]; Ἀλλὰ καὶ οὕτω βιοῦντες ηὐχαρίστουν τῷ κτίσαντι οἱ μακάριοι προφῆται.

127ᵛ **54** 1 Ἡ δὲ Καρποκράτους δικαιοσύνη ‖καὶ τῶν ἐπ'ἴσης αὐτῷ τὴν ἀκόλαστον μετιόντων κοινωνίαν ὧδέ πως κατα-λύεται. Ἅμα γὰρ τῷ φάναι «Τῷ αἰτοῦντί σε δός» ἐπιφέρει· «Καὶ τὸν θέλοντα δανείσασθαι μὴ ἀποστραφῇς[a]», ταύτην
5 διδάσκων τὴν κοινωνίαν, οὐχὶ δὲ τὴν λάγνον. 2 Πῶς

---

e Rm 14, 17   f Cf. 3 Rg 19, 13.19 ; 4 Rg 1, 8   g Cf. Is 20, 2   h Cf. Jr 13, 1   i Cf. Mt 3, 4 ; Mc 1, 6
54 a Mt 5, 42

---

1. La reprise de Rm 14, 17 complète la citation introduite *supra* 48, 3 : la nature proprement religieuse de la « douceur » est ainsi dévoilée.

2. Voir p. 179, n. 4 *supra* sur 48, 3. Clément n'a en tête que des cita-dins. Le défi qu'il lance aux encratites sera relevé par les moines retirés au désert. Ainsi la « mélote » d'Élie (3 Rg 19, 13.19) deviendra-t-elle un de leurs vêtements (voir par exemple Athanase, *Vie d'Antoine* 91, 8.9 ; sur le personnage d'Élie dans le christianisme ancien, voir Sr É. Poirot, *Les prophètes Élie et Élisée dans la littérature chrétienne ancienne*, Abbaye de Bellefontaine 1997, avec inventaire des sources ; sur Clément : p. 349 ; 363-365 ; et *Élie, archétype du moine : pour un ressourcement prophétique de la vie monastique*, Abbaye de Bellefontaine 1995).

3. En Mt 3, 4, Jean porte « la ceinture de cuir » d'Élie. En *Péd.* II, 38, ce sont la frugalité et la simplicité de Jésus qui donnent pour modèle au chrétien « l'attitude qui n'a qu'un visage », la conduite devant être « en

s'écria : « Le royaume de Dieu n'est pas affaire de nourriture et de boisson », ni bien sûr d'abstention de vin et de viande, « mais de justice, de paix et de joie dans l'Esprit Saint[e1] ».

5 Qui parmi eux circule comme Élie, portant une peau de mouton et une ceinture de cuir[f] ? Qui a marché nu et sans chaussures, comme Isaïe, vêtu seulement d'un sac[g], ou avec une simple ceinture de peau, comme Jérémie[h] [2] ? Et qui imitera la manière de vivre gnostique de Jean[i3] ? Mais tout en vivant de la sorte, les bienheureux prophètes rendaient grâces au Créateur.

54

Contre l'avidité de Carpocrate et la continence extrême : la vraie communauté

1 Quant à la « justice » de Carpocrate et de ceux qui, comme lui, recherchent une communion sans retenue, voici une manière de la réfuter[4]. Quand le Seigneur dit : « Donne à qui te demande », il ajoute : « Et à qui veut t'emprunter, ne tourne pas le dos[a] » ; c'est cette communion-là qu'il enseigne, non une communion de luxure.   2 Or, comment

---

harmonie avec la disposition unique ». Le « gnostique » véritable devient « monadique » (*Strom.* IV, 157, 2). Or Jean a choisi « la vie calme de la solitude, loin de toute recherche futile, loin de l'indifférence morale, loin de toute mesquinerie » (*Péd.* II, 112, 2, *SC* 108, p. 213). Il fait encore partie des « prophètes » (*Péd.* I, 24, 4, citant Lc 7, 28 selon le texte : « ... nul n'est plus grand prophète que Jean ... » ; cf. *Strom.* I, 136, 2 ; V, 55, 1-3).

4. Le retour à Carpocrate (cf. *supra* 5, 1) et au traité de son fils Épiphane *Sur la justice* (cf. *supra* 6, 1) permet de réfuter une nouvelle fois le recours des dissolus à Mt 5, 42 (cf. *supra* 27, 3-5), en citant la seconde partie du verset. La controverse avec les encratites n'est pas interrompue pour autant, car ils devaient condamner la richesse, dont Clément souligne ensuite l'utilité.

δὲ ὁ αἰτῶν καὶ λαμβάνων καὶ δανειζόμενος ἀπὸ μηδενὸς
ὑπάρχοντος τοῦ ἔχοντος καὶ διδόντος καὶ δανείζοντος; 3 Τί
δ' ὅταν ὁ κύριος φῇ· «Ἐπείνασα καὶ ἐχορτάσατέ με,
ἐδίψησα καὶ ἐποτίσατέ με, ξένος ἤμην καὶ συνηγάγετέ με,
10 γυμνὸς καὶ περιεβάλετέ με[b]», εἶτα ἐπιφέρει· «Ἐφ' ὅσον
ἐποιήσατε ἑνὶ τούτων τῶν ἐλαχίστων, ἐμοὶ ἐποιήσατε[c].»
4 Οὐχὶ δὲ τὰ αὐτὰ καὶ ἐν τῇ παλαιᾷ διαθήκῃ νομοθετεῖ;
«Ὁ διδοὺς πτωχῷ δανείζει θεῷ[d]» καὶ «μὴ ἀπόσχῃ εὖ
55 ποιεῖν ἐνδεῆ[e]» φησίν,   1 καὶ πάλιν «ἐλεημοσύναι καὶ
πίστεις μὴ ἐκλιπέτωσάν σε[a]» εἶπεν. «Πενία» δὲ «ἄνδρα
ταπεινοῖ· χεῖρες δὲ ἀνδρείων πλουτίζουσιν[b]». Ἐπιφέρει
δέ· «Ἰδοὺ ἀνήρ, ὃς 'οὐκ ἔδωκεν ἐπὶ τόκῳ τὸ ἀργύριον
5 αὐτοῦ[c]'», ἀποδεκτὸς γίνεται· καὶ «λύτρον ψυχῆς ἀνδρὸς
ὁ ἴδιος πλοῦτος κρίνεται[d]» οὐχὶ διασαφεῖ ἄντικρυς; Ὡς
οὖν ἐξ ἐναντίων ὁ κόσμος σύγκειται ὥσπερ ἐκ θερμοῦ καὶ
<ψυχροῦ> ξηροῦ τε καὶ ὑγροῦ, οὕτω κἀκ τῶν διδόντων

54, 14 ἐνδεῆ St coll. Pr 3, 27 : ἐνδεεῖ L
55, 3 ἀνδρείων St coll. Pr 18, 4 : ἀνδρῶν L ‖ 4 ἰδοὺ ἀνήρ Sy St coll. Ez
9, 11 ; 40, 3 etc. : ἤδ' ἄν L ‖ 8 ψυχροῦ suppl. Sy St

b Mt 25, 35-36   c Mt 25, 40   d Pr 19, 17   e Pr 3, 27
55 a Pr 3, 3   b Pr 10, 4   c Ps 14, 5 + Ez 18, 8   d Pr 13, 8

1. *QDS* 13, 1 fait écho à ce thème : « Quelle possibilité de partage
resterait-il chez les hommes, si personne n'avait rien ? » (*SC* 537, p. 134).
2. En *QDS* 13, 2.6, Clément fait allusion à Mt 25, 35-36, pour défendre
le bon usage de l'argent, et cite Mt 25, 34-40 en *QDS* 30, 2-4, pour enra-
ciner le partage dans la volonté du Christ Jésus.
3. Le pluriel ἐλεημοσύναι, plus concret que le mot hébreu ainsi traduit, *hèsèd*, « bonté » en Pr 3, 3 (voir la note de D.-M. D'HAMONVILLE
dans *BA* 17, p. 173-174), peut être rendu par « aumônes » (cf. Ac 9, 36 ;
10, 2.4.31), sens attesté par un fragment de Clément cité par Anastase le
Sinaïte et par les *Sacra Parallela* (fr. 53 Stählin).

quelqu'un pourrait-il demander, recevoir et emprunter, s'il n'y a personne pour posséder, donner et prêter[1] ?   **3** Que dire encore ? Quand le Seigneur déclare : « J'ai eu faim, et vous m'avez nourri ; j'ai eu soif, et vous m'avez donné à boire ; j'étais étranger, et vous m'avez accueilli, nu et vous m'avez vêtu[b] », il ajoute ensuite : « Tout ce que vous avez fait à l'un de ces tout-petits, c'est à moi que vous l'avez fait[c2]. »

4 Ne promulgue-t-il pas les mêmes lois dans l'Ancien Testament ? Il dit : « Qui donne à un mendiant prête à Dieu[d] », et « ne cesse pas de faire du bien à un pauvre[e] », **1** ainsi que « aumônes[3] et créances ne t'abandonneront pas[a] », et « pauvreté humilie l'homme, mains viriles l'enrichissent[b] [4] ». Il ajoute : « Voici un homme qui ʽn'a pas donné son argent avec intérêt[c] ʼ » ; il se rend agréable (à Dieu) ; et ne montre-t-il pas clairement et ouvertement que « la richesse personnelle d'un homme vaut rançon de son âme[d5] » ? Le monde est constitué de contraires – le chaud et le froid, le sec et l'humide[6] : de même, il se compose de ceux qui donnent et de

4. Pr 19, 14 (17 LXX), associé à Pr 10, 4, est déjà commenté en *Péd.* II, 129, 1 dans le même sens.

5. La citation qui suit Pr 10, 4 ne correspond exactement ni à Ps 14, 5 ni à Ez 18, 8 et le composé ἀποδεκτός, à la différence du simple δεκτός, « agréé », ou « agréable » (ainsi en Pr 12, 22b ; 22, 11b), est absent de la Septante. Il est possible que soit exploité ici un dossier déjà constitué sur ce thème, à partir du livre des *Proverbes*, dans lequel était insérée la parole que le Seigneur « ajoute ».

6. La thèse de l'harmonie des contraires, que l'on retrouve en *Protr.* 5, 1 (*SC* 2bis, p. 57) et *Strom.* IV, 40, 3 (*SC* 464, p. 126, l. 15, n. 2) apparaît déjà chez les disciples de Pythagore comme Alcméon de Crotone (J.-P. DUMONT, *Les Présocratiques*, coll. *Bibliothèque de la Pléiade* 388, Paris 1988, p. 226). PLATON y fait allusion dans le *Banquet* 186de (*CUF*, t. IV/2, p. 24-25) et le *Phédon* 86b (« Notre corps est en quelque sorte intérieurement tendu et maintenu par le chaud et le froid, le sec et l'humide », *CUF*, t. IV, p. 24-25) (note de P. Descourtieux).

κἀκ τῶν λαμβανόντων. 2 Πάλιν τε αὖ ὅταν εἴπῃ· «Εἰ
10 θέλεις τέλειος γενέσθαι, πωλήσας τὰ ὑπάρχοντα δὸς
πτωχοῖς[e]», ἐλέγχει τὸν καυχώμενον ἐπὶ τῷ πάσας τὰς
ἐντολὰς ἐκ νεότητος τετηρηκέναι[f]· οὐ γὰρ πεπληρώκει
τὸ «ἀγαπήσεις τὸν πλησίον σου ὡς ἑαυτόν[g]». Τότε δὲ
ὑπὸ τοῦ κυρίου συντελειούμενος ἐδιδάσκετο δι' ἀγάπην
15 μεταδιδόναι.

56 1 Καλῶς οὖν πλουτεῖν οὐ κεκώλυκεν, ἀλλὰ γὰρ τὸ
ἀδίκως καὶ ἀπλήστως πλουτεῖν· «κτῆσις» γὰρ «ἐπισπευδομένη μετὰ ἀνομίας ἐλάττων γίνεται[a]». «Εἰσὶ»
128[r] γὰρ «οἳ σπείροντες πλείονα ποιοῦσι, καὶ οἳ συνάγοντες
5 ἐλαττοῦνται[b]» περὶ ὧν γέγραπται· «Ἐσκόρπισεν, ἔδωκεν
τοῖς πένησιν, ἡ δικαιοσύνη αὐτοῦ μένει εἰς τὸν αἰῶνα[c].»
2 Ὁ μὲν γὰρ σπείρων καὶ πλείονα συνάγων[d] οὗτός ἐστιν ὁ
διὰ τῆς ἐπιγείου καὶ προσκαίρου μεταδόσεως τὰ οὐράνια
κτώμενος[e] καὶ τὰ αἰώνια, ἕτερος δὲ ὁ μηδενὶ μεταδιδούς,

56, 1 τὸ L[pc] : τῶν L[ac]

e Mt 19, 21; cf. Mc 10, 21; Lc 18, 22   f Cf. Mc 10, 20; Lc 18, 21;
Mt 19, 20   g Mt 19, 19; Mc 12, 31
56 a Pr 13, 11   b Pr 11, 24   c Ps 111, 9   d Cf. Pr 11, 24 + Pr 13, 11
e Cf. Mt 19, 21

1. Le traité *Quel riche sera sauvé?* est une vaste chambre de résonance
pour ce passage. Plus précisément, *QDS* 9, 1 semble être une variation sur
le texte présent.

2. Pr 13, 11a est traduit ainsi par D.-M. D'HAMONVILLE (*BA* 17,
p. 236) : « Fortune acquise à la hâte avec fraude diminue. » Le stique se
trouve déjà en *Péd.* III, 91, 3, avec la leçon bien attestée ἐπισπουδαζομένη,
« acquise à la hâte », au lieu de ἐπισπευδομένη ici, un emploi au passif
de cette forme du verbe qui paraît erratique.

3. Une allusion à Pr 11, 24b fustige les riches insatiables en *Péd.* II, 39,
1, où est cité aussi, à l'appui de la dénonciation, Ag 1, 6, invoqué ici en

ceux qui reçoivent.   **2** Par ailleurs, lorsque (le Seigneur) dit : « Si tu veux être parfait, vends tes biens et donne-les à des pauvres[e] », il critique celui qui se vantait d'avoir observé tous les commandements depuis sa jeunesse[f], car il n'avait pas accompli celui qui dit : « Tu aimeras ton prochain comme toi-même[g] », et il recevait alors du Seigneur une leçon de perfection en apprenant à partager par amour[1].

6   **1** (Le Seigneur) n'a donc pas défendu d'être riche honnêtement, mais bien d'être riche d'une manière injuste et insatiable, car « un bien qui s'accroît dans l'iniquité diminue[a2] ». « Certains », en effet, « multiplient en semant ; d'autres ont moins en amassant[b3] » ; c'est au sujet des premiers qu'il est écrit : « Il fit des largesses, il donna aux pauvres ; sa justice demeure dans l'éternité[c4]. »   **2** Car celui qui sème et amasse davantage[d], c'est celui qui, en partageant des biens terrestres et temporaires, acquiert les biens célestes[e] et éternels[5]. L'autre, c'est celui qui n'a partagé avec personne et

---

56, 2. Pr 11, 24[1] est associé à Ps 111, 9, dans le même contexte qu'ici, en *Péd.* III, 35, 5. Le stique intervient en outre dans une tout autre réflexion en *Strom.* I, 95, 1, à propos de la connaissance partielle qu'obtiennent les philosophes grecs.

4. En Ps 111, 9 ἐσκόρπισεν, « il dispersa », est pris en bonne part : « Il fit des largesses » – contrairement à Mt 12, 30 : « Qui ne rassemble pas avec moi disperse ». Le Ps 111 pourrait, par son style et ses thèmes, appartenir au genre des Proverbes. Dans la Septante cette similitude semble avoir gouverné l'addition en Pr 13, 11 d'un troisième stique très proche de Ps 111, 5 (voir la note de D.-M. d'Hamonville, *BA* 17, p. 237). On conçoit d'autant mieux que versets psalmiques et dits des *Proverbes* aient pu être réunis, dans un recueil de *testimonia* moraux (voir *supra* 55, 1).

5. La réécriture mêle Pr 11, 24 et Pr 13, 11[2], pour ne retenir que l'exemple du partage, commenté par une nouvelle référence à la réponse de Jésus à l'homme riche (Mc 10, 21), selon une visée semblable à celle de *Péd.* III, 34, 3 et *QDS* 19, 5.

10 κενῶς δὲ «θησαυρίζων ἐπὶ τῆς γῆς ὅπου σὴς καὶ βρῶσις
ἀφανίζει^f», περὶ οὗ γέγραπται· «συνάγων τοὺς μισθοὺς
συνήγαγεν εἰς δεσμὸν τετρυπημένον^g», 3 τούτου τὴν
χώραν εὐφορῆσαι λέγει ἐν τῷ εὐαγγελίῳ ὁ κύριος^h, ἔπειτα
τοὺς καρποὺς ἀποθέσθαιⁱ βουληθέντα, «οἰκοδομησόμενον
15 ἀποθήκας μείζονας^j» κατὰ τὴν προσωποποιΐαν εἰπεῖν
πρὸς ἑαυτόν· «Ἔχεις ἀγαθὰ πολλὰ ἀποκείμενά σοι εἰς ἔτη
πολλά, φάγε, πίε, εὐφραίνου· ἄφρον» οὖν, ἔφη, «ταύτῃ
γὰρ τῇ νυκτὶ τὴν ψυχήν σου ἀπαιτοῦσιν ἀπὸ σοῦ. Ἃ οὖν
ἡτοίμασας, τίνι γένηται^k;»

57 1 Ἡ μὲν οὖν ἀνθρωπίνη ἐγκράτεια, ἡ κατὰ τοὺς φιλο-
σόφους λέγω τοὺς Ἑλλήνων, τὸ διαμάχεσθαι τῇ ἐπιθυμίᾳ καὶ
μὴ ἐξυπηρετεῖν αὐτῇ εἰς τὰ ἔργα ἐπαγγέλλεται, ἡ καθ᾽ ἡμᾶς
δὲ τὸ μὴ ἐπιθυμεῖν, οὐχ ἵνα τις ἐπιθυμῶν καρτερῇ, ἀλλ᾽ ὅπως
5 καὶ τοῦ ἐπιθυμεῖν ἐγκρατεύηται. 2 Λαβεῖν δὲ ἄλλως οὐκ

10 δὲ Ma St : καὶ L
57, 5 τοῦ L : τὸ Sacr. Par.

f Mt 6, 19   g Ag 1, 6   h Cf. Lc 12, 16   i Cf. Lc 12, 17   j Lc 12, 18
k Lc 12, 19-20

1. Une allusion à Mt 6, 19-20 est aussi présente en *Péd.* III, 34, 3 (cf.
QDS 13, 3 ; *Strom.* IV, 33, 4).
2. Sur Ag 1, 6, dont la fin est citée sous forme de proverbe, voir *BA* 23.
10-11, p. 75-76.
3. La relation entre Mt 6, 19 et la parabole de Lc 12, 16-21 est faite couramment par les exégètes. Elle est établie aussi par Clément en *Strom.* IV,
33, 4 et 34, 2, dans le dossier de paroles évangéliques opposant le vrai trésor
de l'âme aux préoccupations mondaines. Il repère ici une « prosopopée »,
définie par les rhéteurs comme « l'introduction d'un personnage articulant
des paroles qui sont appropriées sans équivoque à lui-même et à la situation » (THÉON, *Progymnasmata* 10, *Rhetores Graeci* II, p. 115 Spengel ;
voir B. NEUSCHÄFER, *Origenes als Philologe*, Bâle 1987, p. 476-477).

qui a vainement « accumulé un trésor sur terre, où le vers et la rouille détruisent[f 1] ». C'est à son sujet qu'il est écrit : « En amassant son salaire, il a amassé dans une bourse percée[g 2] », **3** lui dont le Seigneur dit dans l'Évangile que le champ avait été fertile[h]. Ensuite, voyant son désir d'engranger ses récoltes[i] dans l'intention de construire de plus vastes greniers[j], il lui fait s'adresser à lui-même ces propos imaginaires : « Tu as de nombreux biens entreposés pour de longues années ; mange, bois, réjouis-toi ! » — « Idiot ! », lui dit-il, « cette nuit même, on va te réclamer ton âme. Ce que tu t'es préparé, à qui cela ira-t-il donc[k 3] ? »

VII

La continence chrétienne opposée
à celle des philosophes et des Brahmanes

7

L'objet et l'extension de la continence véritable

1 Ainsi, selon les philosophes grecs, la continence humaine proclame qu'il faut faire la guerre à la convoitise et ne pas se mettre à son service dans les œuvres. Selon nous, elle consiste à ne rien convoiter, le but n'étant pas de résister fermement à la convoitise, mais de s'abstenir même de convoiter[4]. **2** Or, cette continence

---

4. Sur le thème philosophique rappelé ici, voir M.C. Nussbaum, *The Therapy of Desire. Theory and Practice in Hellenistic Ethics*, Princeton 1994 (en particulier ch. 10 : « The Stoics on the Extirpation of the Passions »). Sur la perfection de l'*apatheia* chrétienne, voir *Strom.* III, 69, 3 ; IV 36, 2 ; 40, 1 ; 152, 1 ; VI, 72, 1 ; 74, 1 ; VII, 13, 3 ; 84, 2.

ἔστι τὴν ἐγκράτειαν ταύτην ἢ χάριτι τοῦ θεοῦ. Διὰ τοῦτο
εἶπεν· «Αἰτεῖτε καὶ δοθήσεται ὑμῖν[a].» 3 Ταύτην ἔλαβεν
τὴν χάριν καὶ ὁ Μωϋσῆς τὸ ἐνδεὲς σῶμα περικείμενος, ἵνα
τεσσαράκοντα ἡμέρας μήτε πεινάσῃ μήτε διψήσῃ[b]. 4 Ὡς

10 δὲ ὑγιαίνειν ἄμεινον τοῦ νοσοῦντα περὶ ὑγείας διαλέγεσθαι,
οὕτω τὸ εἶναι φῶς[c] τοῦ περὶ φωτὸς λαλεῖν καὶ ἡ κατὰ
ἀλήθειαν ἐγκράτεια τῆς ὑπὸ τῶν φιλοσόφων διδασκο-
μένης. 5 Οὐ γὰρ ὅπου φῶς, ἐκεῖ σκότος· ἔνθα δέ ἐστιν

128ᵛ ἐπιθυμία |ἐγκαθεζομένη, μόνη τυγχάνουσα, κἂν τῇ ἐνεργείᾳ
15 ἡσυχάζῃ τῇ διὰ τοῦ σώματος, τῇ μνήμῃ συνουσιάζει πρὸς
τὸ μὴ παρόν.

58 1 Καθόλου δὲ ἡμῖν προΐτω ὁ λόγος περί τε γάμου περί
τε τροφῆς καὶ τῶν ἄλλων μηδὲν κατ᾽ ἐπιθυμίαν ποιεῖν,
θέλειν δὲ μόνα ἐκεῖνα τὰ ἀναγκαῖα. Οὐ γάρ ἐσμεν ἐπιθυμίας τέκνα, ἀλλὰ θελήματος[a]. 2 Καὶ τὸν ἐπὶ παιδοποιΐᾳ

---

7 αἰτεῖτε Lᵖᶜ : αἰτεῖσθε Lᵃᶜ ‖ 11 τὸ Lᵖᶜ : τοῦ Lᵃᶜ

57 a Mt 7, 7 ; Lc 11, 9   b Cf. Ex 34, 28   c Cf. Mt 5, 14 ; Ep 5, 8
58 a Cf. Jn 1, 13

1. Le passage 57, 1-2 (jusqu'à τοῦ θεοῦ) a été recueilli dans les *Sacra
Parallela*.

2. Mt 7, 7, auquel est lié l'*agraphon* 14 Resch (*Strom.* VII, 73, 1), est
souvent cité par Clément ; il soutient ailleurs la nécessité de la recherche
sincère (*Strom.* I, 51, 4 ; II, 116, 2 ; IV, 5, 3 ; V, 11, 1 ; 16, 7 ; VIII, 1, 2) ou le
pouvoir de la prière du gnostique (*Péd.* I, 91, 3 ; III, 36, 3 ; 40, 2 ; *Strom.* VI,
78, 1 ; 101, 4 ; VII, 73, 1).

3. Clément a pu lire ce trait chez PHILON (*Mos.* II, 69 : Moïse trouvait
préférables « les nourritures de la contemplation »).

4. Des antithèses semblables sont déjà proposées *supra* 44, 1-3. Mt 7,
14 sert en *QDS* 36, 1 à désigner « les élus parmi les élus ». L'allusion est
ici plutôt à Ep 5, 8.

ne se reçoit que par la grâce de Dieu[1], qui a dit pour cela :
« Demandez, et il vous sera donné[a2]. » 3 Cette grâce,
Moïse lui aussi la reçut, alors qu'il vivait dans un corps
marqué par le besoin, pour rester quarante jours sans avoir
faim ni soif[b3]. 4 Or, être en bonne santé vaut mieux que
de discourir sur elle en étant malade, et être lumière[c] vaut
mieux que d'en parler[4] : de même, la véritable continence
l'emporte sur celle qu'enseignent les philosophes. 5 En
effet, dans la lumière, il n'est pas de ténèbres[5], alors qu'une
fois installée, la convoitise suffit à elle seule pour s'unir
sexuellement par la mémoire[6] à l'objet absent, même sans
activité du corps.

58 1 De façon générale, qu'il s'agisse de mariage, de nourriture ou du reste, notre doctrine sera encore de ne rien
faire par convoitise et de ne vouloir que le nécessaire[7],
car nous ne sommes pas fils de la convoitise, mais de la
volonté[a8]. 2 Celui qui s'est marié pour avoir des enfants

5. Par l'image de la lumière, l'absence de convoitise apparaît comme l'état
parfait du baptisé, « illuminé » (voir *Péd.* I, 28, 2-3 ; 29, 4 ; cf. *Strom.* VI,
159, 5).

6. « S'unir sexuellement » : le verbe est précis, en lien avec les emplois
du nom συνουσία (voir *supra* 18, 3 ; 34, 1 ; 37, 1 ; 46, 5 ; *infra* 83, 2 ; 102,
4 ; cf. 27, 5). La condamnation de l'union charnelle « par la mémoire »
accentue encore le rigorisme de Mt 5, 28, souvent cité par Clément (voir
supra 9, 1 ; 31, 1 ; 46, 3 ; cf. *Strom.* IV, 82, 2 ; voir aussi *Strom.* IV, 116, 1 ;
139, 3-4, sur les représentations nocturnes).

7. Le mariage est nécessaire (voir *Strom.* II, 140), à la différence de
l'union sexuelle, qui est seulement naturelle, selon une distinction
d'origine épicurienne transposée par Isidore, fils de Basilide, qui est cité
supra 3, 2. Clément adopte plus souvent la thèse stoïcienne, qui identifie
le nécessaire et le naturel, à propos de l'appétit, par exemple, opposé à la
convoitise (*Strom.* IV, 117, 5 ; voir aussi *infra* 59, 1).

8. Jn 1, 13 est ici transformé par la réhabilitation du « vouloir » face
aux passions de la convoitise.

5 γήμαντα ἐγκράτειαν ἀσκεῖν χρή, ὡς μηδ' ἐπιθυμεῖν τῆς
γυναικὸς τῆς ἑαυτοῦ, ἣν ἀγαπᾶν ὀφείλει, σεμνῷ καὶ σώφρονι
παιδοποιούμενος θελήματι. Οὐ γὰρ « τῆς σαρκὸς πρόνοιαν
ποιεῖσθαι εἰς ἐπιθυμίας[b] » ἐμάθομεν, « εὐσχημόνως » δὲ
ὡς « ἐν ἡμέρᾳ[c] » τῷ Χριστῷ καὶ τῇ κυριακῇ τῇ φωτεινῇ
10 ἀγωγῇ, « περιπατοῦντες, μὴ κώμοις καὶ μέθαις, μὴ κοίταις
καὶ ἀσελγείαις, μὴ ἔρισι καὶ ζήλοις[c] ».

59 1 Ἀλλὰ γὰρ οὐ μόνον περί τι ἓν εἶδος τὴν ἐγκράτειαν
συνορᾶν προσήκει, τουτέστι τὰ ἀφροδίσια, ἀλλὰ γὰρ
καὶ περὶ τὰ ἄλλα ὅσα σπαταλῶσα ἐπιθυμεῖ ἡ ψυχὴ ἡμῶν,
οὐκ ἀρκουμένη τοῖς ἀναγκαίοις, περιεργαζομένη δὲ τὴν
5 χλιδήν. 2 Ἐγκράτειά ἐστιν ἀργυρίου καταφρονεῖν, τρυφῆς,
κτήσεως, θέας καταμεγαλοφρονεῖν, στόματος κρατεῖν,
κυριεύειν λογισμῶν τῶν πονηρῶν. Ἤδη δὲ καὶ ἄγγελοί τινες
ἀκρατεῖς γενόμενοι ἐπιθυμίᾳ ἁλόντες οὐρανόθεν δεῦρο
καταπεπτώκασιν[a].

59, 7 λογισμῶν St : λογισμῷ L

---

b Rm 13, 14   c Rm 13, 13
59 a Cf. Gn 6, 2

---

1. Ce rejet de l'*eros* et du plaisir dans le mariage est stigmatisé par
K. GACA, *The Making of Fornication*, p. 271. L'amour « chaste » est
évoqué en *Strom.* IV, 116, 2.

2. « La direction lumineuse du Seigneur » (cf. *Péd.* I, 49, 4) fait écho
à « être lumière » (*supra* 57, 4 ; cf. *Strom.* IV, 141, 4).

3. Le verbe σπαταλάω, « incliner aux douceurs » (ou « vivre dans la
mollesse ») est employé en 1 Tm 5, 6 (voir *infra* 64, 1) ; cf. Si 21, 15.

4. Χλιδή, « volupté », appartient au vocabulaire classique (poétique
surtout) de la luxure ou de l'abandon aux excès (tout en signifiant aussi
« arrogance » chez les Tragiques). Clément affectionne le terme (*Péd.* III,
13, 2 ; 15, 1 ; 53, 2 ; 69, 2).

doit s'exercer à la continence pour éviter de convoiter même sa propre femme ; il doit l'aimer, mais c'est animé d'une volonté vénérable et tempérante qu'il engendre des enfants[1]. Car nous n'avons pas appris « à nous soucier de la chair en suscitant ses convoitises[b] », mais « à marcher honnêtement, comme en plein jour[c] », avec le Christ et sous la direction lumineuse du Seigneur[2], « et non dans les banquets et les beuveries, la luxure et la dépravation, les querelles et les jalousies[c] ».

59 1 En effet, la continence n'est pas à considérer simplement dans le seul domaine des relations sexuelles : elle s'applique également à tous les autres objets convoités par notre âme quand elle incline aux douceurs[3] et ne se contente pas des biens nécessaires, mais recherche opiniâtrement la volupté[4]. 2 Être continent[5], c'est dédaigner l'argent, traiter avec un profond mépris[6] le luxe, la richesse et les spectacles, régner sur sa langue, dominer les pensées mauvaises. Or, même certains anges, devenus dissolus sous l'emprise de la convoitise, sont déjà tombés du ciel ici-bas[a][7].

---

5. Voir *supra* 4, 1-2.

6. Καταμεγαλοφρονέω, « traiter avec un noble mépris » : voir aussi *Péd.* III, 35, 1 ; *Strom.* III, 101, 5 ; IV, 20, 2 ; 26, 4 ; VII, 40, 1 ; 74, 7 ; 79, 6.

7. Sur le mythe de la chute des anges greffé sur Gn 6, 2, voir A.Y. Reed, *Fallen Angels and the History of Judaism and Christianity. The Reception of Enochic Literature*, Cambridge 2005. Cette interprétation de Clément se trouve déjà en *Péd.* III, 14, 2 ; il en rapporte une autre, sur les conséquences de cette chute, en *Strom.* V, 10, 2 : voir R. Bauckham, « The Fallen Angels as the Source of Philosophy in Hermias and Clement of Alexandria », *VigChr* 39, 1985, p. 313-330 (surtout p. 323-325).

10 3 Οὐαλεντῖνος δὲ ἐν τῇ πρὸς Ἀγαθόποδα ἐπιστολῇ

«πάντα» φησὶν «ὑπομείνας ἐγκρατὴς ἦν· θεότητα
Ἰησοῦς εἰργάζετο, ἤσθιεν καὶ ἔπινεν ἰδίως οὐκ ἀποδιδοὺς
τὰ βρώματα. Τοσαύτη ἦν αὐτῷ ἐγκρατείας δύναμις, ὥστε
καὶ μὴ φθαρῆναι τὴν τροφὴν ἐν αὐτῷ, ἐπεὶ τὸ φθείρεσθαι
15 αὐτὸς οὐκ εἶχεν[b]».

4 Ἡμεῖς μὲν οὖν δι' ἀγάπην τὴν πρὸς τὸν κύριον καὶ
129[r] δι' αὐτὸ τὸ καλὸν ἐγκράτειαν ἀσπαζόμεθα, ᶦτὸν νεὼν τοῦ
πνεύματος[c] ἁγιάζοντες· καλὸν γὰρ «διὰ τὴν βασιλείαν
τῶν οὐρανῶν[d]» εὐνουχίζειν ἑαυτὸν πάσης ἐπιθυμίας καὶ
20 «καθαρίζειν τὴν συνείδησιν ἀπὸ νεκρῶν ἔργων εἰς τὸ
60 λατρεύειν θεῷ ζῶντι[e]». 1 Οἳ δέ, διὰ τὸ μῖσος τὸ πρὸς τὴν

---

b VALENTIN, fr. 3 Völker   c Cf. 1 Co 3, 16; 1 Co 6, 19   d Mt 19,
12   e He 9, 14

---

1. Sur ce fragment de Valentin, voir la note compl. 4, *infra* p. 349-350. ~
Clément cite Valentin à l'appui de sa doctrine de la continence, Jésus étant
l'exemple incomparable, lui qui « pratiquait la divinité ». L'allusion à Ps 15,
10 à la fin du fragment est développée en *Strom.* VI, 49, 3, où l'absence de
corruption est promise à tout croyant, à travers le Christ. Clément n'est
pas loin d'épouser l'opinion de Valentin en *Strom.* VI, 71, 2. Ce sont des
considérations comme celles-ci, et d'autres qui devaient se trouver dans les
Hypotyposes, qui ont conduit PHOTIUS à accuser Clément d'avoir professé
que le Logos avait seulement « semblé » s'être incarné (*Bibliothèque, Codex*
109, *CUF*, t. II, p. 80, l. 20-21 Henry). Sur ce sujet, et sur la façon dont la
doctrine de Clément se situe par rapport aux diverses formes de christologie de son temps que l'hérésiologie a taxées de docétisme, une mise au
point éclairante et approfondie a été faite par P. ASHWIN-SIEJKOWSKI,
*Clement of Alexandria on Trial. The Evidence of ' Heresy' from Photius'
Bibliotheca, Supplements to Vigiliae Christianae* 101, Leyde 2010, p. 95-111.

Le témoignage de Valentin   3 Valentin, dans sa *Lettre à Agathopous*, dit[1] :

« En supportant tout, il était continent ; Jésus pratiquait la divinité ; il mangeait et buvait d'une manière qui lui était propre, sans rejeter les aliments. Telle était la force de sa continence que la nourriture, en lui, ne se corrompait pas, puisque lui-même n'avait pas le principe de la corruption[b 2]. »

L'amour, fondement de la continence   4 Pour nous, c'est par amour du Seigneur et par égard pour le bien lui-même que nous chérissons la continence[3], sanctifiant ainsi le temple de l'Esprit[c 4]. Car il est bien de « se rendre eunuque » de toute convoitise « pour le royaume des cieux[d 5] », et de « purifier sa conscience des œuvres de mort pour se livrer au culte du

60 Dieu vivant[e 6] ».   1 Mais eux, c'est par haine à l'égard de

---

2. Le passage a été intégré – sans le nom de Valentin ni indication du titre – à une lettre faussement attribuée à Basile de Césarée (*Lettre* 366 ; voir l'édition et la traduction par Y. Courtonne, *CUF*, t. III, p. 228-229), qui paraphrase aussi des formules de Clément prises dans le contexte.

3. Cf. *supra* 51, 1. C'est la transposition chrétienne de la notion stoïcienne des biens qui sont à choisir pour eux-mêmes (voir *Strom.* VI, 98, 3 et IV, 29, 4, avec les notes *ad loc.* de SC 446 et 463).

4. La sanctification du corps comme temple de Dieu ou de l'Esprit (1 Co 3, 16-17 et 6, 19) est un leitmotiv de l'ascèse selon Clément (*Strom.* III, 77, 3 ; IV, 137, 3 ; 161, 2 ; VI, 60, 2 ; VII, 82, 2 ; *QDS* 18, 2).

5. La citation de Mt 19, 12 renvoie au débat du début du livre. Clément en donne ici son interprétation, comme *infra* 99, 4, où la « faute » remplace la « convoitise ».

6. Clément ne cite pas ailleurs He 9, 14.

σάρκα τῆς κατὰ γάμον συναλλαγῆς καὶ τῆς τῶν καθηκόντων
βρωμάτων μεταλήψεως ἀχαρίστως ἀπαλλάττεσθαι ποθοῦντες,
ἀμαθεῖς τε καὶ ἄθεοι, ἀλόγως ἐγκρατευόμενοι, καθάπερ τὰ
5 πλεῖστα τῶν ἄλλων ἐθνῶν.

2 Βραχμᾶναι γοῦν οὔτε ἔμψυχον ἐσθίουσιν οὔτε οἶνον
πίνουσιν· ἀλλ' οἱ μὲν αὐτῶν καθ' ἑκάστην ἡμέραν ὡς ἡμεῖς
τὴν τροφὴν προσίενται, ἔνιοι δ' αὐτῶν διὰ τριῶν ἡμερῶν,
ὥς φησιν Ἀλέξανδρος ὁ Πολυΐστωρ ἐν τοῖς Ἰνδικοῖς[a]·
10 καταφρονοῦσι δὲ θανάτου καὶ παρ' οὐδὲν ἡγοῦνται τὸ
ζῆν· πείθονται γὰρ εἶναι παλιγγενεσίαν, ἃ δὲ σέβουσιν

60, 11 ἃ L : θεοὺς Mü St

---

60 a ALEXANDRE POLYHISTOR, *Indica, FGrHist* 273

---

1. Ces griefs contre les encratites ont été déjà formulés *supra* 40, 2 ;
45, 1 ; 46, 5 ; 48, 1 et contre les marcionites *supra* 12, 2-3 ; 25, 1-2. La
continence imparfaite des païens a été dénoncée *supra* 22, 1 ; 48, 2 ; 50,
4 – 51, 1. C'est aux coutumes d'un peuple barbare que l'encratisme est
maintenant comparé, selon un procédé hérésiologique exploité contre les
licencieux *supra* 11, 1, avec l'exemple des Mages (voir A. LE BOULLUEC,
La notion d'hérésie, p. 316-317 et 320-322).

2. Le terme « gymnosophistes » (*infra* 60, 4) est attesté pour la première fois dans le *Papyrus de Berlin 13044*, datant des environs de 100 av.
J.-C. et qui relate l'entretien d'Alexandre avec dix d'entre eux. Guillaume
Ducœur a étudié l'histoire des mots utilisés par les Grecs pour désigner
les sages indiens, et montré comment ce néologisme est lié à un *topos* qui
a bouleversé la logique des dénominations antérieures et qui a faussé la
perception des Grecs au sujet de la pensée brahmanique : G. DUCŒUR,
« Histoire d'une catégorie antique. Le Gymnosophiste indien », p. 463-
504. Clément fait une distinction entre eux et les « vénérables » (ou
« révérends »), alors qu'il s'en tient à l'usage générique en *Strom.* I, 71, 4
(cf. IV, 17, 3), tout en divisant les « gymnosophistes » en deux groupes, les
« sarmanes » et les « brahmanes », noms barbares qui ont besoin d'être
expliqués. Bien qu'il reprenne le cliché « gymnosophistes », il dépend en
effet des analyses plus fines de sources plus anciennes, soit directement,

la chair qu'ils désirent, avec ingratitude, se débarrasser des liens du mariage et de l'usage des aliments convenables ; ce sont des ignorants et des athées ; ils pratiquent la continence de façon déraisonnable, comme la plupart des païens [1].

Les pratiques des Indiens [2]

2 Ainsi, les brahmanes ne mangent pas de viande et ne boivent pas de vin, mais certains d'entre eux se nourrissent chaque jour, comme nous, et d'autres, tous les trois jours [3], comme l'affirme Alexandre Polyhistor dans ses *Indica* [a]. Ils méprisent la mort et n'accordent aucun prix à la vie ; ils croient, en effet, à la réincarnation [4] ; les objets qu'ils révèrent

---

dans le cas des *Indica* de Mégasthène (*Strom.* IV, 72, 5), soit indirectement, ici, par l'intermédiaire d'Alexandre, affranchi de Sylla, dit « Polyhistôr » en raison de sa grande science. Ces sources sont exploitées par STRABON lorsque, dans sa *Géographie* (XV, 1), il décrit la première classe de la société indienne, les « philosophes » (58-66), en se référant aux écrits des savants qui avaient accompagné Alexandre (Onésicrite, Aristobule, Néarque) et de Mégasthène, ambassadeur vers 300 de Séleucos Ier Nicator à la cour de Candragupta. Pierre-Olivier LEROY a édité et traduit le livre XV de la *Géographie* de STRABON (*CUF*, 2016). On trouvera dans son introduction et son commentaire toutes les explications nécessaires.

3. La précision sur le rythme du jeûne d'une partie des brahmanes n'est pas donnée par Strabon.

4. Depuis le récit de la mort de Calanos (voir STRABON, *Géographie* XV, 1, 68) la légende du suicide des sages indiens s'était répandue chez les Grecs (voir éd. P.-O. LEROY, p. 224, n. 588). Elle est ici associée à la croyance en la « renaissance », selon une méprise sur les efforts de l'ascète pour échapper au cycle des réincarnations. Mégasthène, en bon platonicien, dit que les brahmanes « tissent des mythes, comme le fait aussi Platon sur l'immortalité de l'âme, le jugement des Enfers et d'autres du même genre » (STRABON, *Géographie* XV, 1, 59).

Ἡρακλέα καὶ Πᾶνα. 3 Οἱ καλούμενοι δὲ Σεμνοὶ τῶν
Ἰνδῶν γυμνοὶ διαιτῶνται τὸν πάντα βίον· οὗτοι τὴν ἀλήθειαν
ἀσκοῦσι καὶ περὶ τῶν μελλόντων προμηνύουσι καὶ σέβουσί
15 τινα πυραμίδα, ὑφ' ἣν ὀστέα τινὸς θεοῦ νομίζουσιν ἀπο-
κεῖσθαι. 4 Οὔτε δὲ οἱ γυμνοσοφισταὶ οὔθ' οἱ λεγόμενοι
Σεμνοὶ γυναιξὶ χρῶνται· παρὰ φύσιν γὰρ τοῦτο καὶ παρά-
νομον δοκοῦσι, δι' ἣν αἰτίαν σφᾶς αὐτοὺς ἁγνοὺς τηροῦσι,
παρθενεύουσι δὲ καὶ αἱ Σεμναί. Δοκοῦσι δὲ παρατηρεῖν τὰ
20 οὐράνια καὶ διὰ τῆς τούτων σημειώσεως τῶν μελλόντων
προμαντεύεσθαί τινα.

1. L'*interpretatio Graeca* réduit à deux noms la multitude des dieux
indiens (on peut conserver le tour lapidaire donné par **L**) ; selon une source
de STRABON (*Géographie* XV, 1, 58), les « philosophes » des montagnes
adorent Dionysos et ceux des plaines Héraclès.

2. La qualification « révérends » et « révérendes » (plutôt que « vénérables », pour distinguer les genres aussi en français) est absente chez
Strabon, qui suit Mégasthène en rapportant que certains des « sarmanes »
(transcription grecque du mot servant à désigner les ascètes) sont devins,
enchanteurs, experts en formules et rites funéraires et qu' « avec certains
philosophent aussi des femmes, qui s'abstiennent également des plaisirs de
la chair » (STRABON, *Géographie* XV, 1, 60 ; voir G. DUCŒUR, « Histoire
d'une catégorie antique. Le Gymnosophiste indien », p. 477-478). Les
« révérends » sont probablement des moines et des nonnes bouddhistes. La
mention de la « pyramide » renvoie en fait aux tumulus reliquaires (*stûpa*)
du bouddhisme, où l'on murait des restes du Maître ou de ses disciples,
et où l'on plaçait aussi des lamelles portant des paroles du Bienheureux.
Clément est le premier auteur grec à nommer Buddha (voir G. DUCŒUR,
« Le Buddha à l'École d'Alexandrie, à propos de *Stromates* 1.15.76.6 »,
dans *Inde-Grèce = Dialogues d'histoire ancienne*, suppl. 3, 2010, p. 73-91).

sont Héraclès et Pan[1]. **3** Quant à ceux des Indiens qu'on appelle « les révérends[2] », ils restent nus toute leur vie ; ils s'adonnent à la recherche de la vérité, font des révélations sur l'avenir, et rendent un culte à une certaine pyramide sous laquelle reposent, croient-ils, les ossements d'un dieu. **4** Ni les gymnosophistes, ni ceux qu'on appelle « les révérends » n'ont de relations avec des femmes, car ces relations sont, à leurs yeux, contraires à la nature et à la loi, et c'est pour cette raison qu'ils veillent à rester chastes. De leur côté, les révérendes elles aussi restent vierges. Ils observent, paraît-il, les phénomènes célestes en interprétant leurs signes pour prédire certains faits à venir[3].

G. DUCŒUR (« Clément d'Alexandrie et les *Semnoi* de Taprobane », p. 379-414) montre que les informations sur les « révérends » ne proviennent pas d'ALEXANDRE POLYHISTOR (en désaccord avec F. JACOBY, qui attribue à ses *Indika* tout le passage 60, 2-4 : *FGrH* 273, n° 18), mais de sources du IIe siècle, comme l'atteste CLAUDE PTOLÉMÉE, qui semble en avoir entendu parler lui aussi à Alexandrie, puisqu'il les nomma dans sa géographie de l'Inde vers 125 ap. J.-C. et les situa sur l'île de Taprobane (Sri Lanka) (*Géographie* 7.4.9. *Géographie de Ptolémée. L'Inde (VII, 1-4)*, éd. L. RENOU, Paris 1925, p. 71). Il conclut que ces renseignements ont été obtenus par Clément en un temps où le commerce entre l'Égypte et l'île de Taprobane permit une meilleure connaissance de la communauté bouddhique insulaire qui vénérait les restes de Bouddha conservés dans de grands *stûpa* monumentaux.

3. Sur la postérité des débats relatifs aux ascètes indiens à propos du monachisme, voir les deux écrits traduits et commentés par P. MARAVAL, *Alexandre le Grand et les Brahmanes. Les Mœurs des Brahmanes de l'Inde (Palladios d'Hélénopolis) et* Correspondance d'Alexandre et de Dindime *(Anonyme)*, Paris 2016.

61 1 Ἐπεὶ δὲ οἱ τὴν ἀδιαφορίαν εἰσάγοντες βιαζόμενοί τινας ὀλίγας γραφὰς συνηγορεῖν αὐτῶν τῇ ἡδυπαθείᾳ οἴονται, ἀτὰρ δὴ κἀκείνην «ἁμαρτία γὰρ ὑμῶν οὐ κυριεύσει· οὐ γάρ ἐστε ὑπὸ νόμον, ἀλλ' ὑπὸ χάριν[a]» καί τινας ἄλλας τοιαύτας, ὧν
129ᵛ 5 ἐπὶ ⌐τοιούτοις μεμνῆσθαι οὐκ εὔλογον· οὐ γὰρ ἐπισκευάζω ναῦν πειρατικήν, φέρε δὴ διὰ βραχέων διακόψωμεν αὐτῶν τὴν ἐγχείρησιν. 2 Αὐτὸς γὰρ ὁ γενναῖος ἀπόστολος τῇ προειρημένῃ λέξει ἐπιφέρων ἀπολύσεται τὸ ἔγκλημα· «Τί οὖν; Ἁμαρτήσωμεν, ὅτι οὐκ ἐσμὲν ὑπὸ νόμον, ἀλλ' ὑπὸ χάριν;
10 Μὴ γένοιτο[b].» Οὕτως ἐνθέως καὶ προφητικῶς καταλύει παρα-
62 χρῆμα τὴν σοφιστικὴν τῆς ἡδονῆς τέχνην.   1 Οὐ συνιᾶσιν οὖν, ὡς ἔοικεν, ὅτι «τοὺς πάντας ἡμᾶς φανερωθῆναι δεῖ ἔμπροσθεν τοῦ βήματος τοῦ Χριστοῦ, ἵνα κομίσηται ἕκαστος διὰ τοῦ σώματος πρὸς ἃ ἔπραξεν, εἴτε ἀγαθὸν εἴτε κακόν[a]»,

---

62, 1 συνιᾶσιν Di St : συνιεῖσιν L

---

61 a Rm 6, 14   b Rm 6, 15
62 a 2 Co 5, 10

---

1. Sur cette violence, voir *supra* 34, 4 et 38-39.

2. En *Strom*. II, 64, 3-4, Rm 6, 14 sert à distinguer la « faute » involontaire. Parmi « les autres passages du même genre », il y avait peut-être Jn 1, 17, d'où Clément tire une opposition différente entre la loi et la grâce, sous le signe simplement de l'inégalité, en *QDS* 8, 1-2 (cf. *Péd*. I, 60, 1-2). Le *Témoignage véritable* (NH IX, 3, p. 29, 22-24) fait allusion à la fois à Rm 6, 14 et Jn 1, 17, mais selon une perspective encratique (voir la traduction et l'introduction de J.-P. MAHÉ dans *Écrits gnostiques. La bibliothèque de Nag Hammadi*, p. 1404 et 1392).

3. Le sens de l'image, qui paraît proverbiale, du « navire de pirates » est clair, son origine l'est moins. Le soupçon formulé par TERTULLIEN contre Marcion l'armateur, d'avoir « accueilli dans ses brigantins des marchandises clandestines ou illicites » peut être pris aussi au sens figuré (*Contre Marcion* V, 1, 2 ; *SC* 483, p. 72).

4. Ici comme *infra* 71, 1 et 81, 3, la référence aux sophistes vise les licencieux. Elle implique le recours à des exégèses et à des arguments perçus

VIII

L'autorité de Paul invoquée
contre les sectes licencieuses

51   1 Ceux qui prônent l'indifférence morale pensent faire plaider la cause de leur sensualité par quelques passages, peu nombreux, des Écritures, auxquels ils font violence[1], par exemple celui-ci : « Le péché ne dominera pas sur vous, car vous n'êtes pas sous la Loi, mais sous la grâce[a] », et quelques autres du même genre[2] ; il ne serait pas raisonnable de les rappeler ici, car je n'équipe pas un navire de pirates[3] ! Coupons court à leur entreprise en quelques mots.   2 En effet, le noble Apôtre lui-même va détruire leur accusation en ajoutant au passage qui vient d'être mentionné : « Que dire donc ? Allons-nous pécher parce que nous ne sommes pas sous la Loi, mais sous la grâce ? Certainement pas[b] ! » Ainsi, c'est en des termes inspirés de Dieu, prophétiques, qu'il ruine instantanément leur art de sophistes[4] au service du

52   plaisir.   1 Ils ne comprennent donc pas, à ce qu'il semble, que « nous devons tous être mis à découvert devant le tribunal du Christ, chacun étant destiné à recevoir dans son corps ce qui correspond au bien ou au mal qu'il aura fait[a 5] »,

---

comme frauduleux, selon une visée péjorative de la sophistique, rapportée en *Strom.* I, 39 (cf. I, 87, 3) à Platon et à Aristote (voir aussi *Strom.* VI, 83, 2, avec citation de Jb 5, 1 et Ps 93, 11 à travers 1 Co 19-20). Le jeu sur les mots et les énoncés est reproché aux « sophistes » en *Strom.* I, 22, 4. C'est comme « menteur » (Jn 8, 44) que le diable est qualifié de « sophiste » en *Péd.* II, 127, 1.

5. La leçon particulière en 2 Co 5, 10, qui fait porter « dans son corps » sur le verbe « recevoir », au lieu du texte reçu, qui rattache ce complément

5 ἵνα ἃ διὰ τοῦ σώματος ἔπραξέν τις ἀπολάβῃ. 2 «Ὥστε
εἴ τις ἐν Χριστῷ, καινὴ κτίσις[b]», οὐκέτι ἁμαρτητική·
«τὰ ἀρχαῖα παρῆλθεν[b]», ἀπελουσάμεθα τὸν βίον τὸν
παλαιόν· «Ἰδοὺ γέγονε καινά[b]», ἁγνεία ἐκ πορνείας, καὶ
ἐγκράτεια ἐξ ἀκρασίας, δικαιοσύνη ἐξ ἀδικίας. 3 «Τίς
10 γὰρ μετοχὴ δικαιοσύνη καὶ ἀνομίᾳ; Ἢ τίς κοινωνία φωτὶ
πρὸς σκότος; Τίς δὲ συμφώνησις Χριστοῦ πρὸς Βελίαρ; Τίς
μερὶς πιστῷ μετὰ ἀπίστου; Τίς δὲ συγκατάθεσις ναῷ θεοῦ
μετὰ εἰδώλων[c];» «Ταύτας οὖν ἔχοντες τὰς ἐπαγγελίας
καθαρίσωμεν ἑαυτοὺς ἀπὸ παντὸς μολυσμοῦ σαρκὸς καὶ
15 πνεύματος, ἐπιτελοῦντες ἁγιωσύνην ἐν φόβῳ θεοῦ[d].»

63   1 Οἱ δὲ ἀντιτασσόμενοι τῇ κτίσει τοῦ θεοῦ διὰ τῆς
εὐφήμου ἐγκρατείας κἀκεῖνα λέγουσι τὰ πρὸς Σαλώμην
εἰρημένα, ὧν πρότερον ἐμνήσθημεν· φέρεται δέ, οἶμαι, ἐν τῷ
κατ᾽ Αἰγυπτίους εὐαγγελίῳ. 2 Φασὶ γάρ, ὅτι αὐτὸς εἶπεν ὁ

---

b 2 Co 5, 17   c 2 Co 6, 14-16   d 2 Co 7, 1

à « il aura fait » dans la relative, permet de souligner la justesse de la rétribution, dans la glose ajoutée par Clément au texte ; elle semble suggérer
qu'un châtiment du corps doit corriger le péché du corps. M. MEES, *Die
Zitate*, I, p. 145 et II, 174, fait au contraire de la glose une répétition de la
relative et voit une maladresse dans la forme textuelle attestée par Clément.

1. L'enseignement opposé aux licencieux consiste en un centon de
textes tirés de 2 Co, avec une allusion peut-être à Ac 22, 16, où le verbe
« se laver » est lié au baptême, et sûrement à 1 Co 6, 11, la symbolique
baptismale étant omniprésente dans le passage présent (cf. *Péd*. I, 32, 4 ;
QDS 12, 1, sur 2 Co 5, 17 ; *Strom*. IV, 131, 4-5, où se suivent aussi 2 Co 6,
16 et 2 Co 7, 1). C'est l'inversion du baptême (évoqué en 1 Co 6, 9-11) qui
est fustigée *infra* 109, 2, contre les licencieux.

2. Voir *supra* 45, 1-3. Cette fois, ceux qui sont accusés d'être des « opposants » sont des encratites, et non plus des licencieux, comme *infra* 34, 3.

pour obtenir le salaire des actions de son corps.   2 « Dès lors, si quelqu'un est dans le Christ, il est une créature nouvelle[b] », délivrée du péché. « Le monde ancien s'en est allé[b] », nous nous sommes lavés de la vie d'autrefois : « Voici qu'un nouveau monde est né[b] », la chasteté est née de la débauche, la continence de l'intempérance, la justice de l'injustice. 3 « Quel rapport, en effet, entre justice et iniquité ? Quoi de commun entre lumière et ténèbres ? Quel accord entre Christ et Béliar ? Quelle association entre croyant et infidèle ? Quel consentement d'un temple de Dieu à des idoles[c] ? » « Dès lors, en possession de telles promesses, purifions nos cœurs de toute souillure de la chair et de l'esprit, en achevant de nous sanctifier dans la crainte de Dieu[d][1]. »

IX

LE RECOURS ERRONÉ DES ADVERSAIRES DU MARIAGE[2] À L'*ÉVANGILE DES ÉGYPTIENS*[3]

La réponse du Sauveur à Salomé ne vise que la convoitise 1 Avec de belles paroles sur la continence, les opposants à la création de Dieu allèguent aussi les propos adressés à Salomé et mentionnés plus haut, qui figurent, je crois, dans l'*Évangile des Égyptiens*. 2 Ils affirment, en effet, que le Sauveur lui-

---

3. Clément est le seul à transmettre des fragments de cet *Évangile des Égyptiens*, un dialogue entre le Sauveur et Salomé, l'une des femmes témoins de sa mort et de sa résurrection (Mc 15, 40 ; 16, 1) ; le thème principal, semble-t-il, était le monde à venir, qui devait être libéré de la division sexuelle consécutive à la chute et génératrice de la procréation et donc de la mort. Clément connaissait ce document notamment à travers l'usage qu'en faisait Jules Cassien (voir D.-A. BERTRAND, *Fragments évangéliques*, dans *EAC* 1, p. 473-477, et *supra* 45, 3, note *ad loc.*).

5 σωτήρ· «Ἦλθον καταλῦσαι τὰ ἔργα τῆς θηλείας[a]», θηλείας
μὲν τῆς ἐπιθυμίας, ἔργα δὲ γένεσιν καὶ φθοράν. Τί οὖν ἂν
εἴποιεν; Κατελύθη ἡ διοίκησις αὕτη; ⌐Οὐκ ἂν φήσαιεν·
μένει γὰρ ἐπὶ τῆς αὐτῆς οἰκονομίας ὁ κόσμος. 3 Ἀλλ᾽ οὐκ
ἐψεύσατο ὁ κύριος· τῷ ὄντι γὰρ τὰ τῆς ἐπιθυμίας κατέλυσεν
10 ἔργα, φιλαργυρίαν, φιλονικίαν, φιλοδοξίαν, γυναικομανίαν,
παιδεραστίαν, ὀψοφαγίαν, ἀσωτίαν καὶ τὰ τούτοις ὅμοια·
τούτων δὲ ἡ γένεσις φθορὰ τῆς ψυχῆς, εἴ γε «νεκροὶ τοῖς
παραπτώμασι[b]» γινόμεθα· καὶ αὕτη ἡ θήλεια ἀκρασία
ἦν. 4 Γένεσιν δὲ καὶ φθορὰν τὴν ἐν κτίσει προηγουμένως
15 γίνεσθαι ἀνάγκη μέχρι παντελοῦς διακρίσεως καὶ ἀποκαταστάσεως ἐκλογῆς, δι᾽ ἣν καὶ αἱ τῷ κόσμῳ συμπεφυρμέναι
οὐσίαι τῇ οἰκειότητι προσνέμονται.

64 1 Ὅθεν εἰκότως περὶ συντελείας μηνύσαντος τοῦ
λόγου ἡ Σαλώμη φησί· «Μέχρι τίνος οἱ ἄνθρωποι ἀπο-
θανοῦνται[a];» Ἄνθρωπον δὲ καλεῖ ἡ γραφὴ διχῶς, τόν τε
φαινόμενον καὶ τὴν ψυχήν, πάλιν τε αὖ τὸν σῳζόμενον
5 καὶ τὸν μή. Καὶ θάνατος ψυχῆς ἡ ἁμαρτία λέγεται[b]. Διὸ

---

63 a *Évangile des Égyptiens,* Apokryphon 34 d Resch   b Ep 2, 5
64 a *Évangile des Égyptiens,* Apokryphon 34 b Resch   b Cf. Jc 5, 20

1. Les adversaires visés avaient déjà une interprétation éthique du dialogue entre Salomé et le Sauveur, la « femelle » figurant la « convoitise ».
Elle avait cependant des conséquences au niveau de la Physique, celles
que Clément pourfend : l'« économie », l'ordonnance divine du monde
n'était pas mauvaise, et la résurrection du Sauveur ne l'a pas détruite. Il
faut s'en tenir selon lui au seul sens moral, pour la durée du monde présent.
La « convoitise » devient l'« intempérance » (ἀκρασία), manifestation
plus claire encore d'un désordre moral (voir *supra* 30, 3 ; *Strom.* V, 86, 3),
le contraire de la « continence », ou maîtrise de soi (ἐγκράτεια) (*supra*
41, 2 ; *Strom.* IV, 8, 5).

même a déclaré : « Je suis venu détruire les œuvres de la femelle[a] », la femelle étant la convoitise, et ses œuvres la génération et la corruption. Que veulent-ils donc dire ? Que cet ordre de choses a été détruit ? Ils ne peuvent le prétendre : le monde continue sous le régime de la même ordonnance (divine)[1]. 3 Pourtant, le Seigneur n'a pas menti : il a réellement détruit les œuvres de la convoitise, le désir de l'argent, de la victoire, de la gloire, la passion pour les femmes, la pédérastie, la gloutonnerie, la vie de prodigue, et tous les vices du même genre[2]. La génération de ces passions est la corruption de l'âme, s'il est vrai que « nos péchés font de nous des morts[b] ». Et cette « femelle », c'était l'intempérance. 4 D'autre part, la génération et la corruption qui sont dans la création ont nécessairement le premier rôle jusqu'à la désagrégation définitive et au rétablissement de l'élite ; grâce à cela, les substances mêlées au monde sont rendues à leur propriété[3].

64 1 Aussi, après les propos révélateurs du Verbe sur la fin des temps, Salomé a raison de demander : « Jusques à quand les hommes mourront-ils[a] ? » Or, l'Écriture désigne deux choses par le mot « homme » : l'homme tel qu'il apparaît, et l'âme ; ou bien encore l'homme qui est sauvé, et celui qui ne l'est pas. Et ce qu'on appelle « mort de l'âme », c'est le péché[b][4]. Dès

La nature véritable des relations entre la mort et la vie

---

2. La liste des « œuvres de la convoitise » est à comparer à l'énumération des « œuvres de la chair » en Ga 5, 19-21 (cf. Rm 1, 29-31 ; 13, 13).

3. Pour un rapprochement de ce passage avec la paraphrase d'un fragment de Basilide insérée en *Strom.* II, 36, 1, voir la note compl. 5, *infra* p. 350-351.

4. La référence à 1 Tm 5, 6 retenue par Stählin à propos de la relation entre « la mort de l'âme » et le « péché » ne convient guère. Le rapprochement avec Jc 5, 20 est plus approprié (note de P. Descourtieux).

καὶ παρατετηρημένως ἀποκρίνεται ὁ κύριος· «Μέχρις ἂν
τίκτωσιν αἱ γυναῖκες[c]», τουτέστι μέχρις ἂν αἱ ἐπιθυμίαι
ἐνεργῶσι. 2 «Διὰ τοῦτο ὥσπερ δι᾽ ἑνὸς ἀνθρώπου ἡ
ἁμαρτία εἰς τὸν κόσμον εἰσῆλθεν, καὶ διὰ τῆς ἁμαρτίας
10 ὁ θάνατος εἰς πάντας ἀνθρώπους διῆλθεν, ἐφ᾽ ᾧ πάντες
ἥμαρτον[d]» καὶ «ἐβασίλευσεν ὁ θάνατος ἀπὸ Ἀδὰμ μέχρι
Μωϋσέως[e]», φησὶν ὁ ἀπόστολος· φυσικῇ δὲ ἀνάγκῃ θείας
οἰκονομίας γενέσει θάνατος ἕπεται, καὶ συνόδῳ ψυχῆς καὶ
σώματος ἡ τούτων διάλυσις ἀκολουθεῖ. 3 Εἰ δὲ ἕνεκεν
15 μαθήσεως καὶ ἐπιγνώσεως ἡ γένεσις, ἀποκαταστάσεως
δὲ ἡ διάλυσις· ὡς δὲ αἰτία θανάτου διὰ τὸ τίκτειν ἡ γυνὴ
νομίζεται, οὕτω καὶ ζωῆς διὰ τὴν αὐτὴν αἰτίαν λεχθήσεται

65
130ᵛ

ἡγεμών. 1 Αὐτίκα ἢ προκατάρξασα τῆς παραβάσεως
«ζωὴ[a]» προσηγορεύθη, διὰ τὴν τῆς διαδοχῆς αἰτίαν ǀτῶν τε
γεννωμένων τῶν τε ἁμαρτανόντων γίνεται ὁμοίως δικαίων
ὡς καὶ ἀδίκων μήτηρ, ἑκάστου ἡμῶν ἑαυτὸν δικαιοῦντος ἢ
5 ἔμπαλιν ἀπειθῆ κατασκευάζοντος. 2 Ὅθεν οὐχ ἡγοῦμαι

65, 1 ἦ Fr : ἡ L

c *Évangile des Égyptiens*, Apokryphon 34b Resch   d Rm 5, 12
e Rm 5, 14
65 a Gn 3, 20

1. La συντέλεια, « fin du monde » ou « consommation », marque
en 64, 1 le passage à l'éternité, promise à ceux qui vivent dans la lumière
du Logos (*Protr.* 84, 6). Le terme est employé en Mt 13, 39.40.49 et 28,
20 et le thème est développé en Mt 24, 4 – 25, 46. Mais Clément renvoie
ici à la parole du Sauveur à Salomé (*supra* 63, 2) et, après une allusion éso-
térique au rôle de « l'élite » dans l'histoire collective du salut (63, 4), il
revient à l'interprétation morale de la destruction annoncée, en reprenant
le débat amorcé *supra* 45, 3. La dichotomie « homme visible » / « âme »
est fondamentale, pour substituer le « péché » à la « mort », par le biais
des « convoitises », que figurent les œuvres des femmes.

2. De la transmission inéluctable du péché, selon Rm 5, 12.14, se distingue le processus naturel de la mort, séparation de l'âme et du corps (cf.
PLATON, *Phédon* 67 d). Or, sur le plan moral et spirituel, cette séparation

lors, c'est une réponse réfléchie que celle du Seigneur : « Aussi longtemps que les femmes enfanteront[c] », c'est-à-dire aussi longtemps qu'agiront les convoitises[1]. 2 « C'est pourquoi, de même que, par un seul homme, le péché est entré dans le monde, ainsi, par le péché, la mort a passé en tous les hommes, du fait que tous ont péché[d] » et « la mort a régné d'Adam à Moïse[e] », dit l'Apôtre. Or, en vertu d'une nécessité naturelle qui appartient à l'ordonnance divine du monde, la mort suit la naissance, et l'union de l'âme et du corps s'accompagne de leur séparation. 3 Si la naissance a pour fin la capacité d'apprendre et de connaître avec précision, et la séparation l'établissement parfait[2], de même que la femme est censée être la cause de la mort en donnant naissance, ainsi et pour la même raison, elle sera appelée « celle qui conduit à la vie ». 1 Justement, celle qui, après avoir pris l'initiative de la transgression, reçut le nom de « vie[a][3] » parce qu'elle est au principe de la succession des êtres engendrés et pécheurs, devient la mère des justes comme des injustes[4], puisque chacun de nous se justifie ou s'installe au contraire dans l'indocilité. 2 Dès lors, je ne crois pas, pour ma part,

65

----

a pour fin « l'établissement parfait » (ἀποκατάστασις), de même que la « naissance » devient remède, en ouvrant « la possibilité d'apprendre », selon une formule qui fait écho à *Protr.* 84, 6. Le bienfait de la « séparation » est éclairé en *Strom.* IV, 11, 2 – 12, 6 et *Strom.* VII, 71, 2-3.

3. Par une inversion totale de la perspective, qui fait passer de Rm 5, 12-14 à Gn 3, 20, la femme devient la source de la vie, d'après le nom de ζωή traduisant dans la Septante le jeu étymologique de l'hébreu (*Hawwah* et *hay*, de la racine *hayah*, « vivre » ; voir la note de M. HARL, *BA* 1, p. 110, et M. ALEXANDRE, *Le Commencement du Livre. Genèse I-V*, Paris 1988, p. 325-326). En *Protr.* 12, 2, Clément ne retenait qu'une étymologie fantaisiste associant Ève au péché, à travers une désignation araméenne du « serpent » (transcrite en *Hévia*).

4. « Mère des justes et des injustes » : cette glose sur Gn 3, 20, « mère de tous les vivants », introduit la liberté individuelle dans le travail, accepté

ἔγωγε μυσάττεσθαι τὴν ἐν σαρκὶ ζωὴν τὸν ἀπόστολον,
ὁπηνίκα ἂν φῇ· «ἀλλ' ἐν πάσῃ παρρησίᾳ ὡς πάντοτε καὶ
νῦν μεγαλυνθήσεται Χριστὸς ἐν τῷ σώματί μου, εἴτε διὰ
ζωῆς εἴτε διὰ θανάτου. Ἐμοὶ γὰρ τὸ ζῆν Χριστὸς καὶ τὸ
10 ἀποθανεῖν κέρδος. Εἰ δὲ τὸ ζῆν ἐν σαρκί, καὶ τοῦτό μοι
καρπὸς ἔργου, τί αἱρήσομαι οὐ γνωρίζω· συνέχομαί τε
ἐκ τῶν δύο, τὴν ἐπιθυμίαν ἔχων εἰς τὸ ἀναλῦσαι καὶ σὺν
Χριστῷ εἶναι, πολλῷ γὰρ κρεῖττον· τὸ δὲ ἐπιμένειν τῇ
σαρκὶ ἀναγκαιότερον δι' ὑμᾶς[b].» 3 Ἐνεδείξατο γάρ, οἶμαι,
15 διὰ τούτων σαφῶς τῆς μὲν ἐξόδου τοῦ σώματος τὴν πρὸς
θεὸν ἀγάπην τελείωσιν εἶναι, τῆς δὲ ἐν σαρκὶ παρουσίας
τὴν εὐχάριστον διὰ τοὺς σωθῆναι δεομένους ὑπομονήν.

66 1 Τί δὲ οὐχὶ καὶ τὰ ἑξῆς τῶν πρὸς Σαλώμην εἰρημένων
ἐπιφέρουσιν οἱ πάντα μᾶλλον ἢ τῷ κατὰ τὴν ἀλήθειαν
εὐαγγελικῷ στοιχήσαντες κανόνι[a]; 2 Φαμένης γὰρ
αὐτῆς «καλῶς οὖν ἐποίησα μὴ τεκοῦσα[b]», ὡς οὐ δεόντως

---

b Ph 1, 20-24
66 a Cf. Ga 6, 16   b *Évangile des Égyptiens*, Apokryphon 34 e Resch

ou refusé, de la « séparation », affranchissement des « convoitises » dans
le monde présent (voir D. WYRWA, *Die christliche Platonaneignung*, p. 191-
198), état parfait de « l'élite » dans l'âge à venir.

1. Le verbe μυσάττεσθαι, « éprouver du dégoût, de l'aversion », formé
sur μύσος, « souillure, abomination », est très fort ; il vise notamment les
sacrilèges ; en *Péd.* II, 8, 4, il a pour objet la consommation des idolothytes
(cf. II, 87, 4). Clément l'emploie plusieurs fois, comme ici, pour prêter aux
encratites une aversion violente pour la création et la génération (*Strom.* III,
81, 6 ; 108, 2 ; IV, 147, 2), ce qui en fait des blasphémateurs eux-mêmes
abominables (III, 102, 1-2).

2. « Rompre (ἀναλῦσαι) » en Ph 1, 23 rappelle la « séparation »
(ἀνάλυσις) » de l'âme et du corps, condition de la béatitude à venir, avec
le Christ, anticipée par l'être vraiment pieux ; « rester dans la chair »
(Ph 1, 24), pour l'Apôtre qui est le modèle du gnostique véritable, c'est
ici la « patience » du maître, tant que dure la liaison de l'âme et du corps,

que l'Apôtre éprouve de l'aversion[1] pour la vie dans la chair, lorsqu'il lui arrive de dire : « Mais en toute franchise, maintenant comme toujours, le Christ sera glorifié dans mon corps, soit par ma vie, soit par ma mort, car, pour moi, vivre, c'est le Christ, et mourir est un gain. Mais si vivre dans la chair fait fructifier mon travail, je ne sais que choisir. Je suis pris dans cette alternative : j'ai le désir de rompre et d'être avec le Christ, car c'est bien mieux, mais rester dans la chair est plus nécessaire à cause de vous[b2]. »   **3** Par ces propos, il a clairement montré, je pense, que la perfection de l'évasion hors du corps[3], c'est l'amour de Dieu ; et celle de la présence dans la chair, c'est la patience digne de reconnaissance, à cause de ceux qui ont besoin d'être sauvés.

66

Le Sauveur invite, à travers Salomé, à un choix raisonnable

1 Mais pourquoi n'ajoutent-ils pas la suite des propos adressés à Salomé, ceux qui ont préféré tout faire plutôt que suivre la règle[a] évangélique conforme à la vérité[4] ? **2** Lorsqu'elle dit, en effet : « J'ai donc bien fait de ne pas enfanter[b] », dans l'idée qu'elle n'aurait

---

l'éminence du « travail » de l'ascèse sous ses diverses formes (voir *Strom.* IV, 37, 1 ; sur le vrai gnostique imitateur du Maître divin, voir *Strom.* VI, 45, 5 ; 77, 5 ; 106, 1 ; 115, 1 ; 161, 1 ; VII, 13, 3-4 ; 101, 4 ; *EP* 16, 1-2). La force de la relation entre les deux états est l'amour, de Dieu dans un cas, du prochain dans l'autre.

3. « L'évasion hors du corps » : *Strom.* IV, 14, 1 ; 15, 3 (à propos du martyre) ; 166, 1 (résolution du dilemme formulé ici par Paul) ; VII, 78, 3 (image associée au thème du voyage de l'étranger ici-bas, selon He 11, 13) ; 79, 4 (pour être « en compagnie du Christ ») ; *QDS* 3, 6 ; 42, 17.

4. L'allusion à Ga 6, 16 renvoie ici à la nouveauté apportée par le Christ selon Ga 6, 15, et à une règle de vie, plutôt qu'au canon de la vérité qui est l'accord des deux Testaments (voir *Strom.* IV, 3, 2, *SC* 463, p. 60, n. 1, et V, 1, 4, commenté en *SC* 279, p. 15-16).

5 τῆς γενέσεως παραλαμβανομένης, ἀμείβεται λέγων ὁ
κύριος · « Πᾶσαν φάγε βοτάνην, τὴν δὲ πικρίαν ἔχουσαν
μὴ φάγῃς ᶜ.» 3 Σημαίνει γὰρ καὶ διὰ τούτων ἐφ' ἡμῖν
εἶναι καὶ οὐκ ἐξ ἀνάγκης κατὰ κώλυσιν ἐντολῆς ἤτοι τὴν
ἐγκράτειαν ἢ καὶ τὸν γάμον, καὶ ὅτι ὁ γάμος συνεργάζεταί
10 τι τῇ κτίσει προσδιασαφῶν.

67 1 Μή ποτ' οὖν ἁμάρτημά τις ἡγείσθω τὸν γάμον τὸν κατὰ
λόγον, εἰ μὴ πικρὰν ὑπολαμβάνει παιδοτροφίαν (πολλοῖς
γὰρ ἔμπαλιν ἀτεκνία λυπηρότατον), μήτ', ἂν πικρὰ ἡ
131ʳ παιδοποιΐα φαίνηταί τινι μεταπερισπῶσα ⌐τῶν θείων διὰ
5 τὰς χρειώδεις ἀσχολίας, μὴ φέρων [δ'] οὗτος εὐκόλως τὸν
μονήρη βίον ἐπιθυμείτω γάμου, ἐπεὶ τὸ εὐάρεστον μετὰ
σωφροσύνης ἀβλαβὲς καὶ κύριος ἕκαστος ἡμῶν τυγχάνει
τῆς περὶ τέκνων γονῆς αἱρέσεως. 2 Συνορῶ δ' ὅπως τῇ

67, 1 μή ποτ' **L** : μήτ' **Schw St** ‖ 5 δ' secl. **Schw St** ‖ 6 ἐπιθυμείτω **Mü St** : ἐπιθυμεῖ τοῦ **L**

---

c *Évangile des Égyptiens* 3, Apokryphon 34 e Resch

---

1. L'argument de Clément montre qu'il ne lisait pas des paroles de
l'*Évangile des Égyptiens* seulement chez Jules Cassien, mais qu'il en avait
aussi une connaissance directe. Son interprétation du dialogue entre Salomé
et le Sauveur complète ses considérations précédentes sur la « naissance »
et la « possibilité d'apprendre » (*supra* 64, 3) et esquisse la réponse à un
nouveau dilemme : ce n'est pas le mariage ou la continence qu'il faut rejeter,
mais l'occasion de pécher qui est en chacun d'eux, figurée par « l'herbe
amère » de la réponse du Seigneur, réminiscence de Gn 2, 16-17 (cf. *infra*
67, 1-2). Si l'*Évangile des Égyptiens* était lui-même encratite, en désignant
le mariage par « l'herbe amère », l'exégèse de Clément le détourne dans
le sens qu'il juge correct. Sur ce *logion*, voir A. Le Boulluec, « De
l'*Évangile des Égyptiens* à l'*Évangile selon Thomas* », p. 257-258 ; voir aussi
S. Petersen, « *Zerstört die Werke der Weiblichkeit* ». *Maria Magdalena,
Salome und andere Jüngerinnern in christlich-gnostischen Schriften*, Leyde
1999, p. 203-220, qui éclaire la parole au moyen de textes de Nag Hammadi

pas agi correctement en transmettant l'existence, le Seigneur lui répond : « Mange n'importe quelle herbe, mais pas celle qui est amère[c1]. » 3 Il nous indique encore par là que la continence comme le mariage dépendent de nous et non d'un commandement obligatoire formulant une interdiction ; en même temps, il montre très clairement que le mariage collabore à la création.

67 1 Que le mariage vécu selon la raison ne soit donc jamais vu comme une faute, si l'on ne trouve pas amer d'élever des enfants – pour bien des gens, au contraire, il est très douloureux de ne pas en avoir – et, si la procréation devait paraître amère à quelqu'un, parce qu'elle détourne des réalités divines à cause du souci de l'utile, qu'il supporte avec sérénité la vie solitaire et ne désire pas le mariage ; car ce qui satisfait est inoffensif, si on y joint la tempérance, et chacun de nous est maître de son choix dans la décision de procréer des enfants[2]. 2 Dans l'ensemble, je constate

---

où apparaît le mot copte traduisant πικρία et qui associent « amertume » et sexualité. Le sens donné par Clément à l'ordre de ne pas manger d'herbe amère (pour que « le mariage collabore à la création ») vient peut-être de la valeur mythique de l'endive et de la laitue, intrinsèquement « amères », qui sont du côté de l'impuissance et de la mort (voir M. DETIENNE, *Les Jardins d'Adonis*, Paris 1972, p. 130-138).

2. Le mariage lui-même n'est pas amer ; la charge des enfants, invoquée par ses adversaires, est relativisée (en *Strom*. II, 139, 5 – 140, 1 et 141, 2 – 142, 3, la nécessité de la procréation est fermement étayée). L'autre grief est valorisé. Mais le dilemme sous-jacent (cf. *supra* 66, 2-3) est ici explicité et clairement résolu, par la « tempérance » dans les deux genres de vie. Au demeurant Clément n'accorde pas de privilège à « la vie solitaire », au contraire (voir *Strom*. VII, 70, 6-8). Ce parallèle incite à traduire κατὰ λόγον par « selon la raison » (et non « selon le Verbe ») : « Je veux parler du mariage sous cette condition : la raison doit en convaincre ... ».

προφάσει τοῦ γάμου οἱ μὲν ἀπεσχημένοι τούτου μὴ κατὰ
10 τὴν ἁγίαν γνῶσιν εἰς μισανθρωπίαν ὑπερρύησαν καὶ τὸ
τῆς ἀγάπης οἴχεται παρ' αὐτοῖς, οἳ δὲ ἐνσχεθέντες καὶ
ἡδυπαθήσαντες τῇ τοῦ νόμου συμπεριφορᾷ, ὥς φησιν ὁ
προφήτης, «παρωμοιώθησαν τοῖς κτήνεσιν[a]».

68 1 Τίνες δὲ οἱ «δύο καὶ τρεῖς» ὑπάρχουσιν «ἐν ὀνόματι»
Χριστοῦ «συναγόμενοι», παρ' οἷς «μέσος ἐστὶν[a]» ὁ κύριος;
Ἢ οὐχὶ ἄνδρα καὶ γυναῖκα καὶ τέκνον τοὺς τρεῖς λέγει,
ὅτι ἀνδρὶ γυνὴ διὰ θεοῦ ἁρμόζεται[b]; 2 Ἀλλὰ κἂν εὔζωνός
5 τις εἶναι θέλῃ, οὐχ αἱρούμενος τὴν παιδοποιίαν διὰ τὴν ἐν
παιδοποιίᾳ ἀσχολίαν, μενέτω, φησὶν ὁ ἀπόστολος ἄγαμος,
«ὡς κἀγώ[c]».

67 a Ps 48, 13.21
68 a Mt 18, 20   b Pr 19, 14; cf. Gn 2, 22   c 1 Co 7, 8

1. La « misanthropie » est le pendant de la haine du Créateur reprochée aux encratites.
2. Le détournement de la loi, par les licencieux, rappelle les développements précédents de 34, 3-4; 36, 5; 38, 1 – 39, 3.
3. Le stéréotype forgé sur Ps 48, 13.21, infidèle à la teneur du Psaume,
sert en *Péd.* I, 101, 3 – 102, 1 à commenter le péché d'Adam, en lien avec la
condamnation de la volupté, et vise, comme ici, les dissolus, en *Strom.* IV,
12, 4, avec Jr 5, 8 (cf. *Péd.* I, 77, 1-2; II, 89, 2); les adversaires utilisaient
Ps 48, 13.21 contre le mariage (voir *infra* 102, 3).
4. La première explication de Mt 18, 20 rapporte à Dieu l'institution
du mariage et de la famille, avec référence à Gn 2, 18.20.22.24, ainsi
qu'à Pr 19, 14. ORIGÈNE associe Pr 19, 14 à Mt 18, 19-20, à propos de
« l'harmonie » du mariage (*Commentaire sur Matthieu* XIV, 1, éd.
KLOSTERMANN, *GCS* 10/1, p. 273, l. 2-12 et XIV, 16, *GCS* 10/2, p. 323,
l. 14 – 324, l. 19; voir A. LE BOULLUEC, « De l'unité du couple à l'union

que le mariage a servi d'excuse, les uns s'en abstenant sans se conformer à la sainte connaissance – ils ont dérivé subrepticement vers la misanthropie, et l'amour est mort en eux[1] –, tandis que les autres se sont laissés enchaîner et ont vécu dans la sensualité, en tirant la loi de leur côté[2] ; comme dit le prophète, « ils sont devenus semblables à du bétail[a3] ».

X

TOUS LES SENS DE LA RÉUNION
DE « DEUX OU TROIS » AU NOM DU CHRIST
S'OPPOSENT AUX DEUX GROUPES D'HÉRÉTIQUES

68 1 Qui sont les « deux ou trois rassemblés au nom » du Christ, « au milieu[a] » desquels se trouve le Seigneur ? Ne s'agit-il pas des trois que sont l'homme, la femme et l'enfant, la femme étant unie par Dieu à son mari[b4] ? 2 En revanche, si quelqu'un veut rester disponible et préfère ne pas avoir d'enfants en raison des soucis attachés à la procréation, qu'il reste célibataire, « comme moi[c] », dit l'Apôtre[5].

---

du Christ et de l'Église », p. 39-55, en particulier p. 50-52). Il reprend l'exégèse d'un prédécesseur en *Commentaire sur Matthieu* XIV, 2 (p. 278, l. 1) ; s'il s'agit de Clément, la source n'est pas ce passage, car ORIGÈNE évoque « l'accord » des époux qui renoncent temporairement à l'union charnelle pour se consacrer à la prière, selon 1 Co 7, 5, ce qui ne signifie pas la dissolution du mariage. L'argumentation est plus proche de la discussion de Clément, contre la doctrine de Tatien, *infra* 79, 1 ; 82, 1. On peut même se demander si ce prédécesseur ne serait pas Tatien, dont Origène corrigerait l'exégèse.

5. Voir *supra* 67, 1 et *infra* 85, 2.

3 Βούλεσθαι γὰρ λέγειν τὸν κύριον ἐξηγοῦνται μετὰ
μὲν τῶν πλειόνων τὸν δημιουργὸν εἶναι τὸν γενεσιουργὸν
10 θεόν, μετὰ δὲ τοῦ ἑνὸς τοῦ ἐκλεκτοῦ τὸν σωτῆρα, ἄλλου
δηλονότι θεοῦ τοῦ ἀγαθοῦ υἱὸν πεφυκότα.   4 Τὸ δ᾽ οὐχ
οὕτως ἔχει· ἀλλ᾽ ἔστι μὲν καὶ μετὰ τῶν σωφρόνως γημάντων
καὶ τεκνοποιησάντων ὁ θεὸς δι᾽ υἱοῦ, ἔστι δὲ καὶ μετὰ τοῦ
ἐγκρατευσαμένου λογικῶς ὁ αὐτὸς ὡσαύτως θεός.
15 5 Εἶεν δ᾽ ἂν καὶ ἄλλως οἱ μὲν «τρεῖς» θυμός τε καὶ
ἐπιθυμία καὶ λογισμός, σὰρξ δὲ καὶ ψυχὴ καὶ πνεῦμα
κατ᾽ ἄλλον λόγον.

69   1 Τάχα δὲ καὶ τὴν κλῆσιν τήν τε ἐκλογὴν δευτέραν καὶ
τρίτον τὸ εἰς τὴν πρώτην τιμὴν κατατασσόμενον γένος
αἰνίσσεται ἡ προειρημένη τριάς· μεθ᾽ ὧν ἡ πανεπίσκοπος
τοῦ θεοῦ δύναμις ἀμερῶς μεριστή.   2 Ὁ τοίνυν ταῖς κατὰ

---

1. Cette exégèse de Mt 18, 20, qui a recours à Mt 22, 14, semble rattachée par Clément à la doctrine marcionite distinguant le « Démiurge »
du « Dieu bon ». C'est peut-être une déduction abusive de sa polémique
contre les encratites.

2. Le message théologique de cette formulation est éclairé par
M. MONFRINOTTI, *Creatore e creazione. Il pensiero di Clemente Alessandrino*,
Rome 2014, p. 96-98.

3. La tripartition retenue ici s'oppose implicitement à la ségrégation des
trois genres d'êtres humains reprochée aux valentiniens (voir *ET* 54-57). Si
Clément critique leur concept de « genre supérieur » (*Strom.* IV, 89, 4 – 91,
4), il adopte cependant l'expression, selon des catégories qui ménagent la
possibilité d'un progrès de l'une à l'autre (voir *Strom.* VII, 36, 1-2 ; 58, 6
et, sur « la race d'or », *Strom.* IV, 16, 2 ; V, 133, 6). La distinction de ces
trois genres annonce ici la réflexion de *Strom.* VI, 107, 2 sur la préfiguration des honneurs du ciel par ceux de la terre.

3 D'après leur interprétation, le Seigneur veut dire que le Démiurge, le Dieu auteur de la génération, est avec le plus grand nombre, tandis que le Sauveur, qui est, bien entendu, le fils d'un autre Dieu, le Dieu bon, est avec un seul, l'élu[1]. **4** Or, il n'en est pas ainsi : au contraire, Dieu, par l'intermédiaire de son Fils, est avec ceux qui ont observé la tempérance dans le mariage et la procréation, et le même Dieu se trouve, de la même façon, avec celui qui a gardé la continence de manière raisonnable[2].

5 Cependant, d'un autre point de vue, les « trois » pourraient bien être la colère, la convoitise et la raison ; ou encore, dans un autre sens, la chair, l'âme et l'esprit.

69 **1** Peut-être aussi la triade mentionnée plus haut fait-elle allusion aux appelés, puis aux élus et, en troisième lieu, à la race placée au premier rang des honneurs[3]. Avec eux se trouve, indivisiblement partagée, la puissance de Dieu qui veille sur tout[4]. **2** Dès lors, celui qui utilise comme il

---

4. La troisième (au moyen de termes platoniciens : voir *Péd.* III, 1, 2) et la quatrième explication (dans un langage paulinien), *supra* 68, 5, se retrouvent dans le fragment caténal 382 sur *Matthieu* d'Origène (éd. E. Klostermann, *GCS* 12, p. 163), qui est un résumé de *Commentaire sur Matthieu* XIV, 3-4 ; une partie de la tradition textuelle de ce fragment introduit des expressions de Clément provenant de *Strom.* III, 68, 1.5 ; 69, 1, en particulier les mots « indivisiblement partagée, la puissance de Dieu qui veille sur tout », qui appartiennent à la cinquième explication. Πανεπίσκοπος, « qui veille sur tout », est une épithète de Dieu dans les *Oracles sibyllins* (I, 152), ou du « Très-Haut » (II, 177 ; V, 352). Sa négation correspond en *Strom.* VII, 15, 3 à des formes d'athéisme dénoncées par Platon dans les *Lois* (X, 908c et e). La « puissance » est ici le Fils (voir E.F. Osborn, *Clement of Alexandria*, p. 143). L'expression paradoxale « indivisiblement partagée » est appliquée à l'Esprit « imparti sans avoir de parties » en *Strom.* VI, 138, 2 (cf. V, 88, 3 et le commentaire dans *SC* 279, p. 284-286). G. Pini, *Gli Stromati*, p. 346, n. 7, signale des parallèles chez Plotin (ainsi *Ennéades* IV, 1, 20).

131ᵛ 5 φύσιν ἐνερ|γείαις τῆς ψυχῆς ἐν δέοντι χρώμενος ἐπιθυμεῖ
μὲν τῶν καταλλήλων, μισεῖ δὲ τὰ βλάπτοντα, καθὼς αἱ
ἐντολαὶ προστάττουσιν· «Ἐνευλογήσεις γάρ», φησί, «τὸν
εὐλογοῦντα καὶ καταράσῃ τὸν καταρώμενον[a].» 3 Ὅταν
δὲ καὶ τούτων ὑπεραναβάς, τοῦ θυμοῦ καὶ τῆς ἐπιθυμίας,
10 ἔργῳ ἀγαπήσῃ τὴν κτίσιν διὰ τὸν πάντων θεόν τε καὶ
ποιητήν, γνωστικῶς βιώσεται, ἕξιν ἐγκρατείας ἄπονον
περιπεποιημένος κατὰ τὴν πρὸς τὸν σωτῆρα ἐξομοίωσιν,
ἑνώσας τὴν γνῶσιν, πίστιν, ἀγάπην, 4 εἷς ὢν ἐνθένδε
τὴν κρίσιν καὶ πνευματικὸς ὄντως, ἀπαράδεκτος τῶν
15 κατὰ τὸν θυμὸν καὶ τὴν ἐπιθυμίαν διαλογισμῶν πάντῃ
πάντως, ὁ «κατ᾽ εἰκόνα[b]» ἐκτελούμενος τοῦ κυρίου πρὸς
αὐτοῦ τοῦ τεχνίτου, ἄνθρωπος τέλειος, ἄξιος ἤδη τοῦ
«ἀδελφὸς[c]» πρὸς τοῦ κυρίου ὀνομάζεσθαι, φίλος ἅμα οὗτος
καὶ υἱός [ἐστιν]. Οὕτως «οἱ δύο καὶ οἱ τρεῖς» ἐπὶ τὸ αὐτὸ
20 «συνάγονται[d]», τὸν γνωστικὸν ἄνθρωπον.

69, 19 ἐστιν secl. **Schw St**

69a Cf. Gn 12, 3; 27, 29   b Gn 1, 26.27   c Cf. He 2, 11   d Mt 18, 20

1. L'insistance sur l'effort personnel, qui a pour effet une bonne
« convoitise » (un bon « désir »), comporte en creux le rejet du salut « par
nature », doctrine attribuée à Valentin et à Basilide en *Strom*. IV, 89, 4.

2. Le précepte tiré de Gn 12, 3 et 27, 29 ne correspond, ni selon la lettre,
ni pour le sens, aux termes bibliques.

3. Cf. *supra* 68, 5. « Colère » (θυμός) et « convoitise » (ἐπιθυμία)
vont souvent de pair (*Strom*. II, 63, 1; 64, 1; IV, 36, 2; V, 27, 10; 53, 1),
même lorsque la « colère » (plutôt « véhémence » ou « impétuosité »
alors) est prise en bonne part (ainsi en *Strom*. IV, 151, 1). Le « gnostique »
doit être affranchi même de cette forme-là de « colère » (*Strom*. VI, 71,
4; 72, 3; 74, 2), ce qui est suggéré ici par « un état de continence exempt
de peine ». C'est à ce genre d'énoncé que Fénelon fut sensible (voir A. LE
BOULLUEC, « L'édition des *Stromates* de Clément d'Alexandrie en France
au XVIIᵉ siècle et la controverse entre Fénelon et Bossuet », dans *Alexandrie
antique et chrétienne*, p. 309-322).

faut les énergies de l'âme qu'il tient de la nature désire ce qui lui convient, mais déteste ce qui lui porte préjudice[1], comme le lui enjoignent les commandements : « Car », est-il dit, « tu béniras celui qui bénit et tu maudiras celui qui maudit[a2]. » 3 Après avoir franchi ces deux obstacles que sont la colère et la convoitise[3], il aimera en acte la création, par égard pour Dieu auteur de toutes choses, il vivra d'une manière gnostique, car il aura acquis un état de continence exempt de peine, à la ressemblance du Sauveur, en réalisant l'unité de la connaissance, de la foi, et de l'amour[4]. 4 Désormais, il est un dans son jugement et réellement spirituel[5] ; il est totalement inaccessible aux raisonnements nés de la colère et de la convoitise ; il est un être achevé « à l'image[b] » du Seigneur, par l'Artisan lui-même ; il est un homme parfait, digne désormais d'être appelé « frère[c] » par le Seigneur lui-même, étant à la fois ami et fils. Ainsi les « deux et les trois se rassemblent-ils[d] » en une seule réalité : l'homme gnostique[6].

4. Le motif de la « ressemblance avec le Sauveur », dans ce contexte, rappelle le recours à un extrait de la *Lettre à Agathopous* de Valentin, *supra* 59, 3. Cette « ressemblance » substitue à la triade « colère, convoitise, raisonnement » l'unité « de la connaissance, de la foi et de l'amour » (voir E.F. Osborn, *Clement of Alexandria*, p. 234-235).

5. La puissance dominante et unifiante de « l'amour » rend le « gnostique » entièrement « spirituel », le terme supérieur de la triade paulinienne, « l'esprit » (*supra* 68, 5), prenant lui aussi l'ascendant.

6. La référence sous-jacente à Ep 4, 13 et 1 Th 5, 23 permet d'actualiser, en « l'être achevé » – « l'homme parfait », le « gnostique » –, le « à l'image » de Gn 1, 26. Son « unité » est explicitement rapportée à celle de Dieu (Logos et Père) en *Strom.* IV, 151, 3. Il est « frère » du « Seigneur » (le Fils), d'après He 2, 11, « ami » de Dieu, comme Abraham (voir *Péd.* III, 12, 4 ; 42, 3 ; *Strom.* II, 20, 2 ; 103, 2 ; IV, 105, 3) et aussi « ami » du Christ, d'après Jn 15, 14-15 (cf. *Strom.* IV, 14, 2) ; en outre « fils » (voir *Strom.* IV, 40, 2 citant Mt 5, 9 ; IV, 104, 1 ; III, 78, 3 citant Rm 8, 14 ; *QDS* 9, 2 ; *Péd.* I,

70   1 Εἴη δ' ἂν καὶ ἡ ὁμόνοια τῶν πολλῶν ἀπὸ τῶν τριῶν
ἀριθμουμένη μεθ' ὧν ὁ κύριος, ἡ μία ἐκκλησία, ὁ εἷς
ἄνθρωπος, τὸ γένος τὸ ἕν.

2 Ἢ μή τι μετὰ μὲν τοῦ ἑνὸς τοῦ Ἰουδαίου ὁ κύριος
5 νομοθετῶν ἦν, προφητεύων δὲ ἤδη καὶ τὸν Ἰερεμίαν ἀπο-
στέλλων εἰς Βαβυλῶνα, ἀλλὰ καὶ τοὺς ἐξ ἐθνῶν διὰ τῆς
προφητείας καλῶν, συνῆγε λαοὺς τοὺς δύο, τρίτος δὲ ἦν ἐκ
τῶν δυεῖν κτιζόμενος εἷς εἰς καινὸν ἄνθρωπον[a], ᾧ δὴ ἐμπερι-
πατεῖ τε καὶ κατοικεῖ[b] ἐν αὐτῇ τῇ ἐκκλησίᾳ;   3 Νόμος
10 τε ὁμοῦ καὶ προφῆται σὺν καὶ τῷ εὐαγγελίῳ «ἐν ὀνόματι»
Χριστοῦ εἰς μίαν «συνάγονται[c]» γνῶσιν.

---

70 a Cf. Ep 2, 15   b Cf. 2 Co 6, 16   c Mt 18, 20

31, 1 citant Ga 3, 26). La « condition filiale » (υἱοθεσία) est la fin promise
(*Péd.* I, 21, 2 ; 98, 2 ; *Strom.* I, 173, 6 ; II, 75, 2 ; 134, 2 ; IV, 26, 5 ; VI, 68,
1 ; 76, 3 ; 114, 6 ; VII, 82, 7 ; *EP* 31, 3).

1. Le Pseudo-Jamblique des *Theologoumena arithmeticae* détaille
toutes les vertus de la triade, qui rend actives celles de la monade (c. III,
p. 14-19 V. de Falco). Il cite en particulier un extrait de la *Théologie
arithmétique* de Nicomaque de Gérasa, néopythagoricien de la première
moitié du IIe siècle, selon lequel on nomme la triade « amitié », « paix »,
« harmonie » et « concorde » ; elle est aussi appelée « mariage » (pour
une autre raison, c'est l'hexade qui a ce sens « chez les pythagoriciens »
en *Strom.* V, 93, 4 et VI, 139, 2).

2. Cette nouvelle explication de Mt 18, 20 résout, sur le plan collectif,
la tension avec Mt 22, 14 affrontée *supra* 68, 3-4 dans la critique de l'interprétation encratite. Elle s'accorde avec la cinquième (*supra* 68, 5) grâce
au symbole des « trois demeures de choix » dans l'Église (*Strom.* VI, 114,
3 ; voir *Strom.* VII, 40, 4 et *SC* 428, p. 144, n. 2). Le thème de « l'Église
unique » est développé en *Strom.* VII, 107, 3-6.

3. Ce passage est l'un des textes principaux de Clément sur l'histoire
providentielle de la constitution du peuple chrétien (voir A. Le Boulluec,
« L'identité chrétienne en auto-définition chez Clément d'Alexandrie »,
dans *Alexandrie antique et chrétienne*, p. 91-110).

4. Selon Jr 28 (51 TM), 59-61, c'est Saraia qui se rend « de la part du
roi Sédécias » (d'après le grec) à Babylone, et à qui Jérémie ordonne de

0   1 Mais la concorde d'un grand nombre désignée par le chiffre trois[1], et où se trouve le Seigneur, pourrait bien être aussi l'Église unique, l'homme unique, la race unique[2].

2 Ou peut-être ceci[3] : quand il établissait la Loi, le Seigneur n'était-il pas avec un seul, le peuple juif, tandis que plus tard, lorsqu'il prophétisait, envoyait Jérémie à Babylone[4] et appelait par la voix des prophètes certains d'entre les nations[5], il réunissait les deux peuples ? Quant au troisième, ne serait-ce pas le peuple unique, constitué des deux premiers en vue de former un homme nouveau[a], ce peuple au milieu duquel « il marche et habite[b] », l'Église elle-même ?   3 La Loi, ainsi que les Prophètes, joints à l'Évangile, « au nom » du Christ, se « rassemblent[c] » dans la gnose unique[6].

---

prononcer là-bas contre Babylone toutes les paroles que le prophète avait mises par écrit. La mémoire de Clément est-elle défaillante ? Dépend-il d'un texte qui ne mentionnait pas Saraia ? S'agit-il d'une méprise sur Ba 1, 1, qui attribue à Baruch, secrétaire de Jérémie, la généalogie de Saraia de Jr 28 (51), 59 et qui lui fait écrire son livre à Babylone ? On a pensé plutôt à une tradition juive, attestée par l'écrit aggadique *Seder Olam Rabba*, rédigé probablement au début du IIIe siècle (voir H.L. STRACK – G. STEMBERGER, *Introduction au Talmud et au Midrash*, traduction et adaptation de M.-R. HAYOUN, Paris 1986, p. 371), selon lequel Jérémie aurait été emmené en Babylonie par Nabuchodonosor au moment de la conquête de l'Égypte (*Seder Olam Rabba* 26). D'après les *Paralipomènes de Jérémie* (4, 5 ; cf. 5, 21), composés probablement entre 70 et 132 (A.-M. DENIS *et alii*, *Introduction à la littérature religieuse judéo-hellénistique*, Turnhout 2000, p. 706), le prophète aurait été entraîné par les Chaldéens de Jérusalem à Babylone.

5. L'appel « par la voix des prophètes à certains d'entre les nations » peut se fonder sur de nombreux passages, notamment d'*Isaïe* (voir le *Glossaire* de Ph. LE MOIGNE, dans *Vision que vit Isaïe*, *BA*, Paris 2014, p. 344-347, *s.v.* « Nations »).

6. Cette dernière interprétation réunit les trois parties de l'Écriture selon Clément dans l'unité de la lecture christologique. Leur accord est « la règle

4 Οὐκοῦν οἱ διὰ μῖσος μὴ γαμοῦντες ἢ δι' ἐπιθυμίαν ἀδιαφόρως τῇ σαρκὶ καταχρώμενοι οὐκ ἐν ἀριθμῷ τῶν σῳζομένων ἐκείνων μεθ' ὧν ὁ κύριος.

71

132ʳ

1 Τούτων ὧδε ἐπιδεδειγμένων φέρε, ὁπόσαι τούτοις τοῖς κατὰ ⏐τὰς αἱρέσεις σοφισταῖς ἐναντιοῦνται γραφαί, ἤδη παραθώμεθα, τὸν κανόνα τῆς κατὰ λόγον τηρουμένης ἐγκρατείας μηνύοντες. 2 Ἑκάστῃ δὲ τῶν αἱρέσεων τὴν
5 οἰκείως ἐνισταμένην γραφὴν ὁ συνίων ἐπιλεγόμενος κατὰ καιρὸν χρήσεται πρὸς κατάλυσιν τῶν παρὰ τὰς ἐντολὰς δογματιζόντων.

3 Ἄνωθεν μὲν οὖν ὁ νόμος, ὥσπερ προειρήκαμεν, τὸ «Οὐκ ἐπιθυμήσεις τῆς τοῦ πλησίον ᵃ», τῆς τοῦ κυρίου προσεχοῦς
10 κατὰ τὴν νέαν διαθήκην φωνῆς προαναπεφώνηκεν τῆς αὐτῆς αὐτοπροσώπως λεγούσης· «Ἠκούσατε τοῦ νόμου

71, 10 προαναπεφώνηκεν **Sy St** : προσαναπεφώνηκεν L

---

71 a Ex 20, 17

---

de l'Église » (*Strom*. VI, 125, 3 ; cf. VII, 104, 1 ; voir aussi *Protr*. 112, 1 ; *Péd*. I, 96-97 ; III, 87, 4 ; *Strom*. III, 76, 1 ; IV, 2, 2 ; 90, 4 ; 159, 1 ; VII, 2, 2 ; 8, 5 ; 46, 2). Les paroles des Apôtres sont souvent intégrées à cet ensemble (*Strom*. V, 31, 1 ; VI, 88, 5 ; VII, 95, 3 ; 98, 2 ; *QDS* 42, 17), réduit parfois à la Prophétie et à l'Évangile (*Strom*. II, 29, 3 ; 73, 1 ; VI, 122, 1 ; 123, 1).

1. « Dans l'indifférence » : voir *supra* 40, 2 ; 41, 5 ; 42, 5.

2. Les exégèses de Mt 18, 20 privent de la présence de Dieu les encratites, qui brisent l'unité par la haine (voir *supra* 60, 1 et *infra* 105, 1 ; cf. 12, 1 ; 63, 1), et les licencieux qui, divisés par la convoitise, le font en désirant ce qui est nuisible (*supra* 68, 5 ; 69, 2).

3. La méthode définie ici gouverne la composition du reste du livre III, faisant alterner les répliques aux licencieux et aux encratites, en leur opposant des passages scripturaires ou en rétablissant le sens faussé par ces adversaires. La méthode est à l'origine du genre littéraire de l'*Antirrhétique*, dont

4 Dès lors, ceux qui, par haine, ne se marient pas ou qui, par concupiscence, abusent de la chair dans l'indifférence[1], ne sont pas au nombre de ceux qui sont sauvés, de ceux avec qui se trouve le Seigneur[2].

XI

CONTRE LES LICENCIEUX : ACCORD DES ÉCRITURES SUR LE PRÉCEPTE DE LA CONTINENCE

1 Après cette démonstration, citons maintenant les passages d'Écriture qui s'opposent à ces sophistes hérétiques, tout en expliquant la règle de la continence observée raisonnablement. **2** L'intelligent, choisissant le passage d'Écriture qui répond adéquatement à chaque hérésie, l'utilisera au bon moment pour réfuter ceux qui proclament des doctrines contraires aux commandements[3].

Enseignements de la loi mosaïque **3** Dès les temps anciens, comme nous l'avons dit, la Loi, – le « Tu ne convoiteras pas la femme de ton prochain[a] » –, a anticipé la proclamation faite par la voix du Seigneur qui parle de près selon le Nouveau Testament, cette voix même qui dit en sa propre personne[4] : « Vous avez entendu la

---

un exemple est donné dans le monde monastique par l'œuvre portant ce titre d'Évagre le Pontique, pour montrer comment chasser par des paroles de l'Écriture chacune des mauvaises pensées (voir A. GUILLAUMONT, *Un philosophe au désert. Évagre le Pontique*, Paris 2004, p. 105-108).

4. Voir *supra* 9, 1. Comme le signale L. FRÜCHTEL (*GCS* 52[2], p. 228), la même distinction entre la proximité de la parole du Christ et l'antiquité lointaine de la Loi est formulée *infra* 84, 4.

232 STROMATE III

παραγγέλλοντος· 'Οὐ μοιχεύσεις[b].' ''Εγὼ δὲ λέγω· Οὐκ
ἐπιθυμήσεις[c].'» 4 Ὅτι γὰρ σωφρόνως ἐβούλετο ταῖς
γαμεταῖς χρῆσθαι τοὺς ἄνδρας ὁ νόμος καὶ ἐπὶ μόνῃ παιδο-
15 ποιΐᾳ, δῆλον ἐκ τοῦ κωλύειν μὲν τῇ αἰχμαλώτῳ παραχρῆμα
ἐπιμίγνυσθαι τὸν ἄγαμον, ἐπιθυμήσαντος δὲ ἅπαξ τριάκοντα
πενθεῖν ἐπιτρέπειν ἡμέρας κειραμένῃ καὶ τὰς τρίχας, εἰ δὲ
μηδ' οὕτως μαραίνοιτο ἡ ἐπιθυμία, τότε παιδοποιεῖσθαι[d],
δεδοκιμασμένης τῆς ὁρμῆς τῆς κυριευούσης κατὰ τὴν
20 προθεσμίαν τοῦ χρόνου εἰς ὄρεξιν εὔλογον.

72 1 Ὅθεν οὐ δείξειας <ἂν> ἐγκύμονι πλησιάσαντα τῶν
πρεσβυτέρων τινὰ κατὰ τὴν γραφήν, ἀλλ' ὕστερον μετά τε
τὴν κυοφορίαν μετά τε τὴν τοῦ τεχθέντος γαλακτουχίαν
εὕροις ἂν πάλιν πρὸς τῶν ἀνδρῶν γινωσκομένας τὰς γυναῖκας.

72, 1 ἂν suppl. St

---

b Ex 20, 13   c Cf. Mt 5, 27.28   d Cf. Dt 21, 11-13

1. Sur la tempérance dans le mariage, voir *Strom.* II, 143, 1. Les
remarques sur la législation relative à la captive prise pour épouse (Dt 21,
10-13) résument le commentaire de PHILON (*Virt.* 113), qui parle d'un
amour « de forme plus pure », « pénétré de réflexion » après l'épreuve de
trente jours. La paraphrase de Philon est plus nette dans le développement
parallèle de *Strom.* II, 88, 4 – 89, 2 (voir A. VAN DEN HOEK, *Clement of
Alexandria and his Use of Philo*, p. 88-90). Dans ce contexte, faire de la
seule procréation l'objet du « désir raisonnable » est propre à Clément
(cf. *Péd.* II, 95, 3).

2. Sur la maîtrise de « l'impulsion » selon les stoïciens, voir les contribu-
tions de F. ILDEFONSE et de M.-O. GOULET-CAZÉ dans M.-O. GOULET-
CAZÉ (éd.), *Études sur la théorie stoïcienne de l'action*, Paris 2011, p. 1-71
et p. 73-236.

3. Le « désir raisonnable » est opposé à la « convoitise » (*Strom.* IV,
117, 5).

4. Le *Lévitique* (12, 2.5) ne fait pas durer « l'isolement » de la femme
accouchée au-delà de soixante-six jours (si elle a enfanté une fille), « l'isolement » qui exclut les relations sexuelles (Lv 18, 19 ; cf. 20, 18). FLAVIUS
JOSÈPHE associe ce délai à l'interdiction d'entrer dans le Temple (*Antiquités*

prescription de la Loi : 'Tu ne commettras pas d'adultère[b].'
Mais moi je vous dis : 'Tu ne convoiteras pas[c].' »   4 Car la
Loi voulait que les maris n'aient avec leurs épouses que des
relations empreintes de tempérance et en vue seulement de
la procréation[1] ; cela ressort nettement du fait qu'elle interdit au célibataire d'avoir immédiatement des relations avec
une captive ; mais une fois qu'il l'avait convoitée, il devait lui
permettre de garder le deuil pendant trente jours, après s'être
coupé les cheveux. Si même ainsi sa convoitise ne s'éteignait
pas, il pouvait alors lui engendrer des enfants[d], car ce délai
avait mis à l'épreuve l'impulsion qui le dominait[2], pour en
faire un désir raisonnable[3].

2   1 C'est pour cela aussi qu'en se référant à l'Écriture, on
ne pourrait indiquer personne parmi les Anciens qui ait eu
des relations avec une femme enceinte ; on constaterait au
contraire que les femmes n'ont à nouveau été connues de
leurs maris qu'après la grossesse et l'allaitement de l'enfant[4].

Juives III, 269). Dans le *Contre Apion* (II, 202), il résume la loi, sans indiquer
de durée. Il rapporte que les esséniens qui se marient n'ont pas de rapports
avec leurs femmes pendant qu'elles sont enceintes (*La guerre des Juifs* II,
8, 161). Le rigorisme de Clément rejoint les prescriptions formulées pour
des raisons thérapeutiques par les médecins. Ainsi Hippocrate : « La
femme enceinte, si elle n'use pas du coït, accouchera plus facilement » (*La
superfétation* 13) ; voir surtout les recommandations de Soranos, formé
à Éphèse et à Alexandrie, qui exerça la médecine à Rome sous Trajan et
Hadrien : pendant la grossesse, « il faut aussi éviter les rapports sexuels : ils
créent un ébranlement général du corps tout entier, et spécialement de la
zone utérine, qui a besoin de calme ... » (*Maladies des femmes* I, 16, l. 64-70,
texte établi, traduit et annoté par P. Bruguière – D. Gourevitch
– Y. Malinas, *CUF*, 1988). Soranos conseille de ne sevrer le nourris-
son, progressivement, qu'« avec la pousse des dents, au troisième ou au
quatrième semestre » (*ibid.*, II, 17, l. 37-41 et 63-64). Même la nourrice
doit être « tempérante », pour préserver la qualité de son lait (*ibid.* II, 8,
l. 65-71 ; 11, l. 54) ; la chasteté est une condition explicite dans les contrats
de nourrice en Égypte romaine (D. Gourevitch, *ibid.*, n. 152).

5 **2** Αὐτίκα τοῦτον εὑρήσεις τὸν σκοπὸν καὶ τὸν τοῦ Μωϋσέως πατέρα φυλάσσοντα, τριετίαν διαλιπόντα μετὰ τὴν τοῦ Ἀαρὼν ἀποκύησιν γεννήσαντα τὸν Μωσέα[a]. **3** Ἥ τε αὖ Λευιτικὴ φυλὴ τοῦτον φυλάσσουσα τὸν τῆς φύσεως νόμον

132ᵛ ἐκ θεοῦ ἐλάττων τὸν ἀριθμὸν |παρὰ τὰς ἄλλας εἰς τὴν προ-

10 κατηγγελμένην εἰσῆλθε γῆν[b]· **4** οὐ γὰρ ῥᾳδίως αὐξάνει γένος εἰς πολυπληθίαν σπειράντων μὲν τῶν ἀνδρῶν τῶν τὸν κατὰ τοὺς νόμους γάμον ἀναδεδεγμένων, ἀναμενόντων δὲ οὐ τὴν κυοφορίαν μόνον, ἀλλὰ καὶ τὴν γαλακτουχίαν.

73 **1** Ὅθεν εἰκότως καὶ ὁ Μωϋσῆς κατ᾽ ὀλίγον εἰς ἐγ-κράτειαν προβιβάζων τοὺς Ἰουδαίους τριῶν ἡμερῶν κατὰ τὸ ἑξῆς ἀπεσχημένους ἀφροδισίου ἡδονῆς προσέταξεν ἐπακούειν τῶν θείων λόγων[a].

5 **2** « Ἡμεῖς οὖν ναοὶ τοῦ θεοῦ ἐσμεν καθὼς εἶπεν » ὁ προφήτης, ὅτι « ἐνοικήσω ἐν αὐτοῖς καὶ ἐμπεριπατήσω καὶ ἔσομαι αὐτῶν θεὸς καὶ αὐτοὶ ἔσονταί μου λαός[b] », ἐὰν κατὰ τὰς ἐντολὰς πολιτευώμεθα εἴτε ὁ καθ᾽ ἕκαστον ἡμῶν

---

72 a Cf. Ex 7, 7   b Cf. Nb 3, 39
73 a Cf. Ex 19, 15   b 2 Co 6, 16 (Lv 26, 12 ; Ez 37, 27)

1. La règle des « trois ans » généralise l'intervalle entre la naissance d'Aaron et celle de Moïse tel qu'il est ici interprété. La Loi n'impose nulle part la continence sexuelle pendant tout le temps de l'allaitement.

2. FLAVIUS JOSÈPHE insiste sur la rigueur plus grande des interdits imposés aux prêtres en matière de mariage (*Antiquités Juives* III, 276, d'après Lv 21, 7 ; cf. PHILON, *Spec.* I, 101-111), sans la moindre mention des restrictions invoquées par Clément. D'après les recensements de Nb 1-3 LXX, la tribu de Lévi comptait 22000 membres (Nb 3, 39), alors que les autres tribus en avaient de 32200 (Manassé, Nb 1, 33 ; 2, 23) à 186400 (Juda, Nb 2, 9). Autre recensement en Nb 26 : 23000 pour la tribu de Lévi (Nb 26, 62).

3. Cet interdit est souvent cité par les Pères à l'appui de leurs exhortations à l'ascèse (voir *BA* 2, *Exode*, p. 202), ainsi par ORIGÈNE (*Homélies sur l'Exode* XI, 7), qui associe Ex 19, 15 à 1 Co 7, 1-2.29-31 (cf. *infra* 95, 3 – 96, 2).

2 Ainsi, on observera que le père de Moïse, par exemple, a respecté cette règle puisqu'il laissa passer trois années à partir de la naissance d'Aaron avant d'engendrer Moïse[a1]. **3** De même, la tribu de Lévi, qui observait cette loi naturelle d'origine divine, entra dans la Terre promise moins nombreuse que les autres tribus[b2], **4** car une race ne s'accroît pas facilement en une foule nombreuse lorsque n'engendrent que les hommes qui ont contracté un mariage conforme aux lois et qu'ils patientent non seulement le temps de la grossesse, mais également celui de l'allaitement.

3 **1** Pour la même raison encore, Moïse, qui peu à peu amenait les Juifs à la continence, leur ordonna à bon droit de n'écouter les paroles divines qu'après s'être abstenus du plaisir d'une relation sexuelle pendant trois jours consécutifs[a3].

La pureté exigée dans le Nouveau Testament **2** « Nous sommes donc des temples de Dieu[4], selon ce qu'a dit » le prophète : « J'habiterai et je marcherai parmi eux, et je serai leur Dieu et ils seront mon peuple[b5] », si nous conformons notre conduite aux commandements, aussi bien chacun d'entre nous

---

4. « Nous sommes donc des temples de Dieu » : M. Mees, *Die Zitate,* p. 146 et 177, situe cette leçon parmi celles qui ne comportent pas la qualification « Dieu *vivant* ». Pour l'interprétation, voir *Strom.* III, 62, 2 *supra* et IV, 131, 4. Ces mots de Paul ouvrent ici un exposé qui retourne en arguments pour le mariage (unique) les témoignages utilisés par les encratites dans le sens contraire (voir Y. Tissot, « Hénogamie », p. 182-186). La glose explicative renoue avec la perspective à la fois individuelle et collective du développement 68-70.

5. Le locuteur des paroles bibliques qui sont ensuite combinées en 2 Co 6, 16-18 est ici « le prophète », et non « Dieu » lui-même (2 Co 6, 16b), la première formule étant un amalgame d'Ez 37, 27 et Lv 26, 12. C'est ensuite « le Seigneur » (2 Co 6, 17-18) qui parle « tel un prophète » (*infra* 73, 4).

εἴτε καὶ ἀθρόα ἡ ἐκκλησία. 3 «Διὸ ἐξέλθετε ἐκ μέσου
10 αὐτῶν καὶ ἀφορίσθητε, λέγει κύριος, καὶ ἀκαθάρτου μὴ
ἅπτεσθε· κἀγὼ εἰσδέξομαι ὑμᾶς καὶ ἔσομαι ὑμῖν εἰς πατέρα,
καὶ ὑμεῖς ἔσεσθέ μοι εἰς υἱοὺς καὶ θυγατέρας, λέγει κύριος
παντοκράτωρ[c].» 4 Οὐ τῶν γεγαμηκότων, ὥς φασιν, ἀλλὰ
τῶν ἐθνῶν τῶν ἐν πορνείᾳ βιούντων ἔτι, πρὸς δὲ καὶ τῶν
15 προειρημένων αἱρέσεων ἀφορισθῆναι ὡς ἀκαθάρτων καὶ
ἀθέων κελεύει προφητικῶς ἡμᾶς.

74 1 Ὅθεν καὶ ὁ Παῦλος, πρὸς τοὺς ὁμοίους ἀποτεινόμενος
τοῖς εἰρημένοις, «ταύτας οὖν ἔχετε τὰς ἐπαγγελίας»,
φησίν, «ἀγαπητοί· καθαρίσωμεν ἑαυτῶν τὰς καρδίας ἀπὸ
παντὸς μολυσμοῦ σαρκὸς καὶ πνεύματος, ἐπιτελοῦντες
5 ἁγιωσύνην ἐν φόβῳ θεοῦ[a]»· «ζηλῶ γὰρ ὑμᾶς θεοῦ
ζήλῳ, ἡρμοσάμην γὰρ ὑμᾶς ἑνὶ ἀνδρὶ παρθένον ἁγνὴν
παραστῆσαι τῷ Χριστῷ[b].» 2 Ἐκκλησία δὲ ἄλλον οὐ
γαμεῖ τὸν νυμφίον κεκτημένη, ἀλλ᾽ ὁ καθ᾽ ἕκαστον ἡμῶν

---

c 2 Co 6, 17-18 (Is 52, 11 ; Jr 51, 45)
74 a 2 Co 7, 1   b 2 Co 11, 2

1. L'exégèse de 2 Co 6, 17-18 (où s'amalgament Is 52, 11, Jr 51, 45, Ez 20, 24, puis 2 Rg 7, 14, Is 43, 6, Jr 31, 9 et Os 2, 1) se fait littérale pour contester l'argument des encratites, et allégorique pour condamner les licencieux, les hérétiques « impurs » (cf. *Strom.* VII, 109, 1), nommés *supra* 9, 2 ; 10, 1 ; 25, 5 ; 30, 1 ; 34, 3 ; 54, 1. L'idolâtrie des « nations » et la « débauche » sont couramment associées par les prophètes.

2. Paul ici est nommé, pour introduire le verset suivant, 2 Co 7, 1. L'attribution au « prophète » de ses paroles citées en 73, 2-4 prépare la mise au point de 76, 1.

3. Quand Clément note que les adversaires visés par Paul ressemblent à ceux qu'il combat lui-même, il est en accord avec les exégètes et historiens qui repèrent dans 1 et 2 Co des traces d'une lutte de l'Apôtre contre des courants « gnostiques » (par exemple W. SCHMITHALS, *Paul and the Gnostics*, Nashville 1972).

en particulier que l'Église dans son ensemble.   **3** « C'est pourquoi, sortez de leur milieu et écartez-vous d'eux, dit le Seigneur, et ne touchez pas à ce qui est impur. Et moi je vous accueillerai, et je serai pour vous un père, et vous serez pour moi des fils et des filles, dit le Seigneur tout-puissant[c]. »   **4** Ce n'est pas des gens mariés, comme l'affirment les autres, mais des païens qui vivaient encore dans la débauche et aussi des hérésies mentionnées plus haut qu'il nous ordonne, tel un prophète, de nous séparer comme de gens impurs et athées[1].

1 D'où aussi ces paroles de Paul[2] dirigées contre les gens qui ressemblent à ceux que nous avons mentionnés[3] : « Mes bien-aimés, vous avez donc ces promesses ; purifions nos cœurs de toute souillure de la chair et de l'esprit, en achevant de nous sanctifier dans la crainte de Dieu[a]. » « Car j'éprouve à votre égard autant de jalousie que Dieu ; en effet, je vous ai fiancés à un époux unique, comme une vierge chaste à présenter au Christ[b]. »   **2** Mais si l'Église a déjà son fiancé et n'en épouse pas un autre[4], chacun de nous, en revanche,

---

4. La juxtaposition de 2 Co 7, 1 et 2 Co 11, 2 assimile le « vous » à « l'Église », l'exégèse impliquant une allusion à Ep 5, 31-32 (cf. *infra* 84, 2). L'Église est « vierge » (2 Co 11, 2b) : voir par exemple Hégésippe, cité par Eusèbe, *Histoire ecclésiastique* III, 32, 7, ou la *Lettre de l'Église de Lyon* (Eusèbe, *Histoire ecclésiastique* V, 1, 45). Les « promesses » déjà possédées (2 Co 7, 1) sont ces fiançailles. Selon les encratites, le mariage devait être pour cette raison assimilé à l'adultère (voir Y. Tissot, « Hénogamie », p. 184-185). Pour les réfuter, Clément distingue le plan collectif, visé en 2 Co 11, 2, du niveau individuel, qui serait considéré en 2 Co 11, 3 : si le mariage est licite, il exige la tempérance, contre la séduction diabolique.

ἣν ἂν βούληται κατὰ τὸν νόμον γαμεῖν, τὸν πρῶτον λέγω
133ʳ 10 γάμον, ἔχει τὴν ἐξουσίαν. 3 «Φοβοῦμαι δὲ ᵗμή πως, ὡς
ὁ ὄφις ἐξηπάτησεν Εὔανᶜ ἐν τῇ πανουργίᾳ, φθαρῇ τὰ
νοήματα ὑμῶν ἀπὸ τῆς ἁπλότητος τῆς εἰς τὸν Χριστόνᵈ»,
σφόδρα εὐλαβῶς καὶ διδασκαλικῶς εἴρηκεν ὁ ἀπόστολος.

75 1 Διὸ καὶ ὁ θαυμάσιος Πέτρος φησίν· «Ἀγαπητοί,
παρακαλῶ ὡς παροίκους καὶ παρεπιδήμους ἀπέχεσθαι
τῶν σαρκικῶν ἐπιθυμιῶν, αἵτινες στρατεύονται κατὰ
τῆς ψυχῆς, τὴν ἀναστροφὴν ὑμῶν καλὴν ἔχοντες ἐν τοῖς
5 ἔθνεσιν ᵃ»· 2 «ὅτι οὕτως ἐστὶ τὸ θέλημα τοῦ θεοῦ,
ἀγαθοποιοῦντας φιμοῦν τὴν τῶν ἀφρόνων ἀνθρώπων
ἐργασίαν, ὡς ἐλεύθεροι καὶ μὴ ὡς ἐπικάλυμμα ἔχοντες τῆς
κακίας τὴν ἐλευθερίαν, ἀλλ᾽ ὡς δοῦλοι θεοῦᵇ.» 3 Ὁμοίως
δὲ καὶ ὁ Παῦλος ἐν τῇ πρὸς Ῥωμαίους ἐπιστολῇ γράφει·
10 «Οἵτινες ἀπεθάνομεν τῇ ἁμαρτίᾳ, πῶς ἔτι ζήσομεν ἐν
αὐτῇᶜ;» «Ὅτι ὁ παλαιὸς ἡμῶν ἄνθρωπος συνεσταυρώθη,
ἵνα καταργηθῇ τὸ σῶμα τῆς ἁμαρτίας» ἕως «μηδὲ
παριστάνετε τὰ μέλη ὑμῶν ὅπλα ἀδικίας τῇ ἁμαρτίᾳᵈ.»

---

c Gn 3, 13   d 2 Co 11, 3
75 a 1 P 2, 11-12   b 1 P 2, 15-16   c Rm 6, 2   d Rm 6, 6-13

1. Si l'on ne peut tirer aucune conséquence rigoriste pour les baptisés de la symbolique nuptiale, la restriction introduite dans l'incise de 74, 2 limite la légitimité du mariage à la première union (Y. Tissot, « Hénogamie », p. 184-185).

2. Les deux formes de faute envisagées par Clément ruinent la « simplicité » (ἁπλότης) évoquée en 2 Co 11, 3, dont la « prudence » est contenue dans un enseignement profond, celui du Didascale, dans une instruction sur le symbolisme de la tromperie dont Ève a été victime, si l'on donne son sens plein à l'adverbe διδασκαλικῶς (voir Péd. I, 8, 3 ; III, 45, 1 ; Strom. V, 75, 4).

a le pouvoir d'épouser selon la loi la femme qu'il veut, je parle d'un premier mariage[1]. 3 « Mais je crains qu'à l'exemple d'Ève, trompée par le serpent dans sa fourberie[c], vos pensées ne se corrompent loin de la simplicité à l'égard du Christ[d] », dit l'Apôtre, et ces paroles sont pleines de prudence et d'enseignement[2].

5   1 C'est pour cela aussi que l'admirable Pierre[3] dit : « Mes bien-aimés, je vous exhorte, comme des habitants de passage et des voyageurs, à vous abstenir des convoitises charnelles qui font la guerre à l'âme et à garder une belle conduite au milieu des païens[a]. » 2 « Car c'est la volonté de Dieu qu'en faisant le bien, vous museliez l'activité[4] des idiots ; agissez en hommes libres et non en hommes qui font de la liberté un voile sur leur malice, mais en esclaves de Dieu[b][5]. » 3 De même, Paul écrit aussi dans la *Lettre aux Romains* : « Morts au péché, comment pourrons-nous vivre encore en lui[c] ? » « Car le vieil homme en nous a été crucifié avec lui pour que soit détruit ce corps de péché [...]. Ne faites pas de vos membres une arme d'injustice au service du péché[d][6]. »

---

3. Pierre « admirable » est aussi « le bienheureux, élu et choisi entre tous, le premier des disciples » (*QDS* 21, 4 ; cf. *Strom.* VII, 63, 3 ; *Règle ecclésiastique*, fr. 36 Stählin, III, p. 219, 3). Dans les *Hypotyposes* VI, Clément rapportait comment Pierre avait confirmé par son autorité l'*Évangile selon Marc*, son compagnon (EUSÈBE, *Histoire ecclésiastique* II, 15, 2).

4. En 1 P 2, 15, Clément, avec de rares témoins, a la leçon ἐργασίαν, « activité », au lieu de ἀγνωσίαν, « ignorance » (voir M. MEES, *Die Zitate*, p. 178 et 239).

5. IRÉNÉE se sert de 1 P 2, 16 contre les carpocratiens (*Contre les hérésies* I 25, 3 ; cf. IV, 16, 5).

6. C'est précisément en faveur de la tempérance dans le mariage que sont invoquées les exhortations de 1 P 2, 11-12a.15-16 et Rm 6, 2.6-13, contre les encratites pour défendre la licéité du mariage, et contre la « liberté » (1 P 2, 16) des autres (voir *supra* 30, 1 sur les « gnostiques » disciples de Prodicos, contre lesquels est déjà cité 1 P 2, 11 en 30, 4).

76 1 Καὶ δὴ ἐνταῦθα γενόμενος δοκῶ μοι μὴ παραλείψειν ἀνεπισημείωτον, ὅτι τὸν αὐτὸν θεὸν διὰ νόμου καὶ προφητῶν καὶ εὐαγγελίου ὁ ἀπόστολος κηρύσσει. Τὸ γὰρ « οὐκ ἐπιθυμήσεις[a] » ἐν τῷ εὐαγγελίῳ γεγραμμένον τῷ νόμῳ
5 περιτίθησιν ἐν τῇ πρὸς Ῥωμαίους ἐπιστολῇ, ἕνα εἰδὼς τὸν διὰ νόμου καὶ προφητῶν κηρύξαντα καὶ τὸν δι᾽ αὐτοῦ εὐαγγελισθέντα πατέρα. 2 Φησὶ γάρ· « Τί ἐροῦμεν; Ὁ νόμος ἁμαρτία; Μὴ γένοιτο· Ἀλλὰ τὴν ἁμαρτίαν οὐκ ἔγνων εἰ μὴ διὰ νόμου· Τήν τε γὰρ ἐπιθυμίαν οὐκ ᾔδειν, εἰ μὴ ὁ
10 νόμος ἔλεγεν· ᾽Οὐκ ἐπιθυμήσεις[b].᾽»

3 Κἂν οἱ ἀντιτασσόμενοι τῶν ἑτεροδόξων προσαποτεινόμενον τὸν Παῦλον τῷ κτίστῃ εἰρηκέναι ὑπολάβωσι
133ᵛ τὰ ἑξῆς |« Οἶδα γὰρ ὅτι οὐκ οἰκεῖ ἐν ἐμοί, τουτέστιν ἐν τῇ σαρκί μου, ἀγαθόν[c] », ἀλλ᾽ ἀναγινωσκόντων τὰ προ-
15 ειρημένα καὶ τὰ ἐπιφερόμενα· 4 προεῖπε γάρ· « ἀλλ᾽ ἡ οἰκοῦσα ἐν ἐμοὶ ἁμαρτία[d] », δι᾽ ἣν ἀκόλουθον ἦν εἰπεῖν ὅτι
77 « οὐκ οἰκεῖ ἐν τῇ σαρκί μου ἀγαθόν[c] », 1 ἑπομένως <δ᾽> ἐπήγαγεν· « Εἰ δὲ ὃ οὐ θέλω, τοῦτο ἐγὼ ποιῶ, οὐκέτι ἐγὼ κατεργάζομαι αὐτό, ἀλλ᾽ ἡ οἰκοῦσα ἐν ἐμοὶ ἁμαρτία[a] »,

---

77, 1 δ᾽ suppl. St

---

76 a Mt 5, 27.28 (Ex 20, 17)   b Rm 7, 7   c Rm 7, 18   d Rm 7, 17
77 a Rm 7, 20

1. Voir *supra* 73, 2 ; « le prophète » parle en 2 Co 6, 16-18 pour faire entendre les paroles de Dieu. Quant à la proclamation du même Dieu par la Loi et par l'Évangile chez Paul, elle est illustrée par Rm 7, 7 citant Ex 20, 17, commandement divin repris par Mt 5, 27 (cf. *supra* 71, 3). En toile de fond se trouvent tous les textes pauliniens qui proclament le « Père » et ceux qui se réfèrent à « l'Évangile de Dieu » (ainsi Rm 1, 1 ; 15, 16 ; 1 Th 2, 2.4 ; 1 Tm 1, 11). Paul fait vivre « la règle de l'Église », à savoir l'harmonie

6

Unité d'inspiration des deux Testaments

1 Parvenu à cet endroit, je ne puis manquer de souligner le fait que l'Apôtre proclame le même Dieu par la Loi, les Prophètes et l'Évangile. En effet, les mots « Tu ne convoiteras pas[a] », qui figurent dans l'Évangile, (Paul) les attribue à la Loi dans la *Lettre aux Romains*, certain que celui qui a fait passer ses proclamations par la Loi et les Prophètes ne fait qu'un avec le Père dont il a lui-même annoncé l'Évangile[1]. **2** Il dit en effet : « Que dirons-nous ? Que la Loi est le péché ? Certes non ! Mais je n'ai connu le péché que par la Loi. En effet, je n'aurais pas connu la convoitise, si la Loi ne disait : 'Tu ne convoiteras pas'[b]. »

3 Si les hétérodoxes opposés au Créateur[2] supposent que Paul a prononcé contre lui les paroles suivantes : « Je sais qu'en moi, c'est-à-dire en ma chair, n'habite pas le bien[c] », qu'ils lisent ce qui précède et ce qui suit. **4** Précédemment, en effet, il avait dit : « Mais le péché qui habite en moi[d] » ; aussi, il allait de soi de dire : « Le bien n'habite pas dans ma chair[c] », **7 1** puis de compléter ainsi : « Or, si je fais ce que je ne veux pas, ce n'est plus moi qui agis, mais le péché qui habite en moi[a] »,

---

des Écritures qui enseignent un seul et même Père, un seul et même Fils (voir *Strom.* VI, 125, 3).

2. Il est difficile d'établir l'identité exacte des « hétérodoxes » opposés au Créateur. S'agit-il des « antitactes » combattus *supra* 34, 3-4 ? Le fait que « le bien n'habite pas » dans la chair résulterait selon eux de l'intervention de la puissance mauvaise, responsable aussi de la Loi. Le rejet de l'interdit « Tu ne convoiteras pas » consisterait pour eux à « mésuser de la chair », comme pour les nicolaïtes (*supra* 25, 7). Les adversaires, cependant, pourraient être plutôt les encratites, plus précisément Tatien qui, selon Clément, « détruit la Loi comme si elle venait d'un autre Dieu » (*infra* 82, 2), qui serait « le Créateur » de « la chair » mauvaise.

ἥτις « ἀντιστρατευομένη τῷ νόμῳ » τοῦ θεοῦ καὶ « τοῦ νοός
5 μου[b] », φησίν, « αἰχμαλωτίζει με ἐν τῷ νόμῳ τῆς ἁμαρτίας τῷ
ὄντι ἐν τοῖς μέλεσί μου. Ταλαίπωρος ἐγὼ ἄνθρωπος. Τίς με
ῥύσεται ἐκ τοῦ σώματος τοῦ θανάτου τούτου[c]; » 2 Πάλιν
τε αὖ (κάμνει γὰρ οὐδ᾽ ὁπωστιοῦν ὠφελῶν) οὐκ ὀκνεῖ
ἐπιλέγειν · « Ὁ γὰρ νόμος τοῦ πνεύματος ἠλευθέρωσέν με
10 ἀπὸ τοῦ νόμου τῆς ἁμαρτίας καὶ τοῦ θανάτου[c] », ἐπεὶ διὰ
τοῦ υἱοῦ « ὁ θεὸς κατέκρινεν τὴν ἁμαρτίαν ἐν τῇ σαρκί,
ἵνα τὸ δικαίωμα τοῦ νόμου πληρωθῇ ἐν ἡμῖν τοῖς μὴ κατὰ
σάρκα περιπατοῦσιν, ἀλλὰ κατὰ πνεῦμα[d]. » 3 Πρὸς
τούτοις ἔτι ἐπισαφηνίζων τὰ προειρημένα ἐπιβοᾷ · « Τὸ μὲν
15 σῶμα νεκρὸν δι᾽ ἁμαρτίαν[e] » δηλῶν ὡς ὅτι μὴ νεώς[f], τάφος
δ᾽ ἐστὶν ἔτι τῆς ψυχῆς · ὁπηνίκα γὰρ ἁγιασθῇ τῷ θεῷ, « τὸ
πνεῦμα », ἐποίσει, « τοῦ ἐγείραντος ἐκ νεκρῶν Ἰησοῦν οἰκεῖ
ἐν ὑμῖν », ὃς « ζωοποιήσει καὶ τὰ θνητὰ σώματα ὑμῶν διὰ
τοῦ ἐνοικοῦντος αὐτοῦ πνεύματος ἐν ὑμῖν[g] ».

---

b Cf. Rm 7, 24   c Rm 8, 2   d Rm 8, 3-4   e Rm 8, 10   f Cf. 1 Co 3,
16 ; 6, 19   g Rm 8, 11

1. L'argumentation de Clément est efficace contre les deux types
d'hétérodoxes. Selon lui, c'est « le péché » qui lutte contre la Loi, laquelle,
précise-t-il, est la Loi « de Dieu », précision ajoutée à Rm 7, 23 (d'après
Rm 7, 22) qui magnifie encore la Loi, tout en exaltant la « raison », placée au même niveau, donc la liberté de chacun. L'insistance sur l'ordre
logique du propos de Paul fait apparaître l'intrusion du « péché » dans une
« chair » (ici le « moi ») qui n'est pas mauvaise en soi, puisqu'elle possède
« la raison ». Le « péché » consiste à céder à la « convoitise » (voir *supra*
64, 1), par ignorance et faiblesse de la volonté (voir *Strom.* VII, 101, 6).

2. La leçon με, « m'(a délivré) », au lieu de la deuxième personne,
en Rm 8, 2, a de nombreux témoins (voir M. MEES, *Die Zitate*, p. 126).

3. Les peines et les épreuves de Paul dans sa mission (ainsi en 2 Co 6,
4-5 ; 11, 23.27-28 ; Ga 6, 17 ; 1 Th 2, 9) sont étendues à la direction des
âmes qu'il continue d'exercer en proclamant le salut par le Fils. Les mots
« par son Fils » sont substitués aux paroles de Rm 8, 3 sur le sacrifice

lequel « en luttant contre la Loi » de Dieu et « de ma raison[b] », dit-il, « m'enchaîne à la loi du péché qui est dans mes membres. Malheureux homme que je suis ! Qui m'arrachera à ce corps de mort[c1] ? » 2 Et de nouveau – car il ne se lasse pas le moins du monde de nous rendre service –, il n'hésite pas à ajouter : « Car la loi de l'Esprit m'a délivré[2] de la loi du péché et de la mort[c] » ; en effet, par son Fils[3], « Dieu a condamné le péché dans la chair, afin que la justice de la Loi s'accomplisse en nous, nous qui ne marchons pas selon la chair, mais selon l'Esprit[d4]. » 3 En outre, expliquant encore ce qui a été dit précédemment, il s'écrie : « Le corps est mort en raison du péché[e] », montrant que lorsqu'il n'est pas le temple[f] de l'âme, il en est le tombeau[5]. En effet, ajoutera-t-il[6], lorsqu'il a été sanctifié pour Dieu, « l'Esprit de celui qui a ressuscité Jésus des morts habite en vous », et « (Dieu) rendra aussi la vie à vos corps mortels, par son Esprit qui habite en vous[g] ».

---

du Fils « pour le péché », paroles qui sont absentes ailleurs aussi chez Clément. En *Strom.* IV, 86, 2-3, il précise que le Seigneur « n'a pas souffert par la volonté du Père », mais « sans que Dieu l'ait empêché » (voir E.F. Osborn, *Clement of Alexandria*, p. 50-51). Il met cependant en relief le rôle salvateur de la résurrection de Jésus (*infra* 77, 3).

4. La « chair » n'est plus le « moi » (Rm 7, 18, *supra* 76, 3), mais, toujours en termes pauliniens, à la fois le sujet marqué par le péché et la puissance pécheresse, opposée à « l'Esprit ».

5. La métaphore pythagoricienne du « corps-tombeau », illustrant le pessimisme des Grecs *supra* 16, 3 – 17, 1, est adoptée ici, en un sens nouveau dicté par Rm 8, 10, pour établir le contraste avec le thème paulinien du « temple » (1 Co 6, 19) introduit *supra* 59, 4 par le biais d'une référence à 1 Co 3, 16-17 qui assimile les deux paroles.

6. « Ajoutera-t-il » : l'emploi au futur de ce verbe très fréquent dans cet usage se retrouve en *Strom.* V, 9, 7 et VI, 41, 1.

78

1 Αὖθις οὖν τοῖς φιληδόνοις ἐπιπλήττων ἐκεῖνα προστίθησι· « Τὸ γὰρ φρόνημα τῆς σαρκὸς θάνατος[a] », ὅτι « οἱ κατὰ σάρκα ζῶντες τὰ τῆς σαρκὸς φρονοῦσιν[b] », καὶ « τὸ φρόνημα τῆς σαρκὸς ἔχθρα εἰς θεόν· τῷ γὰρ νόμῳ τοῦ 5 θεοῦ οὐχ ὑποτάσσεται[c] ». « Οἱ δὲ ἐν σαρκὶ ὄντες », οὐχ ὥς τινες δογματίζουσι, « θεῷ ἀρέσαι οὐ δύνανται[d] », ἀλλ' ὡς 134[r] προειρή|καμεν.

2 Εἶτα πρὸς ἀντιδιαστολὴν τούτων τῇ ἐκκλησίᾳ φησίν· « Ὑμεῖς δὲ οὐκ ἐστὲ ἐν σαρκί, ἀλλ' ἐν πνεύματι, εἴπερ 10 πνεῦμα θεοῦ οἰκεῖ ἐν ὑμῖν. Εἰ δέ τις πνεῦμα Χριστοῦ οὐκ ἔχει, οὗτος οὐκ ἔστιν αὐτοῦ. Εἰ δὲ Χριστὸς ἐν ὑμῖν, τὸ μὲν σῶμα νεκρὸν δι' ἁμαρτίαν, τὸ δὲ πνεῦμα ζωὴ διὰ δικαιοσύνην[e]. » 3 « Ἄρα οὖν, ἀδελφοί, ὀφειλέται ἐσμέν, οὐ τῇ σαρκὶ τοῦ κατὰ σάρκα ζῆν. Εἰ γὰρ κατὰ σάρκα 15 ζῆτε, μέλλετε ἀποθνήσκειν· εἰ δὲ πνεύματι τὰς πράξεις τοῦ σώματος θανατοῦτε, ζήσεσθε. Ὅσοι γὰρ πνεύματι θεοῦ ἄγονται, οὗτοί εἰσιν υἱοὶ θεοῦ[f]. » 4 Καὶ πρὸς τὴν

---

78 a Rm 8, 6   b Rm 8, 5   c Rm 8, 7   d Rm 8, 8   e Rm 8, 9-10
f Rm 8, 12-14

---

1. Les « gnostiques », disciples de Prodicos, ont été accusés de vouloir vivre dans la volupté (*supra* 30, 1).

2. L'incise « non au sens que soutiennent certains » vise les encratites, pour qui la « chair », considérée en elle-même, est mauvaise. Selon Clément, elle est aussi œuvre du Créateur ; elle ne devient mauvaise que par l'introduction du « péché », au moyen de la « convoitise », qui conduit à la « mort », d'après Rm 8, en accord avec l'exégèse de paroles de Paul donnée *supra* 76, 3 – 77, 3. Voir aussi *Strom*. IV, 45, 5, où Rm 8, 10 est invoqué contre Marcion.

3. « La pensée de la chair hostile à Dieu » (Rm 8, 7) équivaut ici à l'amour de la volupté (cf. *Péd*. III, 37, 2 et *Strom*. VII, 15, 1, sur l'incompatibilité de la volupté et de la nature divine).

8   1 Ensuite, pour blâmer les voluptueux[1], il ajoute ceci : « Ce à quoi aspire la chair, c'est la mort[a] », puisque « ceux qui vivent selon la chair ont des aspirations selon la chair[b] » et que « l'aspiration de la chair, c'est la haine de Dieu. En effet, elle n'est pas soumise à la loi de Dieu[c] ». « Or, ceux qui sont dans la chair », non au sens que soutiennent certains[2], mais comme nous venons de l'expliquer, « ne peuvent pas plaire à Dieu[d3] ».

2 Puis, voulant l'opposer à ces gens-là[4], il dit à l'Église : « Vous n'êtes pas dans la chair, mais dans l'Esprit, puisque l'Esprit de Dieu habite en vous[5]. Si quelqu'un n'a pas l'Esprit du Christ, il ne lui appartient pas. Par contre, si le Christ est en vous, votre corps est mort à cause du péché, mais votre esprit est vie à cause de la justice[e6]. »   3 « C'est pourquoi, mes frères, nous sommes débiteurs, non envers la chair, pour devoir vivre selon la chair[7]. En effet, si vous vivez selon la chair, vous mourrez ; mais si, par l'Esprit, vous faites mourir les œuvres du corps, vous vivrez. Car tous ceux qui sont conduits par l'Esprit de Dieu sont fils de Dieu[f]. »   4 Contre

---

4. La formule πρὸς ἀντιδιαστολήν pour marquer une distinction, ou, plus fortement, comme ici, une opposition, est assez fréquente chez Clément (voir *Strom.* V, 26, 1 et *SC* 279, p. 113).

5. Clément n'a pas besoin de recourir au symbolisme, comme *supra* 74, 1-2, à propos de 2 Co 11, 2, pour appliquer Rm 8, 9-14 à l'Église. Le pluriel « vous » lui suffit. Les paroles de Paul lui servent de nouveau à distinguer de la « chair » elle-même le « péché », et la « mort » qu'il entraîne. Ainsi la visée anti-encratite est-elle conjuguée encore, implicitement, à la visée anti-hédoniste.

6. Rm 8, 11, omis ici, a été cité *supra* 77, 3.

7. « Pour devoir vivre selon la chair » : cet emploi de l'infinitif précédé de l'article au génitif, à sens final ou consécutif, est attesté ailleurs dans le Nouveau Testament (voir C.F.D. MOULE, *An Idiom-Book of New Testament Greek*, Cambridge 1963², p. 128).

εὐγένειαν καὶ πρὸς τὴν ἐλευθερίαν τὴν καταπτύστως ὑπὸ
τῶν ἑτεροδόξων εἰσαγομένην <τῶν> ἐπ’ ἀσελγείᾳ καυχω-
20 μένων ἐπιφέρει λέγων· «Οὐ γὰρ ἐλάβετε πνεῦμα δουλείας
πάλιν εἰς φόβον, ἀλλὰ ἐλάβετε πνεῦμα υἱοθεσίας, ἐν ᾧ
κράζομεν· Ἀββᾶ ὁ πατήρᵍ’», 5 τουτέστιν εἰς τοῦτο
ἐλάβομεν, ἵνα γινώσκωμεν τοῦτον ᾧ προσευχόμεθα, τὸν τῷ
ὄντι πατέρα, τὸν τῶν ὄντων μόνον πατέρα, τὸν εἰς σωτηρίαν
25 παιδεύοντα ὡς πατέρα καὶ τὸν φόβον ἀφελόντα.

79 1 Ἡ δὲ «ἐκ συμφώνου πρὸς καιρὸν σχολάζουσα τῇ
προσευχῇᵃ» συζυγία ἐγκρατείας ἐστὶ διδασκαλία. Προσ-
έθηκε γὰρ τὸ μὲν «ἐκ συμφώνουᵃ», ἵνα μή τις διαλύσῃ τὸν
γάμον, «πρὸς καιρὸνᵃ» δὲ ὡς μὴ κατὰ ἀνάγκην ἐπιτηδεύων

78, 19 τῶν² suppl. St ‖ 25 ἀφελόντα coni. St : ἀπειλεῖ L ἀπειλημμένον
coni. Wi

---

g Rm 8, 15
79 a 1 Co 7, 5

---

1. Rm 8, 15 est utilisé contre les disciples de Prodicos. La « noble
origine » et la « liberté » dont ils se targuent a été fustigée *supra* 30, 1.

2. Καταπτύστως : « d’une manière méprisable », litt. « qui mérite les
crachats » ; la violence de l’expression est une façon d’humilier l’orgueil
des « gnostiques ». Elle est infligée en *Péd.* III, 21, 1 aux marchands
d’esclaves qui prostituent des garçons.

3. E.F. Osborn, *Clement of Alexandria*, p. 149-153, a mis en valeur la
force de la doctrine trinitaire de Clément, qui inclut le croyant dans les
relations de réciprocité entre le Père, le Logos-Christ et l’Esprit, comme
le montre l’ensemble 78, 2-5.

4. La fin du passage est corrompue. On attendrait un participe au lieu
de ἀπειλεῖ (litt. « le Père ... menace la crainte ») et un verbe signifiant
soit « écarte », ou « supprime », soit « arrête », « met un terme ». Les
conjectures de Stählin retiennent la première solution (« le Père ... qui ...
a enlevé la crainte ») et celle de Wilamowitz la seconde. La suggestion de

la « noble origine » et contre la « liberté[1] » que les hétérodoxes allèguent d'une manière méprisable[2], en se vantant
de leur dépravation, il ajoute ces mots : « En effet, vous
n'avez pas reçu un esprit de servitude pour retomber dans
la crainte, mais vous avez reçu un esprit de fils adoptifs,
dans lequel nous nous écrions : 'Abba, Père'[g] ».   5 Cela
signifie que nous avons reçu cet esprit afin de reconnaître
Celui que nous prions, qui est authentiquement notre Père,
le Père unique de tous les êtres[3], qui éduque au salut comme
un père et écarte la crainte[4].

XII

EXÉGÈSE DE PASSAGES SCRIPTURAIRES UTILISÉS
PAR LES ADVERSAIRES DU MARIAGE

79

*La persévérance
dans l'état de
vie choisi*

1 Le couple qui, « d'un commun
accord et pour un temps, vaque à la
prière[a] », est une leçon de continence.

En effet, (Paul) a ajouté « d'un com-
mun accord[a] » pour éviter une destruction du mariage[5] ;
et « pour un temps[a] », de peur que, forcé de pratiquer la

Früchtel, fondée sur *Strom.* II, 32, 3, n'est pas adaptée à l'intention présente de Clément, pas plus que celle de Mayor. Nous supposons un texte
proche, pour le sens, de la proposition de Stählin.

5. Clément interprète 1 Co 7, 5 en faveur de la « continence » telle qu'il
l'entend, c'est-à-dire compatible avec le mariage tempérant, contre le rejet
des extrémistes. Le premier argument préserve la réalité du « couple »
même dans la prière. C'est celui que fait valoir ORIGÈNE en commentant
Mt 18, 19 à l'aide de 1 Co 7, 5 en *Commentaire sur Matthieu* XIX, 2 (éd.
E. KLOSTERMANN, *GCS* 11/1, p. 278, 15-27).

5 τὴν ἐγκράτειαν ὁ γήμας ὀλισθήσῃ ποτὲ εἰς ἁμαρτίαν,
φειδοῖ μὲν τῆς ἑαυτοῦ συζυγίας, ἐπιθυμίᾳ δὲ ἀλλοτρίᾳ
περιπεσών,   2 ᾧ λόγῳ καὶ τὸν ἀσχημονεῖν[b] ἑαυτὸν ἐπὶ τῇ
παρθενοτροφίᾳ ὑπολαμβάνοντα καλῶς εἰς γάμον ἐκδώσειν
τὴν θυγατέρα ἔλεγεν.   3 Ἡ πρόθεσίς τε ἑκάστου τοῦ
10 τε ἑαυτὸν εὐνουχίσαντος[c] τοῦ τε αὖ γάμῳ διὰ παιδοποιΐαν συζεύξαντος ἀνένδοτος πρὸς τὸ ἧττον διαμένειν
ὀφείλει.   4 Εἰ μὲν γὰρ ἐπιτεῖναι οἷός τε ἔσται τὸν βίον,

b Cf. 1 Co 7, 36   c Cf. Mt 19, 12

1. Ce second argument rappelle les réflexions antérieures d'Isidore sur le mariage comme remède à la concupiscence, en lien avec 1 Co 7, 9 (*supra* 2, 1-3, avec allusion à 1 Co 7, 5 en 2, 2). L'image « glisser dans le péché » fait écho à « succomber », *supra* 2, 2.

2. Le terme παρθενοτροφία, « maintien d'une fille dans le célibat », est rare. Le verbe correspondant, au passif, se trouve chez le médecin SORANOS D'ÉPHÈSE, qui met en balance les opinions pour et contre la prolongation de la virginité (*Maladies des femmes* I, 9, *CUF*, l. 27) et qui intitule un chapitre : « Jusqu'à quel âge faut-il garder une fille vierge ? » (I, 10). Voir aussi *Sudae Lexicon, s.v.* διαπαρθενεύσαι (p. 68, 8-9 Adler).

3. Clément est le témoin de l'interprétation la plus courante autrefois de 1 Co 7, 36, qui suppose le singulier γαμείτω, « qu'il la donne en mariage », le sujet étant « le père ». On préfère aujourd'hui une autre traduction qui lit dans le texte le cas de celui qui est fiancé au moment de sa conversion : s'il craint de ne pas respecter sa fiancée, à cause de sa trop grande ardeur, « qu'ils se marient ». Clément omet dans sa paraphrase l'incise ἐὰν ᾖ ὑπέρακμος, soit « si elle (la fille) a passé l'âge » (du développement sexuel complet), soit « si (le fiancé) est trop ardent ». ÉPIPHANE traite de la péricope 1 Co 7, 36-37 dans sa notice sur un courant ascétique qu'il fait dériver de Tatien et des encratites (*Panarion* 61, 1, 1). Il ne veut pas être soupçonné de penser que l'Apôtre aurait incité une vierge qui se serait

continence, le mari ne finisse par glisser dans le péché et que sa réserve à l'égard de son propre couple ne le fasse tomber dans le désir d'une union étrangère[1].   **2** C'est pour cette raison aussi que, d'après lui, celui qui croit manquer aux convenances[b] en gardant une jeune fille célibataire[2] fera bien de donner sa fille en mariage[3].   **3** La résolution de chacun – se rendre eunuque[c] ou se lier par le mariage en vue de la procréation – doit persévérer sans fléchir vers l'état inférieur[4].   **4** Car lorsqu'on aura pu mener une vie rigoureuse[5], on acquerra un

---

consacrée à Dieu à rompre son vœu. La situation en cause est différente : il s'agit d'une règle convenant à l'époque où les chrétiens étaient peu nombreux ; elle prolongeait la coutume juive de ne pas épouser des étrangers. Mais le danger pour les filles que leurs pères maintenaient dans le célibat pour cette seule raison était de succomber à la débauche. Il fallait l'éviter (*Panarion* 61, 5, éd. K. HOLL, *GCS* 25, II, p. 385, 6 – 386, 4).

4. Paul en 1 Co 7 loue le choix de la virginité sans blâmer l'état de mariage, tout en considérant la première comme supérieure au second. L'exhortation de Clément à persévérer dans la résolution est fidèle à ce jugement. La situation « inférieure » pour le continent est le mariage, pour le (la) marié(e) l'union pour le plaisir (et non pour la procréation). La « résolution », πρόθεσις, insiste sur le caractère délibéré du choix de vie, signe de la liberté donnée à l'homme (voir *Strom.* IV, 146, 3, *SC* 463, p. 300, n. 3, et *infra* 97, 4). L'adjectif ἀνένδοτος, « inflexible », « sans défaillance », caractérise la résistance au milieu des tortures de l'un des martyrs de Lyon, le diacre de Vienne Sanctus dans la *Lettre des Églises de Lyon et de Vienne* (EUSÈBE, *Histoire ecclésiastique* V, 1, 22). Il fait partie chez PHILON des termes qui désignent la fermeté du sage dans l'exercice des vertus (*Migr.* 223 ; *Congr.* 24 ; *Fuga* 47 ; *Virt.* 3. 69 ; *Prob.* 97 ; cf. *Migr.* 146 ; *Abr.* 170), ainsi que la stabilité de Dieu (*Cher.* 86).

5. L. FRÜCHTEL (*GCS* 52², II, p. 528) suggère qu'il y a un jeu de mots (intraduisible) sur βίος, « vie » – « mener une vie rigoureuse », « tendue » – et βιός, « arc » – « lorsqu'on aura pu bien tendre son arc ».

134ᵛ |μείζονα ἀξίαν ἐν θεῷ αὐτὸς ἑαυτῷ περιποιήσεται, καθαρῶς
ἅμα καὶ λελογισμένως ἐγκρατευσάμενος. Εἰ δὲ ὑπερβὰς ὃν
15 εἵλετο κανόνα εἰς μείζονα δόξαν, ἔπειτα ***, <μὴ> ἀποπέσῃ
πρὸς τὴν ἐλπίδα. 5 Ἔχει γὰρ ὥσπερ ἡ εὐνουχία οὕτω
καὶ ὁ γάμος ἰδίας λειτουργίας καὶ διακονίας τῷ κυρίῳ δια-
φερούσας, τέκνων λέγω κήδεσθαι καὶ γυναικός. Πρόφασις
γάρ, ὡς ἔοικεν, τῷ κατὰ γάμον τελείῳ ἡ τῆς συζυγίας
20 οἰκειότης γίνεται τὴν πρόνοιαν πάντων ἀναδεδεγμένῳ κατὰ
τὸν οἶκον τὸν κοινόν. 6 Αὐτίκα φησὶν ἐπισκόπους δεῖν
καθίστασθαι τοὺς ἐκ τοῦ ἰδίου οἴκου καὶ τῆς ἐκκλησίας
ἁπάσης προΐστασθαι μελετήσαντας[d]. 7 «Ἕκαστος»
οὖν «ἐν ᾧ ἐκλήθη[e]» ἔργῳ τὴν διακονίαν ἐκτελείτω, ἵνα
25 ἐλεύθερος ἐν Χριστῷ γένηται[f], τὸν οἰκεῖον τῆς διακονίας
ἀπολαμβάνων μισθόν.

79, 15 post ἔπειτα lac. coni. Hiller St μὴ coni. Ca Mon ‖ **21** δεῖν St : δεῖ L

---

d Cf. 1 Tm 3, 4-5   e 1 Co 7, 24   f Cf. 1 Co 7, 22

---

1. Il faut supposer une lacune après ἔπειτα, qu'on a cherché à combler
de diverses façons. On pourrait faire une autre suggestion : ἀπέπεσε, μὴ
ἀποπέσῃ. La traduction serait alors : « Mais si, ... ensuite on échoue,
qu'on ne perde pas espoir ! »

2. Clément envisage d'abord la récompense auprès de Dieu de la
continence, dans la virginité (« avec pureté ») ou dans le mariage (« avec
raison » ; cf. le mariage « selon la raison », *supra* 67, 1). Il veut ensuite
rassurer celui qui n'a pas su rester « inflexible » dans la situation la plus
haute. Il y a peut-être là, selon Stählin, un écho d'HERMAS (*Le Pasteur*,
sim. V, 3, 3) parlant, à propos du jeûne, de « la gloire plus grande » acquise
auprès de Dieu au moyen des œuvres surérogatoires, qui vont au-delà du
strict respect des commandements.

3. Les soucis du mariage invoqués pour l'éviter par certains philosophes (voir *Strom.* II, 135, 3-4) ou par Isidore (*supra* 1, 4) deviennent
pour Clément le moyen de collaborer à l'œuvre du Seigneur, en exerçant

plus grand mérite auprès de Dieu pour avoir pratiqué la continence avec pureté et raison. Mais si, transgressant la règle
qu'on avait choisie pour atteindre une gloire plus élevée, on
finit par <se marier, qu'on>[1] ne perde pas espoir[2] ! **5** En
effet, comme la chasteté parfaite, le mariage a des charges
propres et fait servir le Seigneur à sa façon : je veux parler
du soin des enfants et de l'épouse, car sa relation de couple
offre, me semble-t-il, au mari parfait qui a la patience de
pourvoir à tous les besoins du foyer commun une occasion
de le faire[3].   **6** Ainsi, d'après (l'Apôtre), il faut établir
comme évêques ceux qui, dans leur propre foyer, se sont
exercés à gouverner aussi l'Église entière[d4].   **7** « Que
chacun » continue donc de servir à la place « où il a été
appelé[e] », pour devenir libre dans le Christ[f], en recevant
le salaire mérité par son service[5].

---

une forme de providence (voir *Strom.* VII, 70, 8 et P. BROWN, *Le renoncement à la chair*, p. 178-183). Sur la coopération, à un niveau supérieur,
du gnostique véritable, voir *Strom.* IV, 37, 1 et VII, 13, 2.

4. La référence à l'autorité de 1 Tm 3, 4-5 transforme les « épiscopes »
des premiers temps des communautés pauliniennes en « évêques » dotés
des pouvoirs de dirigeants qu'ils ont acquis à l'époque de Clément. Il est
remarquable qu'il semble aller jusqu'à réserver cette fonction aux hommes
qui ont connu le mariage (voir le passage controversé *infra* 90, 1). Sans doute
convient-il d'introduire les réflexions complémentaires du *Stromate* VI
sur les vertus familiales du gnostique (100, 3) et sur le symbolisme de la
hiérarchie ecclésiale (106, 2 – 108, 1).

5. La relation établie entre 1 Co 7, 24 et 1 Co 7, 22 implique un progrès :
l'« appelé » change d'état, au point que sa liberté « dans le Christ » est
de devenir « esclave du Christ » (cf. 1 Co 7, 22), liberté qui affranchit des
« convoitises » (voir *supra* 44, 4). Le paradoxe est formulé explicitement
en *Strom.* VII, 42, 8. Quant au « salaire », il est reçu pleinement lors du
passage dans les « demeures » ultimes, correspondant aux divers mérites
(voir *Strom.* VI, 114, 1-3 ; VII, 9, 4 ; 40, 4 ; 57).

80 1 Πάλιν τε αὖ περὶ τοῦ νόμου διαλεγόμενος ἀλληγορίᾳ χρώμενος « ἡ γὰρ ὕπανδρος γυνὴ » φησὶ « τῷ ζῶντι ἀνδρὶ δέδεται νόμῳ[a] » καὶ τὰ ἑξῆς. Αὖθίς τε· Ἡ « γυνὴ δέδεται ἐφ᾽ ὅσον ζῇ χρόνον ὁ ἀνὴρ αὐτῆς· ἐὰν δὲ ἀποθάνῃ, ἐλευθέρα
5 ἐστὶν γαμηθῆναι, μόνον ἐν κυρίῳ· μακαρία δέ ἐστιν, ἐὰν οὕτως μείνῃ, κατὰ τὴν ἐμὴν γνώμην[b] ». 2 Ἀλλ᾽ ἐπὶ μὲν τῆς προτέρας περικοπῆς « ἐθανατώθητε » φησὶ « τῷ νόμῳ[c] », οὐ τῷ γάμῳ, « εἰς τὸ γενέσθαι ὑμᾶς ἑτέρῳ, τῷ ἐκ νεκρῶν ἐγερθέντι[c] », νύμφην[d] καὶ ἐκκλησίαν[e], ἣν ἁγνὴν[f] εἶναι
10 δεῖ τῶν τε ἔνδον ἐννοιῶν τῶν ἐναντίων τῇ ἀληθείᾳ τῶν τε ἔξωθεν πειραζόντων, τουτέστι τῶν τὰς αἱρέσεις μετιόντων καὶ πορνεύειν ἀπὸ τοῦ ἑνὸς ἀνδρὸς ἀναπειθόντων, τοῦ παντοκράτορος θεοῦ, ἵνα μὴ « ὡς ὁ ὄφις ἐξηπάτησεν Εὕαν[g] », τὴν λεγομένην « ζωήν[h] », καὶ ἡμεῖς ὑπὸ τῆς κατὰ
15 τὰς αἱρέσεις λίχνου πανουργίας παραβῶμεν τὰς ἐντολάς. 3 Ἡ δευτέρα δὲ περικοπὴ μονογαμίαν ἵστησιν. Οὐ γάρ, ὡς

---

80 a Cf. Rm 7, 2 s.   b 1 Co 7, 39-40   c Rm 7, 4   d Cf. Ap 21, 2
e Cf. Ep 5, 32   f Cf. 2 Co 11, 2   g 2 Co 11, 3 (Gn 3, 13)   h Gn 3, 20

1. Deux péricopes, Rm 7, 2 et 1 Co 7, 39-40a, sont utilisées contre les encratites, pour lesquels elles constituaient certainement des *testimonia* (voir Y. Tissot, « Hénogamie », p. 186). Elles sont d'abord interprétées allégoriquement, dans la ligne de l'exégèse de 1 Co 11, 2-3 *supra* 74, 1-3 et de Rm 7, 4a *infra* 80, 2. À l'allégeance exclusive à la Loi est substituée l'union « dans le Seigneur » (voir *infra* 82, 2), qui n'exclut pas cependant le respect de la Loi (« son bonheur, c'est de rester comme elle est »), selon la conception que se fait Clément de « la règle ecclésiastique ». Cette allégorie s'oppose à celle des encratites qui devaient, selon Y. Tissot (« Hénogamie », p. 187), établir une équivalence entre loi et mariage en Rm 7, 2 : si la femme mariée est libérée à la mort de son mari du mariage-loi, de même les chrétiens en seraient libérés par leur mort, c'est-à-dire par le baptême, selon le contexte de Rm 7.

80

Deux textes de Paul

1 Et de nouveau, parlant de la Loi, en usant de l'allégorie il dit : « Car la femme mariée est liée par la loi à son mari tant qu'il est en vie[a] » et la suite ; et encore : « La femme est liée tout le temps que son mari est en vie ; s'il meurt, elle est libre de se marier, mais seulement dans le Seigneur ; à mon avis, son bonheur, c'est de rester comme elle est[b1]. » 2 Mais dans le premier passage, il disait : « Vous êtes morts à la Loi[c] », non au mariage, « afin de devenir pour un autre, qui est ressuscité des morts[c] », sa fiancée[d], l'Église[e] ; il faut qu'elle soit chaste[f] intérieurement des pensées contraires à la vérité et, à l'extérieur, de ceux qui cherchent à la séduire[2], c'est-à-dire de ceux qui suivent les hérésies et la persuadent de se débaucher en quittant son époux unique, le Dieu tout puissant, de peur qu' « à l'exemple d'Ève trompée par le serpent[g] », elle qu'on appelle « vie[h3] », nous ne transgressions nous aussi les commandements, sous l'action de la fourberie avide des hérésies[4]. 3 Le second passage instaure la monogamie. En effet, il ne

2. Πειραζόντων (« ceux qui cherchent à séduire ») : le mot évoque l'action de Satan, le tentateur (voir *infra* 96, 2), suggérant ainsi que les hérétiques, « à l'extérieur », sont mus par le diable, même s'il leur arrive de dire des choses justes (voir A. LE BOULLUEC, *La notion d'hérésie*, p. 324-327 ; 376-377 ; 391).

3. Ève « vie » : voir *supra* 65, 1.

4. Ici s'exprime directement la polémique contre l'interprétation encratite du premier passage paulinien, comme l'indique d'abord la glose « non au mariage » (sur « morts à la Loi », Rm 7, 4), puis par le choix du symbolisme ecclésial inspiré de 2 Co 11, 2-3, comme *supra* 74, 1-3. La dénonciation des « hérésies » remplace la faute de nature sexuelle réprouvée par les encratites dans le mariage par le péché des « pensées contraires à la vérité » (Y. TISSOT, « Hénogamie », p. 187, n. 71). C'est la doctrine sous-jacente à la conduite des encratites, dictée par la haine du Créateur et de sa création que Clément fustige (*infra* 80, 3).

135ʳ ᶦτινες ἐξηγήσαντο, δέσιν γυναικὸς πρὸς ἄνδρα τὴν σαρκὸς
πρὸς τὴν φθορὰν ἐπιπλοκὴν μηνύεσθαι ὑποτοπητέον· τῶν
γὰρ ἄντικρυς διαβόλῳ προσαπτόντων τὴν τοῦ γάμου εὕρεσιν

20 ἀθέων ἀνθρώπων ἐπίνοιαν κατηγορεῖ, καὶ κινδυνεύει
βλασφημεῖσθαι ὁ νομοθέτης.

81 1 Τατιανὸν οἶμαι τὸν Σύρον τὰ τοιαῦτα τολμᾶν δογμα-
τίζειν. Γράφει γοῦν κατὰ λέξιν ἐν τῷ *Περὶ τοῦ κατὰ τὸν
σωτῆρα καταρτισμοῦ*· «Συμφωνία μὲν οὖν ἁρμόζει προσευχῇᵃ, κοινωνία δὲ φθορᾶς λύει τὴν ἔντευξιν. Πάνυ γοῦν

5 δυσωπητικῶς διὰ τῆς συγχωρήσεωςᵇ εἴργει· 2 ʽπάλινʼ
γὰρ ʽἐπὶ ταὐτὸʼ συγχωρήσας γενέσθαι ʽδιὰ τὸν σατανᾶν καὶ
τὴν ἀκρασίανᶜʼ, τὸν πεισθησόμενον ʽδυσὶ κυρίοιςʼ μέλλειν
ʽδουλεύεινᵈʼ ἀπεφήνατο, διὰ μὲν συμφωνίας θεῷ, διὰ δὲ τῆς
ἀσυμφωνίας ἀκρασίᾳ καὶ πορνείᾳ καὶ διαβόλῳᵉ.»

80, 20 καὶ **L** : δι᾽ ἧς **St** ὅθεν Lowth καθ᾽ ἣν vel ᾗ Heyse
81, 3 συμφωνία **St** : συμφωνίαν **L**

---

81 a Cf. 1 Co 7, 5   b Cf. 1 Co 7, 6   c 1 Co 7, 5   d Mt 6, 24
e **Tatien**, fr. 5 Schwartz

---

1. Clément combat l'exégèse encratite du second passage paulinien
– analogie posant l'équivalence de la femme avec la chair et de son mari mortel avec la corruption –, en soulignant qu'elle est contredite par l'Apôtre :
si un remariage peut avoir lieu « dans le Christ », le mariage ne peut ni
être imputé au diable ni lié à la corruption (Y. Tissot, « Hénogamie »,
p. 188, qui précise, n. 73, que l'expression « l'invention du mariage » est
typique de l'intérêt de Tatien pour le problème des εὑρήματα, rappelé
par F. Bolgiani, « La tradizione eresiologica », p. 106 : voir Tatien,
Aux Grecs 1). Clément n'est pas pour autant partisan du remariage de
la veuve. Il affirme en effet, cette fois selon le sens littéral des mots « elle
est heureuse, si elle reste comme elle est », que 1 Co 7, 40a « instaure
l'hénogamie ». Y. Tissot, « Hénogamie », p. 189, n. 74, note que la leçon
μακαρία, « heureuse », ne se retrouve que dans le témoin d'un texte
proto-alexandrin, 𝔓⁴⁶, contre la leçon μακαριωτέρα, « plus heureuse »,
qui, elle, laisse ouverte la possibilité d'un remariage.

faut pas supposer – comme certains l'ont interprété – que le lien entre la femme et le mari désigne l'union de la chair à la corruption[1]. Car l'Apôtre s'en prend à l'opinion d'athées[2] qui font dépendre ouvertement du diable l'invention du mariage ; or, le risque est de faire blasphémer l'auteur de la Loi.

31

Contre Tatien   1 Tatien le Syrien[3] m'a tout l'air de proclamer une telle doctrine. Ainsi, dans son livre *Sur la perfection selon le Sauveur*, écrit-il mot pour mot : « Un accord va bien avec une prière[a], mais une corruption commune brise la rencontre[4]. Aussi (Paul) nous en écarte-t-il en voyant cette concession[b] d'un très mauvais œil,   2 car, en concédant de 'retourner ensemble à cause de Satan et de l'intempérance[c]', il a montré clairement que celui qui s'y conformera 'servira deux maîtres[d]' : Dieu, par l'accord ; l'intempérance, la débauche, le diable, par la rupture de l'accord[e][5]. »

2. « Les gens impies » (« athées ») sont pour Clément plutôt les hérétiques que les païens, caractérisés par la « superstition » (δεισιδαιμονία), comme le remarque F. BOLGIANI, « La tradizione eresiologica », p. 29, n. 1 ; sur l'ἀθεότης des encratites, voir aussi *Strom.* III, 60, 1 ; 73, 4 ; 92, 1.

3. Sur Tatien le Syrien, voir la note compl. 6, *infra* p. 352.

4. Ἔντευξις : le sens premier est « rencontre », « entretien », d'où les emplois au sens de « pétition », mais aussi d' « intercession », « supplication », pour une forme particulière de prière attestée dès 1 Tm 2, 1 (voir ORIGÈNE, *La prière* XIV, 2.5, et L. PERRONE, *La preghiera secondo Origene. L'impossibilità donata*, Brescia 2011, p. 127-130) et 1 Tm 4, 5 (cité *infra* 85, 2). La traduction, « rencontre » (spirituelle), essaie de rendre la connotation du terme dans le contexte, où Tatien évoque un « entretien » avec Dieu.

5. Selon Tatien, la « concession » de Paul (cf. 1 Co 7, 6) concerne l'union du couple, et non l'abstinence temporaire. Il en va de même dans la réplique de Clément (*infra* 26, 2), qui oppose aux licencieux Mt 6, 24 (*supra* 26, 2), texte que Tatien, lui, objecte aux défenseurs du mariage, en resserrant le

10   3 Ταῦτα δέ φησι τὸν ἀπόστολον ἐξηγούμενος· σοφί-
ζεται δὲ τὴν ἀλήθειαν δι' ἀληθοῦς ψεῦδος κατασκευάζων.
4 Ἀκρασίαν μὲν γὰρ καὶ πορνείαν διαβολικὰ εἶναι πάθη
καὶ ἡμεῖς ὁμολογοῦμεν, γάμου δὲ τοῦ σώφρονος μεσιτεύει
συμφωνία, ἐπί τε τὴν εὐχὴν ἐγκρατῶς ἄγουσα ἐπί τε τὴν
15   παιδοποιΐαν μετὰ σεμνότητος νυμφεύουσα. 5 Γνῶσις γοῦν
καὶ ὁ τῆς παιδοποιΐας καιρὸς πρὸς τῆς γραφῆς εἴρηται,
ἐπειδὰν φῇ· « Ἔγνω δὲ Ἀδὰμ Εὔαν τὴν γυναῖκα αὐτοῦ, καὶ
συλλαβοῦσα ἔτεκεν υἱόν, καὶ ἐπωνόμασεν τὸ ὄνομα αὐτοῦ
Σήθ· ἐξανέστησεν γάρ μοι ὁ θεὸς σπέρμα ἕτερον ἀντὶ
20   Ἄβελ[c]. » 6 Ὁρᾷς εἰς τίνα βλασφημοῦσιν οἱ μυσαττόμενοι

---

f Gn 4, 25

lien entre les versets 6 et 5 de 1 Co 7. Sur ce débat dans le christianisme
ancien, voir D.G. HUNTER, « The Reception and Interpretation of Paul
in Late Antiquity. 1 Corinthians 7 and the Ascetic Debates », dans
L. DiTOMMASO – L. TURCESCU (éd.), The Reception and Interpretation
of the Bible in Late Antiquity, Leyde – Boston 2008, p. 163-191.

1. « Le mensonge ne va pas sans ruse » (Strom. VII, 53, 6). La « ruse »
ici consiste à mettre « le vrai » (la parole de l'Apôtre) au service du
« faux » (la thèse de Tatien). Cette tromperie caractérise la sophistique
(voir Strom. VI, 23, 2 et la note de P. DESCOURTIEUX, SC 446, p. 228).
Ce sont auparavant les licencieux qui ont été traités de sophistes (supra
71, 1 ; cf. Strom. II, 117, 5-118, 5).

2. En Strom. II, 111, 3, Clément attribue aussi aux « puissances » contre lesquelles il faut combattre (cf. Ep 6, 12) la séduction des images, qui
asservit à la volupté. La démonologie de Tatien va plus loin. F. BOLGIANI,
« La tradizione eresiologica », p. 103-108, a rappelé que, pour TATIEN
(Aux Grecs 8, 1 ; 16, 3 ; 17, 5 ; 18, 3-6), l'action des démons avait pour
fin de maintenir les êtres humains dans l'esclavage du monde présent,
et considéré par conséquent plausible qu'il ait attribué l'invention du
mariage à Satan. A. TIMOTIN, « Gott und die Dämonen bei Tatian »,
dans H.-G. NESSELRATH (éd.), Gegen falsche Götter und falsche Bildung.
Tatian, Rede an die Griechen, Tübingen 2016, p. 267-286, étudie la façon
dont les démons selon Tatien s'ingénient à empêcher les êtres humains de
retrouver l'union avec le theion pneuma et d'avoir part à l'immortalité.

3 C'est ainsi qu'il interprète l'Apôtre. Comme un sophiste, il altère la vérité en confirmant le faux par le vrai[1]. 4 En effet, que l'intempérance et la débauche soient des passions inspirées par le diable, nous l'admettons, nous aussi[2] ; mais l'accord dans un mariage tempérant tient le milieu[3], en conduisant avec continence à la prière et en unissant avec dignité[4] les époux en vue de la procréation. 5 D'ailleurs, le moment de la procréation a été appelé lui aussi « connaissance » par l'Écriture[5], puisqu'elle dit : « Adam connut Ève, son épouse ; celle-ci, ayant conçu, enfanta un fils et lui donna le nom de Seth ; en effet, Dieu m'a suscité une autre lignée à la place d'Abel[f6]. » 6 Vois-tu contre qui blasphèment ceux qui ont en aversion[7]

---

3. Clément introduit la notion aristotélicienne de « médiété » pour établir l'exégèse de 1 Co 7, 5 qu'il oppose à l'interprétation de Tatien. L'analyse délibérative de la « prudence », de la sagesse pratique, fait voir que la fin de la vie humaine est le plus sûrement atteinte par certaines actions intermédiaires entre deux extrêmes (ARISTOTE, *Éthique à Nicomaque* 1106a 14-1107a 2 ; 1109b 26), en l'occurrence entre la grossièreté des licencieux et le rigorisme « impie » des encratites.

4. La « dignité » (σεμνότης) qui doit tempérer l'union du couple s'accorde avec le comportement de l'âme du gnostique : « ... en tant qu'elle est l'hôte du corps, elle se comporte à son égard avec révérence (σεμνῶς) et respect et non pas avec un attachement passionné » (*Strom.* IV, 165, 2 ; voir *SC* 463, p. 333).

5. La LXX transpose régulièrement par γι(γ)νώσκω le verbe cognitif *yada'* qui s'applique aussi aux relations sexuelles. DIDYME, *Sur la Genèse* 117-118, remarque : « 'Connaissance' est pris ici pour 'expérience' et désigne le commerce avec la femme » (voir M. ALEXANDRE, *Le Commencement du Livre*, p. 345). On sait la haute valeur que Clément accorde à la « connaissance (gnose) », à laquelle il fait ici participer l'acte de la procréation (cf. *infra* 81, 6 : « la fécondation dans la tempérance »).

6. En Gn 4, 25 le texte de Clément, comme le TM, n'a pas « en disant » (LXX λέγουσα) après « lui donna le nom de Seth ».

7. Voir *supra* 65, 2 et *infra* 108, 2.

τὴν σώφρονα σπορὰν καὶ τῷ διαβόλῳ προσάπτεσθαι τὴν
γένεσιν <οἰόμενοι>; οὐ γὰρ θεὸν ἁπλῶς προσεῖπεν ὁ τῇ τοῦ
ἄρθρου προτάξει τὸν παντοκράτορα δηλώσας.

135ᵛ **82** |1 Ἡ δὲ ἐπιφορὰ τοῦ ἀποστόλου «καὶ πάλιν ἐπὶ τὸ
αὐτὸ» γίνεσθαι «διὰ τὸν σατανᾶν» ᵃ» ἐκεῖνο προανακόπτει
<τὸ> μὴ εἰς ἐπιθυμίας ἑτέρας ἐκτραπῆναί ποτε· οὐ γὰρ
ἀποκρούεται τέλεον τὰς τῆς φύσεως ὀρέξεις δυσωποῦσα
5 ἡ πρόσκαιρος συμφωνία, δι' ἣν εἰσάγει πάλιν τὴν συζυγίαν
τοῦ γάμου, οὐκ εἰς ἀκρασίαν ᵇ καὶ πορνείαν καὶ τὸ τοῦ
διαβόλου ἔργον, ἀλλ' ὅπως μὴ ὑποπέσῃ ἀκρασίᾳ καὶ πορνείᾳ
καὶ διαβόλῳ.

81, 21 προσάπτεσθαι L : προσάπτοντες St ‖ 21-22 τὴν ante γένεσιν
suppl. St ‖ 22 οἰόμενοι suppleuimus
82, 3 τὸ suppl. Mü St ‖ 5 ἣν L : ἃς St

---

82 a 1 Co 7, 5   b Cf. 1 Co 7, 5

---

1. On choisit ici de conserver le texte de L (infinitif passif
προσάπτεσθαι, corrigé en participe actif, προσάπτοντες, par STÄHLIN
d'après 80, 3, p. 232, l. 20), en supposant une lacune, comblée par οἰόμενοι
après τὴν γένεσιν.

2. Le tétragramme n'est pas employé dans les paroles d'Ève ; la LXX
rend alors *elohim* par ὁ θεός (Gn 3, 3.5 ; 4, 25), à distinguer de κύριος
(ὁ θεός) correspondant au tétragramme (voir M. ALEXANDRE, *Le
Commencement du Livre*, p. 299 et 375). Un reflet de cette distinction
se retrouve probablement chez TATIEN quand il dit (*Aux Grecs* 7, 4) que
l'ange « premier-créé » fut désigné comme dieu par ceux qui l'avaient suivi
dans sa révolte. Peut-être voyait-il en Gn 4, 25 un exemple de cet usage et
précisait-il dans *La perfection selon le Sauveur* que celui qu'Ève appelait
« Dieu » était en réalité Satan (le « premier-créé » fut nommé « démon »
après sa chute : *Aux Grecs* 7, 5). La remarque de Clément, insistant sur
l'emploi de l'article, désignant le seul et vrai Dieu, serait alors une réplique
directe à l'argument de Tatien. L'art grammatical, auquel il a recours ici,
et dont il vante l'utilité (*Strom.* I, 43, 4 ; cf. I, 99, 3), est associé à l'art de la

la fécondation dans la tempérance et qui croient que la
génération dépend du diable[1] ? Car l'Écriture n'a pas dit
simplement « Dieu » : en ajoutant l'article[2], elle a désigné
le Dieu tout-puissant.

82   1 Quand l'Apôtre ajoute qu'il faut « retourner ensemble
à cause de Satan[a] », il coupe court à la tentation de se tour-
ner un jour vers d'autres convoitises. En effet, si l'accord
temporaire voit d'un mauvais œil les désirs de la nature[3], il
ne les repousse pas complètement ; et c'est à cause d'elle que
(l'Apôtre)[4] invite à retourner à l'union du couple marié, non
pour se livrer à l'incontinence[b], à la débauche et à l'œuvre
du diable, mais pour éviter, au contraire, de succomber à
l'incontinence, à la débauche et au diable.

---

dialectique, laquelle sert à éviter de « tomber dans les hérésies » (*Strom.* I,
99, 4). L'exégète doit savoir tirer parti de la présence ou de l'absence de
l'article, comme Origène plus tard (voir B. NEUSCHÄFER, *Origenes als
Philologe*, Bâle 1987, p. 205-207 et 445-446).

3.   Clément reprend son exégèse de 1 Co 7, 5 donnée *supra* (79, 1), en
l'opposant cette fois explicitement à celle de Tatien. La mention de la
« nature », qui ne peut être, selon lui, foncièrement mauvaise, puisqu'elle
est l'œuvre du Créateur, contraste avec l'origine satanique des « convoitises » (et de l'union sexuelle) selon Tatien. F. BOLGIANI, « La tradizione
eresiologica », p. 109, suggère que cette doctrine est déjà visée *supra* 68 par
l'interprétation de Mt 18, 19-20. P. BROWN, *Le renoncement à la chair*,
p. 126-133, met en évidence la rupture avec la société du temps que marque
la conception encratite du mariage et de son contraire, l'union avec l'Esprit.
G. SFAMENI GASPARRO, « Le motivazioni protologiche dell'*Enkrateia*
nel cristianesimo dei primi secoli e nello gnosticismo », dans U. BIANCHI
(éd.), *La tradizione dell'Enkrateia*, p. 149-184 et 228-231, en a éclairé les
éléments scripturaires, théologiques et philosophiques.

4.   On peut garder la leçon δι' ἧν de **L** ; l'antécédent du relatif au singulier serait φύσεως : « ... les désirs de la nature ... ; c'est à cause d'elle ... ».

2 Χωρίζει δὲ καὶ τὸν παλαιὸν[c] ἄνδρα καὶ τὸν καινὸν[d]
10 ὁ Τατιανός[e], ἀλλ' οὐχ ὡς ἡμεῖς φαμεν· παλαιὸν μὲν ἄνδρα
τὸν νόμον, καινὸν δὲ τὸ εὐαγγέλιον συμφωνοῦμεν αὐτῷ καὶ
αὐτοὶ λέγοντες, πλὴν οὐχ ᾗ βούλεται ἐκεῖνος καταλύων
τὸν νόμον ὡς ἄλλου θεοῦ· 3 ἀλλ' ὁ αὐτὸς ἀνὴρ καὶ κύριος
παλαιὰ καινίζων οὐ πολυγαμίαν ἔτι συγχωρεῖ (τότε γὰρ
15 ἀπῄτει ὁ καιρός, ὅτε αὐξάνεσθαι καὶ πληθύνειν[f] ἐχρῆν),
μονογαμίαν δὲ εἰσάγει διὰ παιδοποιΐαν καὶ τὴν τοῦ οἴκου
κηδεμονίαν, εἰς ἣν «βοηθὸς[g]» ἐδόθη ἡ γυνή·

---

15 καιρός Mü St coll. Petr. Laod. : θεός L

---

c Cf. Ep 4, 22   d Cf. Ep 4, 24   e Cf. TATIEN, fr. 6 Schwartz
f Cf. Gn 1, 28   g Gn 2, 18

1. Le grief d'attribuer la Loi à « un autre Dieu » est-il autre chose
qu'une allégation hérésiologique abusive ? M. ELZE, *Tatian und seine
Theologie*, Göttingen 1960, p. 106 et 118, y voit un propos malveillant.
G. MAY, *Schöpfung aus dem Nichts*, Berlin – New York 1978, p. 156, rejoint
le jugement plus nuancé de F. BOLGIANI (« La tradizione eresiologica »,
p. 112-111) admettant chez Tatien une forme de dualisme, qui ne va pas
cependant jusqu'à affirmer l'existence de deux Dieux : dans le discours *Aux
Grecs* (11, 4), si l'exhortation à rejeter « l'ancienne naissance » procède
de Col 2, 20 (mourir au monde), le libre arbitre est la cause de la perte,
aucun mal n'ayant été créé par Dieu.

2. Tatien, tirant parti de la comparaison de Paul en Rm 7, 2-6 entre la
liberté de la veuve à la mort de son époux et l'affranchissement de la Loi
opéré par l'union au Christ, construit une opposition radicale entre la
Loi, dont « l'ancien époux » est la figure, et l'Évangile. Clément, tout en

2 D'autre part, Tatien distingue l'ancien[c] et le nouvel[d] époux[e], mais pas comme nous l'entendons. L'ancien époux, c'est la Loi ; le nouveau, c'est l'Évangile. C'est ce que nous disons, nous aussi, et nous sommes d'accord avec lui ; mais ce que nous n'acceptons pas, c'est le sens où il l'entend, car il détruit la Loi comme si elle venait d'un autre Dieu[1].   3 Or, c'est le même époux, le même Seigneur, qui renouvelle l'ancien état de choses et ne concède plus qu'on soit polygame[2]. Autrefois, en effet, les circonstances[3] l'exigeaient, lorsqu'il fallait croître et multiplier[f] ; mais désormais, il instaure la monogamie en vue de la procréation et des soins du foyer, pour lesquels la femme a été donnée comme une « aide[g4] ».

---

admettant cette lecture, refuse la distinction qu'il soupçonne chez l'adversaire entre le « Seigneur » de la Loi et le Christ, en tant que Fils du Dieu bon. La « nouvelle création » de 2 Co 5, 17 (voir *supra* 62, 2 ; *Strom.* V, 30, 4 ; *QDS* 12, 1) ne détruit pas l'ancienne ; il s'agit d'une transformation. On pourrait dire que la « nouveauté » est conçue par Clément sur le modèle d'Ep 2, 15 (voir *supra* 70, 2-3). Ainsi le renouvellement fait-il passer, conformément au plan providentiel du seul et même Dieu, de la polygamie (cf. Dt 21, 15, etc.) à la monogamie, sans supprimer le mariage.

3. La correction de Münzel, reprise par Stählin, καιϱός, est soutenue par le témoignage de Pierre de Laodicée et de JEAN CHRYSOSTOME (*La virginité* 17, 4 *SC* 125, p. 154, l. 54) et par la traduction libre en arabe (note de L. FRÜCHTEL, *GCS* 52[2], II, p. 528) : « Il a rendu le vieux neuf selon la parole de Paul 'les choses anciennes sont passées et tout est devenu nouveau' (2 Co 5, 17), car il n'a pas été étendu en principe général qu'un homme prenne de nombreuses femmes : au temps des anciens, la situation exigeait qu'ils fissent ainsi, à cause de la parole de Dieu : 'Croissez, soyez nombreux et remplissez la terre' (Gn 1, 28) » (voir H. FLEISCH, « Fragments de Clément d'Alexandrie conservés en arabe », dans *Mélanges de l'Université Saint Joseph*, t. 27, Beyrouth 1947-1948, p. 63-71).

4. Sur la femme comme « aide » (Gn 2, 18), voir *Strom.* II, 140, 2 ; III, 49, 3 ; 108, 1.

4 Καὶ εἴ τινι ὁ ἀπόστολος « δι' ἀκρασίαν[h] » καὶ πύρωσιν[i]
« κατὰ συγγνώμην[j] » δευτέρου μεταδίδωσι γάμου, [ἐπεὶ] καὶ
20 οὗτος οὐχ ἁμαρτάνει μὲν κατὰ διαθήκην (οὐ γὰρ κεκώλυται
πρὸς τοῦ νόμου), οὐ πληροῖ δὲ τῆς κατὰ τὸ εὐαγγέλιον
πολιτείας τὴν κατ' ἐπίτασιν τελειότητα ·   5 δόξαν δὲ αὐτῷ
οὐράνιον περιποιεῖ μείνας ἐφ' ἑαυτοῦ καὶ τὴν διαλυθεῖσαν
θανάτῳ συζυγίαν ἄχραντον φυλάσσων καὶ τῇ οἰκονομίᾳ
25 πειθόμενος εὐαρέστως, καθ' ἣν ἀπερίσπαστος[k] τῆς τοῦ
κυρίου γέγονε λειτουργίας.

6 Οὐδὲ μὴν τὸν ἀπὸ τῆς κατὰ συζυγίαν κοίτης ὁμοίως
ὡς πάλαι βαπτίζεσθαι[l] καὶ νῦν προστάσσει ἡ θεία διὰ
κυρίου πρόνοια. Οὐ γὰρ ἐπάναγκες παιδοποιίας ἀφίστησι
30 τοὺς πιστεύοντας δι' ἑνὸς βαπτίσματος εἰς τὸ παντελὲς

---

19 ἐπεὶ secl. Heyse **St** ‖ 22 αὐτῷ **St** : αὐτῷ **L**

---

h 1Co7, 5   i Cf. 1Co7, 9   j 1Co7, 6   k Cf. 1Co7, 35
l Cf. Lv15, 18

1. Après le passage de la polygamie à la monogamie, la réflexion sur
la nouveauté de l'Évangile suscite une digression sur l'hénogamie : le
remariage après veuvage, de règle par exemple pour la femme, selon la
coutume du lévirat (Dt25, 5-10) – tandis que le Grand-Prêtre ne peut
épouser une veuve (Lv21, 14), ni non plus le simple prêtre d'après Ez44,
22 –, n'est que toléré dorénavant.

2. Y. Tissot (« Hénogamie », p. 191-189) explique la présence dans
L de la conjonction ἐπεὶ, supprimée par Heyse, par l'initiative du copiste
du manuscrit qui, ayant perçu la valeur concessive de Καὶ εἰ..., « Même si
(l'Apôtre) ... », a tenté, en dépit de la construction μὲν ... δὲ, de changer
la première principale en proposition causale.

3. Voir supra 79, 4 et la référence à Hermas. ATHÉNAGORE va jusqu'à dire
« en état d'adultère déguisé » celui qui « se sépare de sa première femme,
même après la mort » (Supplique au sujet des chrétiens 33, 6). TERTULLIEN
formule le principe général : l'indissolubilité du mariage même dans la mort
interdit les secondes noces (Le mariage unique 10, 1 – 11, 2) ; il relativise la
concession de 1Co7, 39 (ibid. 11, 3-13 ; voir J.-C. FREDOUILLE, Tertullien
et la conversion de la culture antique, Paris 2012², p. 130 et 136-138).

4 Même si l'Apôtre, « à cause du danger
Second   d'incontinence[h] » et de brûlure[i], accorde en
mariage   partage un second mariage à quelqu'un « par
indulgence[j][1] », cet homme ne pèche pas[2] d'après
(l'Ancien) Testament ; en effet, la Loi ne l'interdit pas ; cependant, il ne réalise pas dans toute son intensité la perfection
de la conduite conforme à l'Évangile.   5 En revanche, il
acquiert une gloire céleste s'il reste seul, garde intacte la relation de couple brisée par la mort[3], et se soumet en donnant
satisfaction[4] au dessein qui lui évite d'être distrait[k] du service
du Seigneur.

6 Désormais aussi la divine Providence,
Baptême   qui s'exprime par le Seigneur, n'ordonne plus,
et ablutions   comme c'était le cas autrefois, de prendre une
ablution après les relations de couple[l]. Le Seigneur, en effet,
ne contraint pas les croyants à se détourner de l'acte procréateur, car, par un seul baptême, il a lavé radicalement

---

4. La soumission « en donnant satisfaction » (εὐαρέστως) fait écho
à 1 Co 7, 32 (« Celui qui n'est pas marié [...] cherche comment plaire au
Seigneur, πῶς ἀρέσῃ τῷ κυρίῳ ») et l'attachement « sans tiraillement »,
« sans distraction » (ἀπερίσπαστος) « au service du Seigneur » reflète
1 Co 7, 35, verset appliqué en *Strom.* IV, 149, 2 au « choix vraiment agréable
à Dieu » de ce qui est supérieur (cf. *Strom.* IV, 21, 1-2), et en *Strom.* VII,
13, 3 à l'union du gnostique avec le Seigneur. L'exemple de Pierre et du
martyre de sa femme illustre en *Strom.* VII, 63, 3 – 64, 2 l'amour indé-
fectible pour le Seigneur, au-delà de la mort. L'adverbe εὐαρέστως a le
sens actif du verbe εὐαρεστέω dans la LXX, au sens d'agir conformément
à ce qui est agréable à Dieu (voir Gn 5, 22 et la note de M. HARL, *BA* 1,
p. 122-123 ; cf. *Strom.* II, 43, 5, sur Abel et Noé ; VI, 122, 3-4 ; VII, 48,
6 ; 67, 1 ; 83, 2 ; et *infra* 84, 3). En retour, « l'âme qui est radieuse par
la venue de l'Esprit Saint » possède « l'onction de complaisance » (τὸ
χρῖσμα τῆς εὐαρεστήσεως) » (*Strom.* IV, 116, 2 ; voir la note d'A. VAN
DEN HOEK, *SC* 463, p. 249).

136ʳ

83

τῆς ὁμιλίας ἀπολούσας ὁ κύριος, ⌐ὁ καὶ τὰ πολλὰ Μωϋσέως
δι' ἑνὸς περιλαβὼν βαπτίσματος. 1 Ἄνωθεν οὖν ὁ νόμος
τὴν ἀναγέννησιν ἡμῶν προφητεύων διὰ σαρκικῆς γενέσεως
ἐπὶ τῇ γεννητικῇ <καταβολῇ> τοῦ σπέρματος προσέφερε
τὸ βάπτισμα, οὐ βδελυσσόμενος ἀνθρώπου γένεσιν· ὃ γὰρ
5 φαίνεται γεννηθεὶς ἄνθρωπος, τοῦτο δύναται ἡ τοῦ σπέρματος
καταβολή. 2 Οὔκουν αἱ πολλαὶ συνουσίαι γόνιμοι, ἀλλ' ἡ τῆς
μήτρας παραδοχὴ τὴν γένεσιν ὁμολογεῖ, ἐν τῷ τῆς φύσεως
ἐργαστηρίῳ διαπλαττομένου τοῦ σπέρματος εἰς ἔμβρυον.

3 Πῶς δὲ ὁ μὲν γάμος παλαιὸς μόνον καὶ νόμου εὕρημα,
10 ἀλλοῖος δὲ ὁ κατὰ τὸν κύριον γάμος τοῦ αὐτοῦ θεοῦ πρὸς
ἡμῶν τηρουμένου; 4 Οὐ γὰρ ἂν « ὃ συνέζευξεν ὁ θεός[a] »,

---

31 ὁ² Heyse **St** : εἰ **L**
83, 3 καταβολῇ suppl. Hiller **St**

---

83 a Mt 19, 6

---

1. TATIEN pouvait trouver argument en Lv 15, 18 pour frapper d'impureté
le mariage et insister, à propos du baptême, sur la mort de la condition
charnelle, préalable à la résurrection – comme le suggère le discours *Aux
Grecs* 15, 9, sans doute selon une exégèse de Rm 6, 3-10 et Col 2, 20. Pour
Clément au contraire, l'immersion du baptême a sanctifié l'activité naturelle
de la chair, en particulier l'union conjugale procréatrice, en récapitulant les
rites de purification de la Loi de Moïse (selon l'interprétation de la parole
de Jésus en Mt 3, 15 signalée par Stählin). Il réaffirme le lien entre Lv 15, 18
et le baptême en *Strom.* IV, 142, 1-4.

2. L'exégèse allégorique de Lv 15, 18, loin de dévaloriser la relation
féconde du couple, lui confère une dignité nouvelle, grâce au parallèle
esquissé entre la « régénération » et l'accomplissement, dans l'être humain
une fois né, du « dépôt de la semence », ἡ τοῦ σπέρματος καταβολή. La
conjecture καταβολῇ, nécessaire, est tirée de cette expression, présente
aussi en *Strom.* VI, 135, 1 et 147, 4. Dans le *Pédagogue* (I, 48, 1), Clément
emprunte à la tradition aristotélicienne et à Galien l'explication de la formation de l'embryon (voir D.K. BUELL, *Making Christians*, p. 23-24 et 122).

3. La définition de la matrice comme « l'atelier de la nature (τὸ τῆς
φύσεως ἐργαστήριον) » est empruntée par PHILON à un auteur inconnu

l'union conjugale, lui qui a récapitulé aussi en un seul bap-

3 tême les rites multiples de Moïse[1].   **1** Dès les temps anciens donc, la Loi, prophétisant notre régénération par la naissance charnelle, a joint l'ablution au dépôt de la semence génératrice, sans aucun dégoût pour la génération humaine ; en effet, ce qui apparaît comme être humain après la naissance est déjà en puissance dans le dépôt de la semence[2].   **2** La fécondité de la relation sexuelle ne vient donc pas de sa fréquence : seule la réception (de la semence) par la matrice est gage de géné-ration ; c'est dans cet atelier de la nature[3] que la semence est modelée en embryon.

Accord de la Loi et de l'Évangile sur le mariage   **3** Comment le mariage serait-il seu-lement une chose ancienne, une inven-tion de la Loi, tandis que le mariage selon le Seigneur serait d'une autre nature, puisque c'est l'unicité de Dieu que nous obser-vons[4] ?   **4** En effet, « ce que Dieu a uni[a] », il est juste

---

(*Aet.* 66 ; cf. *Mos.* II, 84 ; *Spec.* III, 33 ; 109 ; *Leg.* 56). L. FRÜCHTEL (*GCS* 52², II, p. 528) signale aussi sa présence chez GRÉGOIRE DE NAZIANZE, *Discours* 28, 22 (*SC* 250, p. 146, l. 12) et dans *Sur l'origine de l'homme* 2, 4 (*SC* 160, p. 234, l. 14), dont l'attribution à Basile de Césarée reste incertaine. L'image laisse dans le vague le détail de la contribution féminine, voir M.-H. CONGOURDEAU, *L'embryon et son âme dans les sources grecques (VIe siècle av. J.-C. – Ve siècle apr. J.-C.),* Paris 2007, p. 187. La ques-tion de savoir si l'embryon est un être vivant est traitée en *Strom.* VIII, 9, 7 – 13, 8 pour illustrer, dans le traité de dialectique qui est la source de ce développement, « la méthode de la découverte » : voir M. HAVRDA, *The So-Called Eighth* Stromateus *by Clement of Alexandria. Early Christian Reception of Greek Scientific Methodology*, Leyde – Boston 2017, p. 96-103 (texte et traduction), et p. 181-196 (commentaire).

4. La différence entre la Loi ancienne et le présent, évoquée (et résolue) en 83, 1, entraîne l'examen d'une objection éventuelle. Clément réfute implicite-ment les considérations de Tatien sur le mariage qui risqueraient d'introduire une distinction entre le Dieu de la Loi et le Dieu révélé par le Christ.

διαλύσειέν ποτε « ἄνθρωπος[a] » εὐλόγως, πολὺ δὲ πλέον
ἅπερ ὁ πατὴρ προσέταξεν, τηρήσει ταῦτα καὶ ὁ υἱός. Εἰ
δὲ ὁ αὐτὸς νομοθέτης ἅμα καὶ εὐαγγελιστής, οὐ μάχεταί
15 ποτε ἑαυτῷ. Ζῇ γὰρ « ὁ νόμος πνευματικὸς[b] » ὢν καὶ
γνωστικῶς νοούμενος. 5 Ἡμεῖς δ' ἐθανατώθημεν « τῷ
νόμῳ διὰ τοῦ σώματος τοῦ Χριστοῦ εἰς τὸ γενέσθαι[c] »
ἡμᾶς « ἑτέρῳ, τῷ ἐκ νεκρῶν ἐγερθέντι[c] », τῷ ὑπὸ τοῦ νόμου
84   προφητευθέντι, « ἵνα καρποφορήσωμεν τῷ θεῷ[c] ». 1 Διὸ
« ὁ μὲν νόμος ἅγιος καὶ ἡ ἐντολὴ ἁγία καὶ δικαία καὶ
ἀγαθή[a] ». Ἐθανατώθημεν οὖν τῷ νόμῳ[b], τουτέστι τῇ ὑπὸ
τοῦ νόμου δηλουμένῃ ἁμαρτίᾳ, ἣν δείκνυσιν, οὐ γεννᾷ ὁ
5 νόμος, διὰ τῆς προστάξεως τῶν ποιητέων καὶ ἀπαγορεύσεως
ὧν οὐ ποιητέον ἐλέγχων τὴν ὑποκειμένην ἁμαρτίαν, « ἵνα
φανῇ ἁμαρτία[c] ». 2 Εἰ δὲ ἁμαρτία ὁ γάμος ὁ κατὰ νόμον,

84, 6 ὧν St coll. *Strom.* I, 166, 5 : τῶν L

---

b Rm 7, 14   c Rm 7, 4
84 a Rm 7, 12   b Cf. Rm 7, 4   c Rm 7, 13

1. L'argument scripturaire est l'accord entre Gn 2, 24 et Mt 19, 6. Il est
peut-être soutenu ensuite par une allusion à Jn 5, 19 (cf. *Strom.* I, 12, 3 ;
V, 38, 7 ; VII, 5, 4), Jn 5, 30 ou Jn 12, 49. Le raisonnement *a fortiori* peut
cependant reposer simplement sur l'idée que la règle de l'obéissance du
fils au père doit être parfaitement accomplie en Dieu.

2. La référence à Rm 7, 14 efface de nouveau toute divergence entre la
Loi et l'Évangile, puisque l'exégèse « gnostique » lit l'Ancien Testament
comme prophétie du Christ (voir, entre autres, *Strom.* VI, 61, 1 ; 68, 3),
et que « le Fils Monogène, qui explique le sein du Père » (cf. Jn 1, 18), est
« le premier interprète des commandements divins » (*Strom.* I, 169, 4,
après une citation de Rm 7, 14 en 169, 2).

qu'un « homme[a] » ne puisse jamais le séparer. Mais à bien
plus forte raison, ce que le Père a ordonné, le Fils l'observera
à son tour[1]. Et si le même Dieu est à la fois Législateur et
Évangéliste, jamais il ne lutte contre lui-même. Car « la
Loi » est vivante en tant que « spirituelle[b] » et comprise
d'une manière gnostique[2]. **5** Or nous, nous sommes
« morts à la Loi par le corps du Christ, pour appartenir à
un autre, à celui qui est ressuscité des morts[c] », à celui que
la Loi annonçait prophétiquement, « afin de fructifier pour
Dieu[c] ».   **1** Aussi « la Loi est-elle sainte et le commandement saint, juste et bon[a] ». Nous sommes donc morts à la
Loi[b], c'est-à-dire au péché mis à jour par la Loi ; ce péché,
si la Loi le montre, elle ne l'engendre pas : en ordonnant
ce qu'il faut faire et en interdisant ce qu'il ne faut pas
faire, elle dénonce le péché latent, « pour qu'apparaisse
le péché[c 3] ».   **2** Or, si le mariage selon la Loi est péché,

3. Rm 7, 4 souligne le changement produit par l'appartenance au
Christ ressuscité. La contradiction apparente avec les propos antérieurs
est d'abord atténuée par le lien prophétique entre la Loi et le Christ, ce
qui permet de reprendre l'éloge de la Loi formulé en Rm 7, 12. Les mots
« Nous sommes donc morts à la Loi », renvoyant à la première occurrence
de l'expression, introduisent ensuite la solution du paradoxe, trouvée dans
une lecture sélective de Rm 7, 5-13 ; elle ne retient des paroles radicales
et complexes de Paul que des termes des versets 7 (cf. *supra* 7, 3 ; 76, 1-2)
et 13, pour substituer à « Nous sommes morts à la Loi » l'idée que nous
sommes morts au péché que dénonce, que fait apparaître la Loi. Un point
de vue complémentaire sur la sainteté du commandement (Rm 7, 12),
propre à sa fonction pédagogique, est présent en *QDS* 9, 2.

οὐκ οἶδα πῶς τις ἐρεῖ θεὸν ἐγνωκέναι λέγων τὸ πρόσταγμα τοῦ θεοῦ ἁμαρτίαν[d] εἶναι· ἁγίου δὲ ὄντος τοῦ νόμου[e] ἅγιος
10 ὁ γάμος. «Τὸ μυστήριον» τοίνυν τοῦτο «εἰς τὸν Χριστὸν
136ᵛ καὶ τὴν ἐκκλησίαν[f]» ǀἄγει ὁ ἀπόστολος. 3 Καθάπερ «τὸ γεννώμενον ἐκ τῆς σαρκὸς σάρξ ἐστιν[g]», οὕτω «τὸ ἐκ πνεύματος πνεῦμα[g]» οὐ μόνον κατὰ τὴν ἀποκύησιν, ἀλλὰ καὶ κατὰ τὴν μάθησιν. Αὐτίκα ἅγια τὰ τέκνα[h], αἱ
15 εὐαρεστήσεις, τῷ θεῷ τῶν κυριακῶν λόγων νυμφευσάντων τὴν ψυχήν. 4 Πορνεία γοῦν καὶ γάμος κεχώρισται, ἐπεὶ μακρὰν ἀφέστηκε τοῦ θεοῦ ὁ διάβολος. «Καὶ ὑμεῖς οὖν ἐθανατώθητε τῷ νόμῳ διὰ τοῦ σώματος τοῦ Χριστοῦ εἰς τὸ γενέσθαι ὑμᾶς ἑτέρῳ, τῷ ἐκ νεκρῶν ἐγερθέντι[i]»·
20 συνεξακούεται γὰρ προσεχῶς ὑπηκόους γενομένους, ἐπεὶ καὶ κατὰ τὴν ἀλήθειαν τοῦ νόμου τῷ αὐτῷ κυρίῳ ὑπακούομεν πόρρωθεν παρακελευομένῳ.

---

20 προσεχῶς He St : προσεχεῖς L

---

d Cf. Rm 7, 7   e Cf. Rm 7, 12   f Ep 5, 32   g Jn 3, 6   h Cf. 1 Co 7, 14   i Rm 7, 4

1. L'application particulière de l'exégèse à la loi du mariage revient à la polémique contre Tatien, qui se trouve ainsi de nouveau réfuté. Le recours au symbolisme d'Ep 5, 32 ouvre une autre allégorie, limitée à la relation entre les paroles du Seigneur et le fidèle, mariage qui enfante les actes qui plaisent à Dieu, les « satisfactions » (cf. *supra* 82, 5) par lesquelles l'âme fructifie pour Dieu (Rm 7, 4 cité *supra* 83, 5, associé ici à 1 Co 7, 14, selon la même allégorie). C'est aussi la traduction chrétienne de la morale stoïcienne selon laquelle toute action peut être accomplie « de manière à plaire aux dieux » (voir ARRIEN, *Entretiens d'Épictète* I, 12, 8 ; 13 ; 20, 15 ; MARC-AURÈLE, *Pensées* VII, 54, et aussi III, 16, 3 ; X, 11, 4 ; XII, 27, 2 ; 31, 2, et P. HADOT, *La citadelle intérieure. Introduction aux* Pensées *de Marc-Aurèle*, Paris 1992, p. 109 et 332).

je ne sais comment quelqu'un pourra dire qu'il connaît Dieu, tout en affirmant que l'ordre de Dieu est péché[d]. Au contraire, puisque la Loi est sainte[e], le mariage l'est aussi. C'est pourquoi l'Apôtre met ce « mystère en rapport avec le Christ et l'Église[f] ». 3 De même que « ce qui est engendré de la chair est chair, ce qui est engendré de l'esprit est esprit[g] », ce qui s'applique non seulement à l'enfantement, mais également à la capacité d'apprendre. Ainsi, ce sont de saints enfants[h], les satisfactions que donnent à Dieu les noces des paroles du Seigneur avec l'âme[1]. 4 Mariage et débauche sont donc choses toutes différentes, puisque grande est la distance entre Dieu et le diable. « Et vous donc, vous êtes morts à la Loi par le corps du Christ, pour appartenir à un autre, à celui qui est ressuscité des morts[i]. » Le sens implicite[2] est, en effet, que nous sommes devenus ses sujets directs, puisqu'une exacte compréhension de la Loi nous soumet au même Seigneur qui nous adressait dès les temps anciens ses commandements[3].

2. « Le sens implicite » : le verbe συνεξακούεται s'apparente au vocabulaire grammatical (et stoïcien) pour désigner une signification parallèle latente (voir F. Caujolle-Zaslawsky, « Le style stoïcien et la 'paremphasis' », dans J. Brunschwig (éd.), *Les Stoïciens et leur logique*, Paris 1978, p. 425-448).

3. Clément conclut sa réflexion sur le rapport entre la Loi ancienne et le changement dans la continuité d'un seul plan providentiel.

85 1 Καὶ μή τι ἐπὶ τῶν τοιούτων εἰκότως «τὸ πνεῦμα ἄντικρυς
λέγει ὅτι ἐν ὑστέροις καιροῖς ἀποστήσονταί τινες τῆς
πίστεως, προσέχοντες πνεύμασι πλάνοις καὶ διδασκαλίαις
δαιμονίων, ἐν ὑποκρίσει ψευδολόγων, κεκαυτηριασμένων τὴν
5 συνείδησιν καὶ κωλυόντων γαμεῖν, ἀπέχεσθαι βρωμάτων, ἃ ὁ
θεὸς ἔκτισεν εἰς μετάληψιν μετ᾽ εὐχαριστίας τοῖς πιστοῖς καὶ
ἐπεγνωκόσι τὴν ἀλήθειαν. Ὅτι πᾶν κτίσμα θεοῦ καλόν, καὶ
οὐδὲν ἀπόβλητον μετ᾽ εὐχαριστίας λαμβανόμενον· ἁγιάζεται
γὰρ διὰ λόγου θεοῦ καὶ ἐντεύξεως[a]». 2 Ἐπάναγκες μὲν
10 οὖν οὐ κωλυτέον γαμεῖν οὐδὲ μὴν κρεοφαγεῖν ἢ οἰνοποτεῖν,
γέγραπται γάρ· «Καλὸν τὸ μὴ φαγεῖν κρέα μηδὲ πίνειν
οἶνον[b]», ἐὰν «διὰ προσκόμματος ἐσθίῃ[c]»· καὶ καλὸν μένειν
«ὡς κἀγώ[d]», ἀλλ᾽ ὅ τε χρώμενος «μετ᾽ εὐχαριστίας[e]» ὅ τε
αὖ μὴ χρώμενος καὶ αὐτὸς «μετ᾽ εὐχαριστίας[e]» μετά τε
15 ἐγκρατοῦς ἀπολαύσεως βιούτω κατὰ λόγον.

---

85 a 1 Tm 4, 1-5   b Rm 14, 21   c Rm 14, 20   d 1 Co 7, 8
e 1 Tm 4, 4

---

1. 1 Tm 4, 1.3 est déjà utilisé contre les encratites *supra* 51, 2, de même
par ORIGÈNE (*Commentaire sur Matthieu* XIV, 16, *GCS* 10, p. 324, 22-34;
XV, 4, p. 357, 30 – 358, 16; cf. *Commentaire sur l'Épître aux Romains*
IX, 2, 5, *SC* 555, p. 88), qui l'emploie aussi contre les montanistes (*Traité
des principes* II, 7, 3). Les premiers mots de 1 Tm 4, 1 sont ici cités, pour
introduire la péricope 1 Tm 4, 1-5 : c'est « l'Esprit », et non plus seulement
Paul, qui prononce cette prophétie et cette condamnation, laquelle est ainsi
rendue plus solennelle. Clément remplace ῥητῶς, « expressément », par
le synonyme ἄντικρυς, un terme qu'il affectionne.

1 Sans doute est-ce à propos de ce genre d'hommes que « l'Esprit dit ouvertement[1] : Dans les derniers temps, certains se détourneront de la foi pour s'attacher à des esprits trompeurs et à des doctrines de démons, dans le rôle séducteur de menteurs, marqués au fer rouge dans leur conscience, proscrivant le mariage et interdisant l'usage d'aliments créés par Dieu pour être pris avec action de grâces par les fidèles, qui connaissent la vérité. Car tout ce que Dieu a créé est bon, et rien n'est à rejeter, si on le prend avec action de grâces ; en effet, la parole de Dieu et la prière le sanctifient[a2] ».   **2** Ainsi, il faut absolument cesser d'interdire le mariage, de même que l'usage de la viande ou du vin, car il est écrit : « Il est bon de ne pas manger de viande et de ne pas boire de vin[b] », si, « en mangeant, on est sujet de scandale[c] » ; et il est bon de rester « comme moi[d] », mais celui qui use du mariage « avec action de grâces[e] » et celui qui s'en abstient, également « avec action de grâces[e] » et jouissance continente, ont à vivre tous deux selon la raison[3].

2. Le motif de l'ingratitude, présent en 1 Tm 4, 3-4, est exploité par IRÉNÉE contre les « encratites » (*Contre les hérésies* I, 28, 1 ; cf. I, 22, 1). 1 Tm 4, 2 vise les femmes séduites par Marc le Mage (*Contre les hérésies* I, 13, 7). 1 Tm 4, 1 fait partie des textes anciens qui usent du thème apocalyptique de l'origine démoniaque des dissensions (voir A. LE BOULLUEC, *La notion d'hérésie*, p. 65, 116 et 182).

3. Clément trouve dans les paroles de Paul que les encratites comme Tatien pouvaient exploiter de quoi rejeter au contraire leur extrémisme ascétique.

86

137ʳ

1 Καὶ καθόλου πᾶσαι αἱ ἐπιστολαὶ τοῦ ἀποστόλου
σωφροσύνην καὶ ἐγκράτειαν διδάσκουσαι περί τε γάμων
περί τε παιδοποιΐας περί τε οἴκου |διοικήσεως μυρίας
ὅσας ἐντολὰς περιέχουσαι οὐδαμοῦ γάμον ἠθέτησαν τὸν
5 σώφρονα, ἀλλά, τὴν ἀκολουθίαν σῴζουσαι τοῦ νόμου πρὸς
τὸ εὐαγγέλιον, ἀποδέχονται ἑκάτερον τόν τε εὐχαρίστως
τῷ θεῷ γάμῳ κεχρημένον σωφρόνως τόν τε εὐνουχίᾳ ὡς ὁ
κύριος βούλεται συμβιοῦνταᵃ, καθὼς «ἐκλήθη ἕκαστοςᵇ»,
ἑλόμενον ἀπταίστως καὶ τελείως.

10 2 Καὶ «ἦν ἡ γῆ τοῦ Ἰακὼβ ἐπαινουμένη παρὰ πᾶσαν τὴν
γῆν», φησὶν ὁ προφήτης, τὸ σκεῦος τοῦ πνεύματος αὐτοῦ
δοξάζωνᶜ. 3 Κατατρέχει δὲ τῆς γενέσεως φθαρτὴν καὶ
ἀπολλυμένην λέγων καὶ βιάζεταί τις, ἐπὶ τεκνοποιΐας λέγων
εἰρηκέναι τὸν σωτῆρα «ἐπὶ γῆς μὴ θησαυρίζειν ὅπου σὴς καὶ
15 βρῶσις ἀφανίζειᵈ», καὶ τὰ τοῦ προφήτου προσπαρατιθέναι
τούτοις οὐκ αἰσχύνεται· «Πάντες [ὡς] ὑμεῖς ὡς ἱμάτιον
παλαιωθήσεσθε καὶ σὴς βρώσεται ὑμᾶςᶜ.» 4 Ἀλλ' οὐδὲ ἡμεῖς

86, 9 ἑλόμενον **Schw St** : ἑλόμενος **L** ‖ 11 αὐτοῦ **St** coll. *Barn.* : αὐτὸς
L ‖ 12 τῆς **Ma St** : τις **L** ‖ 16 ὡς¹ secl. **Vi St**

---

86 a Cf. Mt 19, 12   **b** 1 Co 7, 20.24   **c** Cf. *Épître de Barnabé* 11, 9
d Mt 6, 19   **e** Is 50, 9

---

1. Sur la «continuité» (ἀκολουθία) entre la Loi et l'Évangile, voir
supra 85, 3-4. C'est un thème fondamental chez Clément (voir *Strom*. VII,
100, 5 ; 104, 1-2 ; cf. *Strom*. I, 179, 4 : une «continuité» à rechercher ; I,
52, 1-2 ; VI, 147, 1), exprimé aussi par l'image de l'accord, de l'harmonie
(*Protr*. 88, 3 ; *Strom*. VI, 88, 5 ; 125, 3). La même idée de la continuité
dans l'unité apparaît dans l'interprétation de l'«enchaînement parfait»
«des différentes journées» de la création en *Strom*. VI, 142, 2. Il y a aussi
«continuité et réciprocité» entre la foi et la gnose (*Strom*. II, 16, 2).

1 D'une façon générale, jamais les lettres de l'Apôtre, qui enseignent la tempérance et la continence, tout en comportant d'innombrables commandements sur les mariages, la procréation et la gestion de la maison, n'ont rejeté le mariage, s'il est tempérant. Au contraire, sauvegardant la continuité entre la Loi et l'Évangile[1], elles admettent à la fois celui qui, en rendant grâces à Dieu, a usé du mariage avec tempérance, et celui qui a vécu dans la chasteté parfaite, comme le veut le Seigneur[a], « chacun selon l'appel reçu[b] », si son choix est ferme et définitif.

2 « La terre de Jacob était plus louée que toute autre », dit le prophète en glorifiant le vase de l'Esprit lui-même[c2]. 3 Pourtant, on attaque la génération en l'appelant corruptible et périssable ; on fait violence à la parole du Sauveur qui aurait visé la procréation en demandant de « ne pas accumuler de trésor sur terre, où le vers et la rouille détruisent[d] », et on ose y ajouter les paroles du prophète : « Vous tous, vous vieillirez comme un manteau, et le ver vous rongera[e]. »   4 Certes, nous non plus nous

2. Clément paraphrase l'*Épître de Barnabé* (11, 9ab, *SC* 172, p. 164), qui attribue la parole commentée à « un autre prophète » et qui ajoute : « Cela signifie : il glorifie le vase de son esprit », c'est-à-dire la terre promise dont hérite le baptisé, Jésus fait chair (voir *Épître de Barnabé* 7, 3 et les notes de M.-O. BOULNOIS dans *Premiers écrits chrétiens*, p. 1363) ; la ressemblance de la citation avec *II Baruch* (ou *Apocalypse syriaque de Baruch*) 61, 7, repérée par R. A. Kraft, ne permet pas d'en faire la source immédiate de la parole attribuée à un « prophète » (P. PRIGENT, *SC* 172, p. 165, n. 2 et 3). Le rapprochement avec So 3, 19-20 et Ez 20, 6, proposé par Stählin, n'est pas non plus assuré.

ἀντιλέγομεν τῇ γραφῇ, ὅτι φθαρτὰ ἡμῖν τὰ σώματα καὶ
φύσει ῥευστά· τάχα δ' ἂν καὶ οἷς διελέγετο ὡς ἁμαρτωλοῖς
20 προφητεύοι φθοράν. Ὁ σωτὴρ δὲ οὐ περὶ τεκνοποιίας εἴρηκεν,
ἀλλ' εἰς μετάδοσιν κοινωνίας προτρέπων τοὺς κτᾶσθαι μόνον
τὴν τοῦ πλούτου περιουσίαν, ἐπικουρεῖν δὲ τοῖς δεομένοις
87 μὴ βουλομένους. 1 Διό φησιν· « Ἐργάζεσθε μὴ τὴν
ἀπολλυμένην βρῶσιν, ἀλλὰ τὴν μένουσαν εἰς ζωὴν αἰώνιον[a].»

Ὁμοίως δὲ κἀκεῖνο κομίζουσι τὸ ῥητόν· «Οἱ υἱοὶ τοῦ
αἰῶνος ἐκείνου οὔτε γαμοῦσιν οὔτε γαμίζονται[b].» 2 Ἀλλὰ
5 τὸ ἐρώτημα τοῦτο [τὸ] περὶ νεκρῶν ἀναστάσεως καὶ τοὺς
πυνθανομένους αὐτοὺς ἐὰν ἀναπεμπάσηταί τις, οὐκ ἀπο-
δοκιμάζοντα τὸν γάμον εὑρήσει τὸν κύριον, θεραπεύοντα
δὲ τὴν κατὰ τὴν ἀνάστασιν τῆς σαρκικῆς ἐπιθυμίας
προσδοκίαν. 3 Τὸ δὲ «οἱ υἱοὶ τοῦ αἰῶνος τούτου[c]» οὐ

---

20 προφητεύοι Hiller St : προφητεύει L ‖ 21 μόνον L^{pc} : μόνην L^{ac}
87, 5 τὸ² secl. Schw St ‖ περὶ νεκρῶν ἀναστάσεως hic Schw St : post
ἐκείνου (**87**, 4) L

---

87 a Jn 6, 27   b Lc 20, 35   c Lc 20, 34

---

1. TATIEN devait faire appel à ces deux textes scripturaires;
E. SCHWARTZ, *Tatiani oratio ad Graecos*, *TU* 4, 1, Leipzig 1888, p. 49,
reconnaît dans ce passage un fragment de Tatien. Le grief de faire violence
aux Écritures se trouve déjà chez IRÉNÉE, contre les valentiniens (*Contre
les hérésies* I, 3, 6; voir A. LE BOULLUEC, *La notion d'hérésie*, p. 220-221;
236). Clément le reprend contre les licencieux en *Strom.* VII, 94, 4 (cf.
supra 39, 2) et contre les hérétiques en général en *Strom.* VII, 96, 5. On le
retrouve chez Origène (voir A. LE BOULLUEC, *La notion d'hérésie*, p. 516)
et chez beaucoup d'autres. Clément a donné *supra* 56, 2, une exégèse morale
de Mt 6, 19 (cf. *Protr.* 93, 3; *Strom.* IV, 33, 4), qu'il oppose ici à celle de
Tatien en replaçant le verset dans son contexte. Tout en préférant voir en
Is 50, 9 une image de la corruption du péché, il concède que le verset puisse
viser la nature « fluente » des corps (σώματα... ῥευστά), qu'il qualifie de
même en *Strom.* II, 118, 5, en employant un terme propre au moyen platonisme (voir ALCINOOS, *Enseignement des doctrines de Platon* XI, p. 166,

ne contredisons pas l'Écriture sur le fait que nos corps sont corruptibles et transitoires par nature[1]. Peut-être le prophète annonce-t-il aussi leur corruption à ses interlocuteurs parce qu'ils sont pécheurs, mais le Sauveur ne parlait pas de la procréation : il exhortait à la pratique du partage les gens qui cherchent uniquement à acquérir un surcroît de richesse et refusent de secourir les indigents.   **1** C'est pourquoi il dit : « Travaillez, non pour la nourriture périssable, mais pour celle qui demeure en vie éternelle[a2]. »

De même, ils invoquent cette parole : « Les enfants de ce siècle-là ne prennent ni femme ni mari[b3]. »   **2** Or, si l'on ramène son attention[4] sur cette question de la résurrection des morts et sur ceux qui la posent, on découvrira que le Seigneur ne réprouvait pas le mariage, mais qu'il fournissait un remède à ceux qui s'attendaient à trouver dans la résurrection les objets de la convoitise charnelle.   **3** Par les mots « les enfants de ce siècle-ci[c] », il ne visait pas à

---

30 HERMANN et les notes de J. WHITTAKER, *CUF*, 1990, p. 75 et 108). ORIGÈNE fait de la corruption le processus indissociable de cette fluidité corporelle (*Sur la prière* 6, 1 ; cf. 27, 8), selon une conception philosophique des mouvements propres aux différents êtres.

2. Jn 6, 27 intervient déjà en *Strom.* I, 7, 2, dans un développement distinguant les aliments matériels des nourritures que sont la justice et la paix (cf. *Strom.* VI, 1, 2 et la note 5 de P. DESCOURTIEUX, *SC* 446, p. 57).

3. L'interprétation encratite d'une autre parole, Lc 20, 35, est maintenant réfutée. A. HILGENFELD, *Die Ketzergeschichte des Urchristentums*, p. 391-392, rapporte cette interprétation à Tatien. La discussion a été engagée *supra* 47, 3 – 48, 1. La méthode est encore, comme en 86, 3-4, de revenir au contexte, ici la réponse de Jésus à une question.

4. Le verbe rare ἀναπεμπάζομαι, déjà utilisé par PLATON (*Lysis* 222e, *Lois* 724b), signifie « compter et recompter », ou « examiner encore et encore », par une forme de « rumination » mentale que concrétise l'exégèse allégorique de Lv 11, 3-4 en *Strom.* VII, 109, 2.

137ᵛ 10 πρὸς ἀντιδιαστολὴν Ιτῶν ἄλλου τινὸς αἰῶνος υἱῶν εἴρηκεν,
ἀλλ' ἐπ' ἴσης τῷ «οἱ ἐν τούτῳ γενόμενοι τῷ αἰῶνι, διὰ τὴν
γένεσιν υἱοὶ ὄντες, γεννῶσι καὶ γεννῶνται», ἐπεὶ μὴ ἄνευ
γενέσεώς τις <εἰς> τόνδε τὸν βίον παρελεύσεται, ἀλλ' ἥδε
ἡ γένεσις τὴν ὁμοίαν ἐπιδεχομένη φθορὰν οὐκέτι ἀναμένει
15 τὸν ἅπαξ τοῦδε τοῦ βίου κεχωρισμένον.

4 «Εἷς» μὲν οὖν «ὁ πατὴρ ἡμῶν ὁ ἐν τοῖς οὐρανοῖςᵈ»,
ἀλλὰ καὶ ἁπάντων πατὴρ κατὰ τὴν δημιουργίαν αὐτός.
«Μὴ καλέσητε οὖν ὑμῖν ἐπὶ τῆς γῆς πατέραᵉ» φησίν, οἷον
«μὴ αἴτιον ἡγήσησθε τὸν σπείραντα ὑμᾶς τὴν κατὰ σάρκα
20 σπορὰν τῆς οὐσίας ὑμῶν, ἀλλὰ συναίτιον γενέσεως, μᾶλλον
88 δὲ διάκονον γενέσεως.» 1 Οὕτως οὖν ἐπιστραφέντας

---

16 ἡμῶν **L Pi** : ὑμῶν **St** coll. Mt 23, 9

---

d Cf. Mt 23, 9 ; 6, 9   e Mt 23, 9

1. Le terme ἀντιδιαστολή a ici le sens fort d'« opposition » (cf. *supra* 78, 2).

2. Il est remarquable que Clément n'évoque pas le refus de la résurrection par les sadducéens, mais qu'il ramène la réponse de Jésus à l'intention d'exclure de la résurrection une condition charnelle soumise à la convoitise. Il s'agit en effet de combattre une doctrine selon laquelle vivre dans le « siècle » ici-bas en étant marié, c'est être séparé complètement de l'existence dans le « siècle » (l'« éon ») supérieur, celui des baptisés ressuscités, le seul désirable. À cette incapacité des gens mariés de passer dès maintenant de l'un à l'autre est opposée par Clément la simple distinction entre la vie présente de la génération et de la corruption, selon la liaison de l'une et l'autre évoquée *supra* 45, 3 et 64, 2, et l'état qui n'est plus régi par les lois physiques de cette vie-là.

opposer[1] ces enfants à ceux d'un autre siècle ; c'est plutôt comme s'il avait dit : « Les enfants qui naissent dans ce siècle-ci, étant des enfants par génération, engendrent et sont engendrés », puisque personne ne pourra venir en cette vie si ce n'est par la génération ; mais cette génération, qui implique la corruption correspondante, ne concerne plus celui qui a déjà quitté cette vie[2].

4 Il est donc « unique, notre Père qui est dans les cieux[d] », mais il est en outre, par son activité créatrice, le Père de toutes choses. « Aussi, n'appelez personne votre père sur la terre[e] », dit-il, en ce sens : « Ne considérez pas celui qui vous a engendrés de l'engendrement charnel comme l'auteur de votre existence, mais plutôt comme le collaborateur de votre génération, ou mieux encore, comme le serviteur de votre génération[3]. »   1 Ainsi donc, il veut qu'une fois convertis, nous

3. L'opposition forte entre les deux « éons » (de Lc 20, 34 et 20, 35) affirmée par Tatien risque de mettre en cause la foi en l'unicité de Dieu (voir *supra* 82, 2). C'est ce soupçon qui amène Clément à redonner à Dieu, Créateur, le pouvoir principal dans l'engendrement. Mt 18, 9 lui sert ici à réduire le rôle du père humain. C'est aussi Dieu qui donne croissance et achèvement (voir *Strom.* VI, 147, 4, *SC* 446, p. 354-355). La thèse se nourrit de réminiscences de Philon sur le sujet, comme le note D.K. Buell, *Making Christians*, p. 100, n. 9 et 10 (voir Philon, *Her.* 115, et les notes de M. Harl, *OPA* 15, p. 222-223 et p. 34 ; *Decal.* 113). D.K. Buell rappelle aussi une description de l'engendrement et de l'animation de l'embryon que Clément doit à un « Ancien » (*EP* 50, 1-3) et qui fait intervenir les puissances angéliques (*Making Christians*, p. 25-26), cf. M.-H. Congourdeau, *L'embryon et son âme dans les sources grecques (VIᵉ siècle av. J.-C. – Vᵉ siècle apr. J.-C.),* Paris 2007, p. 316.

ἡμᾶς αὖθις ὡς τὰ παιδία γενέσθαιᵃ βούλεται, τὸν ὄντως
πατέρα ἐπιγνόντας, δι' ὕδατος ἀναγεννηθέντας, ἄλλης
ταύτης οὔσης <τῆς> ἐν τῇ κτίσει σπορᾶς.

5 2 Ναί, φησίν, «ὁ ἄγαμος μεριμνᾷ τὰ τοῦ κυρίου · ὁ δὲ
γαμήσας πῶς ἀρέσει τῇ γυναικίᵇ ». Τί δέ; Οὐκ ἔξεστι καὶ
τῇ γυναικὶ κατὰ θεὸν ἀρέσκοντας εὐχαριστεῖν τῷ θεῷ;
Οὐχὶ δὲ ἐφεῖται καὶ τῷ γεγαμηκότι σὺν καὶ τῇ συζύγῳ
μεριμνᾶν τὰ τοῦ κυρίου; 3 Ἀλλὰ καθάπερ «ἡ ἄγαμος
10 μεριμνᾷ τὰ τοῦ κυρίου, ἵνα ᾖ ἁγία καὶ τῷ σώματι καὶ τῷ
πνεύματιᶜ », οὕτω καὶ ἡ γεγαμημένη τὰ τοῦ ἀνδρὸς καὶ τὰ
τοῦ κυρίου μεριμνᾷ ἐν κυρίῳ, «ἵνα ᾖ ἁγία καὶ τῷ σώματι
καὶ τῷ πνεύματιᶜ » · ἄμφω γὰρ ἅγιαι ἐν κυρίῳ, ἡ μὲν ὡς
γυνή, ἡ δὲ ὡς παρθένος.

88, 4 οὔσης om. Ath ‖ τῆς suppleuimus : deest L Ath ἢ τῆς suppl. Schw
St ‖ 8 συζύγῳ St : συζυγίᾳ L

---

88 a Cf. Mt 18, 3   b 1 Co 7, 32-33   c 1 Co 7, 34

1. L'enseignement sur la « régénération » par le baptême (voir
C. NARDI, *Il battesimo in Clemente Alessandrino*, Rome 1984, p. 157-
162) confirme, contre Tatien, l'origine divine de la « génération » : si
« l'ensemencement » est d'une autre sorte, la conversion fait reconnaître
le même auteur divin de l'embryon et du « petit enfant » (Mt 18, 3), né
de l'eau du baptême.

2. Tout le passage εἷς ... σπορᾶς (87, 4 – 88, 1) a été retenu comme
extrait caténal dans le manuscrit de l'Athos, Lavra B 113. Des bribes
figurent aussi chez Pierre de Laodicée et Théophylacte de Bulgarie (voir
L. FRÜCHTEL, *ZNTW* 36, 1937, p. 85 et 87).

3. À l'objection qui pourrait être tirée de 1 Co 7, 32b-33, réponse est
faite dans l'esprit de la remarque sur Mt 18, 20 *supra* 68, 1. Le verdict
de 1 Co 7, 34a : « il est divisé » (μέμερισται) est-il contesté ? Clément
proposerait-il « un remaniement philogamiste audacieux » de 1 Co 7,
32-34 (Y. TISSOT, « Hénogamie », p. 192) ? C. TIBILETTI (« Un passo
di Clemente Alessandrino su verginità e matrimonio », p. 437-443)

devenions comme les petits enfants[a], après avoir reconnu celui qui est vraiment notre Père et reçu la régénération de l'eau[1], alors que cet engendrement-ci, dans la création, est d'une autre sorte[2].

Mariage et vie spirituelle   2 Certes (l'Apôtre) dit : « Le célibataire se soucie des choses de Dieu ; celui qui est marié se demande comment plaire à sa femme[b]. » Or, ne peut-on aussi rendre grâces à Dieu tout en plaisant à sa femme selon Dieu ? N'est-il pas permis à celui qui est marié de se soucier avec sa compagne des choses du Seigneur ?   3 En réalité, de même que « celle qui est célibataire se soucie des choses du Seigneur, afin d'être sainte de corps et d'esprit[c] », ainsi la femme mariée se soucie, dans le Seigneur, des choses de son époux et de celles du Seigneur, « afin d'être sainte de corps et d'esprit[c] ». Toutes deux, en effet, sont saintes dans le Seigneur, l'une comme épouse, l'autre comme vierge[3].

---

considère qu'il n'en est rien ; le fait que Clément omet μέμερισται en citant 1 Co 7, 33 amène à supposer qu'il dépend de l'autre leçon, présente dans de nombreux témoins de la *Vetus Latina*, mais aussi chez Méthode d'Olympe (*Banquet* 3, 13) et chez Jean Chrysostome (*Homélies sur I Cor.* 19, 6, *PG* 61, 160), leçon qui rattache le verbe à la suite (1 Co 7, 34) : « La femme mariée et la vierge sont séparées [c'est-à-dire : leurs conditions sont distinctes] ; la femme célibataire se soucie des choses du Seigneur... ». Clément alors, tout en laissant à l'homme marié la capacité de servir aussi le Seigneur, ne contredirait pas Paul, qui affirme la supériorité du célibat. Il réduit cependant cette supériorité en la situant sur le plan du « salut », c'est-à-dire dans une perspective eschatologique, et en estimant que l'homme marié, à la tête de sa famille, l'emporte ici-bas, car « il offre réellement une petite image de la Providence véritable » (*Strom.* VII, 70, 8). Dans le cas de la femme, Clément laisse ouverte une promotion analogue pour celle qui est mariée. Cette fois il atténue sensiblement la différence affirmée par Paul en 1 Co 7, 34 entre les deux conditions, puisqu'il offre à la femme mariée et à la célibataire la même vocation à la sainteté. Il décrit

15 4 Πρὸς ἐντροπὴν δὲ καὶ ἀνακοπὴν τῶν εὐεπιφόρων
εἰς τὸν δεύτερον γάμον ἁρμονίως ὁ ἀπόστολος ὑπέρτονον
φθέγγεται καὶ αὐτίκα φησί · «Πᾶν ἁμάρτημα ἐκτὸς
τοῦ σώματός ἐστιν · ὁ δὲ πορνεύων εἰς τὸ ἴδιον σῶμα
89 ἁμαρτάνει[d].» 1 Εἰ δὲ πορνείαν τὸν γάμον τολμᾷ τις
λέγειν, πάλιν ἐπὶ τὸν νόμον καὶ τὸν κύριον ἀνατρέχων
βλασφημεῖ. Ὡς γὰρ ἡ πλεονεξία πορνεία λέγεται τῇ
138[r] αὐταρκείᾳ ἐναντιου|μένη, καὶ ὡς <ἡ> εἰδωλολατρεία ἐκ τοῦ
5 ἑνὸς εἰς τοὺς πολλοὺς ἐπινέμησίς ἐστι θεούς, οὕτως πορνεία
ἡ ἐκ τοῦ ἑνὸς γάμου εἰς τοὺς πολλούς ἐστιν ἔκπτωσις ·
τριχῶς γάρ, ὡς εἰρήκαμεν, ἥ τε πορνεία ἥ τε μοιχεία παρὰ
τῷ ἀποστόλῳ[a] λαμβάνεται. 2 Ἐπὶ τούτων ὁ προφήτης

89, 4 ἡ suppl. St ‖ 5 ἐστι L : οὖσα St ‖ θεούς Ma St coll. *Strom.* VII,
75, 3 : θεοῦ L ‖ 5-6 πορνεία ἡ St : ἡ πορνεία L

---

d 1 Co 6, 18
89 a Cf. Ep 5, 5

ainsi dans le *Pédagogue* (II, 109, 4) la conduite de la première : « L'épouse,
celle au moins qui est tempérante, partage sa vie (διαιρεῖται τὸν βίον) entre
Dieu et son mari [...] ; consacrant son temps à son mari, elle honore Dieu
sincèrement ». Au tiraillement entre deux obligations irréconciliables il
substitue la maîtrise consciente d'une répartition. Faut-il en conclure,
contre C. Tibiletti, qu'il lisait en 1 Co 7, 34a le texte devenu courant,
« celui qui est marié » étant le sujet de « est divisé (μεμέρισται) », et que
son exégèse appliquait aussi le verbe à l'épouse, pour en atténuer le sens ?
L'équilibre prôné dans le *Pédagogue* n'impose pas une telle interprétation.
1. L'image musicale du « ton très élevé » caractérise ici, comme en
Strom. II, 123, 2, à propos du commandement divin (cf. *supra* 79, 4 ;
82, 4) l'exigence éthique de l'Apôtre, et non pas l'outrance des encratites
(*supra* 40, 2 ; *infra* 105, 1). L'adverbe ἁρμονίως, « avec justesse », est sans
équivoque. Aussi le « remariage » que vise Clément n'est-il pas celui du
divorcé (J.-P. BROUDEHOUX, *Mariage et famille chez Clément d'Alexandrie*,
Paris 1970, p. 89), mais celui du veuf (Y. TISSOT, « Hénogamie », p. 191-
195). Ce sont en effet ces secondes noces-là qu'il a présentées comme une

4 Mais c'est pour susciter la honte et
Le mariage n'est la retenue chez ceux qui sont enclins aux
pas « débauche » secondes noces que l'Apôtre prend, avec
justesse, un ton très élevé[1] en disant aussi par exemple :
« Tout (autre) péché est extérieur au corps, mais le débauché pèche contre son propre corps[d]. » 1 Or, si l'on ose appeler « débauche » le mariage, on recommence à blasphémer en se retournant contre la Loi et le Seigneur[2]. De même en effet que l'avidité, contraire au contentement[3], est appelée « débauche », et de même que l'idolâtrie est la répartition de l'Unique entre plusieurs dieux, ainsi c'est la chute faisant passer d'un mariage unique à plusieurs unions qui est « débauche[4] ». Car, comme nous l'avons dit, les mots « débauche » et « adultère » ont une triple acception chez l'Apôtre[a]. 2 C'est à ce sujet que le prophète dit :

---

concession de l'Apôtre ; le veuf qui se remarie « ne réalise pas dans toute son intensité la perfection de la conduite conforme à l'Évangile » (*supra* 82, 4 ; cf. 82, 5 : « la relation de couple brisée par la mort »). La digression qui suit distingue la haute exigence qui est la sienne de l'excès des encratites qui, eux, vont jusqu'à condamner le mariage.

2. Voir *supra* 49, 1 ; 70, 3-4 ; 76, 3 – 77, 1 ; 80, 3 ; 81, 6 ; 82, 2 ; 84, 2.

3. Le lien entre « débauche » et « idolâtrie » est biblique. L'appellation de « débauche » donnée à « l'avidité » est moins courante, bien que Clément dénonce souvent les deux à la fois. Il la réfère à « la triple acception » qu'il trouve en Ep 5, 3.5 (voir *Strom.* VII, 75, 3) ; il y renvoie ici comme à un enseignement qui lui est familier (voir Y. TISSOT, « Hénogamie », p. 193, n. 85).

3. Le mot rendu par « contentement », αὐτάρκεια, s'oppose à « l'avidité », πλεονεξία, comme la simplicité de qui trouve en soi-même toutes les ressources pour la vie parfaite s'oppose à la pluralité de qui multiplie ses dépendances envers les choses extérieures (voir la définition de ce « contentement » en *Péd.* II, 128, 2 ; cf. *Péd.* I, 98, 4). Le trait commun à l'avidité et à l'idolâtrie, qualifiées de « débauche », est de tomber du côté de la pluralité (indiquée aussi par l'étymologie de πλεονέξια), ce qui permet de supprimer le grief des encratites contre le mariage, à condition qu'il soit unique.

φησί · « Ταῖς ἁμαρτίαις ὑμῶν ἐπράθητε^b », καὶ πάλιν ·
10   « Κατεμιάνθης ἐν γῇ ἀλλοτρίᾳ^c », τὴν [τε] κοινωνίαν μιαρὰν
ἡγούμενος τὴν ἀλλοτρίῳ σώματι συμπλακεῖσαν καὶ μὴ τῷ
κατὰ συζυγίαν εἰς παιδοποιΐαν διδομένῳ. 3 Ὅθεν καὶ
ὁ ἀπόστολος « βούλομαι οὖν », φησί, « νεωτέρας γαμεῖν,
τεκνογονεῖν, οἰκοδεσποτεῖν, μηδεμίαν ἀφορμὴν διδόναι τῷ
15   ἀντικειμένῳ λοιδορίας χάριν · ἤδη γάρ τινες ἐξετράπησαν
90   ὀπίσω τοῦ σατανᾶ^d. »   1 Ναὶ μὴν καὶ τὸν τῆς « μιᾶς
γυναικὸς ἄνδρα^a » πάνυ ἀποδέχεται, κἂν πρεσβύτερος^b ᾖ
κἂν διάκονος^c κἂν λαϊκός, ἀνεπιλήπτως^d γάμῳ χρώμενος ·
« Σωθήσεται δὲ διὰ τῆς τεκνογονίας^e. »

10 τε secl. St

b Is 50, 1   c Ba 3, 10-11   d 1 Tm 5, 14-15
90 a 1 Tm 3, 2 ; Tt 1, 6   b Cf. Tt 1, 5   c Cf. 1 Tm 3, 12   d Cf.
1 Tm 3, 2 ; Tt 1, 6   e 1 Tm 2, 15

1. Le fragment d'Is 50, 1, dans son contexte, doit être traduit : « Voici,
pour vos fautes vous avez été vendus », le peuple, et non pas Dieu, en portant la responsabilité. Ici il souligne l'ignominie des pécheurs. L'extrait
de Ba 3, 10-11 modifie la lettre du texte. En *Strom.* II, 144, 4, dans un
développement sur le devoir de préserver la pureté du mariage, l'extrait
d'Is 50, 1 est fondu en une seule expression avec Ba 4, 6 (cf. *infra* 90, 3) :
« L'Écriture divine dit que ceux qui ont enfreint les commandements ont
été vendus aux gens d'un autre peuple, c'est-à-dire aux péchés étrangers
à la nature ... ». Clément fait partie des Pères qui ne séparent pas *Baruch*
du livre de *Jérémie* (voir *Péd.* I, 91, 3 ; 93, 3 ; IRÉNÉE, *Contre les hérésies* V,
35, 1 et l'introduction d'I. ASSAN-DHÔTE et J. MOATTI-FINE à *Baruch.
Lamentations*, *BA* 25.2, Paris 2005, p. 22-25 et 49-50).

2. Comme 1 Co 6, 18, les textes probants produits ici devaient faire
partie des *testimonia* des encratites contre le mariage. Ils sont retournés
par la défense de la monogamie, qui oppose au « corps étranger » d'un
partenaire différent le corps légitime, pourrait-on dire, devenu propriété
« en vue de la procréation », ce corps que le débauché insulte, selon l'interprétation implicite de 1 Co 6, 18.

« Vous avez été vendus à vos péchés[b] » ; et ailleurs : « Tu t'es souillé dans une terre étrangère[c1] » ; l'union souillée, dans sa pensée, c'est celle qui s'est faite avec un corps étranger et non l'union au corps qui est donné dans le couple en vue de la procréation[2]. 3 D'où aussi ces paroles de l'Apôtre : « Je veux que les jeunes (veuves) se marient, aient des enfants, gouvernent leur maison et ne donnent à l'adversaire aucun prétexte pour les diffamer, car déjà certaines **0** se sont fourvoyées à la suite de Satan[d3]. » 1 Bien entendu, il approuve aussi sans restriction l'homme qui « n'a eu qu'une seule femme[a4] », qu'il soit presbytre[b], diacre[c] ou laïc, s'il use du mariage d'une manière irréprochable[d]. « Elle, de son côté, sera sauvée par l'enfantement[e]. »

3. La citation de 1 Tm 5, 14 incite à penser que la digression qui débute en 89, 1 est une attaque de l'adultère, provoquée par l'équivalence entre « débauche/fornication » (πορνεία) et « adultère » (μοιχεία), sans pour autant effacer la question du remariage, qui revient ici sous la forme de la concession de l'Apôtre, et qui est abordée avec une rigueur accrue en 90, 1 (voir Y. Tissot, « Hénogamie », p. 193-194). 1 Tm 5, 14 rappelle aussi que « le mariage chrétien pour Clément est motivé par une triple fin, procréatrice, domestique et préventive » (Y. Tissot, « Hénogamie », n. 86).

4. L'expression « mari d'une seule femme » revient à l'hénogamie prônée en 88, 4. Étant donné qu'elle renvoie à 1 Tm 3, 2.12 et à Tt 1, 6, qui traitent des conditions d'accès au presbytérat et au diaconat, ce passage de Clément est très controversé, voir la note compl. 7, *infra* p. 353. La querelle devient vaine, si l'on considère que le sujet est le remariage : celui qui y renonce est loué, qu'il soit presbytre, diacre ou laïc, chacun « en usant (ainsi) de façon irréprochable à l'égard du mariage » (la qualité de l'« épiscope » de 1 Tm 3, 2, « irréprochable », étant étendue aux trois, mais dans la perspective générale de la doctrine sur le mariage, dont fait partie le rejet des secondes noces, et non pas en référence à l'expérience de la vie conjugale). La citation, ensuite, de 1 Tm 2, 15, qui concerne la femme, complète la concession rappelée en 89, 3 ; τεκνογονίας reprend τεκνογονεῖν de 1 Tm 5, 14 (nous suivons ici E. Cattaneo, *Les ministères dans l'Église ancienne. Textes patristiques du Ier au IIIe siècle*, traduit de l'italien par A. Bastit et C. Guignard, Paris 2017, p. 117-118).

5   2 Πάλιν τε αὖ ὁ σωτὴρ τοὺς Ἰουδαίους «γενεὰν» εἰπὼν
«πονηρὰν καὶ μοιχαλίδα^f» διδάσκει μὴ ἐγνωκότας νόμον ὡς
ὁ νόμος βούλεται, «παραδόσει» δὲ τῇ «τῶν πρεσβυτέρων^g»
καὶ «ἐντάλμασιν ἀνθρώπων^h» κατηκολουθηκότας, μοιχεύειν
τὸν νόμον, οὐχ ὡς «ἄνδρα καὶ» κύριον «τῆς παρθενίαςⁱ»
10   αὐτῶν δεδομένον. 3 Τάχα δὲ καὶ ἐπιθυμίαις δεδουλωμένους
ἀλλοκότοις οἶδεν αὐτούς, δι᾽ ἃς καὶ συνεχῶς δουλούμενοι ταῖς
ἁμαρτίαις ἐπιπράσκοντο^j τοῖς ἀλλοφύλοις, ἐπεὶ παρά γε
τοῖς Ἰουδαίοις οὐκ ἦσαν ἀποδεδειγμέναι γυναῖκες κοιναί^k,
ἀλλὰ καὶ ἡ μοιχεία ἀπηγόρευτο^l.

15   4 Ὁ δὲ εἰπὼν «γυναῖκα ἔγημα καὶ οὐ δύναμαι ἐλθεῖν^m»
εἰς τὸ δεῖπνον τὸ θεῖον ὑπόδειγμα ἦν εἰς ἔλεγχον τῶν διὰ
ἡδονὰς ἀφισταμένων τῆς θείας ἐντολῆς, ἐπεὶ τούτῳ τῷ
138^v   λόγῳ οὔθ᾽ οἱ πρὸ τῆς παρουσίας δίκαιοι |οὔθ᾽ οἱ μετὰ τὴν
παρουσίαν γεγαμηκότες, κἂν ἀπόστολοι ὦσι, σωθήσονται.

90, 10 δεδομένον L : δεδεγμένους St

---

f Mt 12, 39   g Mt 15, 2; Mc 7, 5   h Mt 15, 9; Mc 7, 7
i Jr 3, 4; cf. Si 15, 2   j Cf. Is 50, 1; Ba 4, 6   k Cf. Dt 23, 18
l Cf. Ex 20, 13 (LXX)   m Lc 14, 20

---

1. La leçon de L peut être conservée, οὐχ ὡς ... δεδομένον désignant
l'erreur attribuée aux Juifs. La conjecture de Stählin, δεδεγμένους, serait
à comprendre ainsi : «... les rendait adultères à l'égard de la Loi, pour ne
pas l'avoir acceptée comme époux ...».
2. L'intrusion de la polémique contre les juifs vient peut-être de la réminiscence du contexte d'Is 50, 1 et Ba 3, 10-11 (*supra* 89, 2), où le Seigneur
reproche au peuple son infidélité. Jr 3, 3-4, où figure l'image de la prostituée, est donné comme exemple de l'une des douze formes de reproche
en *Péd.* I, 81, 1, la «raillerie» (ou le «sarcasme»). L'expression de Jr 3, 4
est contaminée ici par l'éloge de la Loi en Si 15, 2. Νόμος, «Loi», étant
du genre masculin en grec, la comparaison est faite entre la Loi-époux et
les Juifs-épouse adultère.

2 À nouveau, quand il traite les Juifs
de « génération mauvaise et adultère[f] »,
le Sauveur nous enseigne qu'ils ne
connaissaient pas la Loi comme le veut
la Loi, mais que leur façon de se conformer à « la tradition
des anciens[g] » et à « des préceptes humains[h] » les rendait
adultères à l'égard de la Loi, comme si elle ne leur avait pas
été donnée[1] comme « époux et maître » de leur « virginité[i2] ».   **3** Peut-être les sait-il aussi asservis à des convoitises venues d'ailleurs, qui les rendaient continuellement
esclaves de leurs péchés et provoquaient leur vente à des
étrangers[j], car, chez les Juifs, il n'y avait pas officiellement
de femmes publiques[k], et l'adultère était même interdit[13].

Il n'est pas non plus « adultère » ni « péché »

4 Celui qui a dit : « J'ai pris femme et je ne puis venir[m] »
au banquet divin constituait un exemple destiné à confondre
ceux que les plaisirs détournent du commandement divin,
alors que, au sens où l'entendent ces gens-là, ni avant ni
après la venue (du Seigneur), les justes mariés, fussent-ils
apôtres, ne seront sauvés[4].

---

3. L'exégèse polémique d'Is 50, 1 et Ba 3, 10-11, réduite au grief de
débauche, faisant écho à *Strom.* II, 144, 4, se mue en exégèse littérale de
type ethnographique, fondée sur Dt 23, 18 (non sans méprise sur le genre
de prostitution dont il est question dans la Loi). La comparaison avec
PHILON, *Jos.* 43 et *Spec.* III, 51, ne révèle pas de dépendance (A. VAN DEN
HOEK, *Clement of Alexandria and his Use of Philo*, p. 187). Sur l'interdit
de l'adultère, voir Ex 20, 13 ; Lv 20, 10 ; Dt 5, 17 ; Nb 5, 11-30.

4. Une fois de plus, l'interprétation encratite d'une parole des Écritures
(Lc 14, 20) est corrigée par la distinction entre le mariage et la fornication.
Le grief de Clément est peut-être déduit abusivement de la critique encratite
de la Loi, d'une part (ses « justes » ne le seraient pas vraiment), et du rejet
du mariage, de l'autre, qui censément aurait conduit à condamner Pierre
et Paul, qui étaient mariés (voir *Strom.* III, 52, 5 – 53, 2 et VII, 63, 3).

20 5 Κἂν ἐκεῖνο προκομίσωσιν αὖθις, ὡς καὶ ὁ προφήτης φησὶν «ἐπαλαιώθην ἐν πᾶσι τοῖς ἐχθροῖς μου[n]», ἐχθροὺς τὰς ἁμαρτίας ἀκουέτωσαν· μία δέ τις ἁμαρτία, οὐχ ὁ γάμος, ἀλλ' ἡ πορνεία, ἐπεὶ καὶ τὴν γένεσιν εἰπάτωσαν ἁμαρτίαν καὶ τὸν τῆς γενέσεως κτίστην.

91 1 Τοιούτοις ἐπιχειρεῖ καὶ ὁ τῆς δοκήσεως ἐξάρχων Ἰούλιος Κασσιανός. Ἐν γοῦν τῷ *Περὶ ἐγκρατείας ἢ περὶ εὐνουχίας* κατὰ λέξιν φησίν· «Καὶ μηδεὶς λεγέτω ὅτι, ἐπειδὴ τοιαῦτα μόρια ἔσχομεν ὡς τὴν μὲν θήλειαν οὕτως 5 ἐσχηματίσθαι, τὸν δὲ ἄρρενα οὕτως, τὴν μὲν πρὸς τὸ δέχεσθαι, τὸν δὲ πρὸς τὸ ἐνσπείρειν, συγκεχώρηται τὸ τῆς ὁμιλίας παρὰ θεοῦ. 2 Εἰ γὰρ ἦν παρὰ θεοῦ εἰς ὃν

---

21 ἐπαλαιώθην St coll. Ps 6, 8 : ἐπαλαιώθη L
91, 6 συγκεχώρηται Hilg St : συγκεχώρισθαι L

---

n Ps 6, 8

---

1. En Ba 3, 10-11 ce reproche est adressé à Israël : « ... pourquoi es-tu en terre des ennemis, as-tu vieilli en terre étrangère, t'es-tu souillé avec les cadavres ... ? » À ces formules omises ou transformées *supra* 89, 2 est substituée ici l'expression de Ps 6, 8. L'exégèse morale est la même. Le sarcasme final rappelle l'accusation de blasphème portée *supra* 80, 3 ; 81,6 ; 89, 1 (cf. *Strom.* III, 25, 2 ; 63, 1 ; 102, 2 ; IV, 94, 2 ; 147, 2).

2. Le témoignage de Jérôme sur Jules Cassien est en accord avec celui de Clément : « Cassien, en introduisant l'idée d'une chair apparente du Christ, considère toute union du mâle avec la femme comme immonde, lui le chef très virulent de l'hérésie des encratites ; il a utilisé contre nous en cette occasion l'argument du passage présent : 'Celui qui sème dans la chair récoltera de la chair la corruption' (Ga 6, 8) ; or, celui qui sème dans la chair est celui qui s'unit à une femme. Donc celui-là même qui a une épouse et qui sème dans sa chair récoltera de la chair la corruption »

5 S'ils objectent également que le prophète a dit : « J'ai vieilli au milieu de tous mes ennemis[n] », qu'ils comprennent que les « ennemis » désignent les péchés ; et l'un de ces péchés, ce n'est pas le mariage, mais la débauche ; sans quoi, qu'ils nomment également « péché » la génération et le créateur de la génération[1].

XIII-XIV

Réfutation de Jules Cassien [2]

1

Énoncé des arguments de Cassien

1 C'est à ce genre d'arguments que recourt également l'initiateur du docétisme, Jules Cassien. Ainsi, dans son ouvrage *Sur la continence ou sur la chasteté parfaite*[3], il écrit textuellement ceci : « Que personne n'aille prétendre que Dieu a concédé l'union conjugale parce que les organes sexuels sont ainsi formés, chez la femme, pour recevoir la semence, chez l'homme, pour la donner. 2 En effet, si ces dispositions venaient du Dieu vers lequel nous

---

(Jérôme, *Commentaire de l'Épître aux Galates* III, 6, 8). Clément cite Ga 6, 8 en *Strom.* IV, 43, 5, en donnant à « chair » un sens beaucoup plus large. Jules Cassien est aussi l'auteur d'*Exegetica* ; au livre I, rapporte Clément (*Strom.* I, 101, 2), il traitait de l'antériorité de « la philosophie hébraïque » (sur Cassien, voir la note de G. Pini, *Gli Stromati*, p. 362).

3. La seconde partie du titre de l'ouvrage de Cassien renvoie à Mt 19, 12, comme le montre la citation en 91, 2 ; cette référence vaut aussi pour Clément quand il traite de « l'état d'eunuque » pour désigner la chasteté absolue (*supra* 4, 3 ; 51, 2 ; voir encore Athénagore, *Supplique au sujet des chrétiens* 33, 2, et la note de B. Pouderon, *SC* 379, p. 198).

σπεύδομεν ἡ τοιαύτη διασκευή, οὐκ ἂν ἐμακάρισεν τοὺς
εὐνούχους ᵃ, οὐδ' ἂν ὁ προφήτης εἰρήκει μὴ εἶναι ξύλον
10 ἄκαρπον ᵇ αὐτούς, μεταλαβὼν ἀπὸ τοῦ δένδρου ἐπὶ τὸν
κατὰ προαίρεσιν ἄνθρωπον ἑαυτὸν τῆς τοιαύτης ἐννοίας
92 εὐνουχίζοντα ᶜ.» 1 Καὶ ἔτι ἐπαγωνιζόμενος τῇ ἀθέῳ δόξῃ
ἐπιφέρει· «Πῶς δὲ οὐκ ἂν καὶ εὐλόγως τις αἰτιῶτο τὸν
σωτῆρα, εἰ μετέπλασεν ἡμᾶς καὶ τῆς πλάνης ἀπήλλαξεν καὶ
τῆς κοινωνίας τῶν μορίων καὶ προσθεμάτων καὶ αἰδοίων ᵃ;»
5 τὰ παραπλήσια τῷ Τατιανῷ κατὰ τοῦτο δογματίζων. Ὁ
δ' ἐκ τῆς Οὐαλεντίνου ἐξεφοίτησε σχολῆς. 2 Διὰ τοῦτό
τοι ὁ Κασσιανός φησι· «Πυνθανομένης τῆς Σαλώμης πότε
γνωσθήσεται τὰ περὶ ὧν ἤρετο, ἔφη ὁ κύριος· ὅταν τὸ τῆς
αἰσχύνης ἔνδυμα πατήσητε καὶ ὅταν γένηται τὰ δύο ἓν
10 καὶ τὸ ἄρρεν μετὰ τῆς θηλείας οὔτε ἄρρεν οὔτε θῆλυ ᵇ·ᶜ»

92, 4 μὴ ἀπέλυσεν ante τῆς κοινωνίας coni. **Schw**

91 a Cf. Mt 19, 12   b Cf. Is 56, 3   c Cassien, *Sur la continence*
92 a Cassien, *Sur la continence*   b *Évangile des Égyptiens*,
Apokryphon 34f Resch; cf. *Évangile selon Thomas* 37 et 22   c Cassien,
Sur la continence

1. Jules Cassien, manifestement, attribuait la formation des organes
sexuels, propres aux corps, à un créateur différent du Dieu qui parle en
Is 56, 3 et par son Fils en Mt 19, 12 – qui, à la lettre, ne proclame pas
« bienheureux » les eunuques. L'interprétation de Mt 19, 11-12 est au
centre des controverses du *Stromate III* (voir *supra* 1, 1-4 ; 50, 1-3 ; 59, 4 ;
infra 98, 1 – 99, 4).

2. On comprend que Cassien ait pu exempter Jésus de cette forme de
corporéité grossière et que l'interprétation hérésiologique de sa doctrine
en ait fait un tenant du « docétisme », réduisant la chair du Christ à une
« apparence » (voir A. Orbe, *Cristología Gnóstica*, I, p. 404-405).

3. L'ironie de la question suppose que « le Sauveur » ne soit pas l'auteur
de cette configuration corporelle-là, de ces « dispositions » (διασκευή,
supra 91, 2). La conjecture de Schwartz supprime l'ironie : « N'aurait-on

tendons, il n'aurait pas déclaré heureux les eunuques[a1], et le prophète n'aurait pas refusé qu'ils soient traités de bois stérile[b], par une transposition de l'arbre à l'homme qui, délibérément, s'ampute lui-même des pensées de ce genre[c2]. » **1** Luttant encore pour cette opinion athée, il ajoute : « Comment n'aurait-on pas raison d'incriminer le Sauveur puisqu'il nous a transformés et débarrassés de l'erreur et de l'union des organes sexuels, appendices et parties honteuses[a3] ? » En cela, il professe une doctrine très voisine de celle de Tatien, mais il est sorti, lui, de l'école de Valentin[4].   **2** C'est bien pourquoi Cassien affirme : « Salomé ayant demandé quand serait connue la réponse aux questions soulevées, le Seigneur répondit : Quand vous foulerez aux pieds le vêtement de la honte et que les deux ne feront qu'un, le masculin avec le féminin, sans masculin ni féminin[b5][c] »

---

pas raison d'incriminer le Sauveur s'il nous avait transformés et débarrassés de l'erreur sans avoir dissout l'union des organes ... ? »

4. A. HILGENFELD, *Die Ketzergeschichte des Urchristentums,* p. 546-549, avait bien vu en Jules Cassien celui qui était « sorti de l'école de Valentin ». O. STÄHLIN (*Register* I, *GCS* 39, p. 183), a voulu y reconnaître Tatien. La construction de la phrase et le fait que nulle part Clément n'associe Tatien à Valentin s'opposent à cette lecture. On ne peut suivre non plus A.D. DeCONIK, « The Great Mystery of Marriage. Sex and Conception in Ancient Valentinian Traditions », *VigChr* 57, 2003, p. 312, qui donne à ἐξεφοίτησε non pas le sens de « il était sorti », mais de « il s'était séparé », « avait fait scission », comme si Clément soulignait une rupture, et non les effets d'une liaison formatrice. Son étude, au demeurant, est très éclairante sur la doctrine valentinienne du mariage.

5. La réponse du Seigneur à Salomé invoquée par Cassien complète l'enseignement sur la suppression de l'union sexuelle. La première partie de cette parole, empruntée à l'*Évangile des Égyptiens,* ressemble fort au *logion* 37 de l'*Évangile selon Thomas* et la seconde à des formules du *logion* 22. Pour une analyse plus précise de ces emprunts, voir la note compl. 8, *infra* p. 353-354.

93

1 Πρῶτον μὲν οὖν ἐν τοῖς παραδεδομένοις ἡμῖν τέτταρσιν εὐαγγελίοις οὐκ ἔχομεν τὸ ῥητόν, ἀλλ' ἐν ⌐τῷ κατ' Αἰγυπτίους. Ἔπειτα δὲ ἀγνοεῖν μοι δοκεῖ ὅτι θυμὸν μὲν ἄρρενα ὁρμήν, θήλειαν δὲ τὴν ἐπιθυμίαν αἰνίττεται, οἷς ἐνεργήσασι

5 μετάνοια ἕπεται καὶ αἰσχύνη. 2 Ὅταν οὖν μήτε τις θυμῷ μήτ' ἐπιθυμίᾳ χαρισάμενος, ἃ δὴ καὶ ἐξ ἔθους καὶ τροφῆς κακῆς αὐξήσαντα ἐπισκιάζει καὶ ἐγκαλύπτει τὸν λογισμόν, ἀλλ' ἀποδυσάμενος τὴν ἐκ τούτων ἀχλὺν ἐκ μετανοίας καταισχυνθεὶς πνεῦμα καὶ ψυχὴν ἑνώσῃ κατὰ

10 τὴν τοῦ λόγου ὑπακοήν, τότε, ὡς καὶ ὁ Παῦλός φησιν, «οὐκ ἔνι» ἐν ὑμῖν «οὐκ ἄρρεν, οὐ θῆλυ ᵃ». 3 Ἀποστᾶσα γὰρ τοῦδε τοῦ σχήματος, ᾧ διακρίνεται τὸ ἄρρεν καὶ

---

93 a Ga 3, 28

1. Les « quatre évangiles » « transmis » (παραδεδομένα) constituent la « tradition » (παράδοσις) reconnue dans l'Église. En *QDS* 5, 1 (*SC* 537, p. 114, l. 2) ils sont qualifiés de ὡμολογημένα, « admis », « reconnus ». Le terme κανών, « canon » (« règle »), ne les désigne pas avant le IVᵉ siècle. Quoique Clément précise que cette parole est absente des documents faisant autorité, il persiste dans son habitude délibérée de ramener à la doctrine qu'il considère comme correcte toute expression attribuée soit à Jésus, soit à ses disciples ou à leur entourage, et de priver ses adversaires du recours à des traditions particulières sur l'enseignement de Jésus (voir A. LE BOULLUEC, « De l'usage de titres 'néotestamentaires' chez Clément d'Alexandrie », dans *Alexandrie antique et chrétienne*, p. 139-149).

2. Son interprétation orthodoxe consiste ici à assimiler le masculin au θυμός, « emportement » (voir PLATON, *Cratyle* 419e), et le féminin à l'ἐπιθυμία, « convoitise », les deux mouvements de la partie irrationnelle de l'âme d'après PLATON, *Phèdre* 247b (voir *Strom.* V, 53, 1, *SC* 278, p. 110, l. 1-4, et PLATON, *République* IV, 439de ; *Timée* 70a), qui « se livrent dans l'âme une guerre perfide » (*Strom.* IV, 36, 2, *SC* 463, p. 116, l. 3-4) et

3

Réplique : le sens exact
de la parole à Salomé

1 Tout d'abord, dans les quatre évangiles qui nous ont été transmis, nous n'avons pas cette parole : elle est dans celui *des Égyptiens*[1]. Ensuite, (Cassien) me semble ignorer qu'elle fait allusion à l'emportement, impulsion masculine, et à la convoitise, impulsion féminine, dont les effets sont suivis de remords et de honte[2]. 2 Ne céder ni à l'emportement ni à la convoitise, qui, renforcés encore par l'habitude et par une mauvaise éducation, obscurcissent et voilent la raison, se dépouiller au contraire, dans la pénitence et dans la honte, de leur brouillard ténébreux, et unifier son esprit et son âme dans l'obéissance à la raison[3], c'est vivre ce que dit Paul : « Il n'y a » en vous « ni masculin ni féminin[a4] ». 3 En effet, dégagée de la forme qui distingue le masculin du

---

provoquent un désir de revanche (*Strom.* V, 27, 10, *SC* 278, p. 68, l. 28-29). Tous deux sont détruits par le Christ Sauveur qui veut mener l'homme à l'impassibilité (*Strom.* IV, 152, 1, *SC* 463, p. 310, l. 3). Et, selon Clément, « le vêtement de la honte » (*supra* 92, 2) dans l'*Évangile des Égyptiens* représente non pas l'addition ignoble des organes sexuels, mais l'état de l'être humain soumis aux passions dont les effets doivent lui inspirer les sentiments salutaires de remords et de honte.

3. L'interprétation morale du geste de fouler aux pieds le vêtement de la honte se précise, dans le cadre de la tripartition platonicienne mentionnée *supra* 68, 5, par le recours à la raison, tel qu'il est évoqué en *Strom.* IV, 40, 1 (cf. *Strom.* V, 80, 9, *SC* 278, p. 68, l. 28-29 et *SC* 279, p. 262), dans l'unité (cf. *supra* 69, 3). À des réminiscences de Platon, *République* VI, 492a et 495a, s'ajoute, pour désigner les ténèbres dont il faut se dépouiller, l'image poétique de la « brume » (ἀχλύς) – de la mort, ou de l'ivresse, produite parfois par un dieu –, exploitée de la même façon dans la tradition platonicienne.

4. L'accord que Clément réussit à trouver entre la parole de l'*Évangile des Égyptiens* et Ga 3, 28 implique aussi la référence au verset précédent : « Oui, vous tous qui avez été baptisés en Christ, vous avez revêtu le Christ » (Ga 3, 27), cité et commenté avec son contexte en *Péd.* I, 31, 1-2.

τὸ θῆλυ, ψυχὴ μετατίθεται εἰς ἕνωσιν, οὐθέτερον οὖσα.
Ἡγεῖται δὲ ὁ γενναῖος οὗτος Πλατωνικώτερον θείαν οὖσαν
15 τὴν ψυχὴν ἄνωθεν ἐπιθυμίᾳ θηλυνθεῖσαν δεῦρο ἥκειν εἰς
γένεσιν καὶ φθοράν[b].[c]

94 1 Αὐτίκα βιάζεται τὸν Παῦλον ἐκ τῆς ἀπάτης τὴν γένεσιν
συνεστάναι λέγειν διὰ τούτων · «Φοβοῦμαι δὲ μή, ὡς ὁ
ὄφις Εὔαν ἐξηπάτησεν[a], φθαρῇ τὰ νοήματα ὑμῶν ἀπὸ τῆς
ἁπλότητος τῆς εἰς τὸν Χριστόν[b].[c]» 2 Ἀλλὰ καὶ ὁ κύριος
5 ἐπὶ τὰ πεπλανημένα[d] ὁμολογουμένως ἦλθε, πεπλανημένα δὲ
οὐκ ἄνωθεν εἰς τὴν δεῦρο γένεσιν (κτιστὴ γὰρ ἡ γένεσις καὶ

94, 2 συνεστάναι Sy St : συνιστάναι L ‖ 6 κτιστὴ Hoeschel St coll.
Strom. III, 105, 1 : κτίστης L

---

b Cf. Platon, *Phédon* 81c; *Phèdre* 248c   c Cf. Cassien, *Sur la
continence*
94 a Gn 3, 13   b 2 Co 11, 3   c Cf. Cassien, *Sur la continence*
d Cf. Lc 19, 10

---

1. L'épithète γενναῖος, « noble », affectée à Paul (*supra* 53, 4; 61, 2;
infra 107, 3), prend ici une valeur ironique. Strabon (*Géographie* VII,
3, 7, *CUF*, t. IV, p. 89) emploie l'adverbe Πλατωνικῶς, « à la manière de
Platon », à propos de la communauté des femmes et des enfants chez les
peuples du Nord. Clément oppose un bon usage de Platon, au service
de la saine doctrine, tel qu'il vient de l'illustrer, à l'excès de platonisme,
reproché à Cassien, dès lors qu'un thème platonicien paraît incompatible
avec le christianisme. Il s'agit ici du mythe de la préexistence de l'âme et
de sa descente dans le monde matériel. Il a été évoqué *supra* 13, 2. Il a pour
origine des passages comme *Phèdre* 248c, *Phédon* 80-81. Il est rejeté *infra*
94, 2. Parmi les raisons de la chute que désignent les formes diverses du
mythe (étudiées par A.-J. Festugière, *La révélation d'Hermès Trismégiste*,
III, p. 82-96), la cause retenue ici est le désir de la matière, du corps et de
la vie terrestre, comme chez Numénius, fr. 34 des Places (Macrobe,
Sur le songe de Scipion I, 12, 1-4; cf. fr. 11, Eusèbe, *Préparation évangélique* XI, 18, 3-5). L'attribution à Cassien de cette adhésion au mythe
platonicien est-elle autre chose qu'une allégation polémique? Le lien

féminin, l'âme s'unifie sans être l'un ni l'autre. Ce noble personnage, lui, platonise trop en considérant que l'âme, d'essence divine, mais rendue féminine par la convoitise, est descendue ici-bas pour la génération et la corruption[b1].[c]

4   **1** Il fait aussi violence à Paul en lui

Le contresens sur 2 Co 11, 3 faisant dire que la génération vient de la tromperie à cause des paroles suivantes : « Je crains qu'à l'exemple d'Ève, trompée par le serpent[a], vos pensées ne se corrompent en s'écartant de la simplicité à l'égard du Christ[b2].[c] »   **2** Le Seigneur est venu pour ce qui était égaré[d], tout le monde en convient ; mais cet égarement n'est pas une chute d'en haut jusqu'à la génération d'ici-bas, car la génération a été créée et elle

---

noué en 94, 2 entre la descente et l'égarement impliqué par l'allusion à Mt 18, 11 (Lc 19, 10), lien qui confère au mythe un caractère original par rapport à ses variantes philosophiques, fait pencher du côté de l'authenticité de la référence, de même que le trait singulier de la féminisation de l'âme produite par la convoitise, qui ne se confond pas avec la relecture par Clément des textes de Platon sur la partie irrationnelle de l'âme. Sans doute Cassien entendait-il par l'adjonction de la féminité à l'âme le reflet en elle de l'objet corporel désiré, qui venait la diviser, le retour à l'unité revenant à la masculinité, en dépit de l'affirmation d'un état final « neutre », selon une représentation largement partagée à cette époque dans les cercles ascétiques et gnostiques, comme l'atteste par exemple le *logion* 114 de l'*Évangile selon Thomas* (voir H.-C. Puech, *En quête de la gnose*, II, *Sur l'Évangile selon Thomas. Esquisse d'une interprétation systématique*, Paris 1978, p. 239-240 ; cf. *Actes de Philippe* VIII, 4 ; voir aussi Clément, *Strom.* VI, 100, 3).

2. Jules Cassien devait concevoir le mariage, au service de la génération, comme la perte de la « simplicité », exigée au contraire par l'adhésion au Christ (cf. 2 Co 11, 3), et comme la soumission à un processus pervers inauguré par la tromperie dont Ève avait été l'instrument, et voir la faute primordiale dans l'union sexuelle qui en était résultée, sous le régime de la corruption et de la déchéance d'un monde inférieur.

κτίσις τοῦ παντοκράτορος, ὃς οὐκ ἄν ποτε ἐξ ἀμεινόνων εἰς
τὰ χείρω κατάγοι ψυχήν), 3 ἀλλ᾽ εἰς τοὺς πεπλανημένους
τὰ νοήματα, εἰς ἡμᾶς ὁ σωτὴρ ἀφίκετο, ἃ δὴ ἐκ τῆς κατὰ τὰς
10 ἐντολὰς παρακοῆς ἐφθάρη φιληδονούντων ἡμῶν, τάχα που
προλαβόντος ἡμῶν τὸν καιρὸν τοῦ πρωτοπλάστου καὶ πρὸ
ὥρας τῆς τοῦ γάμου χάριτος ὀρεχθέντος καὶ διαμαρτόντος, ὅτι
« πᾶς ὁ βλέπων γυναῖκα πρὸς τὸ ἐπιθυμῆσαι ἤδη ἐμοίχευσεν
αὐτήν[e] », οὐκ ἀναμείνας τὸν καιρὸν τοῦ θελήματος.

95 1 Ὁ αὐτὸς οὖν ἦν ὁ κύριος καὶ τότε κρίνων τὴν προ-
139[v] λαβοῦσαν τὸν γάμον |ἐπιθυμίαν. Ὅταν οὖν ὁ ἀπόστολος
εἴπῃ· « Ἐνδύσασθε τὸν καινὸν ἄνθρωπον τὸν κατὰ θεὸν
κτιζόμενον[a] », ἡμῖν λέγει τοῖς πεπλασμένοις ὑπὸ τῆς τοῦ
5 παντοκράτορος βουλήσεως ὡς πεπλάσμεθα, παλαιὸν[b] δὲ οὐ
πρὸς γένεσιν καὶ ἀναγέννησίν φησιν, ἀλλὰ πρὸς τὸν βίον
τόν τε ἐν παρακοῇ τόν τε ἐν ὑπακοῇ.

95, 5 post παλαιὸν δὲ suppl. καὶ καινὸν Hiller St

---

e Mt 5, 28
95 a Ep 4, 24   b Cf. Ep 4, 22

---

1. Clément proteste contre cette manière de penser « l'égarement »
(cf. Mt 18, 11) en usant de l'argument qui fonde sa doctrine tout au long
du *Stromate* III, à savoir que la « génération » elle aussi est l'œuvre du
« Tout-Puissant », qui est le même que le Dieu bon, et que la responsabilité de la faute incombe au libre arbitre, selon l'adage platonicien, ici
implicite, « chacun est responsable de son choix, la divinité est hors de
cause » (PLATON, *République* X, 617e) ; voir *Péd.* I, 69, 1 ; *Strom.* I, 4, 1 ;
84, 1 ; II, 75, 3 ; IV, 150, 4 ; V, 136, 4 ; VII, 12, 1 ; *QDS* 14, 4).

2. Sur le recours à Mt 5, 28, voir *supra* 8, 4-5.

3. L'hypothèse sur la nature de la faute originelle n'assimile pas exactement celle-ci à l'union sexuelle mais à un désir prématuré. Adam était
encore un enfant (voir *Protr.* 11, 1), incapable de gouverner ses actes par la
« volonté » qui sait soumettre la « convoitise » à la connaissance de ce qui
est « nécessaire » (voir *supra* 58, 1-2). Il n'avait pas atteint la maturité de
l'homme adulte (voir *Strom.* IV, 132, 1 et la note de A. VAN DEN HOEK,
SC 463, p. 276, sur l'emploi de ἀπανδρόομαι). L'hypothèse s'accorde avec

est une créature du Tout-Puissant, qui jamais ne ferait descendre une âme du meilleur au pire ;   **3** mais c'est pour ceux dont les pensées se sont égarées, pour nous, dis-je, que le Sauveur est venu ; nos pensées se sont corrompues du fait de notre désobéissance aux commandements et de notre recherche des plaisirs[1] ; peut-être aussi que le premier modelé d'entre nous a péché en devançant le temps et en désirant, avant le moment prévu, la grâce du mariage ; en effet, « quiconque regarde une femme pour la convoiter a déjà commis l'adultère avec elle[e2] », parce qu'il n'a pas attendu le moment de la volonté[3].

95   **1** C'était donc le même Seigneur qui, à cette occasion encore, condamnait la convoitise devançant le mariage. Aussi, lorsque l'Apôtre dit : « Revêtez l'homme nouveau, celui qui a été créé selon Dieu[a] », il s'adresse à nous qui avons été modelés tels que nous sommes par le vouloir du Tout-Puissant, et il parle du vieil homme[b4], sans avoir en vue la génération et la régénération, mais la vie dans la désobéissance et la vie dans l'obéissance[5].

---

la représentation philosophique associant l'enfance à la vie appétitive (voir L. Rodrigue, « L'enfance selon Aristote », *REG* 130, 2017, p. 375-397). Elle rappelle aussi l'interprétation, plus large, de l'arbre de la science chez Théophile d'Antioche : « Adam était encore un petit enfant. C'est pourquoi il ne pouvait encore recevoir la science de façon correcte. [...] Ce n'est pas parce que Dieu était jaloux de lui, comme le pensent certains, qu'il lui ordonna de ne pas manger à l'arbre de la science (cf. Gn 2, 17). [...] Il est de plus inconvenant que les enfants tout petits aient des pensées au-dessus de leur âge » (*Livres à Autolykos* II, 25, trad. M.-A. Calvet-Sebasti, dans *Premiers écrits chrétiens*, p. 741).

4. Il n'est pas nécessaire, pour le sens, à la suite de Hiller et de Stählin, d'introduire la conjecture καὶ καινὸν dans le texte.

5. Cassien devait distinguer le Démiurge de ce monde du Dieu bon et parfait, créateur de l'homme originel. Clément oppose, à son exégèse d'Ep 4, 24 qu'on pourrait dire métaphysique, une exégèse morale, de nouveau.

2 «Χιτῶνας» δὲ «δερματίνους^c» ἡγεῖται ὁ Κασσιανὸς
τὰ σώματα περὶ ὧν ὕστερον καὶ τοῦτον καὶ τοὺς ὁμοίως
10 αὐτῷ δογματίζοντας πεπλανημένους ἀποδείξομεν, ὅταν
περὶ τῆς ἀνθρώπου γενέσεως τὴν ἐξήγησιν ἑπομένως τοῖς
προλεχθῆναι δεομένοις μεταχειριζώμεθα.

Ἔτι φησίν· «Οἱ ὑπὸ τῶν γηΐνων βασιλευόμενοι^d καὶ
γεννῶσι καὶ γεννῶνται^e», «ἡμῶν» δὲ «τὸ πολίτευμα ἐν
15 οὐρανῷ, ἐξ οὗ καὶ σωτῆρα ἀπεκδεχόμεθα^f»^g. 3 Καλῶς οὖν
εἰρῆσθαι καὶ ταῦτα ἴσμεν ἡμεῖς, ἐπεὶ ὡς «ξένοι καὶ παρεπι-
δημοῦντες^h» πολιτεύεσθαι ὀφείλομεν, οἱ γαμοῦντες ὡς μὴ
γαμοῦντες, οἱ κτώμενοι ὡς μὴ κτώμενοι, οἱ παιδοποιοῦντες ὡς
θνητοὺς γεννῶντες, ὡς καταλείψοντες τὰ κτήματα, ὡς καὶ
20 ἄνευ γυναικὸς βιωσόμενοι ἐὰν δέῃⁱ, οὐ προσπαθῶς τῇ κτίσει
χρώμενοι^j, μετ' εὐχαριστίας^k δ' ἁπάσης καὶ μεγαλοφρονοῦντες.

11 ἐξήγησιν L : ἐπεξήγησιν Cat. ǁ 11-12 ἑπομένως — δεομένοις om.
Cat. ǁ 13 ἔτι St : ἐπεὶ L

c Cf. Gn 3, 21   d Cf. Mt 20, 25   e Cf. Mt 24, 38   f Ph 3, 20
g CASSIEN, Sur la continence   h He 11, 13   i Cf. 1 Co 7, 29-31   j Cf.
1 Co 7, 31   k Cf. 1 Tm 4, 4

1. L'assimilation des « tuniques de peaux » de Gn 3, 21 aux « corps »
est l'un des traits gnosticisants de la doctrine de Cassien. Clément était
sans doute plus disert sur ce point dans la suite des Stromates, qu'il annonce
ici. Ce qu'il dit ici permet cependant de supposer que Cassien envisageait
d'autres formes de corporéité, antérieures à la faute (voir A. LE BOULLUEC,
« De l'Évangile des Égyptiens à l'Évangile selon Thomas », p. 267-269). Les
« tuniques », en tout cas, comportaient selon lui « l'équipement » sexuel,
« les dispositions » (διασκευή, supra 91, 2) caractérisant « le vêtement de
la honte » (92, 2), postérieure à la faute qui avait fait tomber Ève et Adam
dans la bestialité (voir infra 102, 4; 104, 1). Pour d'autres éléments sur ce
passage, voir la note compl. 9, infra p. 354-355.
2. La nouvelle citation de CASSIEN, qui oppose, à travers des réminiscences de Mt 20, 25 et 24, 28, et une référence à Ph 3, 20, les sujets du
royaume terrestre, soumis à la génération, aux citoyens des cieux, peut être
rapprochée des textes gnostiques évoquant « la race sans roi » (voir Écrit

L'erreur sur les « tuniques de peau » de Gn 3, 21

2 Quant aux « tuniques de peau[c] », Cassien considère que ce sont les corps, ce en quoi il s'est trompé, lui et ceux qui professent des doctrines semblables, comme nous le montrerons plus loin, lorsque nous entreprendrons d'interpréter la génération de l'homme, à la suite de ce que nous devons d'abord traiter[1].

Il dit encore : « Ceux sur qui règnent des réalités terrestres[d] engendrent et sont engendrés[e]. » Or, « notre citoyenneté est au ciel, d'où nous attendons aussi un Sauveur[f2] »[g]. **3** Nous savons bien que ces propos ont été tenus fort justement, eux aussi, puisque nous devons régler notre vie comme « des étrangers et des voyageurs[h] » ; ceux qui sont mariés, comme s'ils ne l'étaient pas ; ceux qui possèdent, comme s'ils ne possédaient pas ; ceux qui engendrent des enfants, comme parents d'êtres mortels ; nous devons être comme des gens disposés à abandonner leurs richesses et même à vivre sans femme s'il le fallait[i], comme des gens qui usent de la création sans s'y attacher passionnément[j], mais avec action de grâces[k] pour tout et en gardant des sentiments élevés[3].

---

sans titre. *Traité sur l'origine du monde (NH II, 5 et XIII, 2 et Brit. Lib. Or. 4926 [1]),* p. 125, 1-14, éd. et trad. L. Painchaud, *BCNH* 21, 1995, et son commentaire de ce passage, p. 499-504).

3. L'accord concédé par Clément, à l'aide d'autres références pauliniennes, est limité par le devoir de « l'action de grâces » (1 Tm 4, 4), leitmotiv de sa polémique contre les encratites, et corrigé par son approbation d'un mariage marqué par l'élévation de sentiment. ~ Comme le note Stählin, le verbe μεγαλοφρονεῖν, pris dans un sens laudatif, « avoir des sentiments élevés » (voir *Strom.*II, 79, 5 ; III, 101, 5 ; IV, 15, 6 ; VII, 71, 6), et non pour désigner l'orgueil, s'oppose à une conduite assujettie à la convoitise (προσπαθῶς : voir *Strom.* IV, 31, 1 ; 165, 2 et des emplois éclairants de προσπάθεια, en *Strom.* I, 9, 2 ; IV, 139, 5 ; VII, 79, 6). Aussi les corrections suggérées par Mayor et par Hiller (addition d'une négation devant le participe du verbe) sont-elles inutiles.

96 1 Αὖθίς τε ὅταν φῇ «καλὸν ἀνθρώπῳ γυναικὸς μὴ ἅπτεσθαι· διὰ δὲ τὰς πορνείας ἕκαστος τὴν ἑαυτοῦ γυναῖκα ἐχέτω», οἷον ἐπεξηγούμενος πάλιν λέγει· «ἵνα μὴ πειράζῃ ὑμᾶς ὁ σατανᾶς[b]». 2 Οὐ γὰρ τοῖς ἐγκρατῶς χρωμένοις

5 τῷ γάμῳ ἐπὶ παιδοποιΐᾳ μόνῃ «διὰ τὴν ἀκρασίαν[b]» φησίν, ἀλλὰ τοῖς καὶ πέρα παιδοποιΐας προβαίνειν ἐπιθυμοῦσιν, ὡς μὴ πολὺ ἐπινεύσας ὁ δι' ἐναντίας ἐκκυμήνῃ τὴν ὄρεξιν εἰς ἀλλοτρίας ἡδονάς. 3 Τάχα δὲ ἐπεὶ τοῖς δικαίως βιοῦσιν ἀνθίσταται διὰ ζῆλον καὶ ἀντιφιλονικεῖ, ὑπάγεσθαι τούτους

10 τῷ ἑαυτοῦ τάγματι βουλόμενος, ἀφορμὰς δι' ἐγκρατείας

140ʳ **97** ἐπιπόνου παρέχειν τούτοις |βούλεται. 1 Εἰκότως οὖν

96, 7 ἐπινεύσας **L** : ἐπιπνεύσας **Ma St** ‖ 8 ἐπεὶ Hervet **St** : ἐπὶ **L**

---

96 a 1 Co 7, 1-2   b 1 Co 7, 5

---

1. Les paroles de 1 Co 7, 2.5 servent déjà à circonscrire « le mariage continent », contre les encratites, *supra* 51, 3, et plus précisément contre l'usage qu'en faisait Tatien, *supra* 81, 1 – 82, 1. L'accent est mis ici sur le rôle de Satan, désigné par une expression, « la partie adverse » (d'où « l'Adversaire »), empruntée au langage des procès (voir LSJ, *s.v.* ἐναντίος, 2c).

2. Le verbe ἐπινεύω indique un geste d'approbation qui peut équivaloir à un ordre. On peut donc conserver le texte de **L**, ἐπινεύσας, avec G. PINI (*Gli Stromati*, p. 840), même si la correction de Bywater, reprise par Mayor et Stählin, ἐπιπνεύσας, offre un sens satisfaisant (« influence »).

3. L'image « faire déborder » (ἐκκυμαίνω) évoque le rang (la « vague », κῦμα) de soldats qu'on fait dévier de la ligne droite.

XV-XVI

Réfutation des arguments scripturaires
des Encratites

96

Sens correct
des propos de Paul
sur l'intempérance

1 De plus, après avoir dit : « L'homme fait bien de ne pas toucher de femme, mais, pour éviter la débauche, que chacun ait une femme à lui[a] », (Paul) ajoute, en guise d'explication, « pour éviter que Satan ne vous tente[b][1] ». 2 En effet, ce n'est pas pour ceux qui usent du mariage avec continence en vue de la seule procréation qu'il dit « en raison de l'intempérance[b] », mais pour ceux à qui la convoitise fait transgresser la limite que constitue la procréation ; il veut éviter que la connivence[2] puissante de l'Adversaire ne fasse déborder[3] leur désir vers des plaisirs d'un autre ordre[4]. 3 Car celui-là s'oppose avec jalousie et envie à ceux qui vivent dans la justice, et il cherche à les soumettre à son commandement[5] ; c'est pourquoi il veut peut-être leur en fournir le prétexte

97 par le moyen d'une continence pénible.   1 Paul a donc

---

4. Cf. *supra* 79, 1 : « dans le désir d'une union étrangère ».

5. Les traits caractéristiques du diable sont la jalousie et l'envie ; il y montre une perversité intelligente (cf. Gn 3, 1) contre « les serviteurs de Dieu » (voir *Strom.* II, 56, 2), comme ici contre « ceux qui vivent dans la justice ». De même qu'il peut faire dire des vérités au faux prophète pour « briser quelque juste » (*Strom.* I, 85, 4 citant Hermas, 43, 1), de même il peut exploiter l'effort de l'ascète au détriment de ce dernier.

φησι· «Κρεῖττον γαμεῖν ἢ πυροῦσθαι[a]», ὅπως «ὁ ἀνὴρ
ἀποδιδῷ τῇ γυναικὶ τὴν ὀφειλὴν καὶ ἡ γυνὴ τῷ ἀνδρί[b]»,
καὶ «μὴ ἀποστερῶσιν ἀλλήλους[c]» [τῆς διὰ] τῆς θείας εἰς
5 γένεσιν δοθείσης βοηθείας.

2 «Ὃς δ' ἂν μὴ μισήσῃ», φασί, «πατέρα ἢ μητέρα ἢ
γυναῖκα ἢ τέκνα, ἐμὸς εἶναι μαθητὴς οὐ δύναται[d]».
3 Οὐ
τὸ γένος μισεῖν παρακελεύεται· «Τίμα» γάρ, φησί, «πατέρα
καὶ μητέρα, ἵνα εὖ σοι γένηται[e]», ἀλλὰ μὴ ἀπάγου, φησίν,
10 ἀλόγοις ὁρμαῖς μηδὲ μὴν τοῖς πολιτικοῖς ἔθεσι συνάπτου·
οἶκος μὲν γὰρ ἐκ γένους συνίσταται, πόλεις δὲ ἐξ οἴκων,

97, 4 τῆς διὰ secl. Pi : τῆς διὰ L St τῆσδε Po ‖ post θείας suppl.
οἰκονομίας St ‖ 11 πόλεις L : πόλις Ath Fr

---

97 a 1 Co 7, 9   b 1 Co 7, 3   c 1 Co 7, 5   d Lc 14, 26   e Ex 20, 12

1. Le sens donné ici à la concession faite par Paul en 1 Co 7, 6.9 n'est
pas éloigné de l'interprétation du fils de Basilide, Isidore (voir *supra* 2, 1),
avec la différence que l'insistance porte sur la procréation. Clément ne
comprend pas en effet 1 Co 7, 5a comme « Ne vous refusez pas l'un à
l'autre » (en accord avec 1 Co 7, 4), mais il donne au verbe un complément
qui définit autrement l'objet de la privation, à savoir la participation à
l'œuvre créatrice de Dieu.

2. Le texte de L paraît corrompu. On attend un nom après le second τῆς.
Sylburg avait introduit οἰκονομίας et il a été suivi par Stählin (« 'sans se
priver l'un l'autre' du secours qui a été donné en vue de la génération grâce
au plan divin »). Potter a corrigé τῆς διὰ en τῆσδε (« de ce secours divin »).
G. Pini, que nous suivons, suppose une dittographie, τῆς διὰ/τῆς θείας,
la première graphie, erronée, étant restée dans le texte après correction.

3. La concession concerne les secondes noces *supra* 82, 4.

4. La leçon φασί, « disent-ils », en 97, 2, est surprenante de prime
abord, compte tenu de l'emploi du singulier φησί, « dit-il », deux fois en
97, 3, selon un usage fréquent pour renvoyer à une parole de l'Écriture.
Le pluriel cependant peut se référer à Cassien et à ceux qui professent la
même opinion (*supra* 95, 2), et qui profèrent Lc 14, 26 comme argument
en faveur de leur doctrine. Il reste que la variante caténale (voir *infra*
note 7), qui nomme Luc comme locuteur, ferait pencher pour le singulier.

raison de dire[1] : « Se marier vaut mieux que brûler[a] », pour que « le mari rende à sa femme ce qu'il lui doit, et la femme au mari[b] », « sans se priver l'un l'autre[c] » de l'aide divine[2] qui a été donnée en vue de la génération[3].

2 Celui qui « ne haïra pas », disent-ils[4], « son père, sa mère, son épouse ou ses enfants, ne peut être mon disciple[d][5] ».   **3**[6] En réalité, (le Seigneur) n'ordonne pas de haïr sa famille, car il dit : « Honore ton père et ta mère pour devenir heureux[e] », mais il veut dire : « Ne cède pas à des impulsions contraires à la raison, ne te laisse pas enchaîner par les mœurs de la cité[7] » ; une maison, en effet, est issue d'une famille, et des cités sont constituées de maisons.

Visée exacte de Lc 14, 26

---

5. L'argument tiré de Lc 14, 26 par les encratites, pourfendeurs du mariage, est réfuté au moyen d'Ex 20, 12 ; voir A. Le Boulluec, « Honore ton père et ta mère », dans R. Gounelle – J.-M. Prieur (dir.), *Le décalogue au miroir des Pères*, Cahiers de Biblia Patristica 9, Strasbourg 2008, p. 261-292, part. p. 284-291. En *QDS* 22, 1-7, Clément offre une solution des contradictions apparentes entre les paroles du Christ (Lc 14, 16 notamment et Mt 5, 44 ; voir *SC* 537, avec la note de P. Descourtieux, p. 158).

6. Le passage 97, 3 est transmis aussi par le manuscrit de l'Athos Lavra B 113, f. 70[v].

7. Un fragment caténal sur Mt 10, 37, sous le lemme « Clément », donne un texte quelque peu différent : « Luc ne dit pas seulement qu'il ne faut pas les aimer, mais qu'il faut haïr les épouses, c'est-à-dire, dit-il, 'Ne cède pas à des impulsions contraires à la raison, ni aux mœurs corporelles' ». Cette variante efface l'élargissement de l'allégorie morale aux dimensions de la « cité », et même du « monde » (à travers 1 Co 7, 33), fondé sur la synecdoque qui associe la famille à la cité et qui fait écho à la façon traditionnelle de concevoir le mariage comme l'institution première de la communauté politique (voir Platon, *Lois* IV, 720e-721a). Cette interprétation morale, forgée contre Cassien, se distingue, bien entendu, du discours que Clément peut tenir ailleurs sur la nécessité du mariage, par exemple en *Strom.* II, 141, 5, où il paraphrase Platon, *Lois* IV, 774.

καθὼς καὶ ὁ Παῦλος τοὺς περὶ γάμον ἀσχολουμένους κόσμῳ ἀρέσκειν[f] ἔφη.

4 Πάλιν ὁ κύριός φησιν· «Ὁ γήμας μὴ ἐκβαλλέτω[g] καὶ
15 ὁ μὴ γαμήσας μὴ γαμείτω[h i]», ὁ κατὰ πρόθεσιν εὐνουχίας[j] ὁμολογήσας μὴ γῆμαι ἄγαμος διαμενέτω.

98 1 Ἀμφοτέροις γοῦν ὁ αὐτὸς κύριος διὰ τοῦ προφήτου Ἡσαΐου τὰς καταλλήλους δίδωσιν ἐπαγγελίας ὧδέ πως λέγων· «Μὴ λεγέτω ὁ εὐνοῦχος ὅτι ξύλον εἰμὶ ξηρόν. Τάδε λέγει ὁ κύριος τοῖς εὐνούχοις· Ἐὰν φυλάξητε τὰ σάββατά
5 μου καὶ ποιήσητε πάντα ὅσα ἐντέλλομαι, δώσω ὑμῖν τόπον κρείττονα υἱῶν καὶ θυγατέρων[a].» 2 Οὐ γὰρ μόνον ἡ εὐνουχία δικαιοῖ οὐδὲ μὴν τὸ τοῦ εὐνούχου σάββατον, ἐὰν μὴ ποιήσῃ τὰς ἐντολάς. 3 Τοῖς γαμήσασι δὲ ἐπιφέρει καί

---

f Cf. 1 Co 7, 33   g Cf. 1 Co 7, 11   h Cf. 1 Co 7, 27   i Agraphon
145 Resch   j Cf. Mt 19, 12
98 a Is 56, 3-5

---

1. Sur l'exégèse de 1 Co 7, 33, voir *supra* 88, 3-4.

2. Cet ordre du « Seigneur » ne se trouve pas dans les évangiles canoniques. Il ressemble par le contenu à 1 Co 7, 10-11 (voir *infra* 108, 1), où Paul renvoie à l'enseignement du « Seigneur » (cf. Mc 10, 9.11-12), et à 1 Co 7, 27. Le dit n'apparaît pas ailleurs. Peut-être était-il transmis oralement (voir M. PESCE, *Le parole dimenticate di Gesù*, Fondazione Lorenzo Valla 2004, p. 690). La glose ajoutée par Clément se réfère à Mt 19, 12 (voir aussi *supra* 79, 3) et limite la « chasteté parfaite » (« l'état d'eunuque ») au choix du célibat, contrairement à Jules Cassien, qui en faisait une règle générale.

3. Dans le développement 98-99, Clément dépouille peu à peu la règle de la « chasteté parfaite » des raisons que pouvait faire valoir Cassien.

C'est dans le même sens que Paul dit aussi qu'avoir le souci du mariage, c'est chercher à plaire au monde[f1].

4 Qui plus est, le Seigneur dit : « Que l'homme marié ne répudie pas sa femme[g], et que le célibataire ne se marie pas[hi] », (simplement pour inviter) à rester non marié celui qui, en raison d'une résolution de chasteté parfaite[j], s'est engagé au célibat[2].

98

L'ambivalence de « l'eunuque[3] »

1 C'est assurément à tous deux[4] que le même Seigneur[5] fait, par l'intermédiaire du prophète Isaïe, des promesses équivalentes, quand il parle ainsi : « Que l'eunuque ne dise pas : Je ne suis que du bois sec. Voici ce que dit le Seigneur aux eunuques : Si vous observez mes sabbats et faites tout ce que je vous commande, je vous donnerai une place meilleure que des fils et des filles[a6]. » 2 Car la chasteté parfaite ne suffit pas à justifier l'eunuque, pas plus que le respect du sabbat, à moins qu'il n'accomplisse les commandements. 3 Et à l'adresse des gens mariés, il

---

4. « Tous deux » : « l'eunuque », c'est-à-dire celui qui observe la continence absolue, et le marié.

5. « Le même Seigneur » prononce le dit cité en 97, 4 et adresse les promesses formulées en Is 56, 3b-5a et 65, 23. Cassien ne devait pas non plus attribuer les paroles d'Isaïe à un autre que « le Seigneur ». Sans doute interprétait-il Is 65, 23 comme invitation à ne pas se marier et faisait-il de σπέρμα, « lignée », la reprise de « mes élus », appartenant à une « semence » supérieure, selon un thème courant chez les gnostiques (voir G.A.G. STROUMSA, *Another Seed. Studies in Gnostic Mythology*, Leyde 1984).

6. Is 56, 3b-5a est cité sous une forme différente du texte de la Septante et abrégée aux versets 4-5.

φησιν· «Οἱ ἐκλεκτοί μου οὐ πονέσουσιν εἰς κενὸν οὐδὲ
10 τεκνοποιήσουσιν εἰς κατάραν, ὅτι σπέρμα εὐλογημένον ἐστὶν
ὑπὸ κυρίου[b].» 4 Τῷ γὰρ κατὰ λόγον τεκνοποιησαμένῳ καὶ
ἀναθρεψαμένῳ καὶ παιδεύσαντι ἐν κυρίῳ καθάπερ καὶ τῷ
διὰ τῆς ἀληθοῦς κατηχήσεως γεννήσαντι[c] κεῖταί τις μισθὸς
ὥσπερ καὶ τῷ ἐκλεκτῷ σπέρματι. 5 Ἄλλοι δὲ κατάραν τὴν
15 παιδοποιΐαν ἐκδέχονται καὶ οὐ συνιᾶσι κατ᾽ αὐτῶν ἐκείνων
λέγουσαν τὴν γραφήν. Οἱ γὰρ τῷ ὄντι τοῦ κυρίου ἐκλεκτοὶ
οὐ |δογματίζουσιν οὐδὲ τεκνοποιοῦσιν τὰ εἰς κατάραν ὥσπερ
αἱ αἱρέσεις.

99 1 Εὐνοῦχος τοίνυν οὐχ ὁ κατηναγκασμένος τὰ μόρια οὐδὲ
μὴν ὁ ἄγαμος εἴρηται, ἀλλ᾽ ὁ ἄγονος ἀληθείας. «Ξύλον»
οὗτος «ξηρὸν[a]» ἦν πρότερον, ὑπακούσας δὲ τῷ λόγῳ καὶ

98, 9 πονέσουσιν L[pc] : πορνεύσουσιν L[ac]
99, 1 κατηναγκασμένος L St : κατακεκλασμένος Mü ‖ post
κατηναγκασμένος suppl. καὶ ἐκτετμημένος Schw

---

b Is 65, 23   c Cf. 1 Co 4, 15
99 a Is 56, 3

---

1. En Is 65, 23 la leçon πονέσουσιν, « peineront », est substituée
à κοπιάσουσιν, « s'épuiseront », comme chez JUSTIN, *Dialogue avec
Tryphon* 81, 2.

2. Peut-être Clément emprunte-t-il les deux citations à Cassien,
telles qu'il les trouvait associées dans son traité ; ses deux commentaires
réduisent le privilège de « l'état d'eunuque » (il faut faire aussi tout ce
que le Seigneur commande : Is 56, 4) et jouent sur l'ambivalence du terme
σπέρμα, « lignée », en l'étendant aussi aux enfants (qui ne sont pas mau-
dits, mais bénis), comme *supra* 46, 5.

3. Tout en concédant provisoirement à Cassien que σπέρμα puisse
désigner les élus (« la lignée élue »), Clément rappelle son enseignement
antérieur sur le mérite du mariage « selon la raison » (voir *Strom.* II, 143, 1 ;
III, 67, 1 ; cf. 79, 4) et complète les remarques sur les charges qui lui sont
propres (voir *supra* 79, 5), pour élever l'instruction donnée aux enfants « dans

ajoute : « Mes élus ne peineront pas [1] en vain, ils n'engen-
dreront pas des enfants destinés à la malédiction, car leur
lignée est bénie par le Seigneur [b2]. »   4 En effet, la procréation d'enfants selon la raison, leur éducation et leur
instruction dans le Seigneur, de même que l'engendrement
par l'enseignement véridique [c], méritent une récompense,
comme à la lignée élue [3].   5 Mais d'autres considèrent la
procréation comme une malédiction ; ils ne comprennent
pas que les paroles de l'Écriture sont dirigées contre eux.
Car les véritables élus du Seigneur ne proclament pas
des doctrines et ne procréent pas d'enfants destinés à la
malédiction, comme le font les hérésies [4].

1 Le nom d' « eunuque » n'a donc été donné ni à celui qui a
eu ses organes sexuels mutilés [5], ni non plus au célibataire, mais
à celui qui n'a pas (encore) engendré la vérité [6]. Cet homme
était d'abord du « bois sec [a] », mais, s'il a obéi au Logos, s'il

le Seigneur » au même rang que l'engendrement produit par le maître spirituel (allusion à 1 Co 4, 15) que figure « l'eunuque », du moins selon Cassien.

4. Renonçant à toute concession, Clément retourne contre « la lignée
élue » qu'ils prétendent être « la malédiction » (d'après Is 65, 23) proférée
par les encratites et réduit leurs enfantements à des doctrines hérétiques (cf.
supra 71, 2). La controverse sur le mariage et la continence concerne aussi
la légitimation de l'enseignement, en termes symboliques de procréation
et de filiation (voir D.K. BUELL, *Making Christians*, p. 81-82).

5. On a voulu remplacer dans l'expression signifiant « celui qui a eu ses
parties sexuelles mutilées » le participe κατηναγκασμένος par un mot plus
précis désignant l'émasculation par écrasement (κατατεθλασμένος – cf.
Dt 2 ,23 : θλαδίας désigne l'eunuque – ou κατακεκλασμένος). Früchtel,
en se fondant sur un passage de LUCIEN (*Nécyomancie ou Ménippe* 4),
a confirmé la leçon de L, καταναγκάζω pouvant signifier « torturer ».

6. La définition de « l'eunuque » comme « celui qui n'a pas (encore)
engendré la vérité » fait écho à PHILON (*Jos.* 59 ; *Ebr.* 220 ; 224), qui transforme la visée d'une formule prêtée à Socrate (PLATON, *Théétète* 150c ; voir
A. VAN DEN HOEK, *Clement of Alexandria and his Use of Philo*, p. 188).

φυλάξας τὰ σάββατα[b] κατὰ ἀποχὴν ἁμαρτημάτων καὶ
5 ποιήσας τὰς ἐντολὰς[b] ἐντιμότερος ἔσται τῶν ἄνευ πολιτείας
ὀρθῆς λόγῳ μόνῳ παιδευομένων. 2 « Τεκνία », φησίν,
« ὀλίγον ἔτι μεθ᾽ ὑμῶν εἰμι[c] », ὁ διδάσκαλος. Διὸ καὶ Παῦλος
Γαλάταις ἐπιστέλλων φησί · « Τεκνία μου, οὓς πάλιν ὠδίνω
ἄχρις οὗ μορφωθῇ Χριστὸς ἐν ὑμῖν[d]. » 3 Πάλιν τε αὖ
10 Κορινθίοις γράφων « ἐὰν γὰρ μυρίους παιδαγωγοὺς ἔχητε
ἐν Χριστῷ » λέγει, « ἀλλ᾽ οὐ πολλοὺς πατέρας · ἐν γὰρ
Χριστῷ διὰ τοῦ εὐαγγελίου ἐγὼ ὑμᾶς ἐγέννησα[c] ». 4 Διὰ
τοῦτο « οὐκ εἰσελεύσεται εὐνοῦχος εἰς ἐκκλησίαν θεοῦ[f] »,
ὁ ἄγονος καὶ ἄκαρπος καὶ πολιτείᾳ καὶ λόγῳ, ἀλλ᾽ « οἱ μὲν
15 εὐνουχίσαντες ἑαυτοὺς » ἀπὸ πάσης ἁμαρτίας « διὰ τὴν
βασιλείαν τῶν οὐρανῶν[g] », « μακάριοι οὗτοί εἰσιν οἱ τοῦ
κόσμου νηστεύοντες[h] ».

---

b Cf. Is 56, 3-5   c Jn 13, 33   d Ga 4, 19   e 1 Co 4, 15   f Dt 23, 2
g Mt 19, 12   h Agraphon 48 Resch

1. L'observation des sabbats consiste aussi pour JUSTIN à s'abstenir du
péché (*Dialogue avec Tryphon* 12, 3).

2. Dans la ligne de l'inflexion précédente, l'attaque frontale contre
l'εὐνουχία selon Cassien dénie à son « eunuque » le rôle de maître spirituel
et lui substitue le simple progressant, supérieur à celui qui n'a été instruit
que par la parole du prétendu maître, en ce qu'« il a mis en pratique les
commandements », selon Is 56, 3b-5a.

3. Le « Maître » véritable est celui qui parle en Jn 13, 33, qui harcèle
ses disciples pour qu'ils mettent le plus grand zèle à accueillir les fruits de
la vérité tant que le Logos n'est pas remonté au ciel (*Péd.* I, 13, 2-3). C'est
à Paul que revient le privilège de renouveler et de parachever l'efficacité
procréatrice de l'enseignement du Logos. La citation de 1 Co 4, 15 en 99, 3
fait de l'Apôtre le modèle des parents que l'allusion à ce verset, *supra* 98, 4,
transformait en catéchètes.

a observé ses sabbats[b 1] en s'abstenant du péché, et s'il a mis en pratique ses commandements[b], il méritera une estime plus haute que ceux qui ne sont instruits que par la seule parole, sans avoir une conduite droite[2]. **2** « Mes petits enfants, je suis encore avec vous pour un peu de temps[c] », dit le Maître. C'est précisément pourquoi Paul, s'adressant aux Galates, dit : « Mes petits enfants, vous que j'enfante à nouveau jusqu'à ce que le Christ soit formé en vous[d 3]. » **3** Écrivant également aux Corinthiens, il dit : « S'il vous arrivait d'avoir des milliers de pédagogues dans le Christ, vous n'auriez pas plusieurs pères, car c'est moi qui vous ai engendrés dans le Christ par l'Évangile[e]. » **4** « L'eunuque n'entrera pas dans l'assemblée de Dieu[f] », car il est stérile et ne porte de fruits ni dans sa conduite, ni dans sa parole ; en revanche, « ceux qui se sont rendus eunuques » de toute faute « pour le royaume des cieux[g] », « ceux-là sont les bienheureux, qui gardent le jeûne à l'égard du monde[h 4] ».

4. Dt 23, 2 finit par congédier « l'eunuque » même comme figure du progressant, pour ne retenir que l'explication symbolique de Mt 19, 12, qui rejoint l'interprétation de la pratique du sabbat *supra* 99, 1. Ce passage, avec le dit final, est à comparer au *logion* 27 de l'*Évangile selon Thomas* : « Si vous ne jeûnez pas du monde, vous ne trouverez pas le Royaume ; si vous ne faites pas le sabbat du sabbat, vous ne verrez pas le Père » (trad. J.M. Sevrin dans *Écrits gnostiques. La bibliothèque de Nag Hammadi*, p. 315). Le dit est conservé en grec dans le Papyrus d'Oxyrhynchus 1 ; voir A. Guillaumont, « Νηστεύειν τὸν κόσμον (P. Oxy 1 verso, I 5-6) », *Bulletin de l'Institut Français d'Archéologie Orientale* 61, 1962, p. 15-23. La parole sur le jeûne, non canonique, a chez Clément la forme d'une béatitude, absente de l'*Évangile selon Thomas*, qui n'est donc pas sa source directe (voir M. Pesce, *Le parole dimenticate di Gesù*, Fondazione Lorenzo Valla 2004, p. 690). Le *logion* est à situer au terme d'un processus de spiritualisation du jeûne, dont le point de départ est la prédication prophétique, notamment Is 58, 6 (voir A. Guillaumont (cité *supra*), p. 27 ; cf. *Péd.* III, 90, 1-2 et *Strom.* II, 79, 1 ; A. Guillaumont suit aussi la postérité

100 1 « Ἐπικατάρατος » δὲ « ἡ ἡμέρα ἐν ᾗ ἐτέχθην, καὶ μὴ
ἔστω ἐπευκτέα[a] », ὁ Ἱερεμίας φησίν, οὐ τὴν γένεσιν ἁπλῶς
ἐπικατάρατον λέγων, ἀλλ᾽ ἀποδυσπετῶν ἐπὶ τοῖς ἁμαρτήμασι
τοῦ λαοῦ καὶ τῇ ἀπειθείᾳ· 2 ἐπιφέρει γοῦν· « Διὰ τί γὰρ
5 ἐγεννήθην τοῦ βλέπειν κόπους καὶ πόνους καὶ διετέλεσαν ἐν
αἰσχύνῃ αἱ ἡμέραι μου[b];» Αὐτίκα πάντες οἱ κηρύσσοντες
τὴν ἀλήθειαν διὰ τὴν ἀπείθειαν τῶν ἀκουόντων ἐδιώκοντό[c]
τε καὶ ἐκινδύνευον. 3 « Διὰ τί γὰρ οὐκ ἐγένετο ἡ μήτρα
τῆς μητρός μου τάφος, ἵνα μὴ ἴδω τὸν μόχθον τοῦ Ἰακὼβ καὶ
10 τὸν κόπον τοῦ γένους Ἰσραήλ[d];» Ἔσδρας ὁ προφήτης λέγει.

---

100 a Jr 20, 14   b Jr 20, 18   c Cf. Ac 7, 52   d *4 Esdras* II, 5, 35

du *logion* dans la littérature syriaque). Il est vraisemblable que Clément
ait trouvé ce dit dans le traité de Cassien, comme d'autres paroles dont il
veut, contre l'encratite, rétablir le sens véridique (voir A. LE BOULLUEC,
« De l'*Évangile des Égyptiens* à l'*Évangile selon Thomas* », p. 270-272).

1. Jr 20, 14 est abrégé ici par rapport à la Septante. Contrairement à
Clément, quand ORIGÈNE cite Jr 20, 14-16, il y voit un mystère concernant le malheur de la naissance corporelle, en lien avec Jb 14, 4 (*Homélies
sur le Lévitique* VIII, 3, *SC* 287, p. 16, l. 16-49). Dans ses *Homélies sur les
Nombres* XX, 2, 2 (*SC* 461, p. 26, l. 149-153), il s'agit des « fils de péché »
qu'engendre l'âme quand elle a « conçu d'un esprit ennemi ».

2. Le témoignage de textes scripturaires exploités par les encratites
pour faire de la génération une « malédiction » (cf. *supra* 98, 3, citant
Is 65, 23) est annihilé par Clément dès lors qu'il replace les paroles dans
leur contexte : Jérémie exprime son découragement parce qu'il est détesté
à cause de son ministère auprès du peuple endurci (Jr 20, 14 et 20, 18).

3. Le verbe ἀποδυσπετέω, renoncer par lassitude ou découragement,
« être découragé », n'est pas employé ailleurs par Clément. Il est bien
attesté chez les Pères après lui, avec le nom correspondant.

0

**Témoignages
de l'Ancien
Testament**

1 « Maudit soit le jour où je fus enfanté,
et qu'il ne soit pas objet de vœux[a1] », dit
Jérémie, sans traiter de « maudite » la
génération comme telle[2], mais en étant
découragé[3] devant les fautes et l'indocilité du peuple.   **2** Il
ajoute donc : « Pourquoi, en effet, suis-je né pour voir tour-
ments et peines, et mes jours ont-ils fini dans la honte[b] ? »
Oui, tous ceux qui proclamaient la vérité étaient persécutés[c]
et mis en danger par l'indocilité de leurs auditeurs[4].   **3** « Car
pourquoi le sein de ma mère n'a-t-il pas été mon tombeau,
ce qui m'aurait évité de voir la souffrance de Jacob et le tour-
ment de la maison d'Israël[d] ? », dit le prophète Esdras[5].

---

4. Clément retient le thème de la persécution des prophètes (cf. Ac 7,
52 ; Mt 23, 31.34-35 ; 2 Par 36, 16). Voir *supra* 53, 5 : « les bienheureux
prophètes rendaient grâces au Créateur », malgré leurs épreuves ; cf. *Péd.* III,
48, 2, sur Is 4, 4.

5. Clément considère l'auteur de *4 Esdras* comme inspiré, puisqu'il le
nomme « prophète », à côté de Jérémie (voir B. VIOLET, *Die Apokalypse
des Esra und des Baruch in deutscher Gestalt*, GCS 32, Leipzig 1924,
p. 828-829). C'est l'une des rares citations grecques du livre (voir l'édition
de A.-M. DENIS, *Concordance grecque des pseudépigraphes de l'Ancien
Testament*, 1987, *Suppl. Corpus des textes*, p. 907a), conservé en latin (en
appendice à la Vulgate), et en syriaque, éthiopien, arabe, hébreu (traduit
du latin). Il y a probablement une référence à *4 Esdras* (14, 18-22.38-47)
en *Strom.* I, 149, 3 (cf. IRÉNÉE, *Contre les hérésies* III, 21, 2 et EUSÈBE,
Histoire ecclésiastique V, 8, 15), et peut-être une allusion en *Péd.* I, 41, 2
(1, 19). *4 Esdras* 5, 35 exprime aussi l'angoisse du « prophète » devant le
mystère du jugement divin, au temps de « la misère de Jacob et la détresse
des enfants d'Israël » (d'après le latin, trad. P. GEOLTRAIN dans *La Bible.
Écrits intertestamentaires*, p. 1410). Une partie de la citation est proche de
Jr 20, 17 LXX : « Car il ne m'a pas fait mourir dans le sein de ma mère, ma
mère n'est pas devenue mon tombeau et son sein n'a pas été gros à jamais. »

4 «Οὐδεὶς καθαρὸς ἀπὸ ῥύπου», Ἰὼβ φησιν, «οὐδ' εἰ μία
ἡμέρα ἡ ζωὴ αὐτοῦ^e». 5 Λεγέτωσαν ἡμῖν ποῦ ἐπόρνευσεν
τὸ γεννηθὲν παιδίον, ἢ πῶς ὑπὸ τὴν τοῦ Ἀδὰμ ὑποπέπτωκεν
ἀρὰν^f τὸ μηθὲν ἐνεργῆσαν. 6 Ἀπολείπεται δὲ αὐτοῖς, ὡς
15 ἔοικεν, ἀκολούθως λέγειν τὴν γένεσιν εἶναι κακήν, οὐ τὴν
τοῦ σώματος μόνην, ἀλλὰ καὶ τὴν τῆς ψυχῆς δι' ἣν καὶ τὸ
σῶμα. 7 Καὶ ὅταν ὁ Δαβὶδ εἴπῃ · « Ἐν ἁμαρτίαις συν-
ελήφθην καὶ ἐν ἀνομίαις ἐκίσσησέν με ἡ μήτηρ μου^g»,
λέγει μὲν προφητικῶς μητέρα τὴν Εὔαν, ἀλλὰ «ζώντων Εὔα
20 μήτηρ^h» ἐγένετο, καὶ εἰ ἐν ἁμαρτίᾳ συνελήφθη, ἀλλ' οὐκ
αὐτὸς ἐν ἁμαρτίᾳ οὐδὲ μὴν ἁμαρτία αὐτός.

100, 14 ἐνεργῆσαν L^{pc} : ἐνεργηθεῖσαν L^{ac}

---

e Jb 14, 4-5   f Cf. Gn 3, 17   g Ps 50, 7   h Gn 3, 20

---

1. Cette citation de Jb 14, 4-5a, déjà faite par CLÉMENT DE ROME
(*Épître aux Corinthiens* 17, 4, *SC* 167, p. 128), se retrouve en *Strom.* IV,
106, 3, avec le même sens, et en *Strom.* IV, 83, 1, dans un fragment de
Basilide, qui l'associe à la propension au péché. C'est ce second thème
que reprenait Cassien et que Clément combat, dans une controverse qui
appartient à la longue histoire des interrogations chrétiennes sur le péché
et qui mène à la doctrine augustinienne. Selon Cassien, le petit enfant
porte le péché, en raison même de la nature mauvaise de la génération, un
péché héréditaire, cette faute originelle, sexuelle (voir *infra* 102, 3), étant
indéfiniment répétée par l'acte de la procréation (voir P.F. BEATRICE,
Tradux peccati, p. 222-229). C'est l'opinion que Clément récuse, comme il
le fait, selon une visée différente, contre l'explication donnée par Basilide
de la souffrance des enfants (*Strom.* IV, 83-85). Il réprouve en particulier
l'idée que la faute originelle soit la copulation. Il n'y avait pas de faute à
proprement parler, du point de vue éthique, dans l'union prématurée
d'êtres dont la volonté était immature (voir *supra* 94, 3).

4 « Personne n'est pur de souillure », dit Job, « même si sa vie n'est que d'un jour[e] ».   5 Qu'ils nous disent donc où il a commis la débauche, l'enfant qui vient de naître, ou comment il est tombé sous le coup de la malédiction d'Adam[f], lui qui n'a rien fait[1] !   6 Il ne leur reste apparemment qu'à affirmer en toute logique que la génération est mauvaise, non seulement celle du corps, mais également celle de l'âme, pour laquelle le corps existe[2].   7 Et lorsque David dit : « C'est dans les péchés que j'ai été engendré, dans les iniquités que ma mère m'a conçu[g] », il donne à Ève le nom de mère, à la manière des prophètes ; en réalité, Ève a été « la mère des vivants[h] », et s'il a été conçu dans le péché, ce n'est pas lui qui était dans le péché, et il n'était pas péché lui-même[3].

2. Cassien n'insiste pas sur une succession temporelle de la génération de l'âme et de celle du corps, mais sur la finalité de la génération du corps, qui est d'introduire l'âme dans le monde de la corruption. C'est le rapport de causalité qui lui importe (voir P.F. BEATRICE, *Tradux peccati*, p. 227, n. 22 ; cf. *Strom.* III, 93, 3). Clément est le premier à rejeter l'idée de la transmission sexuelle du péché originel (P.F. BEATRICE, *Tradux peccati*, p. 232). ATHANASE (*fr. in Matth.* 9, *PG* 27, 1368) reproche encore à des « hérétiques » de rapporter à un péché du nouveau-né la « souillure » de Jb 14, 4, qui désignerait seulement la saleté (voir P.F. BEATRICE, *Tradux peccati*, p. 233-234).

3. Ps 50, 7, référence capitale pour la doctrine du péché originel, est aussi interprété contre Cassien : si David, parlant de sa mère « à la manière des prophètes », c'est-à-dire de façon symbolique, veut désigner en réalité Ève, c'est que le péché ne se transmet pas par la génération. La « mère des vivants » de Gn 3, 20 (voir *supra* 65, 1) ne peut être une figure négative.

101   1 Εἰ δὲ καὶ πᾶς ὁ ἐπιστρέφων ἐξ ἁμαρτίας ἐπὶ τὴν πίστιν
ἀπὸ τῆς συνηθείας τῆς ἁμαρτωλοῦ οἷον μητρὸς ἐπὶ τὴν ζωὴν
ἐπιστρέφει, μαρτυρήσει μοι εἷς τῶν δώδεκα προφητῶν
φήσας, «Εἰ δῶ πρωτότοκα ὑπὲρ ἀσεβείας, καρπὸν κοιλίας
5 μου ὑπὲρ ἁμαρτίας ψυχῆς μου[a]». 2 Οὐ διαβάλλει τὸν
εἰπόντα «Αὐξάνεσθε καὶ πληθύνεσθε[b]», ἀλλὰ τὰς πρώτας ἐκ
γενέσεως ὁρμάς, καθ᾽ ἃς θεὸν οὐ γινώσκομεν, ἀσεβείας λέγει.
3 Εἰ δέ τις κατὰ τοῦτο λέγει κακὴν τὴν γένεσιν, καὶ
κατ᾽ ἐκεῖνο εἰπάτω ἀγαθήν, καθὸ ἐν αὐτῇ τὴν ἀλήθειαν
10 γινώσκομεν· «Ἐκνήψατε δικαίως καὶ μὴ ἁμαρτάνετε·
ἀγνωσίαν γὰρ θεοῦ τινες ἔχουσι[c]», δηλαδὴ οἱ ἁμαρτάνοντες·
«Ἐπειδὴ ἡ πάλη ἡμῖν οὐ πρὸς αἷμα καὶ σάρκα, ἀλλὰ πρὸς τὰ

101, 9 αὐτῇ St : αὐτῷ L ‖ 10 ἐκνήψατε St coll. 1 Co 15, 34 : ἐκνίψατε L

---

101 a Mi 6, 7   b Gn 1, 28   c 1 Co 15, 34

1. Clément condamne souvent l'asservissement à « l'habitude »
(συνήθεια), marquée par l'*ethos* païen. L'appel à la conversion, dans le
Protreptique, exhorte à fuir l'habitude (118, 1 ; cf. 46, 1 ; 62, 4 ; 72, 3 ; 75, 4 ;
89, 2 ; 99, 1.3 ; 101, 1-3 ; 103, 2 ; 109, 1.3) ; de même dans le *Pédagogue* (I,
1, 2 ; I, 4, 2 ; II, 9, 4) et dans les *Stromates* (I, 9, 3). Il emploie aussi le mot
ἔθος quand il proscrit les « coutumes » païennes et soumises aux passions
(*Protr.* 3, 1 ; 89, 2.3 ; 90, 3 ; 96, 2 ; *Péd.* II, 17, 2 ; 107, 2 ; 122, 1 ; *Strom.* III,
97, 3 ; VII, 100, 4).

2. La « mère » de chacun est réintroduite comme terme de comparaison pour évoquer, par la séparation que produit la naissance, la rupture
de la conversion qui fait entrer dans la vie de la foi et donne sa plénitude
au symbolisme d'Ève, « mère des vivants ».

3. Le recueil des Douze prophètes était déjà constitué au temps de Ben
Sira (Si 49, 10) ; voir T. MURAOKA, *BA* 23.1, p. III.

4. Le tour εἰ et le subjonctif est pris en Mi 6 dans une série d'interrogations ; il ne s'agit pas ici du *ei negandi* propre à la Septante dans une
formule de serment introduisant l'hypothèse que l'on ne veut pas voir se

1 1 Tout homme qui se convertit du péché à la foi et se sépare de l'habitude[1] propre au pécheur comme d'une mère, se tourne vers la vie[2] ; l'un des douze prophètes[3] va m'apporter son témoignage formulé ainsi : « Donnerai-je pour mon impiété mon enfant premier-né, le fruit de mon sein pour les péchés de mon âme[a][4] ? » 2 Il ne blâme pas celui qui a dit : « Croissez et multipliez-vous[b][5] », mais il appelle « impiétés[5] » les premières impulsions après la naissance[6], à l'époque desquelles nous ne connaissons pas Dieu.

Enseignement de Paul 3 Si pour cette raison quelqu'un qualifie la génération de mauvaise[7], qu'il dise aussi qu'elle est bonne dans la mesure où nous connaissons la vérité grâce à elle[8]. « Dégrisez-vous pour de bon et ne péchez plus, car certains cultivent l'ignorance de Dieu[c] », les pécheurs, bien entendu. « Car notre combat n'est pas dirigé contre le sang et la chair, mais contre des

---

réaliser (voir M. HARL, *BA* 1, p. 76). La réponse attendue en Mi 6, 7 est négative (rejet de l'immolation d'enfants). Clément, qui recherche le sens symbolique, y perçoit au contraire la possibilité d'une offrande, celle d'une conversion qui libère l'être de sa condition première d'ignorance de Dieu en le séparant de son lieu originel.

5. Sur Gn 1, 28, voir *supra* 12, 2 ; 37, 1 ; 82, 3.

6. « L'impiété » est ici assimilée aux « premières impulsions », qui sont encore déraisonnables (voir *Strom.* III, 97, 3 ; cf. *Péd.* I, 75, 1 ; 100, 2 ; II, 21, 1 ; III, 53, 1 ; 57, 3 ; *Strom.* II, 51, 3 ; 80, 4 ; 118, 4 ; IV, 147, 3 ; VII, 16, 2).

7. Le pessimisme des Grecs au sujet de la génération a été amplement illustré *supra* 12, 1 – 21, 1, pour que prenne tout son relief l'extrémisme des encratites (voir *supra* 12, 1 ; 13, 1 ; 86, 3 ; 100, 6 ; cf. 22, 1 ; 81, 6 ; *infra* 102, 1 ; *ET* 67, 5). Le « gnostique » véritable au contraire admire la génération/création (*Strom.* IV, 148, 1). La naissance interprétée comme séparation et rupture symbolise la conversion, ce que souligne la citation de 1 Co 15, 34.

8. Sur le lien entre génération et connaissance, voir *supra* 64, 3.

πνευματικά[d]», δυνατοὶ δὲ ἐκπειρᾶσαι «οἱ κοσμοκράτορες
τοῦ σκότους[d]», διὰ τοῦτο αἱ συγγνῶμαι. 4 Διὰ τοῦτο καὶ
15 ὁ Παῦλος «αὐτό μου τὸ σῶμα ὑποπιέζω καὶ δουλαγωγῶ[e]»,
φησίν, ὅτι «πᾶς ὁ ἀγωνιζόμενος πάντα ἐγκρατεύεται[f]», ἀντὶ
τοῦ εἰς πάντα ἐγκρατεύεται, οὐ πάντων ἀπεχόμενος, ἀλλ᾽ οἷς
ἔκρινεν, ἐγκρατῶς χρώμενος, «ἐκεῖνοι μὲν ἵνα φθαρτὸν
στέφανον λάβωσιν, ἡμεῖς δὲ ἵνα ἄφθαρτον[f]», νικῶντες ἐν
20 τῇ πάλῃ, οὐχὶ δὲ ἀκονιτὶ στεφανούμενοι. 5 Ἤδη τινὲς
141[v] καὶ τῆς παρθένου τὴν |χήραν εἰς ἐγκράτειαν προτιμῶσι
καταμεγαλοφρονήσασαν ἧς πεπείραται ἡδονῆς.

20 ἤδη τινὲς L St : ἢ δή τινες Sy ‖ 21 προτιμῶσι Heyse St : προτείνουσι L

---

d Ep 6, 12   e 1 Co 9, 27   f 1 Co 9, 25

1. La citation d'Ep 6, 12 est à la fois abrégée et glosée, avec le verbe « tenter » qui est utilisé en Mt 4, 7 et Lc 4, 12. Sur cette lutte, voir *Strom.* II, 110, 1 et la note sur *Strom.* V, 93, 2, *SC* 279, p. 300.

2. Les mots διὰ τοῦτο, « c'est pour cela », introduisent en Ep 6, 13 l'exhortation à se saisir, pour ce combat, de « l'armure de Dieu ». Clément la remplace par les συγγνῶμαι. Il donne ailleurs au mot le sens de « pardon » (*Protr.* 100, 2 ; *Péd.* I, 92, 3 ; *Strom.* II, 58, 1 ; 59, 1 ; 70, 3-4 ; 123, 3 ; VI, 95, 1). Le seul emploi dans le NT est 1 Co 7, 6, cité *supra* 82, 4, avec le sens de « concession ». Il convient de retenir ici aussi la première signification, en accord avec l'insistance sur la force des adversaires (G. Pini est de l'avis contraire). Caïn lui-même a reçu le « pardon », d'après Gn 4, 15, et le pardon, qui engendre le repentir, ne supprime pas la faute, mais la soigne (*Strom.* II, 70, 3). Au demeurant, les « pardons » impliquent les « concessions » motivées par la puissance des tentations.

3. Le commentaire montre que Jules Cassien exploitait aussi le témoignage de 1 Co 9, 27a et 25 : Clément réduit l'extension du complément « en tout », en revenant à la modération d'une tempérance raisonnable

êtres spirituels[d1] », et ils sont puissants dans la tentation, les « souverains de ce monde de ténèbres[d] » ; c'est pour cela qu'il y a des pardons[2].   4 Aussi Paul ajoute-t-il : « Je vais jusqu'à maltraiter mon corps et le réduire en esclavage[e] », car « tout athlète observe la continence en tout[f3] » ; il veut dire : « se montre continent à l'égard de toute chose », sans s'abstenir de tout, mais en usant avec continence de ce dont il a jugé bon d'user ; « pourtant, ceux-là visent à remporter une couronne corruptible, nous, une incorruptible[f] », en cas de victoire au combat ; mais pas de couronne sans effort[4] !   5 Dès lors certains font plus de cas de la veuve que de la vierge, sous le rapport de la continence, parce qu'elle traite avec un profond mépris une volupté qu'elle connaît d'expérience[5].

(cf. *Strom.* II, 48, 3 ; 68, 4 ; 71, 1 ; 79, 1.4 ; 80, 4 ; 81, 2). Il ajoute αὐτὸ – litt. « (mon corps) lui-même » – en 1 Co 9, 27.

4. La comparaison paulinienne avec la « couronne » des athlètes vainqueurs (1 Co 9, 25b) est commentée de façon réaliste par le motif de l'effort, littéralement : « il n'y a pas de couronne sans poussière (ἀκονιτί) » (cf. *QDS* 3, 5), expression employée déjà par Thucydide, IV, 73, parallèlement à ἀμαχητί, « sans combattre » (73, 3), et par d'autres historiens : Xénophon, *Agésilas* 6, 3 ; Polybe, *Histoires* I, 20, 5 ; Diodore de Sicile, *Bibliothèque historique* XV, 50, 4 : « Les alliés des Lacédémoniens [...] espéraient se rendre maîtres de la Boétie sans engagement ni bataille, par le simple forfait de l'adversaire (ἀκονιτί) ». C. Vial (*CUF* 10, p. 66), donne le sens de cette image agonistique : un lutteur remporte une victoire ἀκονιτί quand il n'a pas à se saupoudrer de poussière pour le combat par suite du forfait des autres concurrents inscrits. Aulu-Gelle, *Nuits attiques* V, 6, 21, donne la traduction latine, à propos d'une victoire trop facile : *inpuluerea* (cf. Horace, *Epist.* I, 1, 54).

5. Ce motif introduit ici, ironie à l'égard des encratites, l'éloge de la veuve, qui est repris en *Strom.* VII, 72, 2 et 76, 3. Son mépris de la volupté est « noble » : il a l'élévation de sentiment qui fait la grandeur de la vraie continence (voir *supra* 95, 3).

102 1 Εἰ δὲ ἡ γένεσις κακόν, ἐν κακῷ λεγόντων οἱ βλάσ-
φημοι τὸν γενέσεως μετειληφότα κύριον, ἐν κακῷ τὴν
γεννήσασαν παρθένον. 2 Οἴμοι τῶν κακῶν, βλασφημοῦσι
τὸ βούλημα τοῦ θεοῦ καὶ τὸ μυστήριον τῆς κτίσεως, τὴν
5 γένεσιν διαβάλλοντες. 3 Διὰ ταῦτα ἡ δόκησις Κασσιανῷ,
διὰ ταῦτα καὶ Μαρκίωνι, ναὶ μὴν καὶ Οὐαλεντίνῳ τὸ
σῶμα τὸ ψυχικόν, ὅτι φασίν· «Ὁ ἄνθρωπος παρωμοιώθη
τοῖς κτήνεσιν[a]» εἰς συνδυασμὸν ἀφικνούμενος· ἀλλ' ὅταν

---

102 a Ps 48, 13.21

1. Les encratites, qui font calomnier le Nom (*supra* 46, 4), porter le
blasphème contre le Législateur (*supra* 80, 3), contre Dieu (*supra* 81, 6 ;
cf. 102, 2), ajoutent deux autres blasphèmes, contre le Christ incarné
(voir *Strom.* VI, 127, 1) et contre la Vierge. La réalité de l'enfantement et
la virginité de Marie sont affirmées en *Strom.* VII, 93, 7.

2. Voir *supra* 91, 1. Selon A. ORBE, *Cristología Gnóstica*, p. 404-405,
le docétisme de Jules Cassien concernerait plutôt l'être humain que le
Christ : le chrétien véritable, qui doit vivre dans la continence, semblerait,
en imitant Dieu, qui n'est pas charnel, ne pas être charnel. Sa chair ne serait
qu'une « apparence ». Lorsque Clément traite ailleurs du docétisme, c'est
du Christ qu'il s'agit (*Strom.* VI, 71, 2). C'est sans doute par déduction
abusive qu'il range Cassien parmi ceux qui nient la réalité de son corps.

3. Quant à Marcion, il était amené par sa doctrine du salut à considérer que le Christ n'était apparu que dans un corps fictif (voir A.
VON HARNACK, *Marcion*, p. 147). Son docétisme est combattu par
TERTULLIEN (voir *Contre Marcion* I, 24, 5 ; II, 27 ; III, 8-11 ; *La chair
du Christ* 1-4, avec l'introduction de J.-P. MAHÉ, *SC* 216, p. 76-78 et son
commentaire, *SC* 217, p. 319-337).

XVII

Conclusion contre les ennemis
de la génération

102   **Les blasphèmes**   1 Or, si la génération est un mal, **des pourfendeurs** ces blasphémateurs doivent dire que le **de la procréation** Seigneur a été dans le mal, puisqu'il a eu part à la génération, et que la Vierge y a été aussi, puisqu'elle a donné naissance !   2 Les scélérats ! Ils blasphèment la volonté de Dieu et le mystère de la création en calomniant la génération[1].   3 De là vient le docétisme de Cassien[2], de là également celui de Marcion[3] et, bien sûr aussi, la théorie du corps psychique de Valentin[4], car ils disent : « L'homme s'est assimilé aux animaux[a] », quand il en est venu à pratiquer l'union charnelle[5]. En fait, lorsque,

---

4. Les valentiniens distinguent le corps « psychique » du corps « hylique » (« matériel ») ou « choïque » (« terrestre »), à la fois dans leur anthropologie (à partir de leur exégèse du récit de la Genèse) et dans leur christologie. Clément est l'un des témoins importants de leur doctrine sur ce sujet (*ET* 2, 1 ; 50-51 ; 59 ; voir J.-D. Dubois, *Jésus apocryphe*, Paris 2011, p. 72-74, dans le chapitre sur les valentiniens, intitulé : « Un Jésus déployé », p. 59-78).

5. Le docétisme n'est que la conséquence indirecte du mépris du corps, consistant ici dans l'horreur pour le συνδυασμός, la « copulation » (« union charnelle »), laquelle est directement liée au rejet de la génération (102, 2). « Les deux références (Ps 48, 13.21 et Jr 5, 8) semblent former une combinaison traditionnelle, déjà chez Irénée, *Contre les hérésies* IV, 41, 2 ; V, 8, 2 » (note d'A. Van den Hoek sur *Strom.* IV, 12, 4, *SC* 463, p. 75).

ἐπιβαίνειν ἀλλοτρίᾳ κοίτῃ ὀργήσας ὡς ἀληθῶς θελήσῃ,
10 τότε τῷ ὄντι ὁ τοιοῦτος ἐκθηριοῦται · «Ἵπποι θηλυμανεῖς ἐγενήθησαν, ἕκαστος ἐπὶ τὴν γυναῖκα τοῦ πλησίον
ἐχρεμέτιζεν[b].» 4 Κἂν ἀπὸ τῶν ἀλόγων ζῴων τὴν ἐπιτή-
δευσιν τῆς συμβουλίας ὁ ὄφις εἰληφὼς καὶ παραπείσας
τῇ κοινωνίᾳ τῆς Εὔας συγκαταθέσθαι τὸν Ἀδὰμ τύχῃ, ὡς
15 ἂν μὴ φύσει ταύτῃ κεχρημένων τῶν πρωτοπλάστων, ὡς
ἀξιοῦσί τινες, ἡ κτίσις πάλιν βλασφημεῖται ἀσθενεστέρους
τοὺς ἀνθρώπους τῆς τῶν ἀλόγων φύσεως πεποιηκυῖα, οἷς
κατηκολούθησαν οἱ πρωτόπλαστοι τοῦ θεοῦ.

102, 13 συμβουλίας L : συνουσίας coni. Ma St ἐπιβουλίας coni. Pi ‖
14 τύχῃ St : λέγῃ L

---

b Jr 5, 8

---

1. Clément rétorque que la bestialité est en réalité l'abaissement du
luxurieux, de celui qui « cède à la passion » – le verbe ὀργάω est employé
dans le sens précis que lui donne par exemple ARISTOTE, à propos tant
des animaux que des êtres humains, « être en chaleur » (*Histoire des
animaux* 542a 32 ; 560b 13) –, une passion violente qui, chez l'homme,
transgresse la règle de la monogamie et l'interdit de l'adultère ; « forcer
une couche étrangère » (selon des emplois de ἐπιβαίνω et le datif attestés
par LSJ, *s.v.*, A-II 1-2) fait écho à Jr 5, 8 (et à Ex 20, 17a).

2. La leçon de L, συμβουλίας, a semblé erronée. Mayor, suivi par
Stählin, a conjecturé συνουσίας (« union sexuelle », « copulation »).
G. PINI (p. 370 et 840, avec renvoi à *Protr.* 42, 8) conjecture ἐπιβουλίας
(« conseil insidieux »). Or συμβουλία peut avoir un sens très proche,
comme le montrent les emplois indiqués par G.W.H. LAMPE, *A Patristic
Greek Lexicon, s. v.*) pour désigner la tromperie du serpent de la Genèse chez
MÉTHODE D'OLYMPE (*De la résurrection* II, 2, 7, éd. G.N. BONWETSCH,
GCS 27, p. 333, 3) et chez ATHANASE (*Contre les païens* 3 : c'est à l'ins-
tigation du serpent que le protoplaste se détourna de la contemplation

cédant à la passion, quelqu'un a la ferme intention de forcer la couche d'autrui, c'est alors qu'il devient une vraie bête sauvage[1]. « Ils étaient devenus des chevaux fous de femelles, chacun hennissait vers la femme du prochain[b]. » 4 Si le serpent a pris aux animaux sans raison matière à exercer sa ruse[2] et a insidieusement persuadé Adam de consentir à s'unir avec Ève, ce que les premiers êtres à avoir été modelés n'auraient jamais fait en suivant la nature – c'est l'opinion de certains[3] –, la création se trouve à nouveau soumise au blasphème : elle aurait donné aux êtres humains une nature plus faible que celle des êtres sans raison, puisque les premiers êtres modelés par Dieu se seraient conformés à leur exemple.

---

des réalités divines) ; le terme grec est doté lui-même d'un sens péjoratif par HIPPOLYTE (*Bénédictions de Jacob*, *PO* 27, 1, p. 60, l. 2 : il est accolé à πονηρία). La leçon de L est donc à conserver. On ne peut cependant comprendre avec G. Pini : « Si le serpent avait reçu des animaux sans raison l'aptitude à conseiller insidieusement ». Une telle « aptitude », même pour les encratites, ne peut être d'origine irrationnelle chez le serpent, lui dont « l'intelligence avisée » (cf. Gn 3, 1) est depuis Philon interprétée comme « fourberie » (voir la note de M. HARL, *BA* 1, p. 107, et M. ALEXANDRE, *Le Commencement du Livre*, p. 297-298 ; cf. CLÉMENT, *Strom.* VI, 155, 1-2). Ce que le serpent « a reçu », ou « pris », ce n'est pas la faculté d'incitation, ou la « ruse », mais le moyen de l'exercer, en l'occurrence « l'union sexuelle » (voir *supra* 102, 3), pour dominer Adam et Ève en les persuadant de suivre l'exemple des animaux. Le terme ἐπιτήδευσις signifie la mise en pratique, la manière d'exercer la « ruse ».

3. « L'opinion de certains » doit être celle de Jules Cassien : la condition prélapsaire des « protoplastes » (« premiers modelés ») comportait sans doute, selon lui, quelle que fût leur corporéité, la possibilité d'une union, mais leur état naturel était l'εὐνουχία, détruite par la ruse du diable, « l'état de chasteté » ayant été dès lors soumis aux risques des « tuniques de peaux » et à la bestialité.

103   1 Εἰ δὲ ἡ μὲν φύσις ἦγεν αὐτοὺς ὡς καὶ τὰ ἄλογα πρὸς
παιδοποιΐαν, ἐκινήθησαν δὲ θᾶττον ἢ προσῆκον ἦν ἔτι νέοι
πεφυκότες ἀπάτῃ παραχθέντες, δικαία μὲν ἡ κρίσις τοῦ
θεοῦ ἐπὶ τοὺς οὐκ ἀναμείναντας τὸ βούλημα, ἁγία δὲ ἡ
5 γένεσις δι' ἣν ὁ κόσμος συνέστηκεν, δι' ἣν αἱ οὐσίαι, δι' ἣν
αἱ φύσεις, δι' ἣν ἄγγελοι, δι' ἣν δυνάμεις, δι' ἣν ψυχαί, δι' ἣν
ἐντολαί, δι' ἣν νόμος, δι' ἣν τὸ εὐαγγέλιον, δι' ἣν ἡ γνῶσις
τοῦ θεοῦ.

2 « Καὶ πᾶσα σὰρξ χόρτος, καὶ πᾶσα δόξα ἀνθρώπου
10 ὡς ἄνθος χόρτου· καὶ ὁ μὲν χόρτος ξηραίνεται, τὸ δὲ
ἄνθος καταπίπτει· ἀλλὰ τὸ ῥῆμα τοῦ κυρίου μένει[a] »,
το χρῖσαν Ιτὴν ψυχὴν καὶ ἑνῶσαν τῷ πνεύματι.   3 Πῶς

142ʳ

103, 2 ἦ St : ἦ L

---

103 a Is 40, 6-8

---

1. Le caractère prématuré de l'union était vu *supra* 94, 3 du côté des
« protoplastes », qui n'avaient pas encore atteint la capacité du « vouloir »
(θέλημα) au sens plein, conforme à la raison. Ce défaut est envisagé maintenant selon le plan providentiel : Adam et Ève ont devancé « le moment
voulu » (βούλημα) par Dieu. Le péché d'impatience est retenu aussi par
Tertullien (*De la patience* 5, 9-11, *SC* 310, p. 72, l. 28-39, avec les notes
de J.-C. Fredouille, p. 156-157 : Ève, puis Adam, ont été victimes de
l'impatience, à l'instigation du Diable, qui en est l'auteur). Clément, qui
fait du respect du « moment », du καιρός, la règle devant gouverner l'union
du couple, l'introduit dès l'origine (*Péd.* I, 100, 1 ; II, 83, 1 ; 91, 2 – 93, 2 ;
95, 2-3 ; 96, 2-3 ; 102, 1 ; *Strom.* III, 94, 3 ; voir l'Introduction, p. 16-17).
2. Le procédé rhétorique de l'accumulation, qui multiplie les relatives
commençant par δι' ἣν avec γένεσις pour antécédent (« ... la génération
... à cause de laquelle ... »), soutient l'éloge des bienfaits de la génération
à la fin de ce livre, contre les attaques des encratites.
3. La citation d'Is 40, 6-8 diffère par plus d'un trait du texte de
la Septante – emploi du présent : « se dessèche », « se fane » ; verbe

3

**La nature
de l'erreur
d'Adam et Ève**

1 En revanche, si la nature les a conduits à procréer, comme les animaux sans raison, et si une tromperie les y a poussés trop jeunes, plus tôt qu'il ne convenait, alors se justifie la condamnation dont Dieu les a frappés pour n'avoir pas attendu le moment voulu[1], et la génération reste sainte, car c'est bien elle qui a permis de constituer le monde, les substances, les natures, les anges, les puissances, les âmes, les commandements, la Loi, l'Évangile et la connaissance de Dieu[2].

**La doctrine
véritable sur
le corps**

2 « Toute chair est comme l'herbe, et toute gloire humaine est comme la fleur de l'herbe ; l'herbe se dessèche, et la fleur se fane, mais la parole du Seigneur subsiste[a3] », elle qui a donné une onction à l'âme et l'a unie à l'esprit[4]. 3 Mais,

---

καταπίπτω au lieu de ἐκπίπτω ; « du Seigneur », à la place de « de notre Dieu » ; absence de « pour l'éternité » après « demeure » –, alors qu'en *Strom.* IV, 163, 5 la seule divergence est « du Seigneur » (cf. *Protr.* 78, 4, et JUSTIN, *Dialogue avec Tryphon* 50, 4). Ou bien Clément cite ici de mémoire, ou bien il reprend le passage tel qu'il le trouvait chez Cassien.

4. Clément met à sa façon en valeur la supériorité de l'âme et de sa vocation divine. Selon le *Protreptique* (120, 4-5), « l'éternel Jésus », « le Logos de Dieu », promet aux hommes qu'ils deviendront semblables à lui et ajoute : « Je vous oindrai de l'onguent de la foi. » L'onction spirituelle est produite par le sang eucharistique de Jésus (*Péd.* II, 19, 4 ; voir P. DRUILLE, « Los elementós de la Eucaristía en el *Pedagogo* de Clemente de Alejandría », *Revue d'Histoire Ecclésiastique* 109, 2014, p. 535-563). Dans l'un des exposés sur la composition de l'être humain, le dixième élément, « qui s'ajoute grâce à la foi, c'est la marque caractéristique de l'Esprit Saint » (*Strom.* VI, 134, 2, avec la note de P. DESCOURTIEUX, *SC* 446, p. 329). Il est possible que Clément parle ici de l'Esprit Saint, et non pas seulement du « huitième élément, la partie spirituelle, insufflée lors du modelage » (*ibid.*). Voir cependant *supra* 93, 2.

δ' ἄνευ τοῦ σώματος ἡ κατὰ τὴν ἐκκλησίαν καθ' ἡμᾶς
οἰκονομία τέλος ἐλάμβανεν; Ὅπου γε καὶ αὐτὸς «ἡ κεφαλὴ
15 τῆς ἐκκλησίας[b]» ἐν σαρκὶ μέν, ἀειδὴς δὲ ἐλήλυθεν καὶ
ἄμορφος[c], εἰς τὸ ἀειδὲς καὶ ἀσώματον τῆς θείας αἰτίας
ἀποβλέπειν ἡμᾶς διδάσκων.

4 «Δένδρον γὰρ ζωῆς», φησὶν ὁ προφήτης, «ἐν ἐπιθυμίᾳ ἀγαθῇ[d]» γίνεται, διδάσκων ἐπιθυμίας ἀστείους καὶ
104 καθαρὰς τὰς ἐν τῷ ζῶντι κυρίῳ. 1 Ἤδη δὲ ἐθέλουσι τὴν
ἀνδρὸς κατὰ γάμον πρὸς γυναῖκα ὁμιλίαν γνῶσιν εἰρημένην
ἁμαρτίαν εἶναι· ταύτην γὰρ ὑπὸ τῆς βρώσεως μηνύεσθαι
τοῦ ξύλου τοῦ καλοῦ καὶ πονηροῦ[a], διὰ τῆς τοῦ «ἔγνω[b]»
5 σημασίας παράβασιν ἐντολῆς διδάσκουσαν. 2 Εἰ δὲ τοῦτο,

---

15 ἀειδὴς Sy St : ἀηδὴς L ‖ δὲ ἐλήλυθεν St : διελήλυθεν L

b Ep 5, 23   c Cf. Is 53, 2   d Pr 13, 12
104 a Cf. Gn 2, 17   b Gn 4, 1

1. Le plan divin du salut, accompli dans la relation entre le Christ
et l'Église, exclut le docétisme. On lit en *Péd.* II, 19, 4 : « Or le sang du
Seigneur est double : d'un côté, celui de sa chair, qui nous a rachetés de la
perdition ; de l'autre, celui de son esprit, celui qui nous a oints. »

2. Clément affirme, en citant Is 53, 2b-3, que ce n'est pas la beauté
de la chair que le Seigneur a montrée (*Péd.* III, 3, 3, avec la note de
H.-I. MARROU, *SC* 158, p. 17). Il se fonde aussi sur Is 53, 3 en *Strom.* II, 22,
8 (cf. *Strom.* VI, 151, 3). Il s'accorde sur ce point avec JUSTIN (*Dialogue avec
Tryphon* 88, 8 ; cf. 85, 1 ; 100, 2), comme avec Irénée, Tertullien, Origène
(voir JUSTIN, *Dialogue avec Tryphon* 14, 8, et note de P. BOBICHON *ad
loc.*, p. 625, n. 17).

3. La leçon de L, ἀηδὴς, « odieux », est erronée. La correction ἀειδὴς,
« sans forme », est imposée par l'écho d'Is 53, 2 (« il n'avait pas de forme »,
οὐκ εἶχεν εἶδος) et par le jeu sur le double sens de ἀειδὴς, « sans forme »
et « invisible », appliqué à « la Cause divine ».

sans le corps, comment le plan divin sur l'Église que nous sommes pouvait-il atteindre sa fin[1] ? En effet, le Seigneur lui-même, « la tête de l'Église[b] », a été dans la chair, mais il est venu sans forme ni beauté[c2], pour nous apprendre à regarder vers la nature sans forme[3] et sans corps de la Cause divine.

4 « Car », dit le prophète, « un arbre de vie » se trouve « dans une bonne convoitise[d4] ». Il nous apprend ainsi la noblesse et la pureté des convoitises inscrites dans le Seigneur vivant.   **104** 1 Or, on veut maintenant que l'union conjugale d'un homme et d'une femme – ce qu'on appelle leur « connaissance » –, soit un péché ; en effet, cette union, désignée par le fait de manger de l'arbre du bien et du mal[a], révélerait, à cause du sens de « il connut[b] », la transgression d'un commandement[5].   2 Or, s'il en est ainsi,

---

4. La « bonne convoitise » est en l'occurrence celle que permet « le mariage tempérant » (104, 2). Clément cite sous le nom de Salomon de nombreux passages des *Proverbes* et de la *Sagesse*, voire du *Siracide*. Salomon est pour lui un « prophète » (*Strom.* I, 113, 1). Plusieurs paroles des *Proverbes* sont introduites comme paroles de « prophète » (*Strom.* II, 27, 2 ; III, 106, 1 ; VI, 131, 1). A. Van den Hoek, « Clement of Alexandria and the Book of Proverbs », dans V. Černušková *et al.* (éd.), *Clement's Biblical Exegesis*, Leyde 2014, p. 181-216, a souligné l'importance de ce livre chez Clément et montré qu'il l'utilise pour renforcer ses thèmes favoris. A. Böhlig, « Zum Proverbientext des Clemens Alexandrinus », p. 73-79, a mis en évidence les ressemblances entre le texte des *Proverbes* de Clément et les plus anciennes versions coptes (voir G. Pini, *Gli Stromati*, p. 8, n. 8). Pr 13, 12 est absent chez les autres écrivains chrétiens des IIe et IIIe siècles. Le livre des *Proverbes* associe aussi à « un arbre de vie » (cf. Gn 2, 9) le fruit de la justice (Pr 11, 30), le « soin de la langue » (Pr 15, 4) et la sagesse (Pr 3, 18 ; voir *Strom.* V, 72, 4, où le texte donne « un arbre d'immortalité », et la note *ad loc.* dans *SC* 279, p. 250).

5. Les encratites, à partir des emplois de « connaître » pour désigner le commerce sexuel (Gn 4, 1.17.25 ; voir *supra* 81, 5) et de l'interdit frappant « l'arbre de la connaissance du bien et du mal » (Gn 2, 9.17 ; cf. Gn 3, 22), faisaient de « la relation matrimoniale » un « péché ».

καὶ ἡ τῆς ἀληθείας γνῶσις βρῶσίς ἐστι τοῦ ξύλου τῆς ζωῆς[c].

Ἔστιν οὖν κἀκείνου τοῦ ξύλου μεταλαβεῖν τὸν σώφρονα γάμον· 3 προείρηται δὲ ἡμῖν ὡς καὶ καλῶς καὶ κακῶς ἔστι χρήσασθαι τῷ γάμῳ, καὶ τοῦτ᾽ ἔστι τὸ ξύλον τῆς γνώσεως[d],

10 ἐὰν μὴ παρανομῶμεν τὸν γάμον.

4 Τί δέ; Οὐχὶ ὁ σωτὴρ ὥσπερ τὴν ψυχήν, οὕτω δὲ καὶ τὸ σῶμα ἰᾶτο τῶν παθῶν; Οὐκ ἂν δὲ εἰ ἐχθρὰ ἡ σὰρξ ἦν τῆς ψυχῆς, ἐπετείχιζεν αὐτῇ τὴν ἐχθρὰν δι᾽ ὑγείας ἐπισκευάζων. 5 « Τοῦτο δέ φημι, ἀδελφοί, ὅτι σὰρξ καὶ

15 αἷμα βασιλείαν θεοῦ κληρονομῆσαι οὐ δύναται, οὐδὲ ἡ φθορὰ τὴν ἀφθαρσίαν κληρονομεῖ[e].» Ἡ γὰρ ἁμαρτία φθορὰ οὖσα οὐ δύναται κοινωνίαν ἔχειν μετὰ τῆς ἀφθαρσίας, ἥτις ἐστὶ δικαιοσύνη. «Οὕτως ἀνόητοι», φησίν, «ἐστέ; ἐναρξά-μενοι πνεύματι νῦν σαρκὶ ἐπιτελεῖτε[f];»

104, 14 ἐπισκευάζων Hervet St : ἐπισκιάζων L

---

c Cf. Gn 2, 9 ; 3, 22   d Cf. Gn 2, 9   e 1 Co 15, 50   f Ga 3, 3

1. Clément rétorque en exploitant l'interprétation sapientielle de « l'arbre de vie » – mentionné aussi en Gn 2, 9, et non interdit – comme sagesse et vérité (Pr 3, 18, par exemple ; voir M. ALEXANDRE, *Le Commencement du Livre*, p. 251-252 ; cf. *Strom.* V, 72, 2, où la sagesse devient le Logos-Christ) et en jouant sur le sens de σώφρων, « sage » et « tempérant ». Il complète ce qu'il a dit plus haut du mariage (96, 2.3 ; cf. 46, 4 ; 58, 2 ; 61, 1 ; 78, 4 ; 79, 5 ; 82, 1 ; 95, 3 ; 98, 4) en rectifiant l'interprétation encratite de « l'arbre de la connaissance » et en élargis-sant, toujours dans le cadre du mariage, l'exégèse de Gn 4, 25 proposée *supra* 81, 5. Cette « connaissance » apparaît comme discernement du bien et du mal (selon l'une des traditions exégétiques sur ce thème : voir M. ALEXANDRE, *Le Commencement du Livre*, p. 253).

manger de l'arbre de la vie[c] fait aussi connaître la vérité, et le mariage tempérant peut donc goûter du fruit de cet arbre lui aussi.   3 Nous l'avons dit plus haut, on peut user du mariage en bien ou en mal ; l'arbre de la connaissance[d], c'est le fait de ne pas enfreindre les lois du mariage[1].

4 Que dire encore ? Le Sauveur n'a-t-il pas guéri le corps de ses passions comme il l'a fait pour l'âme ? Si la chair était l'ennemie de l'âme, il n'aurait pas fortifié son ennemie en restaurant sa santé.   5 « Je vous le dis, mes frères : la chair et le sang ne peuvent hériter du royaume de Dieu, pas plus que la corruption n'hérite de l'incorruptibilité[e] » ; en effet, le péché, étant corruption, ne peut avoir aucun rapport avec l'incorruptibilité, laquelle est justice. « Êtes-vous insensés à ce point ? », dit Paul ; « après avoir commencé par l'esprit, allez-vous achever maintenant par la chair[f 2] ? »

2. Une fois de plus Clément confronte deux faces de la même réalité, ici la « chair », valorisée quand elle est soignée par le Sauveur, honnie quand elle reste liée à la corruption, et cela en distinguant les guérisons accomplies par Jésus des paroles accusatrices de Paul, selon un partage qui oppose la chair en tant que création divine et la chair en tant qu'objet de la convoitise mauvaise, cause du péché (cf. *Strom.* II, 125, 6-126, 1). Ga 3, 3 prépare la conclusion du livre, en réintroduisant le grief de l'asservissement à la chair.

105 1 Τὴν δικαιοσύνην τοίνυν καὶ τὴν ἁρμονίαν τοῦ σωτηρίου
σεμνὴν οὖσαν καὶ βεβαίαν οἳ μὲν ἐπέτειναν, ὡς ἐπεδείξαμεν,
βλασφήμως ἐκδεχόμενοι μετὰ πάσης ἀθεότητος τὴν
ἐγκράτειαν, ἐξὸν ἑλέσθαι τὴν εὐνουχίαν ⌐κατὰ τὸν ὑγιῆ
5 κανόνα μετ᾽ εὐσεβείας, εὐχαριστοῦντα μὲν ἐπὶ τῇ δοθείσῃ
χάριτι[a], οὐ μισοῦντα δὲ τὴν κτίσιν οὐδὲ ἐξουθενοῦντα τοὺς
γεγαμηκότας· κτιστὸς γὰρ ὁ κόσμος, κτιστὴ καὶ ἡ εὐνουχία,
ἄμφω δὲ εὐχαριστούντων ἐν οἷς ἐτάχθησαν, εἰ γινώσκουσι
καὶ ἐφ᾽ οἷς ἐτάχθησαν.

10 2 Οἳ δὲ ἀφηνιάσαντες ἐξύβρισαν, «ἵπποι θηλυμανεῖς» τῷ
ὄντι «γενόμενοι καὶ ἐπὶ τὰς τῶν πλησίον χρεμετίζοντες[b]»,

142ᵛ

---

105 a Cf. 1 Co 7, 7   b Jr 5, 8

1. Clément, à la suite de PLATON, *République* III, 398e-400e, fait le tri
entre les « harmonies » et les « rythmes », distinguant la musique « relâ-
chée » de celle qui possède la σεμνότης, la « noblesse » (voir *Strom.* VI,
150, 5 ; 88, 2 ; avec les notes de P. DESCOURTIEUX *ad loc.*, *SC* 446 ; cf.
Péd. II, 44, 5 et 46, 2). Or certains mètres sont qualifiés de « nobles »
(σεμνοί) par ARISTOTE (*Rhétorique* 1408b 32). Lorsque la « justice et
l'harmonie du salut » sont qualifiées de la même façon, par opposition à
la tension extrême des encratites, l'adjectif doit être traduit par « noble »,
ou « auguste », ou encore « majestueux », dans le registre musical. La
vraie justice est « la symphonie des parties de l'âme » (*Strom.* IV, 163, 4 –
SC 463, p. 330, l. 14). La transposition morale de la référence à la musique,
associant la « justice » à la « continence », correspond au thème de
« l'enchaînement réciproque (ἀντακολουθία) des vertus » (*Strom.* II, 80,
2.5). L'encratisme est, comme toute hérésie, l'expression d'une « justice
fourbe » (δικαιοσύνη δολία, *Strom.* II, 79, 3).

2. Résumé de la polémique contre les encratites, avec l'image musicale
de la tension excessive (cf. 40, 2) et l'accusation de blasphème (cf. 46, 4 ;
80, 3 ; 81, 6 ; 89, 1 ; 102, 2) et d'impiété (cf. 60, 1), en raison de la « haine
de la création » (cf. 25, 2 ; 63, 1 ; 94, 2 ; 102, 4) et de la « génération » (cf.
12, 1 ; 13, 1 ; 81, 6 ; 83, 1 ; 86, 3 ; 100, 6 ; 101, 3 ; 102, 2), et aussi à cause
du mépris pour le mariage (cf. 49, 1 ; 67, 1 ; 80, 3 ; 89, 1).

3. Ce mépris est exprimé par le verbe ἐξουθενέω, litt. « compter pour
rien », propre à la Septante, utilisé par l'*Épître de Barnabé* et par Justin ;
c'est le seul emploi chez Clément.

XVIII

Conclusion générale, contre les deux excès

05

Rappel de l'impiété des encratites

1 Certains, comme nous l'avons montré, ont porté à une tension extrême la justice et l'harmonie du salut, qui sont cependant vénérables et sûres[1], en entendant la continence d'une façon blasphématoire et avec une totale impiété envers Dieu[2]; pourtant, il est permis de choisir la chasteté parfaite en l'observant selon la règle saine avec piété, dans l'action de grâces pour la grâce donnée[a], sans haine de la création ni mépris[3] des gens mariés. En effet, le monde est créé; la chasteté parfaite est créée, elle aussi; que ces deux créatures rendent grâces[4] (à Dieu), à la place qui leur est assignée, si elles ont conscience de leur rôle respectif!

Diatribe contre les débauchés

2 Les autres, se déchaînant, se sont laissés aller à des excès, réellement « devenus des chevaux fous de femelles hennissant vers les cavales du voisinage[b][5] »;

---

4. 1 Co 7, 7 concerne les deux états; la possibilité de « rendre grâces » dans le mariage est affirmée *supra* 88, 2 (cf. 52, 1), comme pour les ascètes (*supra* 53, 5). Le passage fait écho à 86, 1 (cf. 66, 3).

5. Jr 5, 8 est l'un des principaux textes scripturaires invoqués contre la luxure et contre l'adultère (voir *supra* 102, 3 et *Péd.* I, 15, 1; *Strom.* IV, 12, 4). Jr 5, 8-9 est cité comme exemple de l'une des sortes de blâme en *Péd.* I, 77, 1. La formule est introduite ici par une allusion au désir nommé « démesure » (ὕβρις) par PLATON (*Phèdre* 238a), figuré par le cheval rebelle, « compagnon de la démesure » (*ibid.* 253e; cf. 254c), qui « hennit et tire » en mâchonnant le mors, en présence de l'aimé (*ibid.* 254d). Le rapprochement est explicite en *Péd.* II, 89, 2. IRÉNÉE déjà voyait en Jr 5, 8 une attaque contre l'asservissement aux plaisirs de la chair (*Contre les hérésies* V, 8, 2; cf. IV, 41, 3).

αὐτοί τε ἀκατασχέτως ἐχόμενοι καὶ τοὺς πλησίον ἀναπεί-
θοντες φιληδονεῖν, ἀθλίως ἐπαΐοντες ἐκείνων τῶν γραφῶν,
« τὸν σὸν κλῆρον βάλε ἐν ἡμῖν, κοινὸν δὲ βαλλάντιον κτησώ-
106 15 μεθα πάντες καὶ μαρσίππιον ἓν γενηθήτω ἡμῖν[c] ». 1 Διὰ
τούτους ὁ αὐτὸς προφήτης συμβουλεύων ἡμῖν λέγει· « Μὴ
πορευθῇς ἐν ὁδῷ μετ᾽ αὐτῶν, ἔκκλινον τὸν πόδα σου ἐκ τῶν
τρίβων αὐτῶν· οὐ γὰρ ἀδίκως ἐκτείνεται δίκτυα πτερωτοῖς·
5 αὐτοὶ γὰρ αἱμάτων μετέχοντες θησαυρίζουσιν ἑαυτοῖς
κακά[a] », τουτέστι τῆς ἀκαθαρσίας ἀντιποιούμενοι καὶ τοὺς
πλησίον τὰ ὅμοια ἐκδιδάσκοντες, « πολεμισταί, πλῆκται ταῖς
οὐραῖς αὐτῶν[b] », κατὰ τὸν προφήτην, ἃς κέρκους Ἕλληνες
καλοῦσιν. 2 Εἶεν δ᾽ ἂν οὓς αἰνίσσεται ἡ προφητεία,

105, 12 ἐχόμενοι L : ἐχχεόμενοι **Mü St**
106, 6 τοὺς **Sy St** : τοῖς L

---

c Pr 1, 14
106 a Pr 1, 15.17-18　　b Cf. Ap 9, 7.9.10.19

---

1. La leçon de L, ἐχόμενοι, a été corrigée par Münzel et par Stählin en
ἐχχεόμενοι, « s'abandonnant eux-mêmes », d'après Jude 11, cité en *Péd.* III,
45, 1, et associé dans les *Hypotyposes* à la condamnation de la luxure (voir
Adumbrationes II. In epistula Judae catholica, GCS 17², III, p. 208, l. 1-4).
Früchtel a ajouté un parallèle : POLYBE, 32, 11, 4. Il considère cependant
que le texte de L « n'est pas du tout impossible », en se référant au dit
d'Aristippe cité en *Strom.* II, 118, 2 : « Je possède Laïs sans *être possédé*
par elle » (καὶ οὐχ ἔχομαι ὑπ᾽ αὐτῆς).

2. L'adjectif ἀκατάσχετος, « irrépressible », qualifie en *Strom.* II, 121, 2
« l'impulsion (ὁρμή) vers les plaisirs sexuels ». La figure de style associant
ici l'adverbe ἀκατασχέτως à ἐχόμενοι peut conforter aussi la leçon de L.

3. La citation de Pr 1, 14 vise les carpocratiens (voir *supra* 10, 1 et 25, 5)
et ceux qui se réclament de Nicolas (*supra* 25, 5-7). L'intention de Clément
infléchit le texte, dont le sens premier est plutôt : « Tente ta chance parmi
nous » (trad. D.-M. D'HAMONVILLE, *BA* 17, p. 162).

4. « Le même prophète » : voir *supra* 103, 4 et note *ad loc.*

possédés[1] eux-mêmes de façon irrépressible[2], ils persuadent leurs voisins de rechercher le plaisir ; c'est d'une façon misérable qu'ils ont compris ces paroles de l'Écriture : « Ce qui t'est échu, apporte-le auprès de nous ; procurons-nous un sac commun à tous et n'ayons qu'une seule **06** bourse[c3]. » **1** C'est à cause d'eux que le même prophète[4] nous recommande : « Ne fais pas route avec eux, détourne ton pied de leurs sentiers, car on n'a pas tort de tendre un filet aux oiseaux : eux-mêmes, complices du sang versé, accumulent contre eux un trésor de maux[a5] », c'est-à-dire qu'en se réservant l'impureté[6] et en enseignant à leur prochain de faire de même, ils deviennent « des animaux de combat, qui frappent avec leurs queues[b] », comme dit le prophète[7], ce que les Grecs appellent du nom de *kérkoi*[8].   **2** Ces gens pourraient bien être ceux à qui la prophétie fait allusion,

5. Les versets Pr 1, 17-18 sont cités en *Strom.* II, 34, 3, dans un éloge de la Loi qui prémunit contre le mal, comme « oracles divins ». Clément est le témoin, comme le *Vaticanus*, d'un texte qui ne comporte pas le v. 16 (voir la note *ad loc.* de D.-M. d'Hamonville, *BA* 17, p. 163). La leçon αἱμάτων (« sang »), au lieu de φόνου (« meurtre ») de la Septante, s'accorde avec les plus anciennes versions coptes (A. Böhlig, « Zum Proverbientext des Clemens Alexandrinus », p. 78).

6. « L'impureté » évoque plusieurs passages pauliniens (Rm 1, 24 ; 6, 19 ; Ga 5, 19 ; Ep 4, 19 ; Col 3, 5).

7. « Comme dit le prophète » : cette parole n'est pas scripturaire. On la rapproche cependant d'Ap 9, 7.9.10.19 dont l'imagerie se réfère à Jl 2, 4.5.

8. Clément passe du mot οὐρά, désignant la « queue » de certains quadrupèdes, les chevaux notamment, une queue qui s'épanouit, au terme κέρκος, appliqué à la queue mince d'un animal (porc, chien), désignant aussi le *membrum virile* (Aristophane, *Thesmophories* 239 ; Hérondas, *Mimes* 5, 45 ; Euboulos, cité en *Strom.* VII, 30, 4, et probablement Platon, *Phèdre* 254 d), le sens originel devant être « bâton, verge » (voir P. Chantraine, *DELG*, *s.v.* κέρκος). On peut retenir

10 καταφερεῖς, ἀκρατεῖς, οἱ ταῖς οὐραῖς αὐτῶν πολεμισταί, σκότους καὶ ὀργῆς τέκνα[c], μιαιφόνοι αὐτῶν τε αὐθένται καὶ τῶν πλησίον ἀνδροφόνοι.

3 « Ἐκκαθάρατε τὴν παλαιὰν ζύμην, ἵνα ἦτε νέον φύραμα[d] », ὁ ἀπόστολος ἡμῖν ἐμβοᾷ. Καὶ πάλιν ἀσχάλλων
15 ἐπὶ τοιούτοις τισὶ διατάττεται « μὴ συναναμίγνυσθαι, ἐάν τις ἀδελφὸς ὀνομαζόμενος ᾖ πόρνος ἢ πλεονέκτης ἢ εἰδωλολάτρης ἢ λοίδορος ἢ μέθυσος ἢ ἅρπαξ, τῷ τοιούτῳ μηδὲ συνεσθίειν[e] ». 4 « Ἐγὼ γὰρ διὰ νόμου νόμῳ ἀπέθανον », λέγει, « ἵνα θεῷ ζήσω. Χριστῷ συνεσταύρωμαι· ζῶ δὲ |οὐκέτι
20 ἐγώ », ὡς ἔζων κατὰ τὰς ἐπιθυμίας, « ζῇ δὲ ἐν ἐμοὶ Χριστὸς[f] »

143[r]

---

12 post πλησίον del. κληρονόμοι L[pc] || 16 ᾖ St coll. 1 Co 5, 11 : ἢ L

---

c Cf. Ep 2, 3 + 5, 8   d 1 Co 5, 7   e 1 Co 5, 11   f Ga 2, 19-20

ici le second sens, compte tenu du contexte, en particulier de l'exégèse proposée en 106, 2. La même dérision qu'en 47, 3 apparaît ici. La verdeur du langage est polémique en l'occurrence ; elle ne relève pas tout à fait des distinctions faites en *Péd.* II, 52 (cf. *Strom.* II, 145, 2) entre la licéité des termes précis pour désigner les organes sexuels et l'interdiction de discourir complaisamment sur les actes vicieux (distinction étudiée par J.F. HULTIN, *The Ethics of Obscene Speech*, p. 219 s.).

1. L'expression « fils de la colère » d'Ep 2, 3 (où est évoqué l'abandon aux désirs de la chair) est complétée par la réminiscence de passages du NT sur l'appartenance aux ténèbres (Jn 3, 19 ; 1 Jn 2, 11, Jd 13).

2. Le verbe signifiant « s'irriter », ici ἀσχάλλω, est poétique et très fort ; il est employé par PHILON D'ALEXANDRIE pour désigner la colère des Égyptiens contre le roi Agrippa, inspirée par « leur vieille haine envers les Juifs » (*In Flaccum* 29).

ces hommes portés au plaisir, dissolus, « ces combattants à coups de queue », fils des ténèbres et de la colère[c1], souillés de meurtre, assassins d'eux-mêmes et de leur prochain.

3 « Purifiez-vous du vieux levain, pour être une pâte nouvelle[d] », s'écrie l'Apôtre à notre adresse. Et de nouveau, s'irritant[2] contre certaines gens de cet acabit, il enjoint de « ne pas avoir de relations avec un homme qui, tout en portant le nom de frère, serait débauché, avare, idolâtre, diffamateur, ivrogne ou rapace, et de ne même pas manger avec un tel homme[e3] ». 4 « Car moi », dit-il, « par la Loi, je suis mort à la Loi, afin de vivre pour Dieu[4]. Je suis crucifié avec le Christ. Et ce n'est plus moi qui vis », comme je vivais en suivant mes convoitises[5], « mais c'est le Christ qui vit en moi[f] », dans la

---

3. Le choix des injonctions de 1 Co 5, 7.11, provoquées par un cas d'« inconduite » (πορνεία) dans la communauté de Corinthe, est approprié à la polémique présente. En la personne du « frère », de nom seulement, est sans doute visé l'hérétique, qui prétend être chrétien (voir *supra* 5, 1 : les carpocratiens « sont à la source du pire blasphème contre le Nom »).

4. Le paradoxe de Ga 2, 19a n'a guère été commenté par les Pères grecs avant Jean Chrysostome et Théodoret de Cyr (voir M.-O. Boulnois, « De la symphonie trinitaire à la symphonie apostolique. La loi et l'évangile dans l'exégèse de l'*Épître aux Galates* chez Théodoret de Cyr », dans Isabelle Bochet – Michel Fédou (éd.), *L'exégèse patristique de l'Épître aux Galates*, Paris 2014, p. 59-81, part. p. 76-78). En *QDS* 9, 2, la Loi est définie comme « pédagogie de la crainte » faisant avancer « vers la loi supérieure et la grâce de Jésus ». C'est peut-être *supra* en *Strom.* III, 83, 4 – 84, 1 glosant Rm 7, 7.13.14, que Clément a donné par avance son explication du paradoxe.

5. Les gloses commentant des formulations de Ga 2, 19-20 et l'omission de Ga 2, 20c appliquent à l'abandon de la convoitise les paroles de Paul sur la conversion au Christ.

διὰ τῆς τῶν ἐντολῶν ὑπακοῆς ἁγνῶς καὶ μακαρίως · ὥστε τότε μὲν ἔζων ἐν σαρκὶ σαρκικῶς, «ὃ δὲ νῦν ζῶ ἐν σαρκί, ἐν πίστει ζῶ τῇ τοῦ υἱοῦ τοῦ θεοῦ[f]».

107 1 «Εἰς ὁδὸν ἐθνῶν μὴ ἀπέλθητε καὶ εἰς πόλιν Σαμαρειτῶν μὴ εἰσέλθητε[a]», τῆς ἐναντίας πολιτείας ἀποτρέπων ἡμᾶς ὁ κύριος λέγει, ἐπεὶ «ἡ καταστροφὴ ἀνδρῶν παρανόμων κακή» καὶ «αὗταί εἰσιν αἱ ὁδοὶ πάντων τῶν συντελούντων
5 τὰ ἄνομα[b]». 2 «'Οὐαὶ τῷ ἀνθρώπῳ ἐκείνῳ'», φησὶν ὁ κύριος · «'καλὸν ἦν αὐτῷ εἰ μὴ ἐγεννήθη[c]', ἢ ἕνα τῶν ἐκλεκτῶν μου σκανδαλίσαι · κρεῖττον ἦν αὐτῷ περιτεθῆναι μύλον καὶ καταποντισθῆναι εἰς θάλασσαν, ἢ ἕνα τῶν ἐκλεκτῶν μου διαστρέψαι[de]» · «τὸ γὰρ ὄνομα τοῦ
10 θεοῦ» δι' αὐτοὺς «βλασφημεῖται[f]». 3 Ὅθεν γενναίως ὁ ἀπόστολος «ἔγραψα ὑμῖν», φησίν, «ἐν τῇ ἐπιστολῇ μὴ συναναμίγνυσθαι πόρνοις» ἕως «τὸ δὲ σῶμα οὐ τῇ πορνείᾳ, ἀλλὰ τῷ κυρίῳ, καὶ ὁ κύριος τῷ σώματι[g]».

---

22 σαρκὶ L : σαρκὶ ἵνα εἴπῃ Cat.

---

107 a Mt 10, 5   b Pr 1, 18-19   c Mt 26, 24   d Cf. Mt 18, 6-7   e CLÉMENT DE ROME, *Épître aux Corinthiens* 46, 8 (Mt 26, 24 + Mt 18, 6-7)   f Rm 2, 24   g 1 Co 5, 9 – 6, 13

1. Une partie du passage est transmise par un manuscrit de la chaîne sur l'*Épître aux Galates*, le *Vaticanus* 692, f. 82[r].

2. Clément a de nouveau recours au début du livre des *Proverbes* (voir *supra* 105, 2 ; 106, 1). Le stique Pr 1, 18c, sans correspondant en hébreu, est proche de Jb 8, 18a, avec le même mot καταστροφή, classique au sens de « fin de la vie, mort » (D.-M. D'HAMONVILLE, *BA* 17, p. 163), sousjacent en *QDS* 40, 3 (voir *SC* 537, p. 204 ; cf. *Protr.* 30, 7, pour le verbe καταστρέφω) ; c'est le sens de « destruction » qui apparaît en *Strom.* I, 145, 5 ; 146, 7, à propos de Jérusalem (cf. *Strom.* III, 36, 3, pour le verbe).

3. Les paroles du « Seigneur » sont à rapprocher de Mt 26, 24 et 18, 6-7 (cf. Mc 9, 42 et Lc 17, 2). Ces dits sont cités sous cette forme par

chasteté et la béatitude, grâce à l'obéissance aux commandements, si bien qu'autrefois je vivais dans la chair selon la
chair, « mais maintenant, ma vie dans la chair, je la vis dans
la foi au Fils de Dieu[f1] ».

07 1 « N'allez pas sur une route de païens et n'entrez pas dans
une ville de Samaritains[a] », nous dit le Seigneur pour nous
détourner de la conduite adverse, car « la fin des hommes
iniques est funeste[2] » et « ce sont les routes de tous ceux qui
commettent l'iniquité[b] ».   2 « 'Malheur à cet homme' »,
dit le Seigneur[3] ; « 'il vaudrait mieux pour lui n'être pas
né[c]' que de scandaliser un seul de mes élus. Il serait mieux
pour lui qu'on lui attachât une meule au cou et qu'on le
précipitât dans la mer plutôt que de détourner un seul de
mes élus[de] ». « Car le nom de Dieu », à cause d'eux, « est
blasphémé[f] ».   3 D'où les fortes paroles de l'Apôtre : « Je
vous ai écrit dans ma lettre de ne pas avoir de relations avec
les débauchés[4] [...] le corps n'est pas pour la débauche, mais
pour le Seigneur, et le Seigneur pour le corps[g] ».

CLÉMENT DE ROME (*Épître aux Corinthiens* 46, 8), qui dépend d'une
collection de *logia* (voir *SC* 167, avec le commentaire d'A. JAUBERT, p. 177
et 52). Clément vénère l'écrit de son homonyme ; ce n'est sans doute pas à
un tel recueil qu'il se réfère, mais directement à son prédécesseur, qui use
lui-même de ces *logia* contre les fauteurs de discorde.

4. C'est contre les encratites que Rm 2, 24 est exploité *supra* 46, 4.
L'expression renvoie peut-être à la parole prophétique (Is 52, 5 LXX)
plutôt qu'aux mots de Paul qui la reprennent, ce qui s'accorderait avec la
formule introduisant 1 Co 5, 9 : « D'où les fortes paroles de l'Apôtre... ».
La référence à l'ensemble 1 Co 5, 9 – 6, 13, dont un verset vient d'être
utilisé (1 Co 5, 11 *supra* 106, 3), doit laisser de côté la séquence 1 Co 6,
1-8, qui concerne les procès entre frères (et qui est choisie, avec 1 Co 6,
9-17, pour décrire la perfection du gnostique en *Strom.* VII, 84, 3 – 88, 3).
1 Co 6, 13a est exploité contre les licencieux *supra* 47, 3 (cf. *Péd.* II, 4, 2-3)
et 1 Co 6, 12 *supra* 40, 4. 1 Co 6, 9-10 est tourné contre les chrétiens dont
l'attitude au-dehors manque de modestie en *Péd.* III, 81, 1.

4 Καὶ ὅτι οὐ τὸν γάμον πορνείαν λέγει, ἐπιφέρει· «῍Η
15 οὐκ οἴδατε ὅτι ὁ κολλώμενος τῇ πόρνῃ ἓν σῶμά ἐστιν[h];» ῍Η
πόρνην τις ἐρεῖ τὴν παρθένον πρὶν ἢ γῆμαι; 5 «Καὶ μὴ
ἀποστερεῖτε», φησίν, «ἀλλήλους, εἰ μὴ ἐκ συμφώνου πρὸς
καιρόν[i]», διὰ τῆς «ἀποστερεῖτε» λέξεως τὸ ὀφείλημα τοῦ
γάμου, τὴν παιδοποιΐαν, ἐμφαίνων, ὅπερ ἐν τοῖς ἔμπροσθεν
20 ἐδήλωσεν εἰπών, «τῇ γυναικὶ ὁ ἀνὴρ τὴν ὀφειλὴν ἀποδιδότω,
108 ὁμοίως δὲ καὶ ἡ γυνὴ τῷ ἀνδρί[j]», 1 μεθ' ἣν ἔκτισιν κατὰ
τὴν οἰκουρίαν καὶ τὴν ἐν Χριστῷ πίστιν «βοηθός[a]»· καὶ

h 1 Co 6, 16   i 1 Co 7, 5   j 1 Co 7, 3
108 a Gn 2, 18

1. Les mots « le corps n'est pas pour la débauche » de 1 Co 6, 13b
pouvant être allégués par les encratites, qui appellent le mariage πορνεία
(*supra* 49, 1 ; 89, 1), ce témoignage leur est retiré, ce qui entraîne une
nouvelle attaque contre eux. La réplique vient de la suite de la péricope
invoquée contre les licencieux : 1 Co 6, 16, qui pouvait aussi être exploité
par les adversaires du mariage ; le recours audacieux de Paul dans ce verset
à Gn 2, 24, était en effet susceptible de plaire aux encratites, puisque cette
parole instituait l'union de l'homme et de la femme ; Clément le réduit
à une condamnation de la débauche, pour en distinguer le mariage, avec
une vierge.

2. La procréation comme fin du mariage est un leitmotiv du livre (*supra*
24, 1 ; 58, 2 ; 79, 3.5 ; 81, 4 ; 82, 3 ; 86, 1 ; 89, 2-3 ; 96, 2). La doctrine a
déjà pris appui sur 1 Co 7, 5 *supra* 79, 1 (cf. 52, 1), de façon d'autant plus
nécessaire que Tatien se fondait sur ce verset (*supra* 81, 1-2 ; cf. 82, 1). Le
thème de la « dette » est esquissé *supra* 97, 1 par la liaison entre 1 Co 7,
5 et 1 Co 7, 3.

3. Gn 2, 18 est aussi une parole fondamentale dans ce contexte (*supra*
82, 3 ; 97, 1 ; cf. 49, 3 ; *Péd.* I, 21, 3 : Rébecca ; *Péd.* III, 19, 1 : Ève ; III, 49,
3 ; 58, 1 ; *Strom.* II, 140, 2 ; IV, 126, 5).

Enseignement de l'Apôtre opposé aux négateurs du mariage

4 Et ce n'est pas le mariage qu'il appelle « débauche[1] » ; il le montre en ajoutant : « Ne savez-vous pas que celui qui s'unit à la prostituée ne forme avec elle qu'un seul corps[h] ? » Appellera-t-on « prostituée » la jeune fille avant son mariage ? 5 « Ne vous privez pas l'un de l'autre », dit-il, « à moins que ce ne soit d'un commun accord et pour un temps[i] » ; les mots « ne vous privez pas » font allusion à la dette attachée au mariage : la procréation. C'est précisément ce qu'il a montré auparavant : « Que le mari rende ce qu'il doit à sa femme et, de même, la femme à son mari[j2]. »   1 Après ce paiement, la femme devient une « aide[a3] » pour tenir sa maison[4] et mettre sa foi dans le Christ. Avec plus de

08

---

4. La « tenue de la maison » : οἰϰουρία revient fréquemment pour définir le rôle de la femme mariée (*Péd.* II, 129, 1 ; III, 19, 1 ; 41, 3 ; 49, 3 ; 58, 1 ; 67, 1.2 ; *Strom.* III, 53, 3 ; IV, 60, 1 ; 127, 1 ; cf. *Péd.* III, 5, 4 ; 6, 4 ; 27, 2 ; *Strom.* II, 146, 1). Le terme οἰϰουρός est un titre de la bonne épouse, en particulier chez Philon (*Praem.* 139 ; cf. *Fuga* 154 ; *Spec.* III, 169). Clément ailleurs se réfère au poème final du livre des *Proverbes* sur la femme vaillante (31, 10-31) dans son portrait de l'épouse parfaite (*Péd.* III, 49, 5 ; 67). Une telle délimitation reflète aussi la condition féminine antique. Platon était conscient du caractère transgressif de ses propositions quand il voulait confier aux gardiens de l'État et à leurs femmes les mêmes fonctions dans l'administration et dans la guerre (*République* V, 451 d-452 e ; 466cd), tout en maintenant l'infériorité des femmes dans ces rôles (455 e ; 456 a ; cf. 457 a) et leur supériorité dans les activités comme le tissage et la cuisine (455cd) ; en leur fournissant aussi des assistantes pour faciliter les tâches maternelles (460d), et en supprimant, en définitive, tous les soins de la maison (464c ; 465ce).

ἔτι σαφέστερον εἰπών· «Τοῖς γεγαμηκόσι παραγγέλλω, οὐκ ἐγώ, ἀλλ' ὁ κύριος, γυναῖκα ἀπὸ ἀνδρὸς μὴ χωρισθῆναι (ἐὰν δὲ καὶ χωρισθῇ, μενέτω ἄγαμος ἢ τῷ ἀνδρὶ καταλλαγήτω) καὶ ἄνδρα γυναῖκα ᴵμὴ ἀφιέναι. Τοῖς δὲ λοιποῖς λέγω ἐγώ, οὐχ ὁ κύριος· Εἴ τις ἀδελφὸς » ἕως «νῦν δὲ ἅγιά ἐστι[b]». 2 Τί δὲ λέγουσι πρὸς ταῦτα οἱ τοῦ νόμου κατατρέχοντες καὶ τοῦ γάμου ὡς κατὰ νόμον συγκεχωρημένου μόνον, οὐχὶ δὲ καὶ κατὰ τὴν διαθήκην τὴν καινήν; Τί πρὸς ταύτας εἰπεῖν ἔχουσι τὰς νομοθεσίας οἱ τὴν σπορὰν καὶ τὴν γένεσιν μυσαττόμενοι; Ἐπεὶ καὶ «τὸν ἐπίσκοπον τοῦ οἴκου καλῶς προϊστάμενον[c]» νομοθετεῖ τῆς ἐκκλησίας ἀφηγεῖσθαι[d], οἶκον δὲ κυριακὸν μιᾶς γυναικὸς[e] συνίστησι συζυγία.

108, 9 συγκεχωρημένου μόνον, οὐχὶ St: συγκεχωρημένου, μονονουχὶ L

---

b 1 Co 7, 10-14   c 1 Tm 3, 2.4   d Cf. 1 Tm 3, 5   e Cf. 1 Tm 3, 2; Tt 1, 6

---

1. La défense du mariage cite amplement à la fin du livre l'un des textes pauliniens fondamentaux dont des éléments ont été produits au cours de l'argumentation, 1 Co 7, 10-14 (voir *supra* 47, 1 ; 84, 3 ; 97, 4).

2 . L'affirmation de l'accord de la Loi et du NT récapitule un des raisonnements antérieurs (76, 1 – 77, 1 et 83, 3 – 88, 1). L'expression ἡ διαθήκη ἡ καινή désigne soit « la nouvelle alliance », soit un ensemble scripturaire formant « le Nouveau Testament », les deux étant intimement liés ; le second sens l'emporte ici, comme dans d'autres développements : voir notamment *Strom.* I, 44, 3 ; V, 3, 3 ; V, 85, 1 ; VI, 133, 5 – 134, 1 ; VII, 100, 5 ; cf. *Strom.* III, 82, 4 ; IV, 134, 2 ; V, 61, 1 ; et J.L. KOVACS,

clarté encore, il dit : « Aux gens mariés, j'ordonne, non pas moi, mais le Seigneur, à la femme de ne pas se séparer de son mari ; et si elle s'en est séparée, qu'elle reste sans se remarier ou qu'elle se réconcilie avec son mari ; à l'homme, j'ordonne de ne pas répudier sa femme. Pour les autres, c'est moi qui le dis, et non le Seigneur : si un frère [...] mais maintenant ils sont saints[b1]. » 2 Que peuvent opposer à ces paroles ceux qui attaquent la Loi et le mariage, comme si ce dernier était concédé uniquement par la Loi et non plus par le Nouveau Testament[2] ? Quelles objections peuvent formuler contre ces prescriptions ceux qui ont en aversion[3] la fécondation et la génération ? En effet, l'Apôtre instaure cette règle que « l'évêque qui gouverne bien sa maison[c] » dirige l'Église[d4]. Or, c'est un couple avec une seule femme[e] qui établit une maison du Seigneur[5].

« Introduction. Clement as Scriptural Exegete : Overview and History of Research », dans V. Černušková *et al.* (éd.), *Clement's Biblical Exegesis*, Leyde 2014, p. 5.

3. « Ceux qui ont en aversion » : le même verbe, dans le même contexte, est employé *supra* 65, 2 et 81, 6. Il est formé sur le nom μύσος, « souillure », qui est exploité contre les « mystères » païens en *Protr.* 13, 1 et 16, 1.

4. 1 Tm 3, 5 est reformulé affirmativement, de façon elliptique. Le lien avec 1 Tm 3, 2 (et Tt 1, 6), « mari d'une seule femme », réintroduit la règle restrictive de l'hénogamie.

5. L'épithète κυριακόν, « du Seigneur », souligne le passage de la sphère domestique à l'administration de l'Église.

109 1 «Πάντα οὖν καθαρὰ τοῖς καθαροῖς», λέγει, «τοῖς δὲ μεμιαμένοις καὶ ἀπίστοις οὐδὲν καθαρόν, ἀλλὰ μεμίαται αὐτῶν καὶ ὁ νοῦς καὶ ἡ συνείδησις[a]». 2 Ἐπὶ δὲ τῆς παρὰ τὸν κανόνα ἡδονῆς «μὴ πλανᾶσθε», φησίν, «οὔτε
5 πόρνοι οὔτε εἰδωλολάτραι οὔτε μοιχοὶ οὔτε μαλακοὶ οὔτε ἀρσενοκοῖται οὔτε πλεονέκται οὔτε κλέπται, οὐ μέθυσοι, οὐ λοίδοροι, οὐχ ἅρπαγες βασιλείαν θεοῦ οὐ κληρονομήσουσιν[b]».

Καὶ ἡμεῖς μὲν ἀπελουσάμεθα, οἱ ἐν τούτοις γενόμενοι[c], οἱ
10 δέ, εἰς ταύτην ἀπολούοντες τὴν ἀσέλγειαν, ἐκ σωφροσύνης εἰς πορνείαν βαπτίζουσι, ταῖς ἡδοναῖς καὶ τοῖς πάθεσι χαρίζεσθαι δογματίζοντες, ἀκρατεῖς ἐκ σωφρόνων εἶναι διδάσκοντες καὶ τὴν ἐλπίδα τὴν σφῶν ταῖς τῶν μορίων ἀναισχυντίαις[d] προσανέχοντες, ἀποκηρύκτους εἶναι τῆς

---

109 a Tt 1, 15 b 1 Co 6, 9-10 c Cf. 1 Co 6, 11 d Cf. Ph 3, 19

---

1. Tt 1, 15 n'est pas cité ailleurs par Clément. Il est possible qu'à travers cette parole, qui attaque une forme d'élitisme situant la connaissance (cf. Tt 1, 16) au-dessus de la pratique, il s'en prenne plus précisément aux disciples de Prodicos, qui s'arrogent le titre de « gnostiques » et qu'il accuse de confondre leur « liberté » avec la licence (voir *supra* 30, 1 – 32, 1).

2. Le terme ἀρσενοκοῖται, « sodomites », en 1 Co 6, 9, a le sens concret : « les mâles qui couchent avec des hommes » (voir W.L. PETERSEN, dans *VigChr* 40, 1986, p. 187-191). Dans sa diatribe contre eux, insérée dans ses dénonciations de toutes les sortes de luxure, Clément dispose d'un vocabulaire très riche (voir *Péd.* II, 86, 3 ; 87, 3 ; 88, 3) et, comme Philon, parle à leur propos (*Protr.* 24, 1 ; 44, 2 ; cf. *Péd.* III, 9, 2 ; 16, 2) de « la maladie féminine » (voir H. SZESNAT, « 'Pretty Boys' in Philo's *De Vita contemplativa* », *Studia Philonica Annual* X, 1998, p. 87-107).

3. Ce grief est répété au moyen de 1 Co 6, 9-10, texte utilisé dans le *Pédagogue* (III, 81, 1) pour fustiger les chrétiens qui, hors des assemblées liturgiques, s'abandonnent aux mêmes plaisirs que les « athées ». Le procédé de l'accumulation, assez courant chez Paul sous la forme de listes de vices ou de gens pervers, a pour effet ici de prêter aux adversaires toutes les dépravations imaginables.

09 **Condamnation de la « connaissance » dépravée des licencieux**

1 « Tout est donc pur pour les purs », dit (l'Apôtre), « mais pour ceux qui sont souillés et qui n'ont pas la foi, rien n'est pur : au contraire, leur esprit et leur conscience sont souillés[a1] », 2 en ajoutant, à propos du plaisir contraire à la règle : « Ne vous égarez pas ! Ni les débauchés, ni les idolâtres, ni les adultères, ni les efféminés, ni les sodomites[2], ni les avares, ni les voleurs, ni les ivrognes, ni les diffamateurs, ni les rapaces, n'hériteront du royaume de Dieu[b3]. »

En ce qui nous concerne, nous nous sommes lavés, nous qui faisions partie de ces gens-là[c4], mais ceux qui lavent pour amener à la dépravation, baptisent en faisant passer de la tempérance à la débauche[5] ; leur doctrine est de céder aux plaisirs et aux passions ; ils enseignent à laisser la tempérance pour la dissolution et font reposer leur espérance sur les turpitudes de leurs organes sexuels[d6] ; ils font que ceux qui les fréquentent,

---

4. Les mots « nous qui faisions partie de ces gens-là » correspondent à la remarque du début de 1 Co 6, 11 : « Voilà ce que vous étiez, du moins quelques-uns » et entrent dans l'actualisation des propos de Paul, adaptés à la situation des chrétiens de l'Église (« nous »).

5. Deux baptêmes sont opposés : l'authentique libère des habitudes païennes (voir *supra* 101, 1-2), l'hérétique fait tomber de la foi dans la dépravation. Sous la forme concise de ce contraste, la polémique de Clément peut être comparée à la longue dénonciation composée par Irénée des conséquences de la « rédemption » pratiquée par « Marc le magicien » et par ses disciples (*Contre les hérésies* I, 13, 6 ; 21, 1-4 ; cf. 13, 4 : ces gens-là « ont été envoyés par Satan ... pour perdre ceux qui ne gardent pas fermement la foi qu'ils ont reçue par l'entremise de l'Église » ; 13, 3.5.6-7 : la corruption des mœurs). En *Strom.* I, 96, 3-4, « le baptême hérétique » livre de nouveau « aux vagues païennes et désordonnées de la vie ». L'interprétation de 1 Co 6, 11 en *Strom.* VII, 86, 5 fait passer au niveau du vrai gnostique.

6. L'allusion à Ph 3, 19 applique le verset aux libertins, selon l'une des exégèses retenues encore aujourd'hui.

15 βασιλείας τοῦ θεοῦ, ἀλλ' οὐκ ἐγγράφους ᶜ τοὺς φοιτητὰς
παρασκευάζοντες, «ψευδωνύμου γνώσεως ᶠ» προσηγορίᾳ
τὴν εἰς τὸ ἐξώτερον σκότος ᵍ ὁδοιπορίαν ἐπανῃρημένοι.
3 «Τὸ λοιπόν, ἀδελφοί, ὅσα ἀληθῆ, ὅσα σεμνά, ὅσα δίκαια,
ὅσα ἁγνά, ὅσα προσφιλῆ, ὅσα εὔφημα, εἴ τις ἀρετὴ καὶ
20 εἴ τις ἔπαινος, ταῦτα λογίζεσθε· ὅσα καὶ ἐμάθετε [ἃ]
καὶ παρελάβετε καὶ ἠκούσατε καὶ ἴδετε ἐν ἐμοί, ταῦτα
πράσσετε· καὶ ὁ θεὸς τῆς εἰρήνης ἔσται μεθ' ὑμῶν ʰ.»

144ʳ **110** 1 Καὶ ὁ Πέτρος |ἐν τῇ ἐπιστολῇ τὰ ὅμοια λέγει· «Ὥστε
τὴν πίστιν ὑμῶν καὶ ἐλπίδα εἶναι εἰς θεόν, τὰς ψυχὰς ὑμῶν
ἡγνικότες ἐν τῇ ὑπακοῇ τῆς ἀληθείας ᵃ», 2 «ὡς τέκνα
ὑπακοῆς, μὴ συσχηματιζόμενοι ταῖς πρότερον ἐν τῇ ἀγνοίᾳ
5 ὑμῶν ἐπιθυμίαις, ἀλλὰ κατὰ τὸν καλέσαντα ὑμᾶς ἅγιον καὶ
αὐτοὶ ἅγιοι ἐν πάσῃ ἀναστροφῇ γενήθητε, διότι γέγραπται·
ʹ Ἅγιοι ἔσεσθε, διότι ἐγὼ ἅγιος ᵇ. ᾿ ᶜ »

109, 20 ἃ secl. St
110, 4 ἀγνοίᾳ St coll. 1 P 1, 14 : ἀγνείᾳ L.

---

e Cf. Ap 20, 12. 15 ; 21, 27 ; Lc 10, 20   f 1 Tm 6, 20   g Cf. Mt 8, 12 ;
22, 13 ; 25, 30   h Ph 4, 8-9
110 a 1 P 1, 21-22   b Lv 11, 44   c 1 P 1, 14-16

---

1. La référence au « royaume de Dieu (cf. 1 Co 15, 50 ; Ga 5, 21 ; Ep 5, 5)
et au « livre » (Ap 20, 12.15 ; 21, 27) renvoie à l'attaque contre les disciples de Prodicos qui se disent « fils de roi » (*supra* 30, 1), de même que
l'expression de 1 Tm 6, 20, « gnose au nom trompeur » (ils se nomment
« gnostiques »).

loin d'être inscrits[e] dans le royaume de Dieu[1], s'en trouvent au contraire déshérités. Et derrière l'étiquette d'une « gnose au nom trompeur[f] », ils se sont engagés dans la voie qui conduit aux ténèbres extérieures[g]. **3** « Pour le reste, mes frères, tout ce qui est vrai, vénérable, juste, chaste, aimable et honorable, tout ce qui est vertueux et louable, méditez-le ! Tout ce que vous avez appris, reçu, entendu et vu en moi, mettez-le en pratique ! Et le Dieu de paix sera avec vous[h]. »

10   **1** Dans sa *Lettre*, Pierre tient des propos semblables : « Ainsi votre foi et votre espérance ont-elles Dieu pour objet, car vous avez rendu vos âmes chastes en obéissant à la vérité[a]. »   **2** « Tels des enfants obéissants, vous ne vous êtes pas conformés à vos convoitises d'autrefois, du temps où vous étiez dans l'ignorance ; au contraire, à l'exemple du Saint qui vous a appelés, vous êtes devenus saints vous-mêmes dans toute votre conduite, car il est écrit : 'Vous serez saints, puisque, moi, je suis saint[b].'[c2] »

---

2. Le livre s'achève par deux citations qui résument la prédication adressée aux chrétiens authentiques. Ph 4, 8-9 n'apparaît pas ailleurs chez Clément. Le montage de textes empruntés à 1 P comporte un appel à la sainteté fondé sur la reprise (1 P 1, 16) d'une parole du *Lévitique* (11, 44 ; 19, 2 ; 20, 7), ce qui conforte en conclusion l'accord entre les deux Testaments (voir *supra* 76, 1 – 77, 1 ; 83, 3 – 88, 1 ; 108, 2).

3 Ἀλλὰ γὰρ πέρα τοῦ δέοντος ἡ πρὸς τοὺς ψευδωνύμους τῆς γνώσεως^d ὑποκριτὰς ἀναγκαία γενομένη ἀπήγαγεν ἡμᾶς καὶ εἰς μακρὸν ἐξέτεινε τὸν λόγον ἀντιλογία, ὅθεν καὶ ὁ τρίτος ἡμῖν τῶν κατὰ τὴν ἀληθῆ φιλοσοφίαν γνωστικῶν ὑπομνημάτων Στρωματεὺς τοῦτο ἔχει τὸ πέρας.

---

d Cf. 1 Tm 6, 20

---

1. Les dernières lignes rappellent le titre du traité d'Irénée, inspiré par 1 Tm 6, 20 : *Dénonciation et réfutation de la gnose au nom trompeur.* La qualification « hypocrites » (terme plusieurs fois présent dans les synoptiques, avec la valeur péjorative dérivée du sens « interprète, acteur » : voir L. LUGARESI, *Il teatro di Dio*, p. 292-297) fait écho à l'emploi du verbe ὑποκρίνομαι *supra* 35, 1 (contre les imposteurs qui « jouent la comédie de la vérité ») et du nom ὑπόκρισις *supra* 85, 1 (à travers 1 Tm 4, 2). Leur simulation et leur mensonge sont décrits en *Strom.* I, 6, 3 et IV, 42, 4 (réminiscence de passages de Mt ; cf. *Protr.* 4, 3) ; voir aussi *Péd.* III, 79, 2 (en lien avec 2 Co 2, 17) ; 80, 3 ; *Protr.* 99, 2 (en relation d'effet à cause avec « l'ignorance ») ; *Péd.* III, 80, 4 (contre ceux qui pervertissent le baiser de paix).

3 La réfutation qu'il importait d'opposer à ces hypocrites qui trompent en parlant de « gnose[d1] » nous a entraînés plus loin qu'il ne fallait et a tiré notre propos en longueur ; aussi notre troisième *Stromate de notes gnostiques conformes à la vraie philosophie* trouve-t-il ici son terme[2].

2. Peut-être la décision de terminer le livre a-t-elle une cause matérielle, la fin d'un rouleau, quoique trois des autres livres qui s'achèvent sur des formules analogues (I, II et V) soient beaucoup plus longs. Mais Clément surtout, de façon exceptionnelle, désigne ce qui fait l'unité de ce *Stromate*, la « réfutation » des « hypocrites » – qui sont de deux sortes : ceux qui selon lui maquillent en ascèse pieuse leur haine du Créateur, et ceux qui donnent à leur débauche l'allure de la pure liberté des élus.

NOTES COMPLÉMENTAIRES

1. Carpocrate et son fils Épiphane (5, 1-2)

« Cet Épiphane, dont les écrits sont accessibles, était fils de Carpocrate, et sa mère s'appelait Alexandria ; par son père, il était d'Alexandrie, mais par sa mère, de Céphallénie. Il vécut en tout dix-sept ans, et c'est comme un dieu qu'il est vénéré à Samè de Céphallénie, où lui ont été édifiés et consacrés un temple fait de gros blocs, des autels, un sanctuaire et un musée. Les habitants de Céphallénie se rassemblent à son temple le jour de la nouvelle lune et célèbrent par un sacrifice l'anniversaire de l'apothéose d'Épiphane ; ils font des libations, organisent un festin ; on dit des hymnes. »

Morton Smith a réuni et commenté les témoignages anciens concernant Carpocrate et critiqué la bibliographie moderne antérieure (*Clement of Alexandria and a Secret Gospel of Mark*, Cambridge (MA) 1973, p. 296-360 et 266-278).

Harpocrate est très populaire dans l'art alexandrin comme « Horus enfant », qui est le sens de l'égyptien *Har-pe-chrod*, la forme Carpocrate s'expliquant par la prononciation grecque (H. Kraft, « Gab es einen Gnostiker Karpokrates ? », p. 438 ; V. Tran Tam Tinh, *Le culte des divinités orientales à Herculanum*, Leyde 1971, p. 21-22 ; M. Malaise, *Les conditions de pénétration et de diffusion des cultes égyptiens en Italie*, Leyde 1972, p. 161 et 198-203). Avec Isis et Sarapis, le dieu nouveau

Harpocrate, si grec d'apparence, constitue, dès le IIIe siècle, la triade alexandrine par excellence, dont l'image se répand hors d'Égypte (F. DUNAND – Ch. ZIVIE-COCHE, *Dieux et hommes en Égypte. 3000 av. J.-C. – 395 apr. J.-C.*, Paris 1991, p. 220). Dans la piété privée, les images d'Harpocrate sont prépondérantes à l'époque ptolémaïque et plus tard (*ibid.*, p. 298). Le nom de Carpocrate, d'origine égyptienne, ce que disent les sources de sa doctrine, partiellement hellénisée, et sa place dans les listes d'hérétiques renvoient à Alexandrie, au temps d'Hadrien (117-138). Les arguments avancés par H. Kraft pour nier l'existence d'un maître nommé Carpocrate ont été réfutés par H. CHADWICK (*Alexandrian Christianity*, p. 27). Une de ses disciples, Marcellina, vint à Rome sous Anicet, c'est-à-dire dans les années 150 (IRÉNÉE, *Contre les hérésies* I, 25, 6). Clément précise lui-même que Carpocrate était d'Alexandrie (5, 2). Son témoignage, mal transmis par l'hérésiologue ÉPIPHANE (*Panarion* 32, 3), est apprécié de façon pertinente par A. POURKIER, *L'hérésiologie chez Épiphane*, p. 258-259. Sa documentation est considérée comme sûre (F. BOLGIANI, « La polemica », p. 95-96).

Selon H. KRAFT, Clément aurait combiné arbitrairement un thiase de Carpocrate à Samè de Céphallénie (c'est Harpocrate lui-même qui est dieu enfant, solaire en tant que Horus, et associé à un culte de la lumière, en l'occurrence lunaire), lié peut-être à une épiphanie (d'où le nom Épiphane), un écrit gnostique, *Sur la justice*, non carpocratien, et les accusations habituelles de la polémique antignostique (H. KRAFT, « Gab es einen Gnostiker Karpokrates ? », p. 439-443). On ne peut cependant réduire à un « conte de fées » les informations précises de Clément. La figure d'Épiphane a assez de relief pour faire penser que ses adeptes ne se référaient pas sur le plan cultuel au dieu égyptien Harpocrate, dieu dispensateur des biens de la terre, muni de la corne d'abondance dans son hypostase gréco-romaine (V. TRAN TAM TINH, *Le culte des divinités orientales à Herculanum*, Leyde 1971, p. 22), mais qu'ils honoraient un jeune savant inspiré, mort prématurément, divinisé. L'existence d'un « musée » est conforme à ce type d'honneur religieux.

Le « temple fait de pierres érodées », expression qui rappelle un tour, d'interprétation très controversée, de l'*Odyssée* (XIV, 10 ; VI, 267 ; voir P. Chantraine, *DELG, s.v.* ῥυτός), convient aussi à un sanctuaire prenant l'apparence d'une grotte, allusion aux antres consacrés aux Muses (explication de P. Boyancé, *Le culte des Muses chez les philosophes grecs*, Paris 1936, p. 293, fondée sur Pline, *Histoire naturelle* 36, 154). La fête placée à la nouménie, de caractère sacré, favorable à la naissance, commémore la naissance d'Épiphane à l'immortalité. P. Boyancé (p. 293-294) cite en parallèle une inscription métrique de Smyrne d'époque romaine pour un jeune homme de dix-huit ans, qui « a atteint les générations de hauteur céleste », et, pour les « hymnes », un vers d'une vie anonyme de Platon rapportant que les Athéniens célébraient son anniversaire en entonnant : « En ce jour les dieux ont donné Platon aux hommes ». L'accent mis par Clément sur Épiphane, dont l'écrit cité ensuite sert de matrice à la représentation des gnostiques en licencieux dépravés, un Épiphane qui est l'objet d'un culte païen, permet d'éloigner les carpocratiens du christianisme. Or les traits chrétiens, et juifs, certes hétérodoxes, ne manquent pas dans la notice d'Irénée sur Carpocrate (*Contre les hérésies* I, 25), remaniée par Épiphane de Salamine (*Panarion* 27 ; voir A. Pourkier, *L'hérésiologie chez Épiphane*, p. 260-274 ; 279-280). Dans l'hérésie 32 (3), l'auteur du *Panarion* modifie sa source : c'est à son père qu'Épiphane devrait son origine céphallénienne.

2. Les soi-disant « gnostiques » (30, 1)

L'autodésignation « gnostiques » (à rapprocher de *Strom.* II, 117, 5 et IV, 114, 2 : voir F. Bolgiani, « La polemica », p. 113-114) n'est attestée que rarement dans les sources anciennes. Elle apparaît chez Celse, qui a appris que certains chrétiens se proclamaient « gnostiques » (Origène, *Contre Celse* V, 61). À peu près à la même époque, Irénée l'affirme des carpocratiens (*Contre les hérésies* I, 25, 6) et prétend que Valentin a emprunté « les principes de la secte dite gnostique » (I, 11, 1). Mais quand il nomme ainsi ceux qui se réclament de Barbélo, il le fait sans doute d'après l'appellation de l'une des entités de leur système, « Gnose » (I, 29, 3). La secte qu'il désigne là semble différente de celle de Prodicos ; elle est en effet de coloration séthienne, par la référence à Barbélo ; or la gnose que les commentateurs modernes qualifient de « séthienne » (voir notamment J.D. Turner, dans *Écrits gnostiques. La bibliothèque de Nag Hammadi*, p. xxxvi-xliii) appartient plutôt à « la race sans roi » (voir L. Painchaud, « La " Génération sans roi " et la réécriture polémique de quelques textes de Nag Hammadi », *Apocrypha* 8, 1997, p. 45-69, et dans *Écrits gnostiques. La bibliothèque de Nag Hammadi*, p. 411), alors que les disciples de Prodicos se qualifient de « fils de roi ». Sans doute veulent-ils dire par là qu'ils possèdent déjà le Royaume, en raison de leur connaturalité avec « le premier Dieu ». L'autodésignation « gnostiques » ne peut correspondre à une secte distincte (voir E. Cregheur, « Pachôme et les gnostiques », *VigChr* 70, 2016, p. 565-589). Les polémistes chrétiens, Irénée et Clément, ont retenu cette mention au sujet seulement des courants jugés licencieux, pour mieux dénoncer le scandale de l'usurpation d'un titre et d'une « connaissance » que les écrits pauliniens avaient mis en valeur (et que Clément revendique avec constance). Le proverbe auquel renvoie O. Stählin (*GCS* 15, p. 210), en se référant à A. Otto, *Die Sprichwörter und sprichtwörtlichen Redensarten der Römer*, Leipzig 1899 (Hildesheim 1988), p. 299, ne correspond guère au contexte : « Pour le fou et le roi il n'est pas de loi écrite. »

3. L'anecdote sur Aristote de Cyrène et Laïs (50, 4 - 51, 1)

> « Seul Aristote de Cyrène dédaignait Laïs, qui l'aimait. Après avoir juré à la courtisane de l'emmener dans sa patrie, si elle l'aidait contre ses concurrents, lorsqu'elle eut réussi, il tint son serment avec esprit : il fit peindre d'elle le portrait le plus ressemblant et l'emporta à Cyrène, comme le raconte Istros dans son ouvrage *Sur la nature particulière des joutes athlétiques*. »

Élien rapporte ainsi l'anecdote relative à un certain Eubatas (et non Aristote) : « Lorsque Laïs vit Eubatas de Cyrène, elle s'éprit éperdument du jeune homme et lui parla de mariage. Il eut peur de s'exposer à une vengeance de la femme et lui promit qu'il exaucerait ses voeux. Il faut préciser qu'Eubatas n'avait pas commerce avec elle, car il vivait avec réserve. Sa promesse devait se réaliser après les jeux. Donc, après sa victoire, pour ne pas avoir l'air de rompre les accords conclus avec elle, il fit un portrait de Laïs et l'emporta à Cyrène, prétendant emmener Laïs et respecter ainsi le contrat. Reconnaissante de sa vertu, sa femme légitime fit dresser à Cyrène en son honneur une statue colossale » (ÉLIEN, *Histoire variée* X, 2, trad. A. LUKINOVICH – A.-F. MORAND, Paris 1991, p. 103, du texte grec édité par M.R. DILTS, Leipzig 1974). On voit que la version que doit Clément à Istros est différente. Il connaît un autre ouvrage de cet érudit (*Strom.* I, 106, 1), élève de Callimaque, historien, lexicographe, auteur d'écrits sur les épiphanies des dieux, dont il ne reste que des fragments (voir W. SPÖRRI, « Istros 4 », dans *Der Kleine Pauly* II, col. 1478 s.). Il connaît aussi le mot du philosophe Aristippe de Cyrène : « Je possède Laïs, mais elle ne me possède pas » (*Strom.* II, 118, 2). Il faut supposer qu'Aristote de Cyrène, lui, comme Eubatas dans la version d'Élien, n'avait pas « commerce » avec Laïs, à la différence d'Aristippe, et que c'est comme athlète, non comme philosophe, qu'il figure dans l'anecdote (sur ce philosophe grec, mentionné aussi par DIOGÈNE LAËRCE, *Vies* II, 113, voir la notice 412 du *DPhA*, I, p. 411, par F. CAUJOLLE-ZASLAWSKY).

4. Le fragment de la *Lettre à Agathopous* de Valentin (59, 3)

« En supportant tout, il était continent ; Jésus pratiquait la divinité ; il mangeait et buvait d'une manière qui lui était propre, sans rejeter les aliments. Telle était la force de sa continence que la nourriture, en lui, ne se corrompait pas, puisque lui-même n'avait pas le principe de la corruption. »

Le fragment de Valentin est trop succinct pour que toute sa portée soit parfaitement claire. La traduction « Jésus pratiquait la divinité » correspond à l'étrangeté de l'expression, tout en reflétant un tour classique signifiant « pratiquer » un art, ou une vertu, attesté aussi dans le Nouveau Testament (Ac 10, 35). Les conjectures multiples pour amender le texte de L sont inutiles. On peut prendre la « divinité » (θεότης) comme une capacité inamovible de Jésus, qu'il réalisait. Ce choix est proche des solutions qui ont la faveur de C. MARKSCHIES, *Valentinus Gnosticus?* (p. 97), sans recourir à la conjecture ajoutant κατὰ τὴν (« Jésus agissait *selon sa* divinité »).

C. Markschies donne une étude approfondie de ce fragment de lettre de Valentin (*ibid.*, p. 83-117) et montre qu'il ne faut pas y voir une forme de docétisme, mais la recherche d'une voie moyenne, en christologie, entre l'affirmation néotestamentaire de la réalité de la corporéité de Jésus et la négation qui serait la réponse extrême aux objections de type platonicien, une solution qu'on ne doit pas confondre non plus avec les représentations du valentinisme ultérieur. En somme l'idée serait que pour Jésus se nourrir n'était pas une nécessité, mais que, peut-être, les aliments qu'il prenait, par l'effet de la transformation particulière que sa divinité était capable de leur faire subir, étaient assimilés à son corps sans reste, et donc sans destruction ni corruption. Cette interprétation, qui fait de Jésus l'ascète plus que parfait, est précisée par W.A. LÖHR, « A Variety of Docetism : Valentinus, Basilides and Their Disciples », dans J. VERHEYDEN *et al.* (éd.), *Docetism in the Early Church. The Quest for an Elusive Phenomenon*, Tübingen 2018, p. 231-260 (ici p. 232-235).

5. Clément en *Strom.* III, 63, 4 et Basilide d'après *Strom.* II, 36, 1

> « D'autre part, la génération et la corruption qui sont dans la création ont nécessairement le premier rôle jusqu'à la désagrégation définitive et au rétablissement de l'élite ; grâce à cela, les substances mêlées au monde sont rendues à leur propriété. »

Il faut mettre en relation ce passage avec la paraphrase d'un fragment de Basilide insérée en *Strom.* II, 36, 1. Le trait commun

est que la visée eschatologique concerne le salut de « l'élite »
(ἐκλογή). La différence est que, pour Basilide, la crainte de
l'Archonte (équivalent du Démiurge des valentiniens), figurée
par la stupeur de Jean lors de l'apparition de l'Esprit au baptême de Jésus, le met au service de la « sagesse » (cf. Pr 1, 7) du
Dieu transcendant, inaugurant ainsi un temps nouveau de la
Création, orienté vers l'accomplissement (selon l'interprétation
de W.A. Löhr, *Basilides*, p. 62-78), alors que, pour Clément,
un seul et même « principe » (*Strom.* II, 37, 1) gouverne pro-
videntiellement l'histoire tant du monde contingent que des
réalités supérieures. Cette différence donne raison, dans le cas
de Clément, à André Méhat, quand il refuse de voir dans
« l'apocatastase » le sens de « restauration », de « rétablissement » dans l'état primitif, selon la similitude prônée plus tard
par Origène entre le début et la fin (« 'Apocatastase' : Origène,
Clément d'Alexandrie, Act. 3, 21 », p. 196-214 ; « *Apocatastasis*
chez Basilide », dans *Mélanges d'histoire des religions offerts à
Henri-Charles Puech*, Paris 1974, p. 365-373). L'ordre ultime,
caractérisé par la séparation des « substances » (ou des « êtres »)
qui permettra à « l'élite » de jouir de la place qui lui convient, ne
peut se parfaire sans l'agrégation libre à cette « élite » de fidèles
choisissant d'adhérer aux commandements et à la connaissance
révélés par le Logos divin, contrairement à la prédestination
« naturelle » que reproche Clément à Basilide. Sa doctrine
peut être éclairée par un passage du *QDS* (36), qui transforme
lui aussi des représentations gnostiques du salut de « l'élite »,
sous le signe d'une séparation purificatrice coïncidant avec la
dissolution du monde empirique, marqué par le mélange, une
fois que cette « élite », lien du mélange, aura été entièrement
rassemblée. La réflexion originale de Clément se détache sur
le fond d'une opinion commune remontant aux atomistes,
qu'Aristote rappelle au moment de construire sa propre
théorie dans son traité *De la génération et de la corruption*,
315b 16-18 : « Presque tout le monde est d'avis ... que les processus de génération et de corruption reviennent à l'association
et à la dissociation » (éd. et trad. M. Rashed, *CUF*, 2005).

6. Tatien le Syrien (81, 1-2)

« Tatien le Syrien », né en haute Mésopotamie, dans une famille païenne, converti, de culture à la fois grecque et sémitique, a revendiqué son identité « barbare » pour en faire un privilège chrétien (voir A. TIMOTIN, « Σοφία barbare et παιδεία grecque dans le *Discours aux Hellènes* de Tatien », dans S.H. AUFRÈRE – F. MÖRI (dir.), *Alexandrie la divine. Échanges et réappropriations dans l'espace culturel gréco-romain,* Genève 2016, p. 553-574). Il a été disciple de Justin à Rome avant de regagner l'Orient (sur sa vie et ses œuvres, voir la notice d'Hélène GRELIER DENEUX, avec bibliographie, dans *Premiers écrits chrétiens*, p. 1303-1308, et sa traduction du discours *Aux Grecs*, p. 588-626). Les sources anciennes, depuis IRÉNÉE (*Contre les hérésies* I, 28, cité en grec par EUSÈBE, *Histoire ecclésiastique* IV, 29, 2-3), rapportent qu'après la mort de son maître il se sépara de l'Église en condamnant le mariage et le font appartenir aux « encratites ».

La citation de Clément est le seul extrait conservé de son ouvrage *De la perfection selon le Seigneur.* Irénée fait de la négation du salut d'Adam le trait distinctif de la doctrine de Tatien, ce dont Clément ne parle pas, et le rapproche de Valentin (il aurait imaginé lui aussi des Éons invisibles) et de Marcion et Saturnin (pour avoir réduit le mariage à la corruption et à la débauche). C'est par d'autres voies, par le jeu des associations et insinuations, que Clément va suggérer l'existence d'un lien entre Tatien (et Jules Cassien) et Valentin (voir A. LE BOULLUEC, *La notion d'hérésie*, p. 346-350. Une analyse minutieuse du développement 81-84 et de la polémique de Clément est menée par F. BOLGIANI, « La tradizione eresiologica », p. 97-116).

Dans le titre *De la perfection selon le Seigneur,* le mot καταρτισμός signifie plus exactement « perfectionnement », comme en Ep 4, 12, d'après l'un des emplois du verbe καταρτίζω, « entraîner », « former par l'exercice » (cf. Lc 6, 40 ; Ga 6, 1 ; 2 Co 13, 11), le sens premier étant « ajuster », « façonner », fréquent dans la Septante, en particulier dans les Psaumes.

7. Le débat sur l'expression « mari d'une seule femme » (90, 1)

« Bien entendu, [l'Apôtre] approuve aussi sans restriction l'homme qui n'a eu qu'une seule femme, qu'il soit presbytre, diacre ou laïc, s'il use du mariage d'une manière irréprochable. »

Le débat est présenté par E. Cattaneo, *Les ministères dans l'Église ancienne. Textes patristiques du Iᵉʳ au IIIᵉ siècle*, traduit de l'italien par A. Bastit – C. Guignard, Paris 2017, p. 117-118). Ou bien l'on fait porter « s'il use du mariage d'une manière irréprochable » exclusivement sur le « laïc » (ainsi C. Cochini, *Origines apostoliques du célibat sacerdotal*, Paris – Namur 1981, p. 175-176, qui pense à l'admission à l'épiscopat), ou bien on la met en facteur commun avec les termes du trio « presbytre », « diacre », « laïc » (ainsi R. Gryson, *Les origines du célibat ecclésiastique du premier au septième siècle*, Gembloux 1970, p. 12-13, pour qui le souci de Clément n'est pas que l'accès aux fonctions ecclésiastiques soit réservé au « mari d'une seule femme », mais qu'il soit normal que le candidat soit un homme marié et père de famille). La première interprétation tient à énoncer la règle selon laquelle une hiérarchie s'établirait entre les candidats, prêtres et diacres s'opposant aux laïcs comme ayant renoncé à l'usage, même irréprochable, de leurs droits conjugaux. Elle est plutôt anachronique. La seconde, syntaxiquement plus correcte, reste prise dans la qualification des candidats aux fonctions cléricales.

8. La réponse du Seigneur à Salomé (92, 2)

« C'est bien pourquoi Cassien affirme : 'Salomé ayant demandé quand serait connue la réponse aux questions soulevées, le Seigneur répondit : Quand vous foulerez aux pieds le vêtement de la honte et que les deux ne feront qu'un, le masculin avec le féminin, sans masculin ni féminin.' »

La réponse du Seigneur à Salomé invoquée par Cassien complète l'enseignement sur la suppression de l'union sexuelle. La première partie de cette parole, empruntée à l'*Évangile des*

Égyptiens, ressemble fort au *logion* 37 de l'*Évangile selon Thomas* et la seconde à des formules du *logion* 22. Les divergences font cependant conclure que les deux évangiles ont élaboré chacun à sa manière une source commune de « dits » du Seigneur (A. LE BOULLUEC, « De l'*Évangile des Égyptiens* à l'*Évangile selon Thomas* », p. 262). On notera l'expression propre au *logion* 37 : « Lorsque, pareils à de petits enfants, vous vous déshabillerez sans avoir honte et que vous prendrez vos vêtements et les piétinerez... » (trad. C. GIANOTTO, *EAC* 1, p. 41). La référence à l'innocence de la nudité première d'Adam et Ève, à restaurer, n'est pas explicite dans l'*Évangile des Égyptiens*, qui renvoie plus clairement que l'*Évangile selon Thomas* au symbolisme des « tuniques de peaux » de Gn 3, 21. Quant à la mention de l'effacement de la distinction du masculin et du féminin, elle intervient dans le *logion* 22 au sein d'énoncés plus amples, qui concernent l'entrée dans le Royaume, et dont H.-C. PUECH a montré l'importance, comme « la clef du système spéculatif » qui sous-tend la doctrine théorique et pratique du salut particulière à l'*Évangile selon Thomas* (*En quête de la gnose*, II, *Sur l'Évangile selon Thomas. Esquisse d'une interprétation systématique*, Paris 1978, p. 282).

Une autre forme du même dit, très proche de celle de l'*Évangile des Égyptiens*, se trouve chez le PSEUDO-CLÉMENT DE ROME, *Deuxième épître aux Corinthiens* 12, 2 (voir T. BAARDA, *Early Transmission of Words of Jesus*, Amsterdam 1982, p. 261-268).

9. Les « tuniques de peaux » de Gn 3, 21 (95, 2)

« Quant aux 'tuniques de peau', Cassien considère que ce sont les corps, ce en quoi il s'est trompé, lui et ceux qui professent des doctrines semblables, comme nous le montrerons plus loin, lorsque nous entreprendrons l'explication de la naissance de l'homme, à la suite de ce que nous devons d'abord traiter. »

La remarque de Clément est trop elliptique pour que l'on sache si son adversaire épousait les subtilités de la représentation valentinienne, qui faisait de ces tuniques « l'élément charnel

perceptible par les sens », la dernière enveloppe de l'homme
« terrestre (choïque) » (cf. Gn 2, 7), modelé, lui, de substance
légère et invisible (voir Irénée, *Contre les hérésies* I, 5, 5 ; cf. I,
30, 9, à propos des ophites ; Tertullien, *Contre les valentiniens*,
24, 2-3 ; *SC* 280, p. 130-131, avec les notes de J.-C. Fredouille,
SC 281, p. 314-315 ; Clément, *ET* 55, 1).

Procope de Gaza a constitué un dossier contre les explications allégoriques de Gn 3, 21 (*Eclogarum in libros historicos
veteris testamenti epitome*, Teil 1 : *Der Genesiskommentar*, éd.
K. Metzler, *GCS*, NF 22, Berlin – Boston 2015, p. 151) que
P.F. Beatrice a étudié à fond (« Le tuniche di pelle. Antiche
letture di Gn 3, 21 », p. 433-462). Procope fait allusion à notre
passage (éd. Metzler, p. 151, l. 51). Un fragment caténal d'Acace
de Césarée, le successeur d'Eusèbe, introduit ainsi la phrase de
Clément sur cette exégèse de Cassien (sans les mots signifiant « à
la suite de ce que nous devons d'abord traiter ») : « Et Clément,
vers la fin du troisième *Stromate*, critique une telle opinion, en
blâmant un certain hérétique en ces termes ». Acace y joint une
citation de Clément rejetant la préexistence des âmes, qu'il dit
provenir du huitième *Stromate* et que l'on lit maintenant dans
les *Églogues prophétiques* (17, 1-2a), une information utile pour
imaginer le lien entre la suite des *Stromates* et les *Hypotyposes*
(voir A. Le Boulluec, « *Clément d'Alexandrie* », dans
B. Pouderon (dir.), *Histoire de la littérature grecque chrétienne*,
t. III, Paris 2017, p. 142-146). Le fragment d'Acace est édité par
F. Petit, dans *Catenae Graecae in Genesim et in Exodum*, II,
Collectio Coisliniana in Genesim, *CCG* 15, Turnhout 1985, p. 122.

INDEX

INDEX SCRIPTURAIRE

Les chiffres de droite renvoient aux paragraphes de l'œuvre. Les lettres minuscules qui suivent renvoient aux appels de notes. Les références en caractères *italiques* indiquent les allusions.

ANCIEN TESTAMENT

NOUVEAU TESTAMENT

INDEX DES AUTEURS CITÉS
par Clément d'Alexandrie

DITS ET ÉCRITS CHRÉTIENS

Agrapha et apokrypha

Épître de Barnabé

BASILIDE-ISIDORE

CASSIEN (JULES)

Sur la continence

Clément de Rome

Épître aux Corinthiens

46, 8   **107** c

Écrit gnostique

                              29 a

Épiphane

Sur la justice

Fr. 6-8 Völker   **7** a
Fr. 7, 3-8, 2 Völker   **8** a
Fr. 8, 3 Völker   **8** b
Fr. 9, 3 Völker   **9** g

Évangile (grec) des Égyptiens

Apokryphon 34 a Resch   **45** b
Apokryphon 34 b Resch   **64** a c
Apokryphon 34 d Resch   **63** a
Apokryphon 34 e Resch   **66** b
Apokryphon 34 f Resch   **92** a

Traditions de Matthias

Fr. 2 Preuschen   **26** b ; cf. **25** c

Évangile selon Thomas

Logion 22   **92** b
Logion 27   **99** a
Logion 37   **92** b

Tatien

Fr. 5 Schwartz	**81** e
Fr. 6 Schwartz	**82** f

Valentin

Fr. 3 Völker	**59** b

Auteurs anciens

Alexandre Polyhistor

Indica

Fr. 273, 18 Jacoby	**60** a

Cassianus Bassus

Géoponiques

II, 35, 5	**24** d

Empédocle

Catharmes

Fr. 118 D.-K.	**14** b
Fr. 124 D.-K.	**14** d
Fr. 125 D.-K.	**14** c

Euripide

Iphigénie à Aulis

161-163	**23** a

Suppliantes

269-270	**23** c
Fr. 211 (*Antiope*)	**23** b

INDEX DES NOMS PROPRES

INDEX DES MOTS GRECS

394 INDEX

412 INDEX

ILLUSTRATION ORIGINALE DU *STROMATE* III
PAR MARCEL CASTER

TABLE DES MATIÈRES

SOURCES CHRÉTIENNES

Fondateurs : † H. de Lubac, s.j.
† J. Daniélou, s.j. ; † C. Mondésert, s.j.
Directeur : G. Bady
Directrice adj. (projets numériques) : L. Mellerin

Dans la liste qui suit, dite « liste alphabétique », tous les ouvrages sont rangés par noms d'auteurs anciens et titres d'ouvrages anonymes, les numéros précisant pour chacun l'ordre de parution depuis le début de la collection.

Pour une information plus complète, une « liste numérique » est téléchargeable sur le site Internet, à l'adresse suivante : *www.sourceschretiennes.mom.fr*. Elle présente les volumes et leurs auteurs actuels d'après les dates de publication ; elle indique également les réimpressions et les ouvrages momentanément épuisés ou dont la réédition est préparée.

On peut se la procurer aussi au secrétariat des « Sources chrétiennes », 22 rue Sala, F-69002 Lyon (Tél. : 04 72 77 73 50 et Courriel : *sources.chretiennes@mom.fr*).

LISTE ALPHABÉTIQUE (1-608)

PROCHAINES PUBLICATIONS

LES ŒUVRES DE PHILON D'ALEXANDRIE
publiées sous la direction de
R. ARNALDEZ, C. MONDÉSERT, J. POUILLOUX.
Texte original et traduction française

ACHEVÉ D'IMPRIMER
EN MARS 2020
SUR LES PRESSES
DE
L'IMPRIMERIE F. PAILLART
À ABBEVILLE

DÉPÔT LÉGAL : 1er TRIMESTRE 2020
N^o. IMP. 16484